Uni-Taschenbücher 91

UTB

Eine Arbeitsgemeinschaft der Verlage

Birkhäuser Verlag Basel und Stuttgart
Wilhelm Fink Verlag München
Gustav Fischer Verlag Stuttgart
Francke Verlag München
Paul Haupt Verlag Bern und Stuttgart
Dr. Alfred Hüthig Verlag Heidelberg
J. C. B. Mohr (Paul Siebeck) Tübingen
Quelle & Meyer Heidelberg
Ernst Reinhardt Verlag München und Basel
F. K. Schattauer Verlag Stuttgart-New York
Ferdinand Schöningh Verlag Paderborn
Dr. Dietrich Steinkopff Verlag Darmstadt
Eugen Ulmer Verlag Stuttgart
Vandenhoeck & Ruprecht in Göttingen und Zürich
Verlag Dokumentation München-Pullach

Alois Wierlacher, Hrsg.

Fremdsprache Deutsch

Grundlagen und Verfahren der Germanistik als Fremdsprachenphilologie

Band II

Wilhelm Fink Verlag München

ISBN 3-7705-1812-8

Satz und Druck: Allgäuer Zeitungsverlag GmbH, Kempten (Allgäu)
Buchbindearbeiten: Großbuchbinderei Sigloch, Stuttgart
Einbandgestaltung: Alfred Krugmann, Stuttgart

INHALT

Alois Wierlacher

Literaturlehrforschung des Faches Deutsch als Fremdsprache

Zugleich eine Einführung in Absicht und Funktion des vorliegenden Bandes

Vorbemerkung

Ein ernsthaftes wissenschaftliches Interesse an der Erforschung der Vermittlungsprozesse deutscher als fremdkultureller Literatur hat noch kaum eingesetzt[1]. Während die Sprachlehrforschung des Deutschen als Fremdsprache ihr Vorhaben deutlich konturiert hat[2], gibt es in unserem Fall nicht einmal den entsprechenden Begriff, von der Sache selber ganz zu schweigen. Dieses Defizit bewußt zu machen und erste Schritte zu tun, um es zu beheben, ist Absicht und Funktion des vorliegenden Bandes; die hier versammelten Beiträge wollen als Anstöße und Prolegomena auf dem Weg zu einer Literaturlehrforschung des Faches Deutsch als Fremdsprache verstanden werden.

Entsprechendes gilt für den folgenden Einführungsbeitrag selbst. Die gegenwärtige Diskussionslage erlaubt nicht mehr als eine Skizze einiger Aufgabenbereiche. Den Begriff der Literaturlehrforschung führe ich ein, um die Fragestellungen, die eine lernerzugewandte Literaturwissenschaft verfolgt, von Anfang an herauszulösen aus dem primär schulischen Horizont, der mit dem Begriff der 'Literatur*didaktik*' verbunden ist; dieser wird als Unterbegriff, jener als Oberbegriff aufgefaßt. Die Literaturlehrforschung Deutsch als Fremdsprache betrifft also sowohl den gesteuerten Umgang mit deutscher als fremdkultureller Literatur aller drei Ausbildungsstufen als auch den gesteuerten Textumgang der Erwachsenenbildung jenseits dieser Ausbildungsbereiche (extension courses etc.).

1.0 *Rahmenbedingungen der Literaturvermittlung als Forschungsgegenstand*

Die Literaturlehrforschung deutscher als fremdkultureller Literatur beginnt nicht mit der Festsetzung des Literaturbegriffs sondern mit der Analyse der Rahmenbedingungen, unter denen das Literaturstudium erfolgt. In dieser Analysetätigkeit trifft sich die Literaturlehrforschung mit der Sprachlehrforschung des Faches Deutsch als Fremdsprache, die dargetan hat, daß die Vermittlungsprozesse Funktionen der sozialen und kulturellen Dimensionen sind, denen sie unterliegen; die literarische Rezeptionsforschung ist zu vergleichbaren Ergebnissen gekommen. Faktoren der sozialen und kulturellen Dimensionen sind unter anderem die den Unterricht steuernden Lehrer- und Lernerkonzepte, die Wissenschaftskontexte, die materiellen Bedingungen des Lehrens und Lernens, die differente Lernbereitschaft, die kulturvariablen Lernweisen und institutionellen Lehr- und Lernzielvorgaben.

1.1 *Die literarische Sozialisation*

Eine erste und allgemeine Aufgabe der Literaturlehrforschung – verweisend auf den kulturvergleichenden Horizont des Faches – ist die Feststellung der verordneten eigen- und fremdkulturellen Literatur in den internationalen Schul- und Hochschulbereichen. Sie betrifft Sichtung und Analyse von Lehrplänen, Richtlinien, Erlassen, die in diesen Anweisungen implizierten Literaturbegriffe und literarischen Kanonbildungen sowie die kulturellen Lernkonzepte im Umgang mit Literatur, die die Funktionssetzung von Literaturstudien überhaupt steuern, insbesondere von imaginativen Texten. Ziel dieser Arbeit ist unter anderem die Erforschung des literarischen Horizonts der schulischen Sozialisation des Lernenden, um Kenntnisse über Anknüpfungsmöglichkeiten der Vermittlung von fremdkultureller Literatur zu gewinnen. Die oft vermutete und behauptete Relevanz dieses Horizonts für den produktiven Umgang mit fremdkultureller Literatur wird im Beitrag Eberhard Freys im vorliegenden Band mithilfe empirischer Forschungen bestätigt[3].

Zur Aufarbeitung der verordneten Literatur gehört auch die Überprüfung der muttersprachlichen Sprachlehrmaterialien; die Gründe für diesen Einbezug sowie seine leitende Fragestellung macht der unten folgende Abschnitt über Lehrwerkkritik deutlich. Eine weitere Aufgabe der Literaturlehrforschung des Faches Deutsch als Fremdsprache ist die systematische Dokumentierung von für den Studienbereich besonders wichtigen Neuerscheinungen[4]. Diese außerordentlich bedeutsame Tätigkeit wäre abzusichern durch Einrichtung eines Sondersammelgebietes, das die wichtigsten der wichtigen Neuerscheinungen einschließlich Sprachlehrbüchern und Anthologien umfaßt, die Christian Grawe im vorliegenden Band[5] mit Recht zu den Hauptarbeitsmaterialien des internationalen Faches Deutsch zählt. Verbunden mit dieser Aufgabe bilden Gründung und Führung eines Informationszentrums, einer 'Anlaufstelle', ein dringendes Desiderat: es geht um die immer wieder gewünschte Hilfe bei der *Vor*auswahl von Texten – hierher gehört denn auch eine kategoriale Unterstützung der von Inter Nationes und anderen Mittlerorganisationen geleisteten praktischen Literaturvermittlung.

1.2 *Lehrwerkkritik*

Sichtung und Erarbeitung von Lehrmaterialien implizieren eine Lehrwerkkritik und zwar eine, die sich nicht auf die Literaturlehrmaterialien beschränkt, sondern als Literaturlehrforschung insonderheit die Sprachlehrwerke einbezieht; denn der fremdkulturelle Lerner kommt in aller Regel auch mit der fremdkulturellen Literatur zuerst im Medium von Sprachlehrwerken in Berührung. Der von diesen der Literatur und ihren Varianten eingeräumte Stellenwert ist bereits eine der inhaltlichen Aussagen, Wertungen und Konzeptualisierungen, denen der Lernende unterworfen wird. Innerhalb der Erforschung der Rahmenbedingungen der Literaturvermittlung gehört darum die Lehrwerkkritik zu den vordringlichen Arbeiten der Literaturlehrforschung. Dabei wird es nicht zuletzt ihre Aufgabe sein, die Fragwürdigkeit der weit verbreiteten Ansicht aufzudecken, der literarische Text im Sprachunterricht habe, wenn überhaupt eine, dann die ancilla-Aufgabe, dem Spracherwerb zu Diensten zu sein. Sie wird also den Konsens der Sprachdidaktiker infrage stellen müssen, den Ulrich Engel konstatiert: "Bei allen Divergenzen in grundsätzlichen wie in Detailfragen besteht heute ein ziemlich allgemeiner Konsens darüber, daß der Fremdsprachenunterricht in erster Linie eine zielsprachliche Kompetenz aufzubauen hat. Damit verbunden sind Nebenziele vorwiegend inhaltlicher Art, Einführung in die Zielkultur und deren Normensystem, Relativierung von Seh- und Urteilsweisen u. a.; im Mittelpunkt steht jedoch die Vermittlung der Fähigkeit, in der Zielsprache zu kommunizieren".[6] Dieser Konsens mag für den schulischen bzw. jugendlichen Fremdsprachenunterricht vielleicht noch akzeptabel sein, für den Erwachsenenunterricht ist er es sicher nicht. Denn hier sind die in der natürlichen Sprache immer mitgegebenen Inhalte schon deshalb als Lehr- und Lerngegenstand gleichwertig, weil zur angestrebten Bewältigungskompetenz von Kommunikationsproblemen in der Zielsprache auch gehört, die Situationen, denen man ausgesetzt ist, einer inhaltlichen, wertenden Prüfung (Definition) zu unterziehen. Man hat vielfach vergessen, daß eine der grundlegenden pädagogischen und didaktischen Maximen des Erwachsenenunterrichts – in den das Hochschulstudium eingebettet ist – die Ausbildung einer Urteilsfähigkeit des Lernenden ist, worunter die Kompetenz verstanden wird, sich Selbstverständigungsprozessen auszusetzen und zu Sachverhalten differenziert Stellung nehmen zu können. Wenn aber Situationen nicht nur 'bewältigt' sondern auch bedacht werden sollen, ist die Zielplanung jedes Sprachunterrichts erheblich zu ändern in etwa der Weise: im Mittelpunkt steht die Befähigung zur sprachlichen *und* kategorialen Kompetenz, in der Fremdkultur zu kommunizieren.

Doch in diese Freiheit kritischer Kompetenz wird der Lernende schon darum von den Lehrwerken nicht gesetzt, weil er nicht als Leser ernstgenommen wird. Als solchen hat man ihn so gut wie gar nicht wahrgenommen. Unter unserer Perspektive ist mithin das Fremdsprachenstudium Deutsch um die Kategorie des Lernenden als eines *lesenden* Lerners und lernenden *Lesers* zu erweitern. Auch die berüchtigten Normierungszwänge zahlreicher Sprachlehrwerke sind ja nicht zuletzt eine Funktion vornehmlich großer Leserferne, die sprachimitative Lernhaltungen fordert und voraussetzt. Diese Erwartung der Lehrwerke wurzelt ihrerseits allerdings nicht nur in den Lehrzielen der Sprachlehrwerke sondern auch in einer Vorstellung von Literatur, die deren Prozeß-Charakter übergeht, am alten Gegenstandsbegriff von Literatur festhält und die literarische Medialität mit der Folge verkennt, daß der lernende Leser und lesende Lerner nolens volens illiterarisiert wird und später große Schwierigkeiten hat, mit Literatur anders als mit Übungssätzen umzugehen – die Unterrichtserfahrungen bestätigen diesen Befund – nämlich *selbst*bewußt und nicht *regel*bewußt. Die Hermeneutik hat die Sprachlehrwerke keineswegs nur zu deren Glück so gut wie nicht erreicht. Schon die Terminologie der Sprachdidaktik, die zwischen 'Ausgangssprache' und 'Zielsprache' unterscheidet, unterbindet und verstellt den Rekurs des Lernenden auf sich selbst, tabuisiert den vergleichenden Frageimpetus, der Ausgangsprobleme auch als Zielprobleme erkennt und anerkennt. Das im Einführungsaufsatz von Band 1 konstatierte Vergessen des Bildungshorizontes der Auslandsausbildung[7] tut sein übriges. Entsprechend ist kaum eines der in der Bundesrepublik Deutschland auf den Markt gebrachten Lehrwerke für den Bereich des Deutschen als Fremdsprache auf die Idee gekommen, die semantische Differenz von Begriffen oder Konzepten als eine kulturelle Differenz zu begreifen und zu konturieren, obwohl doch bereits in so einfachen Sätzen wie dem von der Art 'das ist ein Haus' kulturspezifischer Inhalt vermittelt bzw. die Semantik andererseits kulturspezifisch vom lernenden Leser konstituiert wird. Was Wunder, daß erst in den jüngsten Bearbeitungen die Rollenidentifizierungen von Kind und Lerner abgeschwächt worden sind und man die schriftstellerische Aktivität der Lehrwerke, selbst mit einem Arrangement von Beispielsätzen Texte zu konstituieren, etwas weniger forsch und normativ handhabt.[8] Immer noch erwecken zahlreiche Lehrwerke den Eindruck, als sei mit der Aneignung des Zeicheninventars und der grammatischen Regularitäten der Lernende zur Bewältigung sämtlicher Lebenssituationen bestens ausgestattet, nun könne nichts mehr schiefgehen; die Lehrwerke versichern in ihren programmatischen Erklärungen unermüdlich, sie vermitteln "immer differenziertere Kommunikationsbereitschaft und -fähigkeit", versetzten in die Lage, "kompetent... zu reagieren" usw.[9] Doch was sie preisen und anpreisen ist nichts als Anpassung und Angleichung, Stattgeben und Befolgen, Nachkommen und Regelvollzug – sie klären nicht auf, sondern richten ab.

Schon der Begriff der 'Kommunikationsbereitschaft' ist im vorliegenden Zusammenhang, abgesehen von der hochtrabenden Versicherung, kompetentes Reagieren zu lehren, ein Irrlicht. Die Reklame läßt sowohl vergessen, daß die Bewältigung von Lebenssituationen (in der Fremdkultur) eine inhaltliche Konfrontation des Lernenden einschließt, die eine bewertende Stellungnahme (Definition der Situation) impliziert, als auch, daß eben diese Konfrontation die Situation selber erst konturiert/konstituiert. (Denn so wenig ein Leser als Subjekt dem Text als Objekt gegenübersteht, so wenig steht der Lernende als Subjekt der zu bewältigenden Lebenssituation als Objekt gegenüber. Schon die naturwissenschaftliche Unschärfenrelation hat klargemacht, daß dieses ontologische Konzept von einer klaren Scheidung zwischen Subjekt und Objekt der Wirklichkeit nicht entspricht.) Zugleich unterbindet man die Aktivität des Lernenden, sich die Bewertung, die er der Situation entgegenbringt, selber bewußt zu machen.

Ein Beispiel. Im Lehrwerk Adler/Steffens (1978) gibt es einen narrativen Text, der den Titel trägt "Meuterei in einem Mädchenwohnheim". Er erzählt vom Aufstand der Mädchen gegen die Hausordnung, die sie für eine "Gefängnisordnung" halten, da Herrenbesuch auf den Zimmern der Mädchen generell untersagt ist, aber die Autoren der Gefängnisordnung nicht bedacht hätten, "daß hier keine Kinder, sondern Studentinnen mit einem Durchschnittsalter von 23 Jahren wohnen". Das Lösungsheft schreibt die Rezeptionsweise dieses Textes bereits im Titel des betreffenden Abschnittes durch den satirischen Titel "Liebe nach Paragraphen" vor und läßt die fiktive Handlungsfigur auf Artikel 2 des Grundgesetzes der Bundesrepublik Deutschland verweisen, wo es heißt: "Jeder hat das Recht auf die freie Entfaltung seiner Persönlichlichkeit. Und das Grundgesetz gilt doch auch in der Nacht, nicht wahr?"[10]

Eingebettet ist der Text in einen Vergleich mit Vermietungspraktiken einer Wohnheimgesellschaft und wird somit noch mehr von jeder anderen als der vorgeschriebenen Leseweise abgeschirmt. Es wird unterschlagen, daß die Hausordnung Funktion substituierter kultureller Geltungen ist, nämlich des Grundgesetzes und seines Geltungsbereiches, von dem man völlig abstrahiert. Statt Inhalte mehrperspektivisch zu vermitteln, weil jede Information bereits Folge einer vorgängigen Einschätzung (Bewertung) dieser ausgewählten Information ist, verharrt man in der eindimensionalen Ausblendung kultureller Vorprägungen, Wertsetzungen und Absichten. Auch der im Gegensatz zu vielen anderen Sprachlehrwerken kritische Ansatz Adler/Steffens nimmt den Lernenden nicht als Leser ernst, auch hier bleibt der *lesende* Lerner erst noch zu entdecken und als solcher in Freiheit zu setzen. Für die Literaturlehrforschung gilt also: die Sprachlehrwerke mit ihrer ständigen Kritik zugunsten des Lesers zu begleiten[11], den fremdsprachlichen Deutschunterricht zum Zweck der Einübung perspektivischen Sehens und bedingungsbewußten Argumentierens zu einem wesentlich legetischen Unterricht zu machen und sich in entsprechendem Umfang an der Ausarbeitung von Lehrmaterialien zu beteiligen. In Hinsicht auf curriculare Ausbildungsplanungen plädiert die Literaturlehrforschung unseres Faches dringend dafür, Übungen zur Lehrwerkkritik in die Obligatorik literaturwissenschaftlicher Veranstaltungen aufzunehmen, die gemeinsam mit der Linguistik und der Landeskunde durchgeführt werden. Die literaturwissenschaftliche Komponente wird ihrerseits Sorge tragen, daß, der Überwindung provinziellen Revierdenkens entsprechend, literaturdidaktische Arbeit (wie die Verfertigung von Studienbüchern für den literaturgeschichtlichen Unterricht oder die Mitarbeit an der Ausarbeitung von Sprachlehrwerken) als wissenschaftliche Leistung mindestens ebenso anerkannt wird wie die hundertfünfzigste Untersuchung über Franz Kafka. Und jede Komponente des Faches wird sich mit ähnlicher Bewertung der curricularen und organisatorischen wissenschaftlichen Bemühungen annehmen.

1.3 *Leseforschung*

Es ist zweifellos eine der großen Aufgaben einer Literaturlehrforschung Deutsch als Fremdsprache, die den Rezeptionsprozessen bzw. Konkretisationen literarischer Texte zugrundeliegende Problematik des Lesens fremdkultureller Texte zu erforschen. Diese Aufklärung ist insbesondere da nötig, wo Erfahrungen fremdkultureller Art weithin Leseerfahrungen sind, also im Ausland; doch der in Deutschland anwesende ausländische Lerner liest nicht minder von seinem Welthorizont, seiner Wertposition, seinen Rahmenbedingungen kategorialer Art aus. Er wird erst dann ein mündiger Leser, erreicht also erst dann die Bedingung der Möglichkeit, sich dem obersten Lehrziel unseres Faches, der doppelseitigen Kulturmündigkeit, wenigstens anzunähern, wenn er diese seine Bedingtheit beim Lesen mitbedenkt. Da der gesamte Wissenschaftsbetrieb – vom Mensaflugblatt bis zur Diplomarbeit – nicht nur in Deutschland mit textuellen Hilfsmitteln organisiert wird, erscheint es umso fragwürdiger, daß legetische Übungen im Sprach- und Literaturstudium des Deutschen als Fremdsprache einen so geringen Stellenwert besitzen; dabei hätten Baumgärtners *Handbuch Lesen* (1973) oder die teilweise vorzüglichen lesetheoretischen Beiträge der DDR-Zeitschrift *Deutsch als Fremdsprache* genügend Stoff zum Anknüpfen geboten. Im übrigen hat das Lesen für alle eine geradezu schicksalhafte Relevanz als unverzichtbare Kulturtechnik, deren Beherrschung die industrialisierten Markt-Gesellschaften schlechthin voraussetzen, wenn man sich nicht jeder medialen Meinungsbeeinflussung wehrlos ausgeliefert wissen will. Pädagogisches Ziel der Literaturlehrforschung des Faches Deutsch als Fremdsprache wäre darum, neben der evidenten landeskundlichen Erleichterung von Orientierungsprozessen in und über die fremde Kultur, letzteres bereits in der Vorbereitungsphase auf einen Deutschlandaufenthalt, den lernenden Leser über die Mechanismen der Textrezeption aufzuklären, denen er unterworfen ist und deren Transparenz seine Studierfähigkeit zweifellos fördern würde. Diese Aufgabe schließt die im vorliegenden Band von Fritz Hermanns initiierte Forschung über das textuelle Basismedium des fremdsprachlichen Deutschstudium im Bereich der Fremdkultur ein: das ominöse Referat.

Ebenso ist zum Gegenstand der Literaturlehrforschung unseres Faches die Frage zu machen, wie denn eigentlich fremd*sprachliches* Lesen im Unterschied zu muttersprachlichem erfolge, welche Interimtexte dabei geschaffen werden (ich übernehme einen Ausdruck aus der Sprachlehrforschung), welche kulturellen Differenzen und Interferenzen – sie sind neben den linguistischen noch kaum thematisiert worden – verständnisfördernd wirken, welche hemmend etc. Der Beitrag von Bernd Kast im vorliegenden Band wird, so hoffe ich, hier den erwünschten Anstoß geben.

Als Variante des Lesens gilt gemeinhin das sogenannte literarische Lesen. Die Vermittlung der Fähigkeit zu solch literarischem Lesen zählt zu den Lehrzielen der Literaturwissenschaft des Faches Deutsch als Fremdsprache. Das Erreichen dieser Ziele gehört zum Worumwillen der Literaturlehrforschung des Faches. Ihr stellt sich in dieser Hinsicht ein besonderes Problem, das sich aus der Ausbildungs- und Vorbildungsphysiognomie der Lernenden ergibt. Wir wissen heute, daß insonderheit der Umgang mit fremdkulturellen Texten an ein enzyklopädisches Grundwissen gebunden ist, das sich der fremdkulturelle Leser oftmals erst erwerben muß. Wo dieses Wissen – aus welchen Gründen immer – fehle, so habe ich früher[12] gesagt, sei der Vermittler gut beraten, sich besonders mit den Inhalten der Texte zu befassen. Das heißt aber nicht, es sei erlaubt oder zu empfehlen, von der Perspektivik und der medialen Qualität der Literatur, ihrem *prüfenden Spielcharakter*, abzusehen. Den Literaturunterricht zum Sachunterricht zu machen, kann nicht die eigentliche Leistung der fremdsprachlichen Germanistik – auch nicht des undergraduate-Studiums – sein. Es wird daher eine (dringliche) Aufgabe der Literaturlehrforschung unseres Faches werden, im Zusammenhang mit der noch zu erörternden Themenforschung und in Kooperation mit der Landeskunde, komplementäre Lehrveranstaltungen zu planen, die die Grundmenge von Vorwissen vermitteln, die text*un*spezifisch als Grundkenntnis kultur- und wissenschaftspropädeutischer Art begriffen werden kann. Wir haben zumindest in den ersten Jahren des Studiums einen solchen Beitrag zum Allgemeinwissen der Adressaten zu leisten, wenn wir sie zu literarischem Lesen überhaupt befähigen wollen. Die Mahnung Heinrich Bölls ist besonders von unserem Fach zu beherzigen: "Wer Grund unter den Füßen haben will, muß viel mehr haben, als Literatur und Kunst ihm je werden bieten können" *(Frankfurter Vorlesungen).* Denn Literatur und Kunst informieren nicht über die Sache sondern über Ansichten zu ihr, sind Medien der Verständigung und Selbstverständigung von Autor und Leser, die Sachwissen voraussetzen und nicht ersetzen. Sie können nur denjenigen zu anderem Wissen und auf andere Gedanken bringen, der bereits Wissen und Gedanken hat. Einer zur Kulturanthropologie *und* zur Sozialphilosophie erweiterten Landeskunde kommt in diesem Zusammenhang mithin erhöhte Bedeutung zu.

1.4 *Themenforschung und Textauswahl*

Die Wissenschaft von deutscher als fremdkultureller Literatur ist, so wurde in Band 1 ausgeführt, thematisch orientiert und überschneidet sich einerseits mit der literarischen Topik, andererseits mit den Fragestellungen der thematologisch orientierten Komparatistik. Text- wie Themenwahl sind Funktionen des Selektionskriteriums der Geltungs- und der Relevanzprüfung. Es ist Sache der Literaturwissenschaft unseres Faches, sich des ersten, und Sache der Literaturlehrforschung, sich des zweiten Aufgabenkomplexes anzunehmen. Schnittfläche der beiden Auswahlprinzipien bildet der Text- und Kommunikatbereich des Faches Deutsch als Fremdsprache.

Der Relevanzbegriff, den die Literaturlehrforschung deutscher als fremdkultureller Literatur ihrer Arbeit zugrundelegt, hat einen dreifachen Inhalt: es ist ein hochschuldidaktischer Begriff, der auf Saul Robinsohns grundsätzlichem Selektionskriterium aufruht; ein textanalytischer, der auf die Diskurs-Repräsentanz des auszuwählenden Textes zielt und schließlich ein sozialwissenschaftlicher, der im Sinne der Relevanztheorie von Alfred Schütz den Lernenden thematisch mit seiner Lebenswelt verbindet. Darum habe ich im ersten Band dieses Readers den Begriff des 'Themas' als (literarische) Erörterung einer (fremd-)kulturellen Realität bestimmt, die vom Lernenden sprachlich und interpretativ bewältigt werden soll.

Da die Literaturwissenschaft des Faches Deutsch als Fremdsprache sowohl als Theorie ästhetischer Erfahrung als auch in Wahrnehmung ihrer Aufgaben, die sie als Literaturunterricht im Grundstudium hat, Selbstverständigungsprozesse des fremdkulturellen Lesers fördern will, wird von diesem Lehrziel die Themenplanung beeinflußt. Die Situation des Lernenden: die Auslandsausbildung, das Erlebnis und die Bewertung von fremdkultureller Realität etc. bilden demgemäß eine Motivreihe literaturwissenschaftlicher Fragestellungen, die durch Aspekte einer Diskursanalyse ergänzt werden.

Zu subsumieren unter dieses erste und situative Auswahlprinzip der Themenplanung literaturwissenschaftlicher Arbeit ist beispielsweise auch das Verhältnis von Literatur und Musik bzw. die im Ausland so hochbewertete Musik überhaupt: ihre Erörterung bietet sich als Brükkenmedium zu einer lernerzugewandten Literaturvermittlung vor allem aus asiatischer Perspektive geradezu an[13].

Ein zweites Selektionsprinzip für Themen wie für Texte überhaupt ergibt sich aus dem Bedürfnis der Vermittlungspraxis fremdkultureller Literatur, kultur- und literatur*repräsentative* Themen und Texte auszuwählen. Franz Hebel geht im vorliegenden Sammelband auf die Konkretisation des Repräsentationsbegriffes ein, der zum Maßstab dieses Selektionsprinzips zu machen ist.

Neben diesem Auswahlverfahren ist – drittens – eine Korrelation der Informationsplanung der Landeskunde mit der Themenplanung der Literaturwissenschaft erforderlich. Die Literaturlehrforschung geht bei dieser Forderung von der bereits erläuterten Ansicht aus, daß Sprache immer auch als bestimmter Inhalt auftritt, daß die natürlichen Sprachen über ganze Wertsetzungssysteme verfügen und jeder Sprecher oder Leser immer schon von seinem eigenen, kulturell vermittelten und konturierten Wertsetzungshorizont her spricht und liest. Mit der Textauswahl ist deshalb per se eine Inhalts(Themen)-Wahl verbunden: wer Goethetexte in seinen Kanon aufnimmt, hat sich unvermeidlich für eine andere Thematik entschieden als derjenige, der Büchner in der Textplanung berücksichtigt.

Um nun zu einer Korrelation der Inhaltsplanungen der beiden Aufgabenbereiche zu kommen, ist es tunlich, sich zunächst über die Wissensbereiche zu verständigen, die die Landeskunde zu vermitteln hat. Wir stellen also Fragen, die der in Band 1 von Siegfried J. Schmidt diskutierten Problematik der Selektionskriterien landeskundlichen Wissens vorausgehen und Schmidts Beitrag insofern ergänzen.

1. Experimente haben gezeigt, daß die Ausklammerung des Inhalts – sei er als Referenz oder allgemeiner als Sinn überhaupt aufgefaßt – die Spracherlernung erschwert, ja selbst länger dauernde Schäden in der Sprachlernfähigkeit der Versuchspersonen hervorruft[14]. "To deal with the culture and life of a people is . . . an essential feature of every stage of language learning"[15], schreibt bereits 1955 C. C. Fries. Eine Vielzahl weiterer Stimmen der sechziger und siebziger Jahre ließe sich

anführen, um die zitierten Ansichten zu stützen[16]; selten nur noch wird in der Sprach- oder Literaturdidaktik des fremdsprachlichen Deutschunterrichts der landeskundliche Aspekt bagatellisiert oder verworfen. Kaum noch gibt es die "unbedachtem Wortsinn"[17] von Landeskunde entsprungenen Grobziellisten "für eine in den Sprachunterricht integrierte Landeskunde für Jugendliche und Erwachsene"[18]. Die große Mehrzahl der Beiträge der letzten Jahre zur Landeskundediskussion hat Abschied genommen von einem aporetisch weiten Landeskundebegriff[19] und ist um eine plausible Konturierung des theoretischen Problems mit dem Ziel bemüht, an die Stelle einer Summation von Informationen ein integrativ wirkendes System zu setzen. Älteren strukturalistischen stehen inzwischen sozialwissenschaftliche[20], kontextwissenschaftliche[21], kulturwissenschaftliche[22] und semiotische[23] Modelle gegenüber. Sie alle wollen das Problem Landeskunde durch Konstituierung einer Bezugswissenschaft jenseits der konkreten Lehr- und Lernprozesse lösen oder wenigstens lösbarer machen. In eben dieser Distanz zu den konkreten Lehr- und Lernprozessen erweisen sich diese Versuche freilich immer noch als unfruchtbar; sie reflektieren im wesentlichen über die dem Vermittler als wichtig geltende Wissensmenge, während sie das Relevanzkriterium, von dem oben die Rede war, weitgehend unbeachtet lassen.

Die folgenden Überlegungen beschreiben einige Inhaltsbereiche, die für die Korrelation von Sprach-, Literatur- und Landeskundevermittlung von konstitutiver Bedeutung sind. Dabei wird Landeskunde nicht als Spezialfach sondern als Kontextwissenschaftliches Vermittlungsvorhaben begriffen, das die Arbeit im Sprach- und Literaturunterricht zu einer *germanistischen Fremdkulturwissenschaft* erweitert[24].

Diese Erweiterung wird von verschiedenen Seiten gefordert: 1. von den Sprach- und Literaturwissenschaften, insofern sie mit ihren Sprach- und Textbegriffen auch die Verwendungshorizonte (Funktionsbereiche) in die wissenschaftliche Erörterung mit einbeziehen[25]; 2. von der Hochschuldidaktik, insofern sie mit ihren Überlegungen zur Wissenschaftsdidaktik nachgewiesen hat, daß institutionalisierte Bildungseinrichtungen differenter Kulturen (Gesellschaften) immer auch Funktionen der Bildungsbegriffe dieser Kulturen (Gesellschaften) sind, deren Erörterung auch die Analyse kultureller Bewertungen zum Beispiel des Fremdsprachen- oder Literaturstudiums verlangt; 3. von der Unterrichtswissenschaft, die nachgewiesen hat, daß Lehr- und Lernprozesse abhängig sind vom Lernmilieu, so daß die umgebenden und bedingenden Faktoren des Lernens einbezogen werden müssen[26]; 4. von der Rezeptions- und der Mentalitätsforschung sowie von Überlegungen, daß stabile demokratische Verhältnisse nur da möglich sind, wo ein Land "von weltoffenen Bürgern geleitet und getragen wird. Weltoffenheit aber bedeutet Offenheit gegenüber den Problemen anderer Nationen und bedeutet Verständigung mit ihnen"[27], was eine kulturvergleichende Dimensionierung auch des Literaturstudiums wünschenswert macht.

Wir sagten oben, daß aus den angeführten Gründen zur 'zielsprachlichen Kompetenz' immer auch eine inhaltliche, definitorische Stellungnahme den zu bewältigenden Situationen gegenüber gehöre[28] und daß diese Stellungnahme die Situationen selber stets verändere, neu konstituiere; die Bewältigungskompetenz, die der Lernende sich erwerben wolle, sei immer auch als kritische Kompetenz zu begreifen. Damit war auch ein Axiom der Landeskunde formuliert: sie ist bezogen auf das Umfeld des Lehrenden ebenso wie auf das Umfeld des Lernenden und als solche Teil einer vergleichenden Umfeldanalyse.

Ein konstitutives Prinzip der Kritik ist der Vergleich. Er rückt das zu Vergleichende unter verschiedene Perspektiven und beleuchtet den Vergleichsgegenstand von verschiedenen Seiten. Diese Mehrperspektivität gilt uns, gehen wir im Gedankengang einen Schritt weiter, als Verfahrensprinzip jeder landeskundlichen Bemühung überhaupt. Vergleiche sind demnach nicht nur zwischen Eigen- und Fremdkultur angebracht, sondern auch da, wo etwa historische Prozesse innerhalb einer der beiden Kulturen vermittelt werden sollen; der historische Blick auf die Fremdkultur konturiert sie nicht nur besser, er entzieht ihrer Faktizität auch die für den fremdkulturellen Lerner oft so eindimensionale Geltungs-Kategorie des Faktischen, dargestellt beispielsweise in absoluten Zahlen. Der Vergleich einer hundert Jahre alten Büroordnung mit den entsprechenden Regulationen unserer Zeit verschafft zweifellos einen größeren Einblick in die *Historizität* der fremdkulturellen Gegebenheiten, als es die traditionellen Verfahren diesseits aller Vergleichssetzungen vermögen. Gerade die Verdeutlichung, daß auch die sozialen Strukturen der Fremdkultur Deutschland gemacht, i. e. erkämpft, umkämpft sind und nicht einem dunklen geschichtsbildenden Faktor 'Wachstum' unterliegen, ist für den außenbetrachtenden Lerner sachlich und pädagogisch dringend erwünscht. Sie sollte auch die Entwicklung der Schrift einbeziehen (Normierungsgeschichte etc.), die funktionstheoretisch transparent zu machen wäre, man denke nur an die Entwicklungsgeschichte der sogenannten 'deutschen Schrift'. Landeskundliches Arbeiten heißt mehrperspektivisches

Umweltbeschreiben ferner insofern, als nicht nur die Unterschiede, sondern auch die Gemeinsamkeiten zwischen der fremdkulturellen und der eigenkulturellen Situation/Objektivation etc. zum Gegenstand der Lehrplanforschung gemacht werden müssen.

Unter diesen Voraussetzungen: Umfeldorientiertheit und kritische Perspektivität lassen sich als Vermittlungsaufgaben landeskundlicher Bemühungen im Fremdsprachenstudium Deutsch mindestens fünf Aufgaben voneinander abgrenzen, die zugleich die literaturwissenschaftliche Thematik mitkonstituieren: 1. die Vermittlung von Sprachkenntnissen muß mit der perspektivischen Vermittlung (gleich Problematisierung) der in Sprache (Texten) immer auch gegebenen Inhalte einhergehen. Dabei geht es vor allem um die Herausarbeitung der *kulturellen Semantik* von Sachen und Konzepten (wie Distanz, Zeit, Arbeit etc.), die bereits im einfachen Satz nach dem Lehrbuchmuster 'das ist ein Haus' gegeben sind. Ich nenne dieses Wissen, zu dessen Aufbau das Fach beitragen muß, *Konzeptwissen (Sachwissen)*.

Um den Aufbau dieses Konzeptwissens zu fördern, empfiehlt es sich, den Begriff der Landeskunde entweder zu dem der Kulturkunde auszuweiten oder ihn unter den der Sozialanthropologie zu subsumieren, mit dem Ziel der Festigung des Begriffs der Landeskunde als synchronischer und diachronischer Beschreibung der topo- und soziografischen Strukturen der differenten Kulturen. Auf diese Weise könnten jene Fehler vermieden werden, die entstehen, wenn der Begriff der Deutschlandkunde bei der Beachtung aller vier deutschsprachigen Länder entweder in unzulässigem Maße entpolitisiert wird (Kessler: *Deutschlandkunde*) oder zu bedenklicher Begriffsdiffusion führt, die ihrerseits Anlaß zu kulturpolitischen Mißverständnissen gibt, wie es zum Beispiel in den sonst so verdienstvollen *Deutschlandstudien* im Teil Literatur passiert[29], wo das "deutschlandkundliche Grundprinzip" als Prinzip der "Betrachtung des gesamten deutschen Sprachraums" ausgegeben wird.

Subsumieren wir den Begriff der Landeskunde unter den der Kulturkunde, dann heißt landeskundliche Arbeit im Sprach- und Literaturunterricht 2. die mit Sprache und Literatur immer verbundenen Verwendungssituationen / Zwecke zu thematisieren *(pragmatisches / soziales Wissen)*. Diese Aufgabe der Landeskunde ergibt sich aus dem in Band 1 erläuterten Hauptertordernis, dem Lernenden eine mehr als elementare Orientierung in der Fremdkultur und Interpretation ihrer Phänomene zu ermöglichen. Zu diesem sozialen Wissen gehört insbesondere das im Alltag einer Kultur als Kommunikationsferment vorausgesetzte Alltagswissen. Es handelt sich um die von Vereščagin bestimmte Wissensmenge[30] und das von Nierlich konturierte Erwartungswissen[31]. Die Fähigkeit, aus dieser Wissensmenge sozial adäquat auswählen und die ausgewählte Menge in der Interaktion bzw. in der interpretativen Arbeit umsetzen zu können, wäre Teil der erstrebten Kompetenz. Landeskundlicher Deutschunterricht muß 3. die mit den Texten immer auch präsentierten Verhaltens- und Wertappelle verbaler und nichtverbaler Art (Geltungen, Wertsetzungen, Attitüden, Mentalitäten usw.) als kulturelle codes bewußtmachen und insofern beitragen zur Erarbeitung eines *kulturellen Wissens*, das von der empirischen Kulturwissenschaft (Kulturanthropologie) dann des näheren zu konturieren ist. Die Perspektivik der Inhaltsanalyse, von der oben gehandelt wurde, ist nicht zuletzt eine Funktion der komplexen kulturellen Interferenzen[32]. Sie vollziehen sich im Bereich der Referenzen ebenso wie des Textsinns und sind von der traditionellen Hermeneutik weithin übergangen worden.[33] Empirische Interferenzforschungen sind infolgedessen dringendes Desiderat der Literaturlehrforschung Deutsch als Fremdsprache. 4. Zu den Aufgaben landeskundlichen Deutschunterrichts gehört schließlich, über die Bedingungsfaktoren des Lernenden wenigstens exemplarisch aufzuklären mit der Zielsetzung, ihn zu einem seiner selbst bewußten Menschen, Bürger, Leser, Wissenschaftler zu machen; nur der selbst-bewußt Argumentierende ist imstande, in die Argumentation die Kenntnis um die Vorbedingungen und Vorprägungen von Argumentationssteuerungen, Interessen, Wertsetzungen usw. einzubringen und sie auch offenzulegen. Ich möchte dieses Wissen *Bildungswissen* nennen. Es wird in der zukünftigen Theorie- und Lehrzieldiskussion des Faches Deutsch als Fremdsprache auch deshalb eine zentrale Rolle spielen müssen, weil die Geistes- bzw. Kulturwissenschaften die Bestimmung ihrer gesellschaftlichen Aufgabe stets im Begriff der Bildung zusammengefaßt haben; die Krise dieser Wissenschaften hat man demgemäß als Krise des von ihnen überlieferten Bildungsbegriffs erkannt. Es wurden von Robinsohn und anderen Hochschuldidaktikern neue Bildungsbegriffe formuliert (Robinsohn: Bildung als Ausstattung zur Bewältigung von Lebenssituationen), die indessen wegen ihrer technokratischen Züge auf breite Kritik gestoßen sind. Die Notwendigkeit einer Neubegründung des Bildungsbegriffs jenseits technokratischer Positionen wird insbesondere für das Literaturstudium Deutsch als Fremdsprache unverzichtbar sein: denn, wenn es seine Studienziele erreichen will, "interpreters of culture", Mittler der Kulturen auszubilden, ist jene Selbstbewußtheit als Aufgeklärtsein über die eigenen Wertsetzungen und ihre Begründung die Bedingung der Möglichkeit von Mittlertätigkeit überhaupt. Allerdings ist dann eine weitere Wissensqualität vom landeskundlich orientierten Deutschunterricht zu vermitteln: die auf dem Prinzip des Kulturrelativismus, der alle Kulturen als grundsätzlich gleichwertige Möglichkeiten menschlichen Daseins bewertet, beruhende Einsicht in die ethische Voraussetzung interpersonaler, transkultureller Verständigung, die die individuelle und kulturelle Identität der Lehrenden und Lernenden zu wahren weiß und zu wahren beabsichtigt *(ethisches Wissen).*

Aus den fünf Wissensarten, um die eine germanistische Fremdkulturwissenschaft ihre ästhetischen, historischen und sprachlichen Studien erweitert, ergibt sich ein Auswahlkriterium auch der literarischen Themen. Unter Berücksichtigung des Selektionsprinzips der *Geltung* und *Relevanz* eines Textes lassen sich dann Textreihen zusammenstellen, die die vorgestellten Wissensarten thematisieren. Auf diese Weise wird es möglich, ein Literaturstudium thematisch zu begründen, ohne den ästhetischen Wert eines Textes zu bagatellisieren und ohne das Studium zu enthistorisieren. Zugleich läßt sich innerhalb der diachronischen Reihe das erwünschte Vergleichsprinzip ebenso verwirklichen wie in der synchronischen. Um nicht ganz abstrakt zu bleiben, seien ein paar Beispiele wenigstens aufgerufen:

Zum *Sachwissen,* das adressatenrelevant ist, gehört das Sprachwissen über Strukturen des Deutschen. Die Literaturgeschichte ist voll von literarischen Verarbeitungen entsprechender Thematik. Die Distanzierung von imitativer Lernerhaltung – ein Teillehrziel des Umgangs mit poetischer Literatur – läßt sich möglicherweise sogar besonders gut an dieser Thematik erreichen; ein zeitgenössisches Beispiel ist Peter Handke:

Der Rand der Wörter I

Der Stadtrand : Der Rand der Stadt
Der Gletscherrand : Der Rand des Gletschers
Der Grabenrand : Der Rand des Grabens
Der Schmutzfleckrand : Der Rand des Schmutzflecks
Der Feldrand : Der Rand des Feldes
Der Wegrand : Der Rand des Weges
Der Trauerrand : Der Rand der Trauer

(1966)

Ich habe diesen Text mehrfach verschiedenen Lernergruppen (jeweils multi-kultureller Zusammensetzung) vorgelegt. Die Verständnisschwierigkeiten waren stets groß, weil der Text dem bekannten Klischee eines Gedichts nicht entspricht: das Erkenntnisvergnügen nach gemeinsamer Erarbeitung einer Beschreibung des Textes aber übertraf jedesmal die Erwartungen aller. – Der Text führt den nicht-distanzierten, sich der Regel anvertrauenden Leser in die Irre, indem er die Irregularität einer supponierten grammatischen Regel vorführt. Er lehrt also, auf der Hut zu sein, sich Wiederholungen nicht auszuliefern, Regularitäten auf ihre Prämissen zu befragen: die grammatische Regel ist nur bei einsinniger Semantik gültig. Das Gedicht ermöglicht diese Einsicht auf jeweils optische Weise, ist konkrete Poesie und um so eher geeignet, den Lernenden zu Sachwissen zu führen, weil er es sich auch mit den Sinnen, nicht nur im Medium der Begriffsbildung erarbeitet: Die Pyramide der Regularität steht sichtbar auf sehr schwachen Füßen.

Sowohl zum *Bildungswissen* als auch zum Themenkomplex *ethisches Wissen* stellt die neuere deutsche Literatur von Lessings "Nathan" bis zu Bölls "Gruppenbild" einen überaus reichen Schatz von Texten zur Verfügung, aus denen sich eine unserem Selektionsprinzip gerechtwerdende Themenreihe unschwer bilden ließe, die im übrigen trefflich um ältere deutsche und europäische Beiträge zu erweitern wäre. Texte wie Marie L. Kaschnitz' "Zum Geburtstag" lassen auch das *kulturelle Wissen* so hervorragend problematisieren, daß eine kulturanthropologisch fundierte Literaturvermittlung und Landeskunde beim Lernenden mit offenem Interesse rechnen darf. Und *soziales Wissen* hat nicht zuletzt die Fabel immer schon vermittelt. Sie ist vorzüglich geeignet, Alltagswissen und kulturelle Konzepte in ihrer Verschränkung zu verdeutlichen, Vorgänge, Handlungen, Wertungen in ihrer – wörtlich zu nehmenden – Verbindlichkeit transparent zu machen, auf welche Offenlegung wir ja Wert legen. Ich denke an Texte wie jenen von:

Friedrich Carl von Moser: *Wir haben gegessen*[34].

Am Geburtstag eines jungen Adlers gab König Adler seiner Familie ein großes Mahl und lud alles Heer des Himmels zu diesem Freudenfest ein. Ehrerbietig warteten Tausende von Vögeln bei seiner Tafel auf, bewunderten den Reichtum der Speisen und noch mehr die heroischen Verdauungskräfte ihres Königs.

"Wir", sprach endlich der gesättigte Adler zu dem zuschauenden Volk, "wir haben gegessen." "Wir aber nicht", zwitscherte ein von Heißhunger geplagter Sperber.

"Ihr seid", erwiderte der erhabene Monarch, "mein Staat, ich esse für euch alle."

Die vorstehende Skizze sollte nicht den Eindruck erwecken, als seien die Situation des Lernenden sowie die erwähnten fünf Mindestwissensarten das alleinmögliche Selektionsprinzip; einem solchen Anspruch widerspricht schon das Insistieren auf den Geltungstatsachen der Literatur. Aber die Themenplanung der literaturwissenschaftlichen wie landeskundlichen Komponenten des Faches Deutsch als Fremdsprache wird in ihnen eine Hilfe bei der Bestimmung des Relevanzbegriffes, also bei der Text- und Themenauswahl, finden, die sowohl dem literaturwissenschaftlichen Lehrziel der Vermittlung einer literarischen Kompetenz als auch dem literaturunterrichtlichen Lehrziel gerecht wird, Selbstverständigungen des lernenden Lesers und lesenden Lerners zu ermöglichen.

1.5 *Methodenforschung*

Und auf welche Methode soll der ausländische Student deutscher als fremdkultureller Literatur eingeschworen werden – fragt Raimund Belgardt im vorliegenden Band zu Recht? Die Literaturlehrforschung wird eben diese Frage zu einer ihrer Hauptfragen machen, nachdem feststeht, daß Methoden immer auch Funktionen besonderer Interessenlagen und Ideologien sind. Als lernerzugewandtes Fach nimmt die Literaturwissenschaft des Deutschen als Fremdsprache die Bestimmung ihres methodischen Vorgehens nicht ohne Rücksicht auf die Bedürfnislagen ihrer Adressaten vor. Die grundsätzliche Sehweise der Außenbetrachtung sowie die Selektionsprämisse der Themenwahl grenzen eine Methode mit Bestimmtheit aus: Die Literaturbetrachtung kann sich nicht in Textimmanenz erschöpfen. Da die thematische Literaturwissenschaft deutscher als fremdkultureller Literatur von einem medialen Literaturbegriff ausgeht (Antwort-Modell) und dieses Medium zugleich als kulturelle Institution begreift, ist andererseits die interpretative Grundmethode eine 'suspensive Interpretation' (Steinmetz), die unterschiedliche Funktionssetzung kulturell differenter Rezeptionshaltungen ebenso wie die Kulturalität der Institution Literatur berücksichtigt und die literarischen Inhalte zum zentralen Forschungs- und Lehrbereich macht. Dies kann mit Hilfe einer um Aspekte der Diskursanalyse erweiterten Motivforschung ebenso geschehen wie mit funktionsanalytischen, psychologischen oder sozialwissenschaftlichen Methoden. Welche von diesen und anderen die geeignetste ist, ist bereits eine Frage, die von der Literaturlehrforschung auf ihre Berechtigung hin erst noch zu prüfen ist.

1.6 *Medienforschung*

Es ist weitverbreiteter Usus geworden, den Medienbegriff auf die Massenmedien einzuengen. Dieses Verfahren erkauft die Präzisierung des Medienbegriffs mit dem Absehen von Instrumentarien, die den Alltag des Studierenden nachhaltig prägen und mit nicht geringerem Recht zu den Medien z. B. des Studiums gerechnet werden müssen. Eines dieser Instrumentarien – das Referat – wird im vorliegenden Band das erstemal zum Gegenstand einer Analyse gemacht, die im präzisen Sinne des Geltungs- und Relevanzkriteriums begründet ist; denn mit keiner anderen Textsorte haben nach aller Erfahrung insbesondere nichteuropäische Studenten qualvollere Mühe als mit dem von ihnen abverlangten Referat. Solche in doppeltem Sinne rückbezüglichen Fragestellungen wird die Literaturlehrforschung des Faches Deutsch als Fremdsprache verstärkt entwickeln und verfolgen müssen. Andererseits rückt die Literaturlehrforschung des Faches zukünftig das Medium Film schon deshalb ins Zentrum ihrer Arbeit, weil die Verfilmung literarischer Texte hervorragende Möglichkeiten eröffnet, auch komplexe Texte, transponiert zwar ins Medium Film, zu vermitteln, von dem aus man dann leichter den Text selber, der dem Transponat zugrundeliegt, dem Lernenden nahebringen kann. Der in der Sprachdidaktik bereits seit langem genutzte Sprachfilm wird also um den Literaturfilm und ihn erschließende Lehrfilme ergänzt. Der Beitrag von Fabers zum Medientext im fremdsprachlichen Deutschunterricht thematisiert wesentliche Voraussetzungen solcher Mediendidaktik.

1.7 *Lehrzielforschung (Curriculumforschung)*

Wenn ich abschließend erst auf die Lehrziel- und Curriculumforschung zu sprechen komme und wenn der vorliegende Band keinen einschlägigen Beitrag zur Curriculumtheorie des Faches enthält, so hat beides einen komplexen Grund, zu dessen Verständnis in aller Kürze, die geboten ist, folgendes angemerkt sei:

1. Lehrziele werden gesetzt, nicht erforscht; sie sind Konsequenzen eines Fach- und Bildungsbegriffes und infolgedessen funktionale Größen. Das oberste Lehrziel des Faches habe ich[35] mit Robinsohn als 'Kulturmündigkeit', als oberstes Ausbildungsziel den 'Landeskenner' beschrieben[36]. Lehr- und Ausbildungsziel lassen sich wohl kaum erreichen ohne eine gründliche Auslandserfahrung; Begriffe ohne Anschauung sind blind. Aus diesem Grund habe ich in Band 1 der vorliegenden Perspektivensammlung zwar einen Beitrag zur Theorie der Auslandsausbildung aufgenommen, aber auch nähere Erläuterungen zu curricularen Überlegungen unterlassen, weil sie im selben Maße wie der literarische bzw. thematische Kanon des Faches jeweils eine kulturrelative Konturierung hätten gewinnen müssen, was ich weder leisten kann noch leisten will. Diese Aufgaben müssen die jeweiligen germanistischen Fremdkulturwissenschaften selber durchführen; sie können ihnen nicht abgenommen werden.

2. Die in Band 1 explizierte Koppelung der Kanontheorie an die Kriterien der *Geltung* und der *Relevanz* hält die Lehrzielbestimmung und die curriculare Planung des Faches ihrerseits kulturvariabel und mithin offen für vergleichende Fragestellungen auch innerhalb der germanistischen Fremdkulturwissenschaften. Nur einige Rahmenkompetenzen lassen sich sinnvollerweise hier generalisierend formulieren und diese mit der ausdrücklichen Einschränkung, daß auch sie eine Funktion der institutionellen, sozioökonomischen u. a. kulturaler Vorgaben sind. Unter diesen Voraussetzungen führe ich im folgenden einige Kompetenzen auf, die approximativ erreichbar zu sein scheinen. Sie beschränken sich auf die literarische Komponente des Faches.

Bevor ich die Auflistung der mir konsensfähig erscheinenden Teillehrziele mitteile, möchte ich aber noch an einen Aspekt der Lehrzieldiskussion berühren, der zukünftig nähere Aufmerksamkeit verdient.

*Lehr*ziele sollten immer auch Funktionen der *Lern*ziele und der *Lern*weisen sein. Die ausländischen Studenten befinden sich nun der deutschen Literatur gegenüber in einer ähnlichen Lage wie jene, die Karin Struck in ihrem Roman *Klassenliebe* als das Verhältnis 'nichtrepräsentativer' Bevölkerungsschichten zur 'repräsentativen' Literatur[37] beschreibt. Denn beide sind in den Traditionen der geltenden Texte (Literatur) nicht heimisch, beide können vielleicht am ehesten "über die Gegenwartsliteratur ... eine Beziehung zu den 'toten Schriftstellern' finden".[38] Die Frage nach der Begründung der Akzentuierung der Gegenwartsliteratur im Literaturstudium ist somit eine direkte Folge unseres oben angeführten Ausbildungsziels als der Fähigkeit zum Sicheinlassen in Selbstverständigungsprozesse. Sie führt uns andererseits in die globale Fachbetrachtung zurück, weil es z. B. den Studenten, die eine Zeitlang im fremdkulturellen Raum gelebt haben, wiederum ähnlich ergeht wie jenen Figuren, die Karin Struck "zwischen den Klassen" vorfindet: die Arbeiter akzeptieren die Schriftstellerin nicht mehr als Mitglied ihrer Klasse und die Intellektuellen erkennen das Arbeiterkind nicht als Intellektuelle an – zwischen den Kulturen finden sich auch die intendierten Mittler der Kulturen oftmals wieder. Reakkulturationsprozesse sind häufig schmerzhaft, falls sie überhaupt gelingen. Solchen sozialpsychologischen Problemen darf das Fach Deutsch als Fremdsprache, da es ein Vermittlungsfach ist, nicht aus dem Wege gehen, sondern muß um so entschlossener sich ihnen stellen, als es in der Interdisziplinarität einerseits, in der Theorie der Auslandsausbildung andererseits zwei Kategorienrahmen besitzt, die ein Sichstellen überhaupt möglich und erst sinnvoll machen. Sie sind auch imstande, die Globallehrziele des Faches mitzutragen, von denen in Band 1 gesprochen wurde, die auch das Fundament der im folgenden mitgeteilten Vorschläge zur näheren Bestimmung der literaturwissenschaftlichen Teillehrziele des Faches Deutsch als Fremdsprache bilden. Soll ein interkulturelles Gespräch über die Inhalte einer lernerzugewandten Literaturwissenschaft deutscher als fremdkultureller Literatur in Gang kommen, so sind solche konkreten Vorschläge unerläßlich. Ich mache sie in der Annahme, daß zumindest weite Teile der Empfehlungen realistisch und konsensfähig sind.

Lehrziele im literaturwissenschaftlichen Bereich

1) *Lesekompetenz*

Grundkenntnis von individuellen, gesellschaftlichen und kulturellen Bedingtheiten der Lesehaltungen, Leseinteressen, Lesebedürfnissen; Fertigkeiten im informatorischen, wissenschaftlichen und literarischen Lesen eigen- und fremdkultureller Texte; Einblick in Methoden der empirischen Leserforschung.

2) *Analysekompetenz*

Kenntnis der Hauptfaktoren des Kommunikationsprozesses; Fähigkeit der Reflexion von Erwartungs- und Verstehenshaltungen aufgrund unterschiedlicher Primärsozialisation; Kenntnis von Texterklärungsverfahren; Fähigkeit zur Methodenkritik; Kenntnis von Textsortenmerkmalen; Fähigkeit der Aufdeckung von Absichten; Kenntnis von Einbettungsstrukturen, Anspruch (Stellenwert) und Funktion unterschiedlicher Texte in der Fremd- und Eigenkultur des Lernenden.

3) *Textverwendungskompetenz*

Fertigkeit in der Herstellung expositorischer Texte; Kenntnis der empirischen Produktions- und Distributionsvorgänge (Verlag, Buchhandel etc.); Fähigkeit der Kritik von Textverwendungssituationen; Fähigkeit der Textauswahl im Hinblick auf die eigne prospektive Praxis (Geltungs- und Relevanzprüfung).

4) *Partizipationskompetenz*

Fähigkeit der Teilnahme am literarischen Leben; Benützenkönnen öffentlicher Bibliotheken; Verfolgen der Entwicklung der Literatur als Institution; Kenntnis der Literaturfunktion im Gesamtgefüge der Kultur und des anthropologischen Horizonts von Literatur; kritische Auswahlkompetenz; Lesebereitschaft.

5) *Urteilskompetenz*

Kenntnis der Grundbegriffe der literarischen Wertung; Grundfähigkeit zur literarischen Kritik; Einblick in die kulturelle Differenz von wissenschaftlichen Leitbegriffen; Erkenntnis der Interessen von Literaturvermittlung und -kritik; Fähigkeit, literarischen Wandel als Normenwandel zu begreifen und literarische Inhalte bzw. Sachprobleme zu erörtern.

6) *Historische Kompetenz*

Fähigkeit, die Historizität von Texten überhaupt im Umgang mit ihnen bewußt zu halten; Fähigkeit kulturrelativierender Beurteilung der Funktionalität von Texten; Fähigkeit, die in Texten entwickelten Sachprobleme unter historischer Fragestellung zu erörtern; Textauswahlfähigkeit im Hinblick auf Einbezug der literarischen Tradition; Kenntnis der Hauptfaktoren der Wertungsgeschichte deutscher Literatur in der Eigenkultur des Lernenden.

2. *Zu den Beiträgen des vorliegenden Bandes*

Es versteht sich, daß die skizzierten Problembereiche einer Literaturlehrforschung des Faches Deutsch als Fremdsprache von den hier versammelten Beiträgen nicht in toto abgehandelt werden konnten. Mehr als Annäherungsprozesse sind derzeit, wie oben gesagt, kaum möglich, aber sie sind nötig, um die Probleme zu konturieren, um die es zukünftig gehen muß.

Da es einer jungen Disziplin gut ansteht, die Kooperation mit den erfahreneren Nachbardisziplinen zu suchen, stammt der Beitrag zu den Grundsätzen einer fremdsprachenspezifischen Literaturdidaktik aus der Feder eines Anglisten. Er macht unter anderem auf hermeneutische Grundaufgaben eines deutschen Deutschlehrers für Ausländer nachdrücklich aufmerksam. Auswahlbedingungen der Literaturvermittlung expliziert, in Hinsicht auf Kanon-Probleme, der Aufsatz Christian Grawes; grundsätzlichen Fragen methodischer Art sind die Beiträge von Theodore Ziolkowski, Raimund Belgardt und Dietrich Krusche gewidmet. Franz Hebel erläutert die für die Textauswahl unseres Faches so außerordentlich wichtige Frage nach der kulturellen Repräsentanz von Texten, Eberhard Frey wendet sich dem Forschungsbereich der Literaturrezeption zu.

Diesen eher fundamental-analytischen Beiträgen zur Literaturlehrforschung folgt die andere Gruppe der hier versammelten Aufsätze; ihr geht es um die praktischen Vermittlungsschritte: der Leselehre, der Korrelation von Literaturvermittlung und Landeskunde, den mediendidaktischen Lehrprozessen, der Rolle imaginativer Literatur im Literaturunterricht, der – wie in Band 1 expliziert worden ist – nicht nur nicht übergangen werden darf, sondern konstitutiver Teil der literarischen Komponente des Faches Deutsch als Fremdsprache ist, sowie der Analyse der Lehrmedien selbst: Dem so zentralen, so enervierenden wie stimulierenden und doch völlig übergangenen Übungsmedium, dem ominösen Referat, ist der Beitrag von Fritz Hermanns gewidmet. Alle Beiträge realisieren den in Band 1 der vorliegenden Perspektivsammlung beschriebenen Paradigmawechsel internationaler Germanistik: sie verfahren lernerzugewandt, nehmen den Lernenden in seiner kulturellen Subjektivität ernst; sie stecken mit ihren Überlegungen den Horizont einer Wissenschaft von deutscher als fremdkultureller Literatur ab, deren Arbeit eben erst begonnen hat. Einen bemerkbaren Anfang mit der Diskussion der Aufgabenbereiche einer Literaturlehrforschung des Faches Deutsch als Fremdsprache zu machen, war Absicht, ist Funktion des vorliegenden Bandes.

Anmerkungen

[1] Ansätze finden sich in der DDR-Zeitschrift Deutsch als Fremdsprache, in einzelnen Beiträgen der in den USA erscheinenden Zeitschrift: Unterrichts-

praxis sowie in Alois Wierlacher (ed.): Literatur und ihre Vermittlung. In: Jahrbuch Deutsch als Fremdsprache 3, 1977, S. 77–239.

[2] vgl. Hans-Jürgen Krumm (ed.): Sprachvermittlung und Sprachlehrforschung Deutsch als Fremdsprache. In: Jahrbuch Deutsch als Fremdsprache 4, 1978, S. 87–242.

[3] vgl. S. 438 ff.

[4] Ein erster Schritt hierzu ist die 'Jahresbibliographie Deutsch als Fremdsprache', die das Jahrbuch Deutsch als Fremdsprache regelmäßig veröffentlicht.

[5] vgl. S. 358 ff.

[6] Ulrich Engel (ed.): Linguistik und Fremdsprachenunterricht. In: Jahrbuch Deutsch als Fremdsprache 5, 1979, S. 51.

[7] Zur Theorie der Auslandsausbildung vgl. den Beitrag Diether Breitenbachs in Band 1, S. 114 ff.

[8] vgl. hierzu Band 2 des *Mannheimer Gutachtens* zu ausgewählten Lehrwerken Deutsch als Fremdsprache, Heidelberg 1979 (siehe Anm. 19).

[9] ebd.

[10] Adler/Steffens: Deutsch für die Mittelstufe. Lösungen und Transskriptionen. München 1975, S. 45.

[11] Zum Kritik-Begriff, den ich hier nicht des näheren erörtern kann, vgl. den Artikel von C. von Buhrmann, in: Handbuch philosophischer Grundbegriffe, hrsg. von Hermann Krings, München 1973, Band 3, S. 807–823.

[12] vgl. in Band 1: Deutsche Literatur, S. 147 ff., als fremdkulturelle Literatur.

[13] Aus Raumgründen mußte auf die Aufnahme zweier zu dieser Thematik vorgesehener Beiträge verzichtet werden; sie erscheinen in der Fortschreibung der im vorliegenden Band publizierten Überlegungen, vgl. Jahrbuch Deutsch als Fremdsprache 6, 1980.

[14] vgl. H. Hörmann: Meinen und Verstehen. Frankfurt 1976, S. 361 f.

[15] C. C. Fries: American Linguistics and the teaching of English. In: Language Learning 6, 1955, S. 14.

[16] vgl. hierzu Alois Wierlacher: Überlegungen zur Begründung eines Ausbildungsfachs Deutsch als Fremdsprache. In: Jahrbuch Deutsch als Fremdsprache 1, 1975, S. 130 ff.

[17] Rainer Hess: Landeskunde und Literaturwissenschaft. In: Robert Picht (ed.): Perspektiven der Frankreichkunde. Ansätze zu einer interdisziplinär orientierten Romanistik. Tübingen 1974, S. 130.

[18] Lothar Jung: Das Deutschlandbild in einigen Lehrwerken für Deutsch als Fremdsprache. In: Wolfgang Kühlwein/Günter Radden (eds.): Sprache und Kultur: Studien zur Diglossie, Gastarbeiterproblematik und kulturellen Integration. Tübingen 1978, S. 243.

[19] vgl. als Überblick: Alois Wierlacher (ed.): Die Landeskundediskussion in den fremdsprachlichen Philologien Anglistik, Romanistik und Slavistik in der Bundesrepublik Deutschland. In: Jahrbuch Deutsch als Fremdsprache 3, 1977, S. 277–295. Außerdem die Themenhefte 'Landeskunde' von: Die neueren Sprachen 67 (3), 1977; Der fremdsprachliche Unterricht

9 (34), 1975; Walter F. Lohnes/Valters Nollendorfs: German Studies in the US. Madison (Wisconsin) 1976.
ferner vgl. (in Auswahl):

1975 – Hermann Bausinger: Zur Problematik des Kulturbegriffs. In: Jahrbuch Deutsch als Fremdsprache 1, 1975, S. 7–16. Aktualisierter Nachdruck jetzt in Band 1, S. 57–69.
– Alois Wierlacher: Überlegungen zur Begründung eines Ausbildungsfachs Deutsch als Fremdsprache. In: Jahrbuch Deutsch als Fremdsprache 1, 1975, S. 119–136.
– Heinz Göhring: Kontrastive Kulturanalyse und Deutsch als Fremdsprache. In: Jahrbuch Deutsch als Fremdsprache 1, 1975, S. 80–92.
– Helmut Sauer: Analysekriterien für den landeskundlichen Inhalt von Lehrwerken für den Englischunterricht. In: Lehrwerkkritik 2, Dortmund 1975, S. 7–17.
– Robert Picht (ed.): Deutschlandstudien II. Fallstudien und didaktische Versuche. Bonn [DAAD] 1975.

1976 – Jürgen Kramer (ed.): Bestandsaufnahme Fremdsprachenunterricht. Stuttgart 1976.
– Horst Weber (ed.): Landeskunde im Fremdsprachenunterricht. Kultur und Kommunikation als didaktisches Konzept. München 1976.
– Klaus H. Köhring/Inge C. Schwerdtfeger: Landeskunde im Fremdsprachenunterricht. Zur Neubegründung unter semiotischem Aspekt. In: Linguistik und Didaktik 25, 1976, S. 55–80.
– Harald Gutschow: Von der Kulturkunde zur Landeskunde: Geschichte und Probleme eines Aspekts des Fremdsprachenunterrichts aus deutscher Sicht. In: Germanistische Mitteilungen 4, 1976, S. 3–15.

1977 – Siegfried J. Schmidt: Was ist bei der Selektion landeskundlichen Wissens zu berücksichtigen? In: Jahrbuch Deutsch als Fremdsprache 3, 1977, S. 25–32. Nachdruck jetzt in Band 1, S. 289–299.
– [Ulrich Engel et al.]: Mannheimer Gutachten zu ausgewählten Lehrwerken Deutsch als Fremdsprache. Heidelberg 1977 [^{3}1978].
– Peter Bung: Systematische Lehrwerkanalyse. Untersuchungen zum Einsatz von Content-Analysen für die Lehrwerkforschung und Lehrwerkkritik [= Diss. Heidelberg 1976]. Kastellaun 1977.

1978 – Gisela Baumgratz/Robert Picht (eds.): Perspektiven der Frankreichkunde II. Arbeitsansätze für Forschung und Unterricht. Tübingen 1978.
– Hans J. Vermeer: Sprache und Kulturanthropologie. Ein Plädoyer für interdisziplinäre Zusammenarbeit in der Fremdsprachendidaktik. In: Jahrbuch Deutsch als Fremdsprache 4, 1978, S. 1–21.
– Sonderteil Kritische Beiträge zum Mannheimer Gutachten der Zeitschrift Zielsprache Deutsch: 2, 1978.

1979 – Ulrich Engel, Hans-Jürgen Krumm, Alois Wierlacher: Mannheimer Gutachten II, Heidelberg 1979.

[20] vgl. Picht 1975.
[21] vgl. Schmidts Beitrag im vorliegenden Reader, Band 1, S. 289 ff.
[22] vgl. Weber 1976; Göhring 1975 und in Band 1, S. 70–90.
[23] vgl. Köhring/Schwerdtfeger 1976.
[24] Es gibt auch die legitime, komplementäre Möglichkeit von Landeskunde als einem Begleitprogramm; die Komponente der Landeskunde des Faches Deutsch als Fremdsprache kann also auf doppelte Weise realisiert werden, und sie wird aus sachlichen Gründen auch beide Wege gehen müssen. Hier wird zwar nur von dem einen, in das Deutschstudium integrierten gehandelt, es sei aber ausdrücklich betont, daß damit der zweite Weg weder ausgeschlossen noch bagatellisiert werden soll. Vgl. hierzu jetzt Walter Steitz: Schwerpunkte der deutschen Sozial- und Wirtschaftsgeschichte im 19. und 20. Jahrhundert. Heidelberg 1979 (= Studienbücher Deutsch als Fremdsprache 1).
[25] vgl. hierzu Georg Stötzel: Heinrich Bölls sprachreflexive Diktion. In: Linguistik und Didaktik 33, 1978, S. 61 ff.
[26] vgl. Anm. 2. Ferner Karl-Richard Bausch/Horst Raabe: Zur Frage der Relevanz von kontrastiver Analyse, Fehleranalyse und Interimsprachenanalyse für den Fremdsprachenunterricht. In: Jahrbuch Deutsch als Fremdsprache 4, 1978, S. 56–75.
[27] Gerhard Schulz: Zur Situation des Deutschen in Australien. In: Jahrbuch Deutsch als Fremdsprache 2, 1976, S. 111.
[28] vgl. Band 1, S. 158. [29] vgl. Picht 1975 (Anm. 19), S. 535.
[30] die als Kommunikationsferment fungiert, vgl. Wierlacher, 1975 (Anm. 16), S. 131 f. – E. M. Vereščagin/V. G. Kostomarov: Sprachbezogene Landeskunde. In: Praxis des neusprachlichen Unterrichts 21, 1974, S. 312 ff.
[31] vgl. Edmund Nierlich: Die praktische Relevanz der Analyse von Medientexten in den fremdsprachlichen Literaturwissenschaften. Zur fachwissenschaftlichen Grundlegung einer fremdsprachenunterrichtlichen Landeskunde. In: Fremdsprachliche Literaturwissenschaft und Massenmedien, hrsg. Edmund Nierlich, Meisenheim 1978, S. 3–35; hier S. 7 ff.
[32] vgl. Robert Picht: Landeskunde und Spracherwerb. In: Jahrbuch Deutsch als Fremdsprache 5, 1979, S. 192.
[33] vgl. oben S. 322.
[34] Aus: *Der gemeine Mann.* In: Politische Wahrheiten. Band 1, Zürich 1976, S. 84 f.
[35] vgl. Alois Wierlacher: Deutsch als Fremdsprache a. a. O. S. 17 und 27.
[36] vgl. a. a. O. S. 27 (Wierlacher, 1975). Dieses Ausbildungsziel verfolgt auch die neueste Curriculum-Reform des Deutschstudiums in Ungarn, vgl. Antal Madl: Curriculare Reform des Deutschstudiums in Ungarn unter besonderer Berücksichtigung der Landeskunde und Literaturstudien. In: Jahrbuch Deutsch als Fremdsprache 6, 1980.
[37] deren funktionale Qualität Franz Hebel in diesem Band transparent macht, S. 387–409.
[38] Karin Struck: *Klassenliebe.* Frankfurt [1973] 1977, S. 117 f.

Dietrich Krusche

Brecht und das NŌ-Spiel

Zu den Grundlagen interkultureller Literaturvermittlung

0. Problem-Kontur: Die Überbrückung kulturhistorischer Distanz

Die Vermittlung von Kultur[1] über eine historische Distanz hinweg bereitet nicht nur besondere methodisch-didaktische, sondern auch hermeneutische Schwierigkeiten; diese sind umso größer, je mehr die zu vermittelnden Objektivationen mit konkreter Gesellschaftlichkeit angereichert sind, die dem Rezipienten widerständig (unverständlich, "fremd") gegenübertritt. Das gilt in besonderem Maße für die Vermittlung von Sprache und Literatur; und der Vermittler ist vor allem dann in seiner reflexiven und didaktischen Leistungsfähigkeit gefordert, wenn im Vermittlungsprozeß nicht nur zeitlich entfernte Gegenstände des eigenen Traditionszusammenhangs in den Blick gefaßt werden, sondern Distanzen zwischen Kulturen zu überwinden sind, die sich in der Geschichte ihrer Entfaltung kaum oder gar nicht berührt haben.

Zur Veranschaulichung von bei solchen Vermittlungsunternehmen leicht auftretenden Verständnisschwierigkeiten erscheint es lohnend, einen besonders weit ausgreifenden "Aneignungs"-Vorgang zu analysieren: Brechts Verarbeitung des japanischen NŌ-Spiels Tanikō zu den Schulopern Der Jasager und Der Neinsager. Dabei soll nicht Brechts Art und Weise, sich von kulturhistorisch distanten Werken der Weltliteratur affizieren zu lassen, problematisiert werden, sondern einige Kategorien, in denen Literaturwissenschaft diesen "Aneignungs"-Vorgang beschrieben hat.

1. Einführung in das Exemplum

Brechts Bereitschaft und Fähigkeit, literarische Formen und Stoffe zu übernehmen, ist bekannt. Man hat ihn gescholten deswegen und gepriesen. Als Brecht nach der Uraufführung der Dreigroschenoper auf den Plagiatsvorwurf Kerrs antwortete, er habe es einfach vergessen, neben dem Namen Villons auch den Namen des Villon-Übersetzers Ammer zu erwähnen, und dieses Vergessen erkläre sich aus seiner "grundsätzlichen Laxheit in Fragen geistigen Eigentums", waren viele entsetzt. Heute neigt man mehr dazu, Brechts ununterbrochene *Verarbeitung von Anregungen,* die er aus der gesamten Weltliteratur bezog, als eins der Hauptmerkmale seiner Genialität zu werten. Reinhold Grimm in seiner Studie "Brecht und die Weltliteratur" weist nach, daß es besonders zwei große Literaturen waren, die Brecht entscheidend beeinflußt haben: die anglo-amerikanische und die ostasiatische, das heißt die chinesische und die japanische Literatur;[2] was das Verhältnis Brechts zu denjenigen unter seinen Quellen angeht, die er "sei es als Bearbeiter oder freischöpferischer Nachdichter übernommen hat", stellt Grimm fest, so spanne sich der Bogen hier "von wortgetreuen Übertragungen ... bis zu völlig unabhängigen, nur noch durch das gleiche Motiv mit der Quelle verbundenen Dichtungen". Als Beispiel für eine "wortgetreue Übertragung" wenigstens von "Teilen" der Vorlage führt Grimm den Jasager an.[3] (Die Äußerungen anderer Wissenschaftler zum Verhältnis des Jasagers zu seiner "Vorlage" klingen wesentlich zurückhaltender.[4]) Nun handelt es sich beim Jasager – und auch dem Neinsager – um Lehrstücke, durch die Brecht bestimmte Erkenntnisse marxistisch-sozialistischen Denkens demonstrieren wollte, die ihm in der Zeit, als er die Stücke schrieb, besonders wichtig waren. Umso mehr muß es einen Leser der Ausführungen Grimms, dem das japanische NŌ-Drama nicht ganz unbekannt ist, erstaunen, daß sich durch "wortgetreue Übertragung" eines NŌ-Spiels (oder einzelner Teile desselben), eines Dramas also, das aus dem japanischen Mythos lebt, ein gut europäisches Lehrstück marxistisch-dialektischer Prägung schaffen lassen soll. Der Verdacht drängt sich auf, daß das NŌ-Spiel Brecht gänzlich abgelöst von seinem Hintergrund, gänzlich "entfremdet" begegnet ist, verstehbar, mißverstehbar in beliebiger Weise. Dieser Verdacht verstärkt sich, wenn man bereits beim ersten flüchtigen Vergleich von Vorlage und Nachdichtung feststellt, daß es sich hier tatsächlich fast ausschließlich um wörtliche Übersetzungen von Worten, Sätzen, Sprachbildern und ganzen Szenen handelt. So leicht also soll sich Literatur aus einem Kulturbereich in einen anderen, aus einem Zeitalter in ein anderes – Literatur als Ausdruck eines bestimmten Weltverständnisses in Literatur als Ausdruck eines sehr anderen Weltverständnisses – "übertragen" lassen! Dann wäre Literatur in ihrem Kern etwas A-Historisches, wäre, wenn auch nicht ihr Entstehen, so doch ihr Verstehen und die Möglichkeiten ihrer Aktualisierung, unabhängig von geschichtlich-sozialen, von ethnischen und klimatischen Bedingtheiten. Dann lohnte es sich also, "literarische Museen" in noch größerem Maßstab zu errichten als zum Beispiel Enzensberger es mit seinem "Museum der modernen Poesie" unternommen hat, dann verhielte sich so ein "Annex zum Atelier" des Autors tatsächlich wie das "Mittel zum Zweck" gegenwärtiger Literaturproduktion.[5]

Nun, man kann über die Abstrahierbarkeit und damit freie Übertragbarkeit von literarischen Motiven, Strukturen und Gattungsformen (bzw. deren Teile) verschiedener Ansicht sein; sicherlich aber spielt bei derlei Übertragungen die Entfernung, nämlich die historische, eine Rolle. Beim "Transport" eines japanischen NŌ-Spiels in ein marxistisches Lehrstück der Art, wie Brecht sie Ende der zwanziger und Anfang der dreißiger Jahre in Berlin verfaßt hat, war eine besonders große Entfernung zu überwinden. Es mag daher im Hinblick auf die Art und Weise Brechts, Werke fremder Literaturen zu adaptieren, aufschlußreich sein, wenn genauer untersucht wird, welchen Weg der "Transport" des Bild- und Szenenmaterials aus dem NŌ-Spiel Tanikō bis hinüber in Brechts Schulopern Der Jasager und Der Neinsager genommen hat.[6]

2. *Die Umstände der "Aneignung" von Tanikō durch Brecht*

Im Jahre 1929 kreisten Brechts Gedanken, die sich mit dem von ihm zu vertretenden Menschenbild beschäftigten, um den Begriff des "Einverständnisses": des Einverständnisses in die Auslöschung der Individualität zugunsten der Allgemeinheit, wie sie die Lehre des philosophisch erweiterten Marxismus verlangt. Das Verhältnis des Einzelnen zur Allgemeinheit, eines der großen Themen aller Literatur, hatte Brecht schon lange vorher beschäftigt, und er hatte bald das Recht des Einzelnen auf Individualität, bald den Anspruch der Allgemeinheit bzw. des umfassenden "Ganzen" für größer gehalten. In Baal (1918) löst sich die Individualität auf in dem Ganzen der Natur; und es ist gut so; in Mann ist Mann (1928) verliert der Einzelne seine Individualität in der Gleichmacherei des (von der reaktionären Bourgeoisie so gewollten) Militärapparats – und es ist schlimm so; im Badener Lehrstück vom Einverständnis (1929) zwingt ein "gelernter Chor" (also ein Chor aus Kennern der marxistischen Lehre, sozusagen ein Parteichor) die Flieger, Verkörperung des Anspruchs auf Individualität, einzusehen, daß ihre Tat, die Überquerung des Oezans, niemandem nützt, daß niemand auf sie wartet, daß niemand stirbt, wenn sie sterben – und die Flieger nehmen das an! Man hat darauf hingewiesen, daß das Bestehen auf dem Einverständnis des Einzelnen in seine Auslöschung als Individualität, auf der Freiwilligkeit also der Auslöschung, gewisse Züge christlicher Moraltheologie enthält; allerdings steht an der Stelle Gottes, der reuige Einsicht und Unterwerfung fordert, hier die Idee des kommunistischen Kollektivs. Auch im Stil nähert sich Brecht im Badener Lehrstück der Sprache der Bibel an; der Stoff freilich war aktuell, die Struktur des Stücks Brechts eigener Zuschnitt.[7] Um die Idee des Einverständnisses noch weiter zu exemplifizieren, griff Brecht nach Stoffen und Sprachformen, die reichlich entfernter lagen als Lindberghs Flug, christliche Theologie und Bibeltext. Dabei geriet er an eine Dramenvorlage, die ihm ihrem kulturellen, religiösen, mythischen Ursprung nach ebenso fernliegen mußte wie ihrer – wenn entsprechend, d. h. als Ganzes verstandenen – Form nach: an das japanische NŌ-Spiel Tanikō.[8]

Im Jahre 1921 war die englische Übersetzung einiger NŌ-Spiele erschienen, vor allem der 1908 wiederentdeckten Spiele Seamis, des großen Dichter-Schauspielers des vierzehnten Jahrhunderts, von Arthur Waley.[9] Unter den Übersetzungen Waleys fand sich ein heute kaum noch gespieltes Stück mit dem Titel Tanikō. Brecht, nach einer ersten Lektüre der Übersetzungen gerade von diesem relativ unbedeutenden Stück von Zenchiku angeregt, ließ sich von seiner Mitarbeiterin Elisabeth Hauptmann (die ihm schon den Text von J. Gays Bettleroper übersetzt hatte) eine Übersetzung der Übersetzung anfertigen und erstellte nach dieser seine eigene erste Fassung des Stücks. Diese Fassung nannte er Der Jasager (1929). Diese vorläufige “dem Japanischen nahe” Fassung wurde von Weill vertont und, da sie als Schuloper gedacht war, vor den Schülern der Karl-Marx-Schule, Berlin/Neukölln, aufgeführt und anschließend mit den Schülern diskutiert.[10] Von den Diskussionsbeiträgen angeregt, hat Brecht dann die endgültige Fassung des Jasagers erstellt und, unter Umkehrung der Pointe der Fabel, ein Parallelstück mit dem Titel Der Neinsager geschrieben.[11] Im folgenden soll nun untersucht werden, was auf dem Wege von Japan bis Berlin/Neukölln aus dem NŌ-Spiel Tanikō geworden ist.

3. Der historische Hintergrund des Mythos von Tanikō

Die Legende, die dem NŌ-Spiel Tanikō zugrundeliegt, gehört in den Legendenbereich um den Gründer einer besonderen Sekte des japanischen "Bergbuddhismus" (Shugendō) namens En no Gyōja, einer bedeutenden Gestalt in den Anfängen des Buddhismus in Japan. Soweit er sich historisch einordnen läßt, hat er um 700 n. Chr. gelebt, und es wird überliefert, daß er von dem Kaiser Taiho einmal in eine entfernte Provinz verbannt wurde; die Rückkehr wurde ihm allerdings bald darauf wieder gestattet. Das Heiligtum, das von den Anhängern seiner Lehre noch heute besucht wird, liegt auf dem "Großen Gipfel" (Ōmine), welcher der Hauptgipfel des Yoshino-Gebirges ist und südöstlich von Nara liegt. In früherer Zeit aber muß ein Zentrum dieser Richtung des Bergbuddhismus auf dem ganz in der Nähe gelegenen Katsuragi-san in der Provinz Yamato gelegen haben.[12] Ursprung vieler Kultformen des Shugendō sind sicher shintōistisch; En no Gyōja ist ein Mann, dessen Bedeutung in der buddhistischen Überformung shintōistischer Traditionen gelegen hat. Wie vielen Sektengründern wurden ihm göttliche Kräfte zugeschrieben. In der Legende von Tanikō wird er mit dem Gott Fudō zusammengebracht, einer Erscheinungsform des japanisch-buddhistischen Sonnengottes (Dainichi), der gewöhnlich eine Richterfunktion ausübt und mit Schwert, Strick und Flamme abgebildet wird. Im Mittelpunkt nun des Tanikō-Mythos steht ein Menschenopfer, das anschließend dank göttlicher Gnade wieder rückgängig gemacht wird. Zweifellos gehört dieses Menschenopfer in eine altjapanische Religionstradition hinein, die hier sinnbildhaft durch buddhistisch-spirituelle Erlösungsmächte aufgehoben wird. *Das vorliegende NŌ-Spiel Tanikō behandelt also in symbolischer Weise einen ganz bestimmten, wichtigen Übergang in der Entwicklung religiöser Vorstellungen und Kulthandlungen in Japan, hat insofern eine deutlich umrissene historische Relevanz;* zugleich zeigt es – eine fortlebende Vorstellung im religiösen Denken Japans – die Doppeldeutigkeit der Welt: En no Gyōja, eben noch Mensch, enthüllt sich (in wiederverkörperter Gestalt) als Wesen mit göttlicher Macht.

4. Die Formung des Mythos im NŌ-Spiel

Der Text des NŌ-Spiels Tanikō geht auf das fünfzehnte Jahrhundert zurück. Die Handlung des Stücks ist in Kürze folgende:

In einem Stadtteil von Kyōtō, in Ima-Gumano, lehrt an einem Tempel ein Priester, der den Titel eines Ajiyari (vgl. sanscr. acarya!) trägt, was man etwa mit "Bischof" übersetzen kann. Er plant eine "rituelle Bergbegehung" (mine-iri), die ihn und die Pilger, die sich ihm anschließen, auf den Katsuragi-san führen wird. Vor dem Aufbruch besucht er das Haus eines seiner Schüler, eines Jungen, der lange nicht zum Unterricht im Tempel erschienen ist. Er findet die Mutter des Knaben krank vor; aus der Krankheit der Mutter erklärt sich das Fernbleiben des Kindes vom Unterricht. Der Lehrer-Priester erzählt der Mutter in Gegenwart des Jungen, daß er eine rituelle Bergbesteigung plant. Der Junge bittet daraufhin den Lehrer, mitgehen zu dürfen. Das wird ihm abgeschlagen, da die Reise in die Berge zu schwierig und zu gefährlich sei; außerdem weist der Lehrer auf die Krankheit der Mutter hin, die ein Daheimbleiben des Jungen verlange. Der Junge entgegnete, daß er gerade deswegen mitkommen wolle, weil er auf der Pilgerreise für die Gesundheit der Mutter beten wollte. Entgegen den Bitten der Mutter und den Vorhaltungen des Lehrers bleibt der Junge bei seinem Vorhaben, und es wird ihm schließlich erlaubt mitzukommen. Bei der Besteigung des Berges Katsuragi wird der Junge krank. Die Pilger, die eine Veränderung im Aussehen des Jungen und seine Müdigkeit bemerken, erinnern den Priester-Lehrer an den großen (strengen, alten) Brauch, daß jemand, der auf einer Pilgerreise wie dieser versagt, in das Tal hinabgeworfen werden soll zu schnellem Tod. (Krankheit wird als Übel und damit als Sünde verstanden; indem die Begleiter eines Kranken sich seiner entledigen, befreien sie sich durch dieses Menschenopfer selbst von dem Übel, der "Sünde" – eine shintōistische Vorstellung.) Dem Lehrer ist es nicht möglich, den Knaben zu retten; er teilt ihm das bevorstehende Schicksal mit. Der Knabe ist mit der Opferung einverstanden, das heißt, er stimmt dem großen Brauch (der auch ein "Gesetz" genannt wird) zu, auf den die Erwachsenen sich berufen. Er fügt sich damit in den Willen derer, in deren Gesellschaft er sich auf diese Reise begeben hat; in dem Willen der Erwachsenen erfährt er den Zwang religiös-mythischer Tradition, der für ihn verpflichtend ist. Sein einziger Kummer ist der Gedanke an seine Mutter, die ihren Sohn verliert. (Es ist wichtig, daß eine aktive Bereitschaft zum Selbstopfer von seiten des Jungen nicht vorliegt; er wird im Spiel als ungefähr zehnjähriges Kind dargestellt, das seinen Willen aufgehen läßt in dem Willen seiner Begleiter, der wiederum den Willen der Tradition verkörpert – eine Alternative gibt es nicht. Der Junge wird auch gar nicht auf sein "Einverständnis" hin gefragt, sondern sein Schicksal wird ihm mitgeteilt. So sagt der Lehrer zu den Pilgern: Ich will es ihm auf schonende Weise sagen ...) "Tanikō" ("die Taltat", d. h. der Brauch des Hinabwerfens in das Tal) wird vollzogen ... Nach Besteigung des Berges kann sich der Lehrer nicht dazu entschließen, ohne seinen Schüler in die Stadt zurückzukehren und vor die Mutter des Kindes zu treten. Er leidet an dem Tod des Jungen. Da sein Leiden, so teilt er den Pilgern mit, auch ein Übel sei, müßten sie auch an ihm "Tanikō" vollziehen. Die Pilger stimmen zu; aber dann schlägt einer von ihnen vor, man solle doch versuchen, durch ein Gebet den Knaben wieder zum Leben zu erwecken. Gemeinsam beten der Lehrer-Priester und die Pilger, und der Knabe wird durch En no Gyōja und den Gott Fudō wieder zum Leben erweckt; eine weibliche Gottheit, als Botin entsandt, gräbt den Knaben aus den Steinen, die man auf ihn geworfen hat, frei und bringt ihn unversehrt zu dem Lehrer und den Pilgern zurück ... Zu dem Gebet waren die Pilger fähig aufgrund ihrer langen gründlichen Unterweisung im Buddhismus. In der Erweckung des Jungen findet die Pilgerreise ihre eigentliche Erfüllung.

Somit lassen sich in der Handlung des NŌ-Spiels drei mythisch-religiöse Elemente finden, von denen die Struktur des Stückes bestimmt wird: Der *Brauch der rituellen Bergbesteigung* (mine-iri), von dem alles seinen Ausgang nimmt; *der altjapanische Brauch des Menschenopfers und die Wiederweckung des Jungen durch den buddhistischen Heiligen* En no Gyōja und den Gott Fudō. Diese Elemente bilden in dem NŌ-Spiel eine untrennbare Einheit, sie bedingen sich gegenseitig. Der rigorose Brauch des "Tanikō" hat in diesem Spiel die Funktion, die Möglichkeit zu schaffen, daß sich gnadenhaftes göttliches Walten den Menschen sichtbar erweist. (Als Parallele läßt sich das NŌ-Spiel Ikeniye[13] anführen, das dieselbe Motivverknüpfung zeigt: Ein Menschenopfer wird dargebracht und durch göttliches Eingreifen rückgängig gemacht.)

5. *Die Übersetzung des NŌ-Spiels von A. Waley*[14]

Die Übersetzung ins Englische ist so genau, wie es die Übersetzung eines so sensiblen Textes, wie es ein NŌ-Spiel ist, sein kann. Kritisch einzugehen ist nur auf eine Hinzufügung und eine Auslassung, die zu der Umdeutung des Stückes durch Brecht geführt haben dürften:

1. Die Worte Waleys bei der Beschreibung des Vollzugs von "Tanikō"
(...
Foot by foot
They stood together,
Heaving blindly,)
None guiltier than his neighbour ...[15]

haben im Text keine Entsprechung. Der Gedanke an Schuld liegt fern, da die Pilger ja nur den "alten Brauch" vollziehen. Die Verneinung, also immerhin Erwähnung einer persönlichen Schuld für die Vollstrecker des "Tanikō" mag Brecht den Gedanken nahegelegt haben, daß der Brauch eine persönliche Einwilligung des Jungen in die Vollstreckung voraussetzt. Das wiederum dürfte zu der Deutung geführt haben, daß hier eine bewußte Selbstopferung des Jungen vorliegt. Derlei "persönliche" Kategorien haben im NŌ-Spiel keinen Platz ... Brecht aber übernimmt Waley wörtlich:

"Keiner schuldiger als sein Nachbar ..." (Vgl. unten, 6.2.)

2. Der gesamte zweite Teil des NŌ-Spiels (ein knappes Drittel des Originaltextes), der von dem Eingreifen göttlicher Mächte und der Wiedererweckung des Knaben berichtet, ist von Waley nicht übersetzt worden.[16] Das Fehlen diesen Teiles, der den Höhepunkt des Spiels bildet, die Erfüllung des ersten Teils mit seiner grausamen Opferung des Knaben, läßt für den Leser die ganze Legende verzerrt erscheinen. Es läßt den Eindruck entstehen, als sei die Opferung des Knaben das eigentliche Zentrum des Mythos; dabei enthüllt sich – wie oft im NŌ-Spiel erst im zweiten Teil die "übermenschliche" Relevanz der Handlung. So ist auch auf der Bühne dieser Teil nach Ausstattung und Bedeutungsschwere des Vortrags der eindrucksvollere. Erst in der Erwekkung des Knaben geschieht die Einordnung des "alten Brauchs" in einen umfassenden übermenschlichen Zusammenhang, ohne sie bleibt der "Brauch" unverständlich und sinnlos grausam. Wenigstens den Inhalt des Schlußteils hat Waley in einer Paraphrase wiedergegeben:

... When the pilgrims reach the summit, they pray to their founder En no Gyoja, and to the God Fudo that the boy may be restored to life. In answer to their prayers a Spirit appears carrying the boy in her arms. She lays him at the Priest's feet and vanishes again ...[17]

6. Der Jasager Brechts

Brecht hat zwei Fassungen des Jasagers angefertigt, wobei die erste der Vorlage (Elisabeth Hauptmanns Übersetzung der Übersetzung Waleys) näher war. Die zweite Fassung entstand, wie eingangs dargelegt, nachdem die erste probeweise vor Schülern aufgeführt und diskutiert worden war.

6.1. Die erste Fassung[18]

Schon die ersten Worte
„Wichtig zu lernen vor allem ist Einverständnis ...", zeigt, was Brecht in den Mittelpunkt seiner Nachdichtung stellen will: den Akt des "Einverständnisses" des Knaben in sein Schicksal. Auf das Element der Wiedererweckung glaubt Brecht verzichten zu können. Da er nun einmal dabei ist, das Mythische in dem Stoff, der ihn als Handlungsstruktur interessiert, zurückzudrängen, verzichtet er gleich noch auf ein zweites der drei mythischen Hauptelemente in dem Stück: den mythisch-religiösen Ritus als Anlaß der Bergbesteigung. Stattdessen deklariert er die Bergbesteigung als eine "Forschungsreise", der sich der Knabe anschließt, "um Medizin und Unterweisung zu holen für seine Mutter". Bleibt als einziges mythisches Element noch der "alte Brauch" des "Tanikō". Da aber nun ein dem Brauch entsprechendes Motiv zur Reise fehlt (die rationalistisch-praktische Motivierung als "Forschungsreise" wirkt grotesk unangemessen) und da auch die den Brauch in seiner funktionellen Notwendigkeit bestätigende Überwindung des Brauches in der Wiedererweckung des Knaben fehlt, wird der Brauch als solcher sinnlos – und das umso mehr, als von dem Jungen ein ausdrückliches persönliches Einverständnis zu dem Brauch verlangt wird. Offenbar hat Brecht versucht, eine Art Hilfsmotivation einzuführen, indem er die Teilnehmer (es sind hier "Studenten") auf die Notwendigkeit des Fortgangs der Forschungsreise hinweisen läßt und die Szenerie so arrangiert, daß ein Mitnehmen des Kranken unmöglich ist.[19] Derlei Konstruktionen konnten niemanden überzeugen. Die Kritik der Schüler der Karl-Marx-Schule, vor denen die erste Fassung des Jasagers aufgeführt wurde, läßt an Deutlichkeit nichts zu wünschen übrig:

> Die Forschung ist nicht so wichtig wie ein Menschenleben ... (Änderungsvorschlag:) Der Junge kann nicht mehr weiter, bleibt aber und wartet. Der Hunger zwingt ihn und er stürzt in die Tiefe ... (Änderungsvorschlag:) Sie sollen versuchen, über den Pfad zu kommen, und dabei soll der Junge abstürzen oder auch alle, so daß nachher keiner die Schuld an dem Tod des Knaben hat ... Das mit dem Brauch ist, glaube ich, nicht richtig ... (Änderungsvorschlag:) Dem Jungen Biomalz geben ... (Ansicht:) ... daß das Schicksal des Jasagers nicht so dargestellt ist, daß man seine Notwendigkeit sieht. Warum ist nicht die ganze Gesellschaft umgekehrt und hat das kranke Glied gerettet, anstatt es zu töten ... Die Mystik, die die Oper durchzieht, wird nicht angenehm empfunden ... Die Motivierung

der Handlung ist nicht deutlich (real) genug... Man könnte das Stück gerade dazu benutzen, die Schädlichkeit des Aberglaubens zu zeigen. Es wäre vielleicht etwas für künstlerische Feinschmecker... (S. 319f.)[20]

In dieser verzerrten Form ist das Stück allerdings "aus seiner japanischen Heimat heraus" nicht verständlich und kaum etwas für "künstlerische Feinschmecker" ... Brecht entschließt sich, im Zugzwang des einmal begonnenen Veränderns, zu weiteren Änderungen.

6.2. Die zweite Fassung des Jasagers

Aus der unverbindlichen "Forschungsreise", die, so muß man meinen, jederzeit abgebrochen werden kann, wenn es um ein Menschenleben geht, wird jetzt eine "Reise über die Berge, um Medizin zu holen und Unterweisung"; denn: "es ist ... eine Seuche bei uns ausgebrochen, und in der Stadt jenseits der Berge wohnen einige große Ärzte" (S. 303f.). Damit wird die Reise in einer zwischenmenschlichen Notwendigkeit verankert; sie dient dem Wohl der Allgemeinheit, Eile ist geboten denn die Seuche kann stündlich mehr Menschen dahinraffen – es ergibt sich daraus in überzeugender Weise, daß die Reisegesellschaft sich nicht um der Krankheit eines Einzelnen willen aufhalten kann. Eine (oben nicht zitierte) Anregung eines Schülers aufnehmend, läßt Brecht die Begleiter des Knaben versuchen, ihn trotz seiner Krankheit mitzuschleppen. Um die Unmöglichkeit dieses Unterfangens absolut sicher zu erweisen, führt Brecht ein "Technikum" ein (S. 308):

Die drei Studenten versuchen, den Knaben über den "schmalen Grat" zu bringen. Der schmale Grat muß von den Spielern aus Podesten, Seilen, Stühlen usw. so konstruiert werden, daß die drei Studenten zwar allein, nicht aber, wenn sie auch noch den Knaben tragen, hinüberkommen.

Aus der zwingenden Motivierung der Notwendigkeit eines raschen Fortgangs der Reise gewinnt Brecht die Möglichkeit, nun auch auf den Brauch als letztes mythisches Element zu verzichten. Die "Studenten" wollen den Knaben jetzt nicht mehr töten, sondern nur noch zurücklassen:

Wir sprechen es mit Entsetzen aus, aber wenn er nicht mit uns gehen kann, müssen wir ihn eben hier im Gebirge liegenlassen (S. 308).

Allerdings hält der Lehrer es für richtig, daß man den, welcher krank wurde, befragt, ob man umkehren soll seinetwegen, und er sagt zu dem Knaben, nachdem er ihm sein Schicksal angekündigt hat:

Aber es ist richtig, daß man den, welcher krank wurde, befragt...
Und der Brauch schreibt auch vor, daß der, welcher krank wurde,
antwortet: Ihr sollt nicht umkehren (S. 309).

Das Wort "Brauch" taucht also noch auf, aber es steht nicht mehr für ein mythisch-religiöses Gesetz, sondern für ein Postulat zwischenmenschlicher Vernünftigkeit und Offenheit. Hier ist es Brecht gelungen, die erwünschte Situation zu konstruieren, in der ein echtes "Einverständnis" in das Schicksal der notwendigen Opferung zum Wohle der Allgemeinheit verlangt wird. Der Knabe antwortet auch, nach einer Pause des Überlegens, "der Notwendigkeit gemäß".

Da das Zurücklassen aber kein dramatisch wirksamer Schluß wäre, läßt Brecht den Knaben seinerseits darauf bestehen, daß er, um sich nicht lange im Verhungern quälen zu müssen, in das Tal hinabgeworfen wird. Die Studenten weigern sich zuerst, das zu tun, aber der Lehrer spricht dem Knaben das moralische Recht zu, das zu verlangen:

Ihr habt beschlossen, weiterzugehn und ihn dazulassen.
Es ist leicht, ein Schicksal zu bestimmen,
Aber schwer, es zu vollstrecken.
Seid ihr bereit, ihn ins Tal hinabzuwerfen? (S. 310).

Nun ist es an der Zeit für die Studenten, "einverstanden" zu sein. Der Akt des Hinabschleuderns ins Tal, "Tanikō", ist hier nicht mehr der Vollzug mythischer Notwendigkeit, sondern die Tat zwischenmenschlichen Verständnisses und Mitleids. Hier gewinnt endlich auch die Zeile

Keiner schuldiger als sein Nachbar (S. 310)

ein echte Bedeutung.

Die zweite Fassung des Jasagers ist ohne Zweifel die in sich geschlossenste Bearbeitung des Tanikō-Stoffes durch Brecht – allerdings auch die Bearbeitung, die am weitesten vom Original entfernt ist.

7. Der Neinsager Brechts

Nachdem Brecht in den beiden Fassungen des Jasagers den Mythos schrittweise eliminiert hatte, weil er seinen rationalistisch-moralisierenden Begriff vom "Einverständnis" störte, hat es ihn offenbar gereizt, in einer weiteren Bearbeitungsvariante die Überwindung des Mythos selbst zu zeigen – ein ganz neues Thema. Die Anregung dazu könnte er aus einem Diskussionsbeitrag einer Schülerin der Karl-Marx-Schule gewonnen haben, die, wie er gewissenhaft angibt, M. Tautz heißt, seinerzeit der Klasse U IIIa angehörte und vierzehn Jahre alt war; sie regte an:

> Man könnte das Stück gerade dazu benutzen, die Schädlichkeit des Aberglaubens zu zeigen ... (S. 320)

Nachdem sich der Mythos des "Tanikō" als für ein sozialistisches Lehrstück ungeeigneter Stoff erwiesen hat, wird nun die Überwindung des Mythos zum legitimen Stoff eines Lehrstücks. Brecht greift bei der Ausführung dieses neuen Vorhabens noch einmal auf die erste Fassung des Jasagers zurück. Die Reise ist nun wieder eine "Forschungsreise ins Gebirge" ..., denn in der Stadt jenseits der Berge sind "die großen Lehrer" (S. 312). Der Knabe geht mit, um "Medizin (zu) holen und Unterweisung" (S. 314). Lehrer und Mutter des Knaben erkennen gemeinsam:

> Viele sind einverstanden mit Falschem, aber er ist nicht einverstanden mit der Krankheit, sondern daß die Krankheit geheilt wird (S. 314).

Der Knabe wird unterwegs selbst krank, und die Studenten erinnern sich an den "großen Brauch", daß die, die nicht weiter können, ins Tal geschleudert werden. So ein "Brauch", zumal wenn man sich ihm auf einer "Forschungsreise" konfrontiert sieht, muß befremdlich erscheinen. Brecht macht sich nicht die Mühe, den "Brauch" irgendwie als eine irgendgeartete Notwendigkeit zu festigen, sondern begnügt sich mit der Mitteilung, daß der Brauch "seit alters her ... hier herrscht" (S. 316). Er steigert ihn noch weiter ins Sinnlos-Groteske, indem er den "großen Brauch" nicht nur vorschreiben läßt, "daß man den, welcher krank wurde, befragt, ob man umkehren soll seinetwegen", sondern ihn außerdem noch verlangen läßt, "daß der, welcher krank wurde, antwortet: Ihr sollt nicht umkehren ..." (S. 316). Es ist demnach völlig überzeugend, daß der Knabe, von dem Lehrer befragt: "Verlangst du, daß man umkehren soll deinetwegen? Oder bist du einverstanden, daß du ins Tal hinabgeworfen wirst, wie der große Brauch es verlangt?", antwortet: "Nein, ich bin nicht einverstanden." (S. 317) Jedes normale Kind der Zeit und des Lands, für die Brecht diese "Nachdichtung" eines alten japanischen Kultspiels schreibt, dürfte ohne Zögern so antworten. Und zweifellos ist die Begründung der Entscheidung des Knaben auch für die Zuhörer einer Schuloper, Lehrer wie Schüler, leicht zu begreifen: Als nämlich dem Knaben vorgehalten wird: "Warum antwortest du nicht dem Brauch gemäß? Wer a sagt, muß auch b sagen. Als du seinerzeit gefragt wurdest, ob du auch einverstanden sein würdest mit allem, was sich auf der Reise begeben könnte, hast du mit ja geantwortet", kann er einleuchtend sagen (und dies ist dann die "Erkenntnis" des Stücks):

> Die Antwort, die ich gegeben habe, war falsch, aber eure Frage war falscher. Wer a sagt, muß nicht b sagen. Er kann auch erkennen, daß a falsch war. Ich wollte meiner Mutter Medizin holen, aber jetzt bin ich selber krank geworden... Ich will sofort umkehren, der neuen Lage entsprechend... Euer Lernen kann durchaus warten... Und was den großen alten Brauch betrifft, so sehe ich keine Vernunft an ihm. Ich brauche vielmehr einen neuen großen Brauch, den wir sofort einführen müssen, nämlich den Brauch, in jeder neuen Lage neu nachzudenken. (S. 317f.)

8. Schlußfolgerungen

Obgleich die beiden Lehrstücke (Schulopern, wie Brecht sagt) innerhalb des Werks von B. Brecht sicherlich keine große Bedeutung haben, läßt sich an diesen Arbeiten zeigen, wie Brecht beim "Übernehmen" fremder Stoffe vorgehen konnte. Er ließ sich von irgendeinem Element des fremden Stoffes, das ihm in seine philosophischen oder dramentechnischen Überlegungen paßte, affizieren – in diesem Fall von einem Grundgestus (oder was er dafür hielt), der ihm ein "Einverständnis" eines Einzelnen in einen umfassenden menschlichen Zusammenhang zu bedeuten schien. In der folgenden Auseinandersetzung mit dem Stoff konnte sich – wie im vorliegenden Fall – herausstellen, daß der Stoff durchaus nicht zur Demonstration dessen, was vorschwebte, geeignet war; Brecht merkte, daß die erste Affizierung durch den Tanikō-Stoff ein Mißverständnis war. Eben dieses Mißverständnis aber löste eine selbständige Entwicklung aus, die zu einem Ergebnis führte, das mit der Vorlage nichts mehr zu tun hat. Daran ändert auch die Tatsache nichts, daß Brecht, wie Willet[21] nachweist, große Partien des NŌ-Spiels, besonders dessen bildhafte Wendungen, wörtlich übernimmt. Worte, Sätze, ja Sprachbilder in Zusammenhänge einer historisch derart weit entfernten anderen Welt transportiert, entfalten in dieser eine völlig andere Bedeutung, Wertigkeit. So kann ein Zuschauer des Stükkes von Brecht auf den Gedanken kommen, die mythisch-religiös bedeutungsvolle "Krankheit" des Knaben könne durch Verabreichung von Biomalz kuriert werden; aus dem Priester-Lehrer mit seiner buddhistischen Aura wird bei Brecht der "Herr Lehrer" mit all dem, was typisch deutscher Tradition nach an diesen Worten hängt; aus dem

"Karma" des Knaben und den "bitteren Notwendigkeiten" einer mythisch durchwalteten Welt, wird eine Panne bei einer Bergbesteigung, die man durch ein "Technikum" zu beheben versucht; ja, dort, wo mystische Klänge an der Sprache klebengeblieben sind und als solche verstanden werden, müssen sie als "unangenehm" empfunden werden, wie Brechts jugendliche Zuschauer treffend feststellen.

Es fällt daher schwer, im Falle des Kultspiels Tanikō und des Jasagers und Neinsagers von Brecht von einer "Nachdichtung" oder, mit Reinhold Grimm, von einer "wortgetreuen Übertragung" zu sprechen ("wort*getreu*" hat Brecht gar nichts übernommen, höchstens "wörtlich"; so etwas wie Verpflichtung zur "Treue" hat Brecht seinen Vorlagen gegenüber nie empfunden; manchmal war wörtliche Übernahme das Einfachste).

Will man die Art und Weise charakterisieren, in der Brecht das japanische NŌ-Spiel als Vorlage benutzt hat, so kann man allenfalls von einer *Anregung aufgrund eines Mißverständnisses* und der *konsequenten Ausformung des Mißverstandenen* sprechen. Damit soll gar nicht Brechts Versuch, sich ein Werk einer fremden Literatur anzueignen, bekrittelt sein. Er nahm sich – mit allem Recht – seine Anregungen, woher er sie bekam, wo immer er sie fand. Und die beiläufige, oft ganz unvermittelte, diskontinuierliche und auf so etwas wie "Verstehen" der Vorlage gar nicht abzielende Art Brechts, sich anregen zu lassen, ist charakteristisch für diesen Dichter, der von den politischen Ereignissen seiner Zeit (nicht deren Bildungserlebnissen) in Anspruch genommen war wie kaum ein anderer.

In Frage zu stellen sind dagegen die Begriffe, in denen die Literaturwissenschaft das Verhältnis Brechts zu Fremdliteraturen beschrieben hat, insofern diese eine unmittelbare Verfügbarkeit der Fremdliteraturen (ihrer Stoffe und Formen), ihre "Verstehbarkeit" für das europäische Denken auf der Basis einer "Allgemeinmenschlichkeit der Kunst" voraussetzen. So ist es auch zurückzuweisen, wenn Reinhold Grimm von Brechts Schulopern als von "Übertragungen" eines japanischen NŌ-Spiel-Textes spricht, oder wenn H.-M. Enzensberger schreibt, Brechts Werk sei "von der Begegnung mit (...) dem japanischen NŌ-Spiel geprägt".[22] Solche Äußerungen implizieren nicht nur eine bestimmte Deutung des Werkes von Brecht, sondern auch eine aus den gleichen hermeneutischen Prämissen sich ergebende Deutbarkeit der fremdliterarischen Vorlage. Damit aber wird die historische Distanz zwischen dem Europa des 20. Jahrhunderts und dem Japan des 14. Jahrhunderts unterlaufen. Eine Vorstellung von dieser historischen

Distanz gewinnen wir, wenn wir versuchen, uns die Funktion bewußt zu machen, die das NŌ-Spiel zu der Zeit seines Entstehens in Japan hatte; denn dabei stoßen wir unvermeidlich auf eine Grenze unserer Verständnismöglichkeiten: wir können zwar immer tiefer eindringen in die Rekonstruktion der Welt des NŌ-Spiels, sehen uns aber dabei auch immer wieder zurückverwiesen auf die Reflexion unserer eigenen hermeneutischen Ausgangslage, unserer Erkenntnisinteressen (unseren Literatur- und Gesellschaftsbegriff), die all unser Verstehen präformieren – eine Erfahrung geschichtlicher Dialektik, die Habermas im Hermeneutik-Kapitel von "Erkenntnis und Interesse" ausführlich beschrieben hat.[23]

Es würde den Rahmen dieser Untersuchung sprengen, wollte man die bei der Analyse des Verhältnisses der Schulopern Brechts zu ihrer japanischen Vorlage gewonnenen Ergebnisse allseitig mit den Positionen einer dialektischen Hermeneutik verknüpfen. Immerhin lassen die Schwierigkeiten, die sich für die Literaturwissenschaft bei dem Versuch ergeben, das Verhältnis von Vorlage und "Nachdichtung" zu definieren, einige umrißhafte Schlußfolgerungen hinsichtlich der Möglichkeiten und Grenzen der Vermittlung von Literatur über kulturelle Grenzen hinweg zu:

1. Je größer die kulturhistorische Distanz, die zu überbrücken ist, desto *weniger direkt* kann offenbar der Zugriff sein auf das von dem Text Bedeutete, das "allgemein-verständlich" damit Ausgesagte; desto notwendiger ist es, den Text in die Bedingtheiten seines Entstehens, die Umstände seines Wirkens einzurücken.[24]

2. In einer solchen Rekonstruktion der Funktion des betreffenden Textes in seinem geschichtlich-gesellschaftlichen Zusammenhang, auf den er bezogen ist, ergibt sich erst ein Begriff der "konkreten Fremde",[25] die zwischen dem Text und seinem in einem ganz anderen Traditionszusammenhang stehenden Rezipienten liegt; dabei wird die Reflexion unvermeidlich auf die *Umstände des Vermittlungsunternehmens selbst* gelenkt: die Besonderheiten der kulturgeschichtlichen Tradition (den darin wirkenden Bildungs- und Literaturbegriff), die das Rezeptions-Interesse hervorgebracht haben und steuern.

3. Erst nach der Erhellung dieser hermeneutischen Rahmenprobleme kann der Versuch unternommen werden, das literarische Werk in seinen Angeboten zur Realisierung "allgemeiner Menschlichkeit" zu erschließen, es nicht nur als Anlaß, sondern auch als Inhalt interkultureller Verständigung zu begreifen.

Noch eine weitere Schlußfolgerung sei angedeutet:

Die Aufnahme und Verarbeitung eines literarischen Werks als Anregung zu einer neuen literarischen Produktion beschränkt sich auf die Innerlichkeit des produktiv rezipierenden Subjekts; hier ist Subjektivität nur sich selbst verantwortlich, da das Ergebnis, das neue Literaturwerk als solches, mit all seiner Vieldeutigkeit, all seinen Realisierungsangeboten, *den Auslöser eines neuen Kommunikationslaufs* zwischen ihm selbst und seinen Lesern darstellt; das neue Werk ist in seiner historischen Positionalität und damit im Kern seines Wirkungspotentials nicht auf das Vorgängerwerk beziehbar und von diesem her erschließbar; der implizierte Hinweis darauf (die motivische oder strukturale Übereinstimmung mit dem Vorgängerwerk, sei diese ausdrücklich angemerkt oder nicht) hat nur eine abgeleitete Funktion im Kräftespiel der Wirkpotentiale.

Ganz anderes gilt für den a limine auf Kommunikation angelegten wissenschaftlichen Deutungsprozeß, zu dem ein literarisches Werk objektiven Anlaß gibt: Hier versucht ein Subjekt, der "Interpret", *sich anderen gegenüber verständlich zu machen,* er versucht, in Bezug auf seine Deutung einen *Konsensus* zustandezubringen; oder es handelt sich von vornherein – wie etwa bei einem Seminargespräch – um einen Dialog von bei der Deutung in gleicher Weise aktiven Partnern. In diesem Fall gelten alle oben gemachten methodischen Vorbehalte, denen jeder der Teilnehmer am Deutungsgespräch Rechnung zu tragen hat; kommt es doch für jeden darauf an, seine Partner vor der eigenen Subjektivität als einer unvermittelbaren zu bewahren, d. h. die eigene Texterfahrung intersubjektiv zu vermitteln, sie "wahrscheinlich" oder im Hinblick auf einen Konsensus der am Wissenschaftsgespräch Beteiligten wenigstens "möglich" zu machen. Hier wird das Reagieren auf "fremde" Literatur zu einem besonders riskanten, aber auch besonders lohnenden Unternehmen; wie einerseits *ein besonderes Maß an hermeneutischem Vorwissen einzubringen und die Methodik der kontrollierten Einbeziehung der eigenen Lese-Erfahrung besonders exakt anzuwenden ist,* so erzwingt andererseits die Verarbeitung von historisch Distantem *einen besonders spannungsreichen Prozeß der Realisierung des Werkes im deuterischen Hic-et-Nunc.* (Vgl. den in Band 1 abgedruckten Aufsatz "Die Kategorie der Fremde".)

Herrn Prof. M. Fujito von der Universität Okayama (jetzt Tokyo) danke ich für Hinweise zur kulturhistorischen Einordnung des Mythos von "Tanikō".
D. K.

Anmerkungen

[1] Vgl. Hermann Bausinger: Zur Problematik des Kulturbegriffs. In: Jahrbuch Deutsch als Fremdsprache, 1, 1975, S. 7 ff. jetzt auch in Band 1 des vorliegenden Readers, S. 57 ff.

[2] Reinhold Grimm: Bertolt Brecht und die Weltliteratur. Nürnberg 1961, SS. 19 u. 75. – Siehe auch Hans Mayer: Bertolt Brecht und die Tradition. Pfullingen 1961. Taschenbuchausgabe: München (dtv, sr 45) 1965, S. 93 ff.

[3] Reinhold Grimm (Anm. 2), S. 75. – In seinem Forschungsbericht "Bertolt Brecht" (Stuttgart [3]1971, S. 20 f.) sagt Grimm: "Ein drittes Lehrstück 'Der Jasager' entstand ebenfalls 1929. Es folgt sehr eng dem von Arthur Waley ins Englische übertragenen Stück 'Taniko', einem japanischen No-Drama aus dem 15. Jh., das die Opferung eines Knaben für das Wohl der Gemeinschaft behandelt."

[4] "Brecht bearbeitet im *Jasager* (...) das japanische Stück *Taniko.*" (Ernst Schumacher: Die dramatischen Versuche Bertolt Brechts 1918–1933. Berlin 1955, S. 337.) "(...) Damals waren die japanischen No-Spiele in englischer Übersetzung erschienen. Elisabeth Hauptmann übertrug das No-Spiel *Taniko* und machte Brecht damit bekannt. Dieses kleine Stück gab die literarische Vorlage für den *Jasager* und die Maßnahme ab." (Werner Mittenzwei: Brechts Verhältnis zur Tradition. Berlin 1973, S. 118)

[5] Hans Magnus Enzensberger: Museum der modernen Poesie. Frankfurt a. M. 1960, S. 11.

[6] Peter Szondi hat für die edition suhrkamp die Materialien zum Jasager und Neinsager herausgegeben (Bertold Brecht: Der Jasager und Der Neinsager. Vorlagen, Fassungen und Materialien. Frankfurt a. M. [edition suhrkamp 171] 1966). Die dort geleistete bibliographische und textkritische Arbeit läßt nichts zu wünschen übrig. Aber naturgemäß steht eine solche Materialzusammenstellung unter keinem spezifischen (kritischen) Aspekt; in seinem Nachwort andererseits skizziert Szondi zwar die Auflösung des japanischen Mythos in den verschiedenen Fassungen der Stücke Brechts bzw. dessen Zählebigkeit darin, ohne aber die textlichen Veränderungen im einzelnen noch einmal aufzunehmen. Die vorliegende kleine Arbeit hat daher das Ziel, in einer verknüpfenden Darstellung die charakteristischen Veränderungen, Auslassungen, Mißverständnisse und schließlich Notwendigkeiten, die von dem japanischen NŌ-Spiel fort und zu Brechts Schulopern hinführten, aufzuzeigen und damit hinzuweisen auf die Möglichkeiten und Grenzen der Übertragung literarischer Stoffe und Formen über große historische Distanz.

[7] Vgl. Marianne Kesting: Bertolt Brecht. Reinbek b. Hamburg 1959 ff. (Rowohlts Monographien Nr. 37), S. 59 ff.

[8] Zur Gattung des NŌ-Spiels siehe: Hermann Bohner: NŌ. Die einzelnen NŌ. Tokyo 1956. – Vierundzwanzig NŌ-Spiele. Ausgewählt und aus dem Japanischen übertragen von P. Weber-Schäfer. Frankfurt a. M. (Insel Verlag) 1961.

[9] Arthur Waley: The NŌ-Plays of Japan. London 1921.
[10] Erschienen in: Versuche 10. Der Jasager. Schuloper, aus dem 4. Heft "Versuche". Berlin (Kiepenheuer Verlag) 1930.
[11] Beide Stücke wurden – zusammen mit den wichtigsten Diskussionsbeiträgen der Schüler der Karl-Marx-Schule – zum erstenmal gemeinsam abgedruckt in: Versuche 11–12, Heft 4. Berlin (Kiepenheuer Verlag) 1931.
[12] Vgl. dazu Johannes Sembritzki: Der Wurf ins Tal. (In: Bertolt Brecht: Der Jasager und Der Neinsager [Anm. 6]) S. 101 f. Anm. 35, 39, 40.
[13] Vgl. Arthur Waley (Anm. 9), S. 236 ff.
[14] Ebenda, S. 230 ff.
[15] Ebenda, S. 235 (Hervorhebung der Hinzufügung durch mich. D. K.)
[16] Eine vollständige Übersetzung bietet Johannes Sembritzki, in: Bertolt Brecht: Der Jasager und Der Neinsager (Anm. 6), S. 83 ff. (Die bei Waley fehlenden Teile sind hier die Szenen 7 und 8.)
[17] Arthur Waley (Anm. 9), S. 235.
[18] Siehe Anm. 10.
[19] Die Zurückdrängung des Mythischen in dieser Fassung, die Tendenz der "Säkularisierung" des Stoffes und die Zwänge, unter die Brecht sich damit setzt, hat Szondi – freilich etwas summarisch – in seinem Nachwort zu den "Materialien" (Anm. 6), S. 106 ff. festgestellt.
[20] Zitiert wird hier und im folgenden nach dem Neudruck der Versuche 1–12, Heft 1–4. Berlin und Frankfurt a. M. (Suhrkamp Verlag) 1959, der eine textgetreue Wiedergabe des Erstdrucks darstellt.
[21] John Willet: The Theatre of Bertolt Brecht. A Study from eight Aspects. London 1959 (Titel der deutschen Ausgabe: Das Theater Bertolt Brechts. Reinbek bei Hamburg 1964).
[22] Museum der modernen Poesie (Anm. 5), S. 11.
[23] Jürgen Habermas: Erkenntnis und Interesse. Frankfurt 1968, S. 224 ff.
[24] Vgl. z. B.: Dietrich Krusche: Haiku. Bedingungen einer lyrischen Gattung. Tübingen/Basel [2]1972.
[25] Siehe dazu: Dietrich Krusche: Japan – konkrete Fremde. München (Meta Verlag) 1973.

Christian Grawe

Der Lektürekanon der Germanistik als Fremdsprachendisziplin: Grundsätzliche und praktische Überlegungen

I

Erstens: Die Didaktik der Germanistik als Fremdsprachenstudium und die Diskussion eines Lektürekanons, die eine ihrer zentralen Aufgaben bildet, steckt in den Kinderschuhen[1]; und *zweitens*: Von der in Deutschland seit zwanzig, wenn nicht 150 Jahren andauernden Auseinandersetzung um ein verbindliches Lektüreprogramm kann die Germanistik außerhalb Deutschlands nur sehr bedingt profitieren. Der erste dieser beiden Sätze klingt unglaubwürdig und der zweite arrogant; wahr sind sie wohl beide. Wer sich mit Fragen des Lektürekanons beschäftigt, wird sich dieser Lage bewußt sein, sie aber erläutern müssen.

Zu *erstens:* Daß es seit fünfzehn Jahren in der DDR die Zeitschrift *Deutsch als Fremdsprache* und seit 1975 in der Bundesrepublik das *Jahrbuch Deutsch als Fremdsprache* gibt, zeugt von der wachsenden Aufmerksamkeit, die man in Deutschland dieser Disziplin zuwendet, aber greifbare Orientierungen sind so schnell kaum zu erwarten, zumal sich das Fach nur theoretisch-begrifflich so eindeutig und einheitlich darstellt. Es leuchtet auf den ersten Blick ein, daß es bei der Fülle der nicht-deutschsprachigen Länder und der Verschiedenheit ihrer Gesellschaften, Kulturen, Traditionen, Erziehungssysteme und geographischen Gegebenheiten ein einheitliches didaktisches Konzept für das Germanistikstudium nicht geben kann. Schon in den vier deutschsprachigen Ländern selbst gibt es ja innerhalb der germanistischen Fachwissenschaft und ihres Studiums Unterschiede, die von der Akzentverschiebung bis zum grundsätzlich gegenteiligen Konzept reichen. Und doch scheint die ernüchternde Formulierung des Amerikaners Donald K. Rosenberg "German studies for today: broad bounderies, oblique paths"[2] in stärkerem Maße zuzutreffen, als das der Fall sein müßte oder sollte, denn ohne eigene didaktische Orientierungen ist die nicht-deutschsprachige Germanistik zwei Gefahren ausgesetzt: Entweder sie arbeitet mit vagen Konzepten und gestaltet die Ausbildung ihrer Studenten weniger effektiv, als sie sein könnte, oder sie wird zu einem unreflektierten, verwässerten Abbild der deutsch-sprachigen Germanistik. Ersteres wäre verhängnisvoll, weil nicht-deutschsprachige Studenten von der geistigen Intensität ihres Studiums im Hinblick auf ihr Wissen von Deutschland, seiner Literatur, Tradition und Geschichte viel elementarer abhängen, da ihnen die unmittelbare Anschauung für ihr Studiengebiet fehlt. Letzteres ist eine Gefahr schon deshalb, weil ein erheblicher Prozentsatz des germanistischen Lehrpersonals an solchen Universitäten aus den deutschsprachigen Ländern stammt und häufig dort seine gesamte Erziehung durchlaufen hat. Erst in langjährigen Ablösungs- und Befreiungsprozessen, wenn überhaupt, wird daher oft bei ihnen die selbstverständliche Haltung relativiert, daß Bildungs- und Ausbildungsziele, Lehrhaltungen und -inhalte die gleichen, daß also die nicht-deutschsprachige Germanistik die Fortsetzung der deutschen Germanistik am anderen geographischen Ort sei. Das aber kann nur zu einem verschwommenen Abbild, zu einem minderwertigen Duplikat führen; den Sinn des Germanistikstudiums im Ausland muß es verfälschen. So wenig wünschenswert es ist, daß die Germanisten an den nicht-deutschsprachigen Universitäten das deutsche Bildungssystem nur von außen und nicht aus eigener Anschauung und Erfahrung kennen, so bedenklich wäre es, wenn "importierte" Lehrkräfte die Probleme der deutschen Germanistik und Gesellschaft blindlings auf ihre neue Lehrsituation übertragen wollten.

Sehr einleuchtend hat Pierre Bertaux aus französischer Sicht auf das Problem hingewiesen: "Im Gegensatz [zum deutschen Germanisten] sieht sich der französische Germanist Studenten gegenüber, die von der deutschen Sprache und der sozialen Wirklichkeit Deutschlands in den meisten Fällen nur äußerst rudimentäre Grundbegriffe, ja häufig sogar falsche Vorstellungen besitzen. Für sie ist ihr Studiengegenstand eine fremde Welt. ... Hier liegt das eigentliche didaktische, aber auch inhaltliche Problem, dem sich die französische Germanistik konfrontiert sieht, und von hierher wird auch der, wie ich meine, schwerwiegende Irrtum einsichtig, den diejenigen begehen, die allzu direkt Methoden und Gegenstände, die in Deutschland vollkommen berechtigt sind, auf das französische Universitätssystem übertragen... Als Lehrender jedoch hat sich ein französischer Professor zu allererst nach dem zu fragen, was seine Studenten brauchen. Das aber kann nur – schon von der unterschiedlichen Ausgangslage her – etwas völlig anderes sein als das, was unsere deutschen Kollegen ihren Studenten beibringen müssen. Wenn man schon vergleichen will, dann sind es die deutschen Romanisten und nicht die deutschen Germanisten, die unter gleichen oder ähnlichen 'Produktionsbedingungen' arbeiten und die sich Problemen ähnlicher Art gegenübersehen wie wir."[3]

Zu *zweitens:* Da das Problem des Lektürekanons um so dringender wird, je geringer die Zahl der gelesenen Texte ist, und da man in Deutschland gerade durch den Deutschunterricht frühzeitige Deformationen des literarischen, sprachlichen und politischen Weltbildes der Schüler befürchtet, konzentriert sich hier die Diskussion über den Lesestoff weitgehend auf den Sekundarbereich der Erziehung. Bei dem wissenschaftlichen Anspruch der Universität stellt sich das Problem im tertiären Bereich nicht mit derselben Dringlichkeit, denn was beim Studium zur wissenschaftlichen Auseinandersetzung um Wert, Rang, Substanz, Aktualität, Bedeutung von literarischen Werken wird, die dazu in jedem Falle geistig verarbeitet werden müssen, verengt sich auf der Schule zur schlichten Alternative, ob Schüler mit einem Text überhaupt bekannt werden oder nicht. Für die nicht-deutschsprachige Germanistik aber stellt sich das Problem anders. Sie soll für ihre Studenten den wissenschaftlichen Anspruch der Universität mit einem Lektürekanon zu vereinbaren versuchen, der zahlenmäßig eher dem der deutschen Schule entspricht. Was aber diese wiederum in anderer Weise als Vergleichsobjekt ungeeignet macht, ist, daß das Fach Deutsch in ihr einen anderen Erziehungsauftrag haben muß als die Germanistik in Ländern, wo Deutsch eben nicht Muttersprache ist. Zudem ist Deutsch trotz seiner exponierten Stellung auf der deutschen Schule ein Fach unter vielen; für den Deutschstudenten im Ausland aber ist es eins von nur zwei oder drei Studiengebieten, wenn nicht überhaupt das einzige, was andere Anforderungen mit sich bringt. Was Helmut Brackert als "die Positionen des gegenwärtigen Diskussionsfeldes" im Hinblick auf den Lektürekanon in Deutschland darstellt,

"1. moderne versus ältere Texte;
2. Weltliteratur versus Nationalliteratur;
3. Trivialliteratur versus hohe Dichtung;
4. Gebrauchsliteratur versus Dichtung;
5. verschüttete und unterdrückte Literatur versus herkömmlicher Kanon"[4],

würde als Alternativen formuliert in der Auslandsgermanistik schon zu erheblichen und bedenklichen Verkürzungen führen und ist als Kontroverse auch kaum auszumachen.

Eine geistige Schwerpunktverlagerung entfernt zudem die ausländischen Universitäten gerade in der heutigen Situation weiter von

Deutschland: Dort scheinen bei der Diskussion des Lehrplans[5] politisch-ideologische Aspekte im Vordergrund zu stehen. Es geht vorwiegend um die progressive, emanzipatorische Rolle des Deutschunterrichts; ihr soll auch die Behandlung von Literatur gerecht werden. Gefragt wird nach der gesellschaftsverändernden Kraft der Lektüre, und so rigorose Formulierungen – zum Teil wohl nur erklärlich aus der politisch oft unglückseligen Geschichte der deutschen Germanistik – wie die folgende wären beim Auslandsstudium schlicht sinnlos: "Es gilt zu fragen, welchen Wert 'Literatur' für das Emanzipationsstreben *aller* Menschen hat. Dadurch wird die Frage nach dem Sinn des Literaturunterrichts auch eine Frage nach dem 'cui bono' der Literatur überhaupt."[6]

Nun hat aber schon der Schweizer Germanist Karl Pestalozzi aus seiner nationalen Sicht festgestellt: "... die deutsche Diskussion um die Germanistik hat ganz bestimmte Voraussetzungen, die zwar vieles daran erst verständlich machen, die aber zugleich ihre Exportfähigkeit beeinträchtigen. ... Dementsprechend kann eine schweizerische Kontroverse um die Germanistik nicht in einer Politisierung des Faches ihren Fluchtpunkt haben."[7] Wenn dies schon aus Schweizer Sicht gilt, obwohl die Schweiz ein deutschsprachiges Nachbarland Deutschlands ist, wieviel mehr muß es etwa in Südamerika oder Australien ins Gewicht fallen; wieviel verhängnisvoller wäre hier die Vorstellung, ausgerechnet die Germanistik, noch dazu durch ihren Lektürekanon, wäre dazu berufen, die Emanzipation der Gesellschaft zu betreiben. Der entscheidende Unterschied besteht in folgendem: *Für die Germanistik in den nicht-deutschsprachigen Ländern ist das Studium Deutsch nicht wie in Deutschland selbst Teil der politisch-gesellschaftlichen Szene, sondern umgekehrt: Die deutsche Szene ist aus der Entfernung Teil des Deutschstudiums.* Parteilichkeit, die politische Teilnahme an den deutschen Auseinandersetzungen sind für die Germanistik außerhalb Deutschlands ausgeschlossen. Sie kann nur den Versuch machen, den Studenten diese Auseinandersetzungen als Elemente der deutschen Geschichte und Gegenwart zu charakterisieren. Wie sehr dieser Perspektivenwechsel auch den Lektürekanon berührt, läßt sich an einem ganz einfachen Beispiel illustrieren: Der Auslandsgermanist kann nicht einmal Brackerts in Deutschland vermutlich unbestrittene Formulierung übernehmen: "Die Forderung, daß man bestimmte Werke eben kennen müsse, wird mit Recht als bildungsbürgerliche Residualforderung zurückgewiesen."[8] Er müßte umformulieren: Unter anderem um zu begreifen, welche Rolle die Bildungsvorstellungen des Bürgertums in Deutschland gespielt haben und spielen, muß der ausländische Student "bestimmte Werke eben kennen", an denen unter anderem dieser Aspekt deutscher Kulturgeschichte verdeutlicht werden kann. Schon aus diesem veränderten Ansatz geht allerdings hervor, daß werkimmanente Interpretation in der Germanistik als Fremdsprachendisziplin nie sinnvoll war.

Da die Fremdsprachengermanisten Forschung und Lehre außerhalb und nicht innerhalb des deutschen Geschehens betreiben, könnte ihre unterschiedliche Erfahrung, größere Distanz und mangelnde "Betriebsblindheit" in germanicis allerdings gelegentlich in der deutschen Auseinandersetzung klärend wirken, sofern man in Deutschland Stimmen dieser Art zur Kenntnis nehmen will.

Als Fluchtpunkt kann die nicht-deutschsprachige Germanistik nur die deutsche Sprache mit ihren früheren und heutigen Kulturdokumenten wählen und demgemäß den historischen und geographischen Raum, in dem sie gesprochen wurde oder wird, d. h. gegenwärtig den Raum, der vier deutschsprachige Länder umfaßt. Deren politisch-gesellschaftliche Eigenheiten müssen vergleichend einen Aspekt des Studienprogramms bilden. Schon die ausschließliche Konzentration auf eins dieser Länder wäre ein Versäumnis. Jeder Ruf nach größerem politischen Engagement, jeder Versuch, die Germanistik im Ausland zum Vehikel einer wie auch immer verstandenen politischen Emanzipation zu machen, gesellschaftliche Veränderung durch sie zu betreiben, kann ihre eigentliche Aufgabe der Wissensvermittlung mit dem größtmöglichen Streben nach Objektivität nur verfälschen. Zur Übernahme politischer Aufgaben im eigenen Lande ist sie ebenso wenig geeignet wie zum politischen Wirken in Deutschland. Auf sie trifft daher auch nicht zu, was Brackert als "ein schweres Handicap der gegenwärtigen Kanondiskussion" in Deutschland bezeichnet, "daß sie im Spannungsfeld von schlechtem Traditionalismus und gleich schlechter Traditionsfeindlichkeit geführt wird"[9]; eher müßte man wohl sagen, daß eine prinzipielle Kanondiskussion kaum stattfindet.

Der Auslandsgermanistik erscheint das weit verbreitete politische Engagement in der gegenwärtigen deutschen Germanistik mit der Politisierung des Wissenschaftsbegriffs als ein kulturanthropologisches Phänomen, als ein Kennzeichen traditionell deutscher Geisteshaltungen. Das zu erfahren, sollte für den fremdsprachigen Deutschstudenten Teil seiner Orientierung über das Deutschland der Gegenwart sein. Wenn man aus dieser distanzierteren Sicht, die es mindestens anstrebt, nicht von der Parteien Haß und Gunst verzerrt zu sein, auf historische Zusammenhänge achtet, wird man eine Fülle von Material für das häufig immer noch gestörte Verhältnis vieler jüngerer deutscher Akademiker zu Politik und Wissenschaft finden, denn wie häufig begegnet man augenblicklich in der heutigen Fachdiskussion nicht *Er*-kenntnisliteratur mit dem Ziel, Wissensprobleme zu lösen, sondern *Be*kenntnisliteratur mit den typisch deutschen eschatologischen Erlösungsvisionen, innerhalb deren Tradition Marx ja eher schon ein spätes Beispiel ist. So erfreulich es ist, daß die gegenwärtige deutsche Germanistik Licht auf ihre eigene Fachgeschichte geworfen und deren ideologische Verirrungen betont hat, so sehr scheinen Teile von ihr selbst in Gefahr zu sein, genau *das* Schicksal zu erleiden, auf das sie zurückblickend mit tiefster Verachtung hinabsehen: die Pervertierung des Faches zu politischen Zwecken. Es wäre naiv zu übersehen, daß es heute eine "sozialistelnde" Germanistik gibt, wie es früher eine "deutschtümelnde" gab. Es versteht sich von selbst, daß damit aber weder ein genereller Angriff auf die deutsche Germanistik gemeint ist noch die außerordentlich positiven Resultate in Frage gestellt werden sollen, die die Fachdiskussion der letzten fünfzehn Jahre gehabt hat. Es wäre außerhalb Deutschlands ein Fehler, etwa die Rezeptionsästhetik und -geschichte, die Erschließung neuer Bereiche der Literaturgeschichte (Trivialliteratur, demokratische Traditionen usw.), die Etablierung einer Textwissenschaft, die Reformen im Bildungswesen und auch die Revision des Lektürekanons nicht zur Kenntnis zu nehmen.

Aber auch wenn die Germanistik im Ausland nicht gebannt auf den Nabel Deutschland blicken kann, darf sie umgekehrt doch fragen, ob es nicht der deutschen Diskussion nützen würde, wenn sie sich mehr für Anregungen aus dem Ausland öffnete, um nicht in nationalem Provinzialismus Horizontverengungen zu erliegen. Wie fruchtbar das etwa im Hinblick auf spezifische Fachprobleme sein kann, zeigen Pierre Bertaux' Beiträge zur Hölderlinforschung auf exemplarische Weise. Wenn die politisch engagierte deutsche Germanistik Lösungen für fachbezogene Probleme sucht und nicht eines Tages selbst wieder nur als ein weiteres Symptom für das Vorhandensein solcher Probleme gelten möchte, dann könnte es nützlich für sie sein, in der Auseinandersetzung um das Selbstverständnis des Faches außerdeutsche Aspekte einzubeziehen und etwa zu fragen: Wie wird in anderen Ländern mit vergleichbarer Kulturtradition die eigene Sprache und Literatur gelehrt? Wie also werden Englisch, Französisch, Italienisch oder Polnisch als Muttersprache gelernt und gelehrt? Wie wird deutsche Literatur nicht-deutschsprachigen Studenten dargestellt? Umgekehrt gilt für die nicht-deutschsprachige Germanistik, daß sie, wie schon Bertaux angedeutet hat, sich intensiver über Romanistik und Anglistik in Deutschland orientiert sollte, mit denen sie als Fremdsprachendisziplin viele Gemeinsamkeiten und gemeinsame Probleme hat.

Ebensowenig wie die politische Diskussion ist eine Forderung auf die Germanistik im außerdeutschen Raum übertragbar, die in der Bundesrepublik gelegentlich als Lösung von Schwierigkeiten angeboten wird, nämlich "das Fach 'Deutsch' in den Kanon der Fächer zurückzunehmen, es von seiner überragenden Bedeutung und Stellung zu entlasten"[10]. "Der gegenwärtigen Kontroverse um die Germanistik ... liegt eine ungeheure Überschätzung der Möglichkeiten unseres Faches zugrunde. Die beste Antwort darauf wird sein, seine Grenzen zu erkennen und zu respektieren."[11] Nur leidet ja die Germanistik, wo sie nicht Muttersprachendisziplin ist, keineswegs an Überschätzung, sondern eher umgekehrt. Mit ideologischem Ballast und den Schwierigkeiten nationaler Identifikation ist sie nicht belastet. Ihr muß es darauf ankommen, deutsche Sprache, Literatur und Kultur zu fördern und sich dazu eher mehr zu exponieren. Ihr Problem ist es, wie im Fächerkanon der Oberschule das Fach Deutsch an Gewicht zunehmen, wie es sich jedenfalls behaupten kann, wenn in vielen Ländern Tendenzen bestehen, den Fremdsprachenunterricht zu beschneiden, und wie das Universitätsfach Deutsch attraktiv und konkurrenzfähig bleibt.

In einer Hinsicht allerdings treffen sich wohl die Germanistik innerhalb und außerhalb Deutschlands, wenn es um den Lektürekanon geht: Sich auf die Verbindlichkeit einzelner Werke festzulegen, ist unmöglich. Der Absolutheitsanspruch einzelner Kulturdokumente der deutschen Tradition, die moralische oder künstlerische Verbindlichkeit bestimmter "Klassiker" ist einer kritischen Zurücknahme auch der größten Werke in den relativierenden Kontext ihrer Zeit und der relativierenden Geschichte ihrer Wirkung gewichen. Mit Werkfetischismus sind der Kanondiskussion wohl keine Impulse zu geben. Die Zeiten, in denen eine schmale Auswahl immer gleicher hehrer und gläubig zu bewundernder marmorner Klassiker gelehrt werden konnte – wenn es sie denn je gab – ist vorbei. Es empfiehlt sich deshalb auch, soweit wie möglich auf die Erörterung einzelner literarischer Werke in diesem Zusammenhang zu verzichten. Über *sie* zu streiten, würde die Diskussion auf zweitrangige Probleme fixieren. Ohnehin möchte dieser Aufsatz auf Probleme aufmerksam machen und zum Nachdenken anregen, nicht Lektürevorschriften erlassen. Vielversprechender erscheint es, statt dessen die Kriterien anzudeuten, denen ein dann im einzelnen auszuarbeitender Lektürekanon gerecht werden müßte.

II

Teil dieser Kriterien – um das vorwegzunehmen – ist auch der universitäre Organisationsrahmen, der von der Lektüreplanung nicht einfach übersprungen werden kann. Da der praktische Arbeitsrahmen in der Auslandsgermanistik von Land zu Land verschieden sein kann, sollen nur einige immer wiederkehrende Einschränkungen genannt werden, die dem freien Spiel der Fantasie und der nur fachbezogenen Auswahl der Lektüre Grenzen setzen.

Als Fremdsprachenstudium steht der Germanistik wie den anderen Studienfächern eine bestimmte Stundenzahl zur Verfügung, die nicht überschritten werden kann. Der Studienplan des Studenten ist meist strikter geregelt als in Deutschland, und der numerus clausus ist ja glücklicherweise nicht überall verbreitet. Wo er außerhalb Deutschlands besteht, betrifft er kaum je das Fremdsprachenstudium. Die Germanistik befindet sich daher auf der Universität im Ausland meist in Konkurrenz mit anderen Fächern. Daß sie um Studenten wirbt, ist wahrscheinlicher, als daß sie sie wegen Überfüllung zurückweisen muß. Extravaganzen kann sich das Fach deshalb kaum leisten. Das Programm, das sie dem Studenten anbietet, muß sich im Hinblick etwa auf Stundenzahl und Arbeitsbelastung, Attraktivität und Verdaulichkeit im Rahmen halten. Es darf weder zu anspruchsvoll noch zu anspruchslos sein, wenn es sich nicht als Büffelei oder "easy option" zum Außenseitertum auf der Universität verurteilen will. Ein Kurs etwa, der von Grimmelshausen bis Grass voluminöse deutsche Romane diskutieren möchte, hat keine Chance zur Verwirklichung, weil für die Studenten das zu bewältigende Lesepensum so ungeheuerlich wäre, daß sie dem Anspruch nicht gewachsen wären.

Vielfach gibt es auch mehrere Studiengänge, die zu unterschiedlichen Lehrplänen, jedenfalls zu Differenzierungen innerhalb *eines* Lehrplans veranlassen können. Wo eine oder zwei Fremdsprachen ein oder zwei Jahre lang als obligatorischer Teil des Studiums ("language requirement") oder wo in der ersten Phase des Studiums mehr Fächer belegt werden müssen als später zum Examen nötig sind, hat ein Deutschdepartement mit völlig verschiedenen Studententypen zu rechnen, denn der eben charakterisierte Pflichtstudent verläßt das Department nach spätestens vier Semestern wieder, wenn er den Anforderungen der Universität genügt hat, weil Deutsch nicht sein eigentliches Studienfach ist. Da es häufig die Personalresourcen des Departments übersteigt, diese Studenten von den regulären Deutschstudenten zu trennen – was vielleicht auch gar nicht wünschenswert ist –, müßte in den beiden ersten Studienjahren der Lektürekanon so gestaltet sein, daß beide Gruppen, die abgehenden und die weitergehenden Studenten, ihren Bedürfnissen entsprechend gefordert werden, was große praktische Schwierigkeiten schafft, denn der Stoff, der für den einen abschließenden Charakter hat, kann bei dem anderen in höheren Semestern weiterentwickelt werden.

Wichtig sind auch Differenzierungen innerhalb des eigentlichen Studienfaches Deutsch. Häufig gibt es hier mindestens zwei Studiengänge nebeneinander: Der größere Teil der Studenten durchläuft den regulären Kurs und beendet sein Studium mit der Unterrichtsbefähigung für das Fach Deutsch auf der Schule ("Pass"-Studenten). An diejenigen, die Prüfungen mit Auszeichnungen oder höhere akademische Grade anstreben ("Honours"-Studenten) müssen auch höhere Lektüreanforderungen gestellt werden. In einigen Ländern besteht der "Honours"-Teil des Studiums auch in einem angehängten Studienjahr.

Auch finanzielle Gesichtspunkte können nicht außer acht gelassen werden. Dem Studenten sind nicht unbeschränkt Ausgaben für Lektüren zuzumuten. Der Planer ist also auch davon abhängig, was der Buchmarkt zu vertretbaren Preisen anbietet. Unnütz zu sagen, wie ärgerlich es ist, wenn eine eingeplante Lektüre plötzlich als vergriffen gemeldet wird oder nur noch in einer wesentlich teureren Ausgabe erhältlich ist. Ohnehin wird es ja mit zunehmender Entfernung von dem deutschen Buchmarkt schwieriger, über die verfügbaren und neu erschienenen Bücher auf dem laufenden zu bleiben, gewünschte Auskünfte schnell zu erhalten, erforderliche Lektüren reibungslos zu beschaffen; ganz davon abgesehen, daß das alltägliche berufliche Leben mit Katalogen statt Büchern, das unausweichlich ist, wenn es am Universitätsort im nicht-deutschsprachigen Ausland keine deutsche Buchhandlung gibt, wenig reizvoll ist.

Es empfiehlt sich, auch solche banalen organisatorischen Probleme im Blick zu haben, bevor man auf die sachlichen Voraussetzungen des Lektürekanons eingeht, und es leuchtet ein, daß Lektüreplanüberlegungen nicht zugleich auf den Doktoranden, an den im Ausland durchaus ähnliche fachliche Anforderungen wie in Deutschland gestellt werden, und den Pflichtstudenten, der höchstens zwei Jahre Deutsch auf der Universität treibt, zugeschnitten sein können. Die folgenden Bemerkungen peilen die zwischen diesen beiden Extremen liegende Mitte an.

III

Im Zentrum der Überlegungen zum Lektürekanon stehen die geistigen Voraussetzungen und Bedürfnisse des fremdsprachigen Germanistikstudenten, sein Wissensstand und die Inhalte und Ziele seines Deutschstudiums, die sich von denen seiner deutschsprachigen Kommilitonen unterscheiden. Der folgende Lernzielkatalog, dem der Lektürekanon gerecht werden müßte, versucht diese Anforderungen zu skizzieren, erhebt aber keinen Anspruch auf Vollständigkeit.

Der Student der Germanistik als Fremdsprachendisziplin sollte am Ende seines Studiums

- die deutsche Sprache mündlich und schriftlich ausreichend beherrschen und mit ihrer grammatischen Struktur theoretisch und praktisch vertraut sein;
- Grundkenntnisse der historischen Entwicklung des Deutschen, seiner Gestalt zu verschiedenen Zeiten und seiner geographischen Verbreitung und Differenzierung haben;
- die deutsche Literatur in ihren wesentlichen historischen Erscheinungsformen und Veränderungen und in einer Auswahl ihrer künstlerischen Höchstleistungen im historischen Kontext und in ihrer Wirkung verstehen und dabei die Literatur auch als einen Hauptträger sprachlicher Entwicklungen und Leistungen begreifen;
- die erforderlichen Grundkategorien zum Verständnis und zur Diskussion literarischer Phänomene besitzen;
- einige Beispiele literarischer Wechselwirkung zwischen der eigenen nationalen Literatur und der deutschen Literatur kennen;
- die deutsche Geschichte in ihrem Ablauf und in ihren geistigen, kulturellen, sozialen und politischen Aspekten in großen Zügen überblicken;
- ein Grundwissen von der gegenwärtigen Situation und Gestalt der vier deutschsprachigen Länder haben.

Daß diese erworbenen Kenntnisse und geistigen Erfahrungen eine sinnvolle Beziehung zum gegenwärtigen Leben des Studenten entfalten sollten; daß nicht Vollständigkeit, sondern nur stellvertretende Auswahl didaktisches Prinzip sein kann; daß dabei das Vergangene nicht als abgetan, sondern als relevantes Vergangenes, als lebensfähige und lebenswichtige Tradition betrachtet werden muß, ohne die das Verständnis der Gegenwart unmöglich ist; daß der Unterricht methodisch den selbständigen Umgang des Studenten mit der Materie und seine geistige Mündigkeit, nicht Indoktrination anstreben sollte – all dies wird vorausgesetzt, gehört aber nicht zum Thema dieser Ausführungen oder höchstens insofern als die Auswahl der Lektüren diese didaktischen und methodischen Ziele erleichtert oder erschwert. Erwähnt werden soll aber, daß die äußeren Arbeitsbedingungen der Germanistik an nicht-deutschsprachigen Universitäten fast immer methodisch sinnvolles Arbeiten erleichterte. Da Deutsch an diesen Universitäten nicht Muttersprachenfach und daher auch nicht Massenfach ist, sind überfüllte Hörsäle und die Anonymität des Studenten meist unbekannt. Das Studium spielt sich fast immer in kleinen Gruppen ab, der Kontakt zwischen Lehrpersonal und Studenten ist enger als in Deutschland, Examensarbeiten können sorgfältig betreut, Studienprobleme leicht besprochen werden usw.

Was sich als Anforderungen an das Studium in dieser Weise auf knapp einer Seite zusammenfassen läßt, fordert vom Lektürekanon, der bei Verwirklichung dieser Lernziele eine entscheidende Rolle übernimmt, kaum zu Verwirklichendes.

1. Da Deutsch für den fremdsprachigen Studenten nicht Muttersprache ist, ist sie für ihn auch nicht selbstverständliches Kommunikationsmedium. Deutschlesen ist daher auch nicht ein Aufnahmeprozeß, bei dem sich das sprachliche Verständnis des Textes im wesentlichen unbewußt abspielt und die Aufmerksamkeit sich ganz auf die geistige Verarbeitung des Gelesenen konzentrieren kann. Diese Tatsache bedingt ein völlig anderes Verhältnis des Lesers zur Lektüre; es scheint, als gebe es noch keinerlei psychologische Untersuchungen darüber, wie sich die Beziehung des Fremdsprachenlesers zum Text von der des Muttersprachenlesers unterscheidet. Fred Manthey weist darauf hin, daß die Schwierigkeit beim Verständnis "vorwiegend von der inhaltlichen Struktur des Textes bestimmt wird; das Erfassen der Sprachstruktur führt selten zu Komplikationen"[12], aber so pauschal scheint mir das kaum zu rechtfertigen. Hier sind in der Zukunft sicher noch wesentliche Erkenntnisse zu gewinnen. Wie unerforscht das Gebiet ist, kann ein Zitat aus einem erst 1978 erschienenen Aufsatz von Gotthard Lerchner belegen, der sich – so der Titel – mit *Bezugsforderungen von linguistischen auf literaturwissenschaftliche Kategorien bei der Vermittlung literarischer Texte* beschäftigt: "Notwendigkeit und Nutzen der Einbeziehung literarischer Werke in den Unterricht des Deutschen als Fremdsprache bedürfen keiner besonderen Begründung. Andererseits setzen die entsprechenden Texte dem Verständnis durch den Nichtmuttersprachler meist überdurchschnittlich große Schwierigkeiten ent-

gegen, da sie häufig soziolinguistisch markierte und daher in der Literatursprache seltene Wörter und syntaktisch anspruchsvolle Konstruktionen verwenden. Vor allem ist der Sinn der Äußerungen aus der erlernten lexikalischen Bedeutung der Wörter nicht einwandfrei zu erschließen. ... Die gegenwärtige Praxis der mutter- und des fremdsprachlichen Deutschunterrichts ist in dieser Hinsicht nicht anders als unbefriedigend zu nennen. ... aufs Ganze gesehen trifft doch wohl zu, daß literaturwissenschaftliche und linguistische Fragestellungen in Analyse und Interpretation weitgehend isoliert voneinander abgehandelt werden, in der Regel sogar von ein und derselben Lehrerpersönlichkeit. Eine gegenseitige Bezugnahme als *inhärenter* Bestandteil der jeweiligen Prozeduren findet nicht statt oder wird allenfalls in Andeutungen vollzogen, ... von der ästhetischen Scheußlichkeit, einen literarischen Text zum Exerzierfeld für grammatische oder lexikalische Übungen zu degradieren, sei dabei von vornherein abgesehen.

Dieser Zustand hat objektive wissenschaftsgeschichtliche Ursachen und läßt sich von beiden Disziplinen her, Sprach- und Literaturwissenschaft, aus der Vernachlässigung von wichtigen theoretischen Fragestellungen erklären."[13]

Da für den fremdsprachigen Studenten Deutsch eine mühsam und häufig noch unvollkommen erworbene Sprache ist, ist für ihn Literaturverständnis immer gebunden an Sprachverständnis. Diese lapidare Feststellung beinhaltet ja nicht nur eine geringere Sprachbeherrschung, sondern das Fehlen ganzer Felder von sprachlichen Alltagserfahrungen, Umgangsformen, Kindheitserlebnissen usw., die nur äußerst notdürftig theoretisch ausgeglichen werden können. Während die Muttersprache, um es in einem Bild zu verdeutlichen, so natürlich mit dem Menschen verbunden ist wie seine Haut, ist die gelernte Sprache eher wie ein Kleidungsstück, von dem man den Eindruck hat, es passe hier nicht und da nicht und sei manchmal auch nicht kleidsam.

Ein Lektürekanon, der über diese Tatsache hinwegsieht, führt beim Studenten zu sprachlichen Frustrationserlebnissen, die für sein Studium, für seine Lernmotivation nicht unbedenklich sind. Als Verständnishürde erweisen sich dabei häufig schon sprachliche Eigenheiten literarischer Texte, die dem deutschsprachigen Leser kaum auffallen mögen. Der fremdsprachige Student aber wird durch sie auf eine harte Probe gestellt, weil die im literarischen Werk verwandte Sprache dem Standarddeutsch, das er gewohnt ist, nicht entspricht. Plattdeutsch in einem Fontane-Roman, die Gefühlssprache des 18. Jahrhunderts in Goethes *Werther*, der Slang der DDR-Jugend in Plenzdorfs *Die neuen*

Leiden des jungen W., Uwe Johnsons vertrackte grammatische Konstruktionen, in denen mündliche und schriftliche Sprache eine künstlerisch bedingte Mischung eingehen, Dialektgebundenes bei Hebel, die barocke Diktion bei Grimmelshausen – gibt es überhaupt anspruchsvolle literarische Texte, die nicht, zum Teil in bewußter Innovation, sprachliche Probleme stellen? Von ihnen aber können ganze Dimensionen des Textverständnisses abhängen. Daß dies aber oft in der Natur des literarischen Textes liegt, also keine Mangelerscheinung darstellt, sondern umgekehrt zum Teil gerade seinen höheren Anspruch ausmacht, hat Eberhard Lämmert erläutert: "Dichterische Texte setzen in aller Regel andere und oft neue 'uneigentliche' Zeichen für konventionelle und daher in ihrer Bedeutung schon gefestigte Zeichen der allgemeinen Schrift- und Umgangssprache. Das macht sie fähig, reicher auslegbar zu sein als nicht-dichterische Texte, und garantiert so auch ihren relativ dauerhaften Wert gegenüber Texten, die vorwiegend auf Verständigung über bestimmte und konkrete Sachverhalte angelegt sind. Daraus ist die besondere erzieherische Funktion des Umgangs mit poetischen Texten abzuleiten (Erprobung verschiedener Lösungen vor der Entscheidung zu einer begründeten; Benennung neu erkannter Realitätszusammenhänge; Artikulation jeweils eigener bzw. sozialer Interessen an ein und demselben Gegenstand etc.)"[14]

Nun ist aber für den fremdsprachigen Studenten gerade die Variationsbreite und Leistungsfähigkeit des Deutschen in verschiedenster Hinsicht Teil seines Studiums. Es ist also keineswegs wünschenswert, sich auf die Lektüre standardsprachlicher Texte zu beschränken, die der lebendigen Sprachwirklichkeit des Deutschen widersprechen und seine historischen und geographischen Eigenentwicklungen verschütten würden. So befindet sich der akademische Lehrer in einer nicht einfachen Situation: Während er im Verlauf des Studiums beim Studenten den Spracherwerb von Standarddeutsch festigen und erweitern soll, muß er zugleich diese Standardsprache historisch, soziolinguistisch und grammatisch relativieren und sie als eine mühsam und langsam gewachsene Vereinigung von Regionalsprachen erklären.

Wie die deutsche Sprache dabei den Zugang zur deutschen Literatur bildet, hat diese umgekehrt wichtige Funktionen im Hinblick auf das Erlernen der deutschen Sprache. Literarische Texte müssen daher nicht nur dem sprachlichen Aufnahmevermögen des Studenten angepaßt sein, es spiegeln, aber auch stimulieren; sie müssen zudem so ausgewählt sein, daß sie beim Prozeß des Spracherwerbs selbst Funktionen wahrnehmen können. Dies gilt sicher für das Deutsche mehr als für andere vergleichbare europäische Sprachen, bei denen wegen der frühen staatlichen Einheit, wegen des geringeren sprachlichen Einflusses von außen, wegen der konsolidierteren sozialen Schichten, die die Sprache trugen, usw. schon früh ein Leistungsstand der Nationalsprache verbürgt war, von dem auch die große Literatur getragen wurde und profitieren konnte. In Deutschland dagegen ist die *Sprach*entwicklung in viel stärkerem Maße von individuellen *literarischen* Leistungen abhängig und daher nur durch diese verständlich. Goethes *Werther* spiegelt nicht die Gefühlssprache in der zweiten Hälfte des 18. Jahrhunderts, sondern erschafft sie zum Teil und hebt sie auf die Höhe, auf der sie noch das ganze 19. Jahrhundert prägen kann. So einleuchtend es ist, daß man einen Sigmund-Freud-Preis für wissenschaftliche Prosa geschaffen hat, so wenig sollte man übersehen, daß auch die Wissenschaft bis ins 20. Jahrhundert gerade in ihren größten sprachlichen Leistungen (Mommsen, Ranke, Freud und andere) bis hinein in Satzbau und Wortwahl im Grunde die Sprache von Goethes Prosa spricht. Erst mit Nietzsche entsteht ein neues Ideal wissenschaftlicher Prosa, und wieder ist es im wesentlichen die schriftstellerische Leistung *eines* Autors, nämlich Nietzsches, die diesen Sprachtyp prägt.

Daß daher im Fremdsprachenunterricht überhaupt und im Fremdsprachenunterricht Deutsch besonders sprachliche und künstlerisch-geistige Substanz eines Werkes als unlösbare Einheit betrachtet werden müssen, liegt auf der Hand. Eine Diskussion um die Trennung von Sprach- und Literaturstudium, wie sie, ausgehend von Iser/Weinrichs Studienmodellen, seit Jahren in Deutschland geführt wird, könnte deshalb innerhalb der nicht-deutschsprachigen Germanistik kaum so stattfinden.[15]

2. Der fremdsprachige Germanistikstudent hat bei Studienbeginn eine viel geringere Kenntnis von deutscher Literatur als sein deutscher Kommilitone. Dieser hat auf der Sekundarstufe eine Auswahl literarischer Werke kennengelernt, die ihm eine Grundvorstellung von charakteristischen Zügen der deutschen Literatur vermittelt haben[16]. Er bringt die Kenntnis von Autoren und Werken, Ansätze einer Terminologie und ein gewisses Hintergrundwissen mit. Beim fremdsprachigen Deutschstudenten beschränkt sich das Wissen meist auf eine Handvoll fast ausschließlich zeitgenössischer, meist kurzer Texte: ein paar Kurzgeschichten, ein paar Hörspiele, ein paar Gedichte oder Ähnliches. Sie stellen häufig eine zufällige Auswahl dar, erscheinen manchmal veraltet und sind oft nicht intensiv behandelt worden. Im Grunde genommen ist der Studienanfänger in seiner literarischen Bildung ein unbeschrie-

benes Blatt. Der Lektürekanon muß also hier Funktionen mit übernehmen und Grundorientierungen bieten, die in Deutschland die Sekundarstufe erfüllt hat; er muß Werke und Grundkenntnisse vermitteln, die im deutschen Studium vorausgesetzt werden können. Auf die – sicherlich auch für deutsche Germanisten problematische – "Leseliste für das Studium der Neueren deutschen Literaturwissenschaft", die Karl Otto Conrady 1966 als "einen Grundstock an Literatur, die der Student u. E. in seinem Studium und vorher kennengelernt haben sollte"[17], veröffentlicht hat, kann der Germanist an einer nicht-deutschsprachigen Universität nur mit ungläubigem Staunen blicken. Der deutsche Student soll im Laufe seines Studiums – von den 70 ausgewählten Autoren der Weltliteratur einmal ganz abgesehen – Werken oder Werkausschnitten von über 200 Autoren, und noch dazu öfter mehreren von einem, begegnet sein? und dabei konzentriert sich die Liste auf die Neuere deutsche Literaturwissenschaft, berücksichtigt also das gesamte Mittelalter noch nicht einmal. Dem fremdsprachigen Germanistikstudenten muß diese Leseliste wie der Mount Everest vorkommen, den er in Turnzeug und mit minimaler Ausrüstung ersteigen soll.

Ein Blick auf die Lektüreanforderungen Conradys macht zugleich ein weiteres Problem der fremdsprachigen Germanistik bewußt, das in den deutschsprachigen Ländern gar nicht existiert. Wenn der Durchschnittsstudent Schwierigkeiten hat, das notwendige Lesepensum zu bewältigen, wäre es nicht eine Lösung dieses Handicaps, wenn er – so wie Conradys Student Weltliteratur auf Deutsch – deutsche Texte in seiner Muttersprache, also in Übersetzungen läse? So empfehlenswert dies für die Ergänzungslektüre des Studenten ist, der die im Unterricht diskutierten Texte in ein breiteres Hintergrundwissen einbetten möchte, und so sehr gerade die Germanisten darauf dringen sollten, daß in den Universitätsbibliotheken eine reiche Auswahl deutscher Literatur auch in Übersetzungen vorhanden ist, so wenig sinnvoll wäre es natürlich, das *Deutsch*studium anhand von *nicht-deutschen* Texten zu betreiben, zumal wenn die oben behauptete Einheit von sprachlichen und künstlerisch-geistigen Schichten im literarischen Werk zwingend ist. Der Lektürekanon selbst, das Leseprogramm für den Unterricht kann nur aus deutschsprachigen Texten bestehen.

Wenn auch sicher eine Leseliste wie Conradys, die Werk für Werk das Wichtigste aus der Fülle des Verfügbaren glaubt herausfiltern zu können, nicht unumstritten sein kann, so wird sich die Kontroverse in Deutschland doch kaum um die Quantität drehen; nur die *Auswahl*, nicht die *Anzahl* der Texte wird auf Widerstand stoßen. Aber dem Germanisten an einer nicht-deutschsprachigen Universität muß gerade die schiere Menge des Materials unrealistisch, dem Studenten unzumutbar erscheinen. Wenn ein bloßes Viertel der Werkauswahl Conradys während des Studiums – von *vorher* ganz zu schweigen – im Horizont des Studenten auftaucht, kann er schon als außerordentlich belesen in deutscher Literatur gelten.

Die Crux eines jeden Lektürekanons, der unter diesen Voraussetzungen aufgestellt wird, ist die geringe Zahl von Texten. So stellen die ungünstigen Studienvoraussetzungen und die beschränktere Aufnahmefähigkeit während des Studiums fast unlösbare Aufgaben für den Lektüreplaner und zwingen zu intensivem Nachdenken und vielen Kompromissen. Es ist wohl keine kühne Prognose, daß ein Teil der Deutschdepartements bei weitem zu wenig Überlegung und Zeit in die Ausarbeitung und Gestaltung ihres Lektüreplans investiert.

IV

Die ohnehin ungünstige Situation wird weiter dadurch verschärft, daß Texte im fremdsprachigen Deutschstudium ohnehin mehr Lernfunktionen ausüben müssen als in Deutschland, weil sie zugleich Anschauungsmaterial für die Vermittlung von Kenntnissen über die verschiedensten historischen und gegenwärtigen Aspekte der deutschsprachigen Länder hergeben müssen. Dem einzelnen Werk wird damit eine Aufgabenfülle aufgebürdet, die es nur im günstigsten Falle ganz wahrnehmen kann. Für wie vieles, was für den deutschen Studenten zur alltäglichen Erfahrung gehört, etwa historische Bauten, soziologische Fakten, Anredegewohnheiten, Folklore usw., fehlt dem ausländischen Studenten die unmittelbare Anschauung, von wie vielem die Kenntnis. Es sind ja nicht nur die schon erwähnten sprachlichen Funktionen und Leistungen des Deutschen, die dem Studenten durch den literarischen Text mitvermittelt werden müssen. Er muß aus den Werken auch geistes-, kultur- und sozialgeschichtliche Erkenntnisse gewinnen, und zwar möglichst so, daß sich Beziehungen zum Verständnis der Gegenwart einstellen, daß Traditionslinien und -brüche sichtbar werden. Literatur wird dabei in einem Sinne wirksam, wie sie Ludwig Borinski versteht: "Der Hauptwert liegt in der in ihr vermittelten *Erkenntnis* des menschlichen Lebens und der menschlichen Gesellschaft, die durch ihren intuitiven Charakter der wissenschaftlich-begrifflichen Erkenntnis vielfach überlegen ist; sie ist zudem anschaulicher und lebendiger und damit für die Bildung wirksamer; sie ist auch weniger tendenziös als meist in der Wissenschaft."[18]

Es handelt sich hier um die Dimension des Fremdsprachenunterrichts, die in der Regel (noch) mit dem Terminus "Landeskunde" belegt wird. Aber mir scheint dieser Ausdruck wenig glücklich, weil er zu einschränkend ist und man mit ihm eher den Geographieunterricht der Grundschule assoziiert. Es geht aber nicht um das Erlernen von bloßen und wenn möglich simplen Fakten, sondern um Einsichten in das Kulturgefüge einer Nation, um die Wechselbeziehungen zwischen einem Volk und seinen kulturellen Äußerungen, die im Vollzug von kultur- und traditionsgeprägten Handlungen als gelebtem Leben bestehen oder im Werk jeder Art als "objektivierter Geist" konkrete Form gewonnen haben. Rechtsdokumente, Umgangsformen, politische Verhaltensweisen gehören dazu ebenso wie Kindererziehung, Dichtung oder Technik. In jedem Falle können sie nicht statisch, sondern nur als sich ständig wandelnd begriffen werden. Da die amerikanische Ethnologie für die Erforschung solcher kulturellen Totalitäten schon seit dem Beginn des 20. Jahrhunderts den Begriff "Cultural Anthropology" verwendet und die deutsche Kulturphilosophie dieses Forschungsfeld mit dem Begriff "Kulturanthropologie"[19] geisteswissenschaftlich gewendet und sich dabei auf das Studium von Hochkulturen konzentriert hat, scheint es angebrachter, diesen Terminus mit Göhring und Vermeer dem der Landeskunde vorzuziehen. Er trifft die eigentlichen Dimensionen dieses Aspekts des Fremdsprachenstudiums besser.[21]

Der Analyse von Gerry Cohen und Barrie Joy "Our university modern language departments appear ultimately to have derived their models from the earlier studies in classical languages at leading institutions such as Oxford.... Our point ... is to suggest that modern language departments ... inherited too uncritically the classical model"[22] kann ich nicht zustimmen. Es scheint an der Zeit zu sein, daß die Fremdsprachendisziplinen bei ihrer kulturanthropologischen Aufgabe das Modell der klassischen Philologie ernster nehmen, weil diese in der Integration verschiedenster Kulturelemente zu einem Gesamtbild, das weitgehend aus Texten gewonnen wird, dem Fremdsprachenstudium eine Fülle von Anregungen geben könnte.

Übrigens läßt sich hier zugleich der Unterschied zwischen kulturanthropologischer Distanz und politisch-sozialem Engagement vor allem marxistischer Spielart innerhalb der Germanistik aufzeigen: Dem Marxisten erscheint das Ökonomisch-Soziale als Basis aller gesellschaftlichen und kulturellen Prozesse und damit auch als Schlüssel zur Literatur; dem Kulturanthropologen scheint es zur Signatur einer Zeit zu gehören, daß man zu dieser Art von Welterklärung neigt.

Daß es nicht unproblematisch ist, dem literarischen Text kulturanthropologische Aufgaben solcher Art zuzumuten, daß aber der Gewinn größer ist als das Bedenken, hat Gerald Stieg diskutiert: "Sowohl die Komödien des Aristophanes wie die politischen Gedichte Walthers von der Vogelweide verlangen zu ihrem vollen Verständnis ein umfassendes Kontextwissen, zugleich sind sie aber auch wertvolle Quellen zur Erschließung dieses Kontextwissens. ... Der Deutschkundeunterricht für Ausländer hat nicht nur die historische, sondern auch die geographisch-kulturelle Distanz zu überwinden. Besonders im Ausland hängt das Schicksal eines Textes wesentlich von der Möglichkeit ab, die Barrieren des fehlenden Kontextes zu überwinden.

So gesehen scheint die Antwort auf unsere Frage sehr einfach: jede historische, geographisch-kulturelle Distanz verlangt gebieterisch den Dienst von Hilfswissenschaften zum Verständnis (und Genuß) eines literarischen Textes. Umgekehrt gefragt heißt das: der literarische Text ist auf Grund seiner Komplexität (Nichteindeutigkeit) zunächst fremder als der politisch-institutionelle Kontext. Es schiene also absurd, die Literatur als Quellenmaterial für die Landeskunde zu benützen, d. h. Fremdes durch noch Fremderes zu erklären. Doch hat der höhere Komplexitätsgrad des literarischen Textes die Fähigkeit, das landeskundliche Detailwissen einsinniger Natur in einen übergreifenden Kontext zu integrieren. Wir erfahren mehr über ein politisch-gesellschaftliches System, wenn wir einen Roman heranziehen, als wenn wir uns nur auf die Lektüre der Verfassung und Gesetze beschränken. Umgekehrt jedoch kann der Roman ohne das nötige landeskundliche Wissen nicht voll verstanden werden. Die Funktion und Rolle der Literatur im Landeskunde-Unterricht wäre also zu definieren als *integrierende*: die formale Komplexität des literarischen Textes ermöglicht eine Vielfalt von Perspektiven, die der landeskundliche dokumentarische Text nicht aufweisen kann."[21]

Ein zweites Bedenken richtet sich nicht gegen die Überforderung des Textes, sondern gegen die des Lehrpersonals, aber schon Bertaux hat gegen diesen Einwand Stellung bezogen: "Wenn man sich dagegen auf Erforschung und Lehre derZivilisation eingelassen hätte, so hätte das von den Lehrenden an erster Stelle erfordert, daß sie etwas unterrichteten, was sie selbst nicht gelernt hatten. Sie hätten also eine beträchtliche Anstrengung machen müssen, um sich mit Gegenständen vertraut zu machen, die völlig neu für sie waren. Die Trägheit angesichts solcher

Zumutungen ließ sich nur allzu leicht mit billigen methodischen Skrupeln bemänteln; 'Ich bin nicht vom Fach. Geschichte sollte von einem Historiker, Kunstgeschichte von einem Kunstgeschichtler und Wirtschaftsgeschichte von einem Wirtschaftswissenschaftler gelehrt werden!'

Diese Argumente scheinen mir nicht stichhaltig zu sein; denn das Studium der Geschichte, der Kunst- oder Wirtschaftsgeschichte, wie es für einen französischen Germanistikstudenten nützlich sein könnte, hat nur sehr entfernt mit den jeweiligen wissenschaftlichen Spezialdisziplinen zu tun. Diese tragen nämlich nicht der Notwendigkeit Rechnung, daß der Aspekt der deutschen Realität, den sie darstellen, nur einer unter vielen ist und in die Gesamtheit, die Ganzheit aller Aspekte integriert werden müßte, welche die deutsche Zivilisation ist. Diese Aufgabe kann allein ein Germanist erfüllen, der sich mit der deutschen Geschichte, Kunstgeschichte oder Wirtschaftsentwicklung usw. befaßt. Sicherlich muß er sich – sieht man auf wissenschaftliche Forschungsergebnisse – jeweils bescheiden. Aber nur so kann er, unter didaktischem Aspekt, den spezifischen Bedürfnissen seiner Studenten entgegenkommen und ihnen nützlich sein.

Unsere Kollegen, die sich an der deutschen Konzeption der Germanistik, das heißt am Literaturstudium, festklammerten, entzogen sich also unter wenig stichhaltigen Vorwänden der Notwendigkeit einer Erneuerung, der sich heute jeder Lehrende stellen muß, wenn er mit seiner Zeit gehen will."[22]

Mir scheint, man sollte noch einen Schritt weitergehen: Kann Literatur sinnvoll vermittelt werden, *ohne* daß der Unterrichtende die nicht-literarischen Dimensionen des Textes, seine historischen, philosophischen oder landeskundlichen (im engeren Sinne) Aspekte zu bewältigen imstande ist? Die *volle* Erschließung eines literarischen Werkes ist ja Teil seiner *fachlichen* Kompetenz. Zweifel an der Fähigkeit des Germanisten, diesem Aspekt seines Berufes gerecht zu werden, sind Zweifel an seiner fachlichen Kompetenz überhaupt. Daß – wie in allen Berufen – manche Vertreter der Auslandsgermanistik diese fachlichen Qualifikationen nur in unzureichendem Maße besitzen oder die damit verbundene Mühe scheuen, kann kein Einwand gegen das Prinzip sein.

Schon der Zeithintergrund oder das Personal eines Werkes – um das Gemeinte an einem Beispiel zu verdeutlichen – können seine kulturvermittelnde Aufgaben fördern oder hindern. Wenn man sich darüber einig ist, daß Schillers klassisches Drama im Lehrplan vertreten sein sollte, dann könnte es sinnvoll sein, nicht künstlerischen Erwägungen allein den Ausschlag für die Auswahl zu überlassen, sondern auch den Handlungshintergrund mitentscheiden zu lassen. Vielleicht ist für den Lektüreplan *Wallenstein* eher geeignet als *Maria Stuart* oder *Die Jungfrau von Orleans*, weil die Trilogie deutsche Geschichte vergegenwärtigt. An dem Wallensteindrama läßt sich eine ganze Epoche der deutschen Geschichte mit den konfessionellen Kämpfen, der prekären, immer internationalem Zugriff ausgesetzten Lage Deutschlands in Mitteleuropa, dem machtvollen Regionalismus und dem machtlosen Kaisertum, mit Kriegshandwerk und Söldnertum erläutern. Zudem könnte es besonders gut geeignet sein, Schillers Auseinandersetzung mit seiner eigenen Zeit und der Französischen Revolution deutlich zu machen. Schon Goethe hat ja in der *Reise in die Schweiz 1797* Wallenstein mit dem französischen Revolutionsgeneral Dumouriez verglichen. Andererseits hat *Wallenstein* fast die dreifache Länge der beiden anderen Stücke, und *Maria Stuart* könnte für englischsprachige, *Die Jungfrau von Orleans* für französischsprachige Studenten wegen der darin dargestellten Ereignisse aus ihrer eigenen nationalen Geschichte viel unmittelbarer zugänglich sein.

Zu beiden Einwänden soll aus der Sicht des Lektürekanons noch ein Wort gesagt werden. Auch wenn der Lehrplan die nicht-deutschsprachigen Studenten nicht überfordern darf, kann er auf eine Handvoll umfangreicher und schwieriger Werke nicht verzichten. Eigentlich sollte in jedem Studienjahr mindestens ein solches große Ansprüche stellendes Werk dem Studenten als Herausforderung angeboten werden, vorausgesetzt, ihnen wird genug Zeit gegeben, sich auf die Lektüre vorzubereiten. Einmal besteht sonst die Gefahr, daß der Student Zusammenhänge aus dem Blick verliert, wenn die geistige Nahrung immer nur in mundgerechten Brocken angeboten wird. Die Welt erscheint in seinem Horizont dann nur in Splittern. Die künstlerische Darstellung einer ganzen Epoche, eines ganzen Menschenlebens, einer ganzen geistigen Welt in Roman, Epos oder Drama, die seitenreiche Folge von Ereignissen mit all ihren Beziehungen und Verknüpfungen, das Leben als Totalität, in das die geistige Anstrengung des Studenten Ordnung bringt, kann eines der lehrreichsten und aufregendsten akademischen Erlebnisse sein. Es bietet Orientierungen im Überblick – etwa bei Wolfram von Eschenbachs *Parzival*, Grimmelshausens *Simplizissimus*, Goethes ganzem *Faust*, Fontanes *Effi Briest*, Heinrich Manns *Der Untertan*, Thomas Manns *Buddenbrooks*, Grass' *Blechtrommel* –, die sich der Student sonst mühsam zusammenflicken müßte. Zum anderen gehört es zu den Anforderungen an einen Studenten, bei dessen Fach literarische Texte im Zentrum stehen, sich auch mit der künstlerischen Bewältigung und Organisation stofflicher Massen zu beschäftigen, einem umfangreichen und besonders komplexen künstlerischen Gebilde auf den Grund zu gehen. Wenn ein solches voluminöses und gewichtiges Werk geschickt und sinnvoll durch Ergänzungsmaterial (s. u.) bereichert wird und an Perspektive noch gewinnt, scheint es als Thema eines ganzen Seminars durchaus glücklich gewählt.

Daß sich von der eigenen nationalen Tradition des Studenten ein unmittelbarerer Zugang zu deutschen Werken – in diesem Falle zu *Maria Stuart* oder *Die Jungfrau von Orleans*, aber man könnte leicht auch an Brechts *Galilei* oder *Heilige Johanna der Schlachthöfe* denken – ergeben könnte, sollte sich die nicht-deutschsprachige Germanistik für den Lektüreplan zunutzemachen. Was hier auf den historischen Hintergrund zutrifft, könnte auch bei anderen, etwa sozialen oder künstlerischen Aspekten fruchtbar werden. Wenn beim Studenten Kenntnisse der deutschen Literatur kaum vorausgesetzt werden können, so gilt das doch nicht unbedingt für seine eigene Nationalliteratur. Dieses Wissen kann man für den Zugang zu unvertrauten oder gar befremdenden Traditionen der deutschen Literatur einsetzen; auf der Folie des Vertrauten ergibt sich das Verständnis für das Neue leichter. Vielleicht erschließt sich Brecht von Shaw, Fontane von Jane Austen, Goethes klassisches Drama vom klassischen Drama der Franzosen, romantische Lyrik von Leopardi her eher. Dem Einfallsreichtum und der Experimentierlust des Dozenten sind in dieser Hinsicht keine Grenzen gesetzt, und er entgeht so immer wieder der Routine, die bei einem festen Kurssystem für die einzelnen Studienjahrgänge ohnehin eine ständige Gefahr ist. Hier bietet sich die Möglichkeit, nationale Grenzen in der Literatur zu überspringen und Ausflüge in den Literaturvergleich zu machen, geradezu an.

V

Die immer wieder die Lektüreüberlegungen bestimmende Beschränkung auf eine verhältnismäßig geringe Zahl von Texten verändert die Beziehung von Werk und Autor, Werk und Zeitkontext, Werk und Epoche. Man weiß seit Dilthey, daß individuelle Kulturphänomene und ihre übergeordneten Bezugssysteme sich in wechselseitigem Rückbezug aufeinander erhellen; daß etwa der Begriff Romantik sich inhaltlich nur füllen läßt durch das Studium romantischer Werke, an denen aber immer schon vor der Definition des Epochenbegriffs etwas

Romantisches wahrgenommen worden sein muß, weil sie sonst als irrelevant im Horizont des Forschers gar nicht auftauchen würden. Dieser Vorgang wechselseitiger Klärung kann aber nur funktionieren, solange eine ausreichende Zahl von Werken dem Begriff das Anschauungsmaterial zuführt. Wie aber, so fragt sich, können mit einer zahlenmäßig zu geringen Gruppe von Werken überhaupt noch übergeordnete gliedernde Einheiten sinnvoll anvisiert werden? Es kann ja nicht der Sinn eines Studiums sein, eine beliebige Anzahl literarischer Werke als selig in sich selbst ruhend und beziehungslos zu besprechen. Die Zeiten der werkimmanenten Interpretation sind aus den einleuchtendsten Gründen vorbei und waren beim Fremdsprachenstudium nie sinnvoll. Es kann aber andererseits auch nicht darauf ankommen, die einzelnen Werke vorgegebenen, unantastbaren Epochenbegriffen zuzuordnen, sondern nur darauf, die etablierten Epochenbegriffe auch umgekehrt im Hinblick auf die studierten Werke neu zu befragen und zu relativieren. Werk und Kontext welcher Art auch immer müssen im wissenschaftlichen Umgang offen für die wechselseitige Korrektur und Neuerkenntnis sein, und der Student muß an diesem Prozeß des Operierens mit zwei variablen Größen teilnehmen können. Wie aber soll er – um zwei Beispiele aus dem Forschungsbereich des Verfassers zu geben – ein Goethebild anhand seiner Lektüre von Goethes Werken gewinnen und diese umgekehrt an seinem entstehenden Goethebild orientieren, wenn seine Kenntnis von Goethes Werken sich auf einige Gedichte, den *Werther* und *Iphigenie* oder *Faust* beschränken muß? Oder: Welchen Sinn hat es wissenschaftlich noch, wenn man Schillers Theater behandelt und die Vorentscheidung trifft, daß seine Dramentheorie mit den Stücken nichts zu tun hat, damit den Studenten die Lektüre beider nicht zugemutet wird? Die Entscheidung, daß die Theorie irrelevant ist, dürfte doch – wenn überhaupt, was mir kaum möglich erscheint – allenfalls eins der Diskussionsergebnisse am Ende des Seminars selbst sein und müßte einem geistigen Klärungsprozeß bei den Studenten entspringen. Nur die äußerste Vorsicht, die sorgfältigste Textauswahl können den fremdsprachigen Germanistikstudenten davor bewahren, daß sein gerade erworbenes Wissen über die deutsche Literatur und Geschichte, sein Umgang mit dem wissenschaftlichen Material sofort wieder zum Klischee erstarrt und weitergehende Kenntnisse vorgespiegelt werden, als wirklich vorhanden sind. Wie aber ist es bei einer so schmalen Textbasis möglich, dem Studenten ein halbwegs angemessenes Bild von geistigen Traditionen, literarischen Epochenlandschaften oder sozialen Bezügen zu vermitteln?

Es empfiehlt sich vielleicht angesichts dieser Situation, einen Lektürekanon über mehrere Jahre so aufzubauen, daß dabei bestimmte Erkenntnisprobleme auf weiterführender Ebene mehrfach wieder aufgenommen werden können. Fragen der Epocheneinteilung etwa, die Diskussion um Goethe oder Brechts Drama, Schiller und seine Dramentheorie, um bei den beliebig gewählten Beispielen zu bleiben, würden etwa in drei aufeinander folgenden Jahren mit erweitertem Horizont wieder und neu gestellt, wobei zugleich das im vorigen Semester oder Jahr behandelte Material im veränderten Zusammenhang wiederholt werden könnte. Daraus ergibt sich, daß der Lektürekanon nicht jahrweise oder gar semesterweise zusammenhanglos geplant werden darf. Gerade wenn man auf das Zusammenfügen von Mosaiksteinen angewiesen ist, muß man das intendierte Bild im Blick behalten.

Es leuchtet ein, daß aus all diesen Gründen für das fremdsprachige Germanistikstudium der zentrale pädagogische Vorgang bei der Textbehandlung das exemplarische Lernen ist. Was aber dieses so erschwert, ist, daß der einzelne Text eben exemplarisch für so vieles sein muß, wenn Überblicke entstehen sollen.

Da bietet es sich wie von selbst an, die Lektüre auf die jeweils relevantesten Textpartien zu beschränken, und das heißt: zur Anthologie zu greifen. Obwohl Meinungen für und wider die auszugsweise Textsammlung verbreitet sind, scheint es bisher keine "Didaktik der Anthologie" – wenn man hochgreifend so sagen darf – zu geben. Vorteile (Vielfalt und Kürze des Materials, Aufzeigen von Zusammenhängen auf kleinstem Raum, leichtes Kombinieren von Textsorten aller Art usw.) und Nachteile (Zersplitterung, Zerstörung des Kunstcharakters von Werken usw.) wären dabei abzuwägen, Arbeitsweisen und Aufbauprinzipien zu erörtern. Systematisch scheinen diese Fragen noch nicht untersucht worden zu sein. Und doch scheint hier eine Lösung für viele anders nicht zu überwindende Probleme des Lehrplans zu liegen, vorausgesetzt, daß die Anthologie das repräsentative vollständige Werk nicht verdrängt, sondern Werk und Ergänzungsmaterial aus der Anthologie aufeinander bezogen werden, die Anthologie also nicht überfordert wird.

Die Anthologie hilft jedenfalls den Lektürekanon zu verwirklichen, ohne daß die Studenten eine Vielzahl zusätzlicher Bücher kaufen oder ständig mit Fotokopien arbeiten müssen, die als "fliegende Blätter" pädagogisch ja nicht unbedenklich sind und desorientierend wirken können. Durch die auszugsweise Materialsammlung aber können dem Lehrplan auch nicht-literarische Texte und Proben aus der Literatur unterhalb der künstlerischen Spitzenleistungen, auf die man sich sonst leicht beschränkt, zugeführt werde. Beide Textarten aber sollten neben den "Meisterwerken" unbedingt im Lehrplan vertreten sein.

Nicht-literarische Texte sind erforderlich, weil das Fremdsprachenstudium seine kulturanthropologische Aufgabe sonst nur rudimentär wahrnehmen könnte und weil Literatur immer in einem Kontext nichtliterarischer Dokumente und geistiger und sozialer Bezüge lebt und häufig erst zu einem Gutteil durch sie verständlich wird. Der Germanistikstudent sollte etwa im Ausland die Universität nicht verlassen, ohne einem Marx- und einem Freudtext begegnet zu sein, um zu erfahren, welche Bedeutung deren Entdeckungen für unser Menschen- und Weltbild haben, und dann am literarischen Beispiel ihre Wirkung zu erkennen.

Ebenso verfälschend wäre die Beschränkung auf die Diskussion literarischer Höchstleistungen. Daß in dem Bemühen, die bloße Gipfelwanderung auf den Bergen der Dichtung zu verhindern, die Trivialliteratur als Forschungsfeld entdeckt worden ist, ist verdienstvoll. Nötig ist darüber hinaus aber auch, sich um diejenige Literatur zu kümmern, die weder zu klassischer Anerkennung gelangt ist, noch die untersten ästhetischen Kategorien vertritt, sondern thematisch ähnlich anspruchsvoll wie die große Dichtung ist, ihr aber in der künstlerischen und geistigen Bewältigung der Materie nachsteht, eben der Durchschnitt. Daß die Gefahr, das Mittelmäßige zugunsten des Guten oder des Schlechten zu übersehen, auch für literarische Epochen gilt, die allgemein als gut erforscht gelten, ließe sich leicht an der Goethezeit zeigen.

Ganze Werke dieser ohnehin nicht zu Kürze und Konzentration neigenden Literatur, des Durchschnitts wie auch der Trivialsphäre, zu besprechen, ist – anders als in Deutschland – für die nicht-deutschsprachige Germanistik unmöglich. Bei der ohnehin so geringen Zahl von Werken, die dem Studenten zugemutet werden kann, wäre es kaum zu verantworten, nicht Erstklassiges, Gehaltvolles, künstlerisch Beispielhaftes auszuwählen. Wo *Wilhelm Meister* und *Rinaldo Rinaldini*, Fontane und die Marlitt, Johnson und Simmel *Alternativen* sind, wird es die Qual der Wahl kaum geben.

Aber auch wer zum Arbeiten mit der Anthologie gewillt ist, stößt auf unerwartete praktische Schwierigkeiten. So unglaublich es klingt, die Zahl der brauchbaren Anthologien ist äußerst gering; und selbst wo sie verfügbar sind, werden sie den Ansprüchen, die die Fremdsprachengermanistik stellen muß (Erläuterungen, verbindende Kommentare, Übersetzungshilfen, Worterklärungen usw.), nur selten gerecht. Auch scheint es keine Instanz zu geben, die eine Übersicht über die vorhandenen und fehlenden Anthologien versucht, die Bedarf und Nachfrage erforscht. Es scheint mir dringend erforderlich, daß das *Jahrbuch Deutsch als Fremdsprache* das Anthologieangebot sichtet und in regelmäßigen Abständen räsonnierende Bibliographien über dieses Publikationsfeld veröffentlicht.[23] Für eine repräsentative Auswahl des Sprachlehrbuchangebots hat die Kommission für Lehrwerke Deutsch als Fremdsprache diese Aufgabe dankenswerterweise übernommen.[24]

VI

Ich treffe mich in der Beurteilung vieler Aspekte des nicht-deutschsprachigen Germanistikstudiums mit Alois Wierlachers Einschätzung, der 1977 schreibt: "Der Umfang (Textcorpus) wird diachronisch begrenzt durch den Beginn der europäischen Aufklärung, synchronisch durch einen Literaturbegriff, der imaginative und pragmatische Texte unter Vorzugsstellung der ersten Gruppe umfaßt. Diese Vorzugsstellung und ihre diachronische Begrenzung sind begründet in dem Umstand, daß ein systematisches Studium der eingegrenzten Textgruppe oder einiger ihrer Einheiten dem Aufbau einer fremdkulturellen Kompetenz des Lernenden besonders dienlich ist, die deshalb als oberstes Lern- und Lehrziel eines Studiums Deutsch als Fremdsprache zu gelten hat."[25] Wierlacher denkt an *Pflicht*kurse des Literaturstudiums und will auch nicht, daß der *Lektüre*kanon erst mit dem "Beginn der europäischen Aufklärung" einsetzen und damit alle deutschen Traditionen vor dieser Zeit ausschließen soll, ein solcher Ausschluß wäre auch äußerst zweifelhaft; doch ich frage mich, ob ein gesteuertes, also "systematisches Studium" sich nicht auch auf Texte älteren Sprachstandes erstrecken sollte, ob also nicht mehr verlangt werden sollte als die Beteiligung an einem sozialgeschichtlichen Kurs und einer Veranstaltung zur Funktionsgeschichte der deutschen Literatur zu dem frühen Mittelalter, wie Alois Wierlacher in dieser Aufsatzsammlung vorschlägt[26]. Sicher sind hier Differenzierungen zwischen dem Fach Deutsch als Fremdsprache in Deutschland und im Ausland am Platz. "Einer fremdkulturellen Kompetenz des Lernenden besonders dienlich" scheinen mir aber auch Einsichten in die *Ursprünge* bestimmter kultureller, sprachlicher und literarischer Phänomene, die häufig im Mittelalter liegen. Für den nicht-deutschsprachigen Studenten im Ausland gilt dies ganz besonders in sprachlicher Hinsicht. Ihm erschließt die Begegnung mit dem Mittelhochdeutschen etwa das Verständnis vieler grammatischer und lexikalischer Eigenheiten des gegenwärtigen Deutsch. Aber auch literarisch ist der Einschnitt am Anfang des 18. Jahrhunderts willkürlich und könnte übrigens in kaum einem europäischen Land sinnvoll sein (England ohne Shakespeare, Spanien ohne das goldene Zeitalter, Italien ohne die Renaissance, Frankreich ohne die Klassik). Er schließt mit dem Mittelalter Höchstleistungen der deutschen Literatur aus der näheren Diskussion aus und rückt eins der zentralsten Ereignisse der deutschen Geschichte, nämlich die Reformation, die immerhin die einzige erfolgreiche deutsche Revolution ist und Ausstrahlungen auf nahezu alle Bereiche des geistigen, sozialen, politischen Lebens noch bis in die Gegenwart hat, aus dem Blickfeld des Studenten. Dieser könnte dann in die Lage kommen, das Mittelalterbild der Romantik zu diskutieren, ohne zu wissen, daß es ein Mittelalter gibt, und dem Namen Luther wäre er nie begegnet. Daher gehört zum Lektürekanon der Germanistik als Fremdsprache prinzipiell die ganze Geschichte der deutschen Sprache, Literatur und Kultur. Wohl aber wird der stärkere Akzent auf ihren späteren Phasen liegen und das 20. Jahrhundert einen ihrer Schwerpunkte bilden. Nur braucht man sich darüber weniger Gedanken zu machen, weil die moderne Literatur ohnehin im Syllabus seltener vernachlässigt zu werden scheint; die Studenten rufen jedenfalls bei uns nach ihr, und die Lehrenden widmen sich ihr gern, aber die in der deutschen Kanondiskussion gelegentlich zu hörende selbstverständliche Annahme, daß die Gegenwartsliteratur dem Studenten oder Schüler am leichtesten zugänglich sei und am meisten zu geben habe, ist wohl so pauschal kaum zu vertreten. Hugo Kuhn hat vor einigen Jahren der älteren Germanistik gerade die Verfremdung gegenüber der heutigen Welt als pädagogisches Plus angerechnet[27], und auch Bemerkungen wie die folgende verdienen in der Kanondiskussion ernst genommen zu werden: "Die Forderung nach Modernisierung des Kanons um jeden Preis u. a. mit der Begründung, daß man damit den Interessen der Schüler entgegenkomme, scheint mir nicht hinreichend empirisch abgesichert zu sein: Kafkas *Hungerkünstler* oder der *Landarzt* sind genauso fremd oder fremder als Goethes *Werther*, Benjamin ist schwieriger als Herder. Adorno ist den Schülern so fern wie Heraklit. Durch den Blick auf den Kalender läßt sich Aktualität bekanntlich nicht begründen; Zeitgenossenschaft ist schließlich keine Frage der Chronologie."[28]

Aber hier wie bei fast allem, was den Lektürekanon der Germanistik als Fremdsprachendisziplin betrifft, beginnt die Diskussion erst. Sicher scheint mir aus eigener Universitätserfahrung, daß der Lektürekanon wesentlich mehr Aufmerksamkeit verlangt und verdient, als ihm bisher häufig zugebilligt wird.

Anmerkungen

[1] Mein Eindruck wird bestätigt von Alois Wierlacher, der 1977 schreibt: "Die Literaturwissenschaft des Deutschen als Fremdsprache wird sich ... im Maß, in dem Texte und der Umgang mit ihnen als Problemeinheiten erkannt werden, in Umfang, Zielsetzung und Methode von der Muttersprachenphilologie des Deutschen differenzieren müssen. Bislang ist eine solche Differenzierung kaum erfolgt; eine Didaktik der Literaturwissenschaft des Deutschen als Fremdsprache existiert so gut wie gar nicht." Einleitung zu der Aufsatzsammlung "Literatur und ihre Vermittlung. Aspekte einer Literaturwissenschaft des Deutschen als Fremdsprache", in: *Jahrbuch Deutsch als Fremdsprache,* Bd. 3 (1977), S. 76.

[2] Untertitel eines Aufsatzes in: *Die Unterrichtspraxis.* For the Teaching of German VII (1974), No. 2, S. 31.

[3] Pierre Bertaux: "'Germanistik' und 'germanism', in: *Jahrbuch Deutsch als Fremdsprache,* Bd. 1 (1975), S. 1 f.

[4] Helmut Brackert: "Literarischer Kanon und Kanon-Revision", in: *Reform des Literaturunterrichts.* Eine Zwischenbilanz, hrsg. v. H. Brackert und W. Raitz. Frankfurt/M. 1974 (= edition suhrkamp, Bd. 672), S. 135.

[5] Die jüngste Bibliographie zur Lehrplangestaltung auf der Schule ist erschienen in *Wirkendes Wort* 28 (1978), H. 5, S. 289–304.

[6] Inge Degenhardt: "Tendenzen des 'kompensatorischen Literaturunterrichts'", in: siehe Anm. 4, S. 105. Auch Degenhardts Zwischenüberschrift "Vom Luxusartikel zum Gebrauchsgegenstand" scheint mir ein unangemessenes Verhältnis zur alten wie zu einer möglichen neuen Literaturbetrachtung auszudrücken.

[7] Karl Pestalozzi: "Möglichkeiten und Grenzen einer Wissenschaft. Die Literaturwissenschaft in der schweizerischen Germanistik", in: *Fragen der Germanistik.* Zur Begründung und Organisation eines Faches. München 1971, S. 81, 83.

[8] Brackert, a. a. O., S. 152.

[9] Ebd., S. 155.

[10] Malte Dahrendorf: *Literaturdidaktik im Umbruch.* Aufsätze zur Literaturdidaktik, Trivialliteratur, Jugendliteratur. Düsseldorf 1975 (= Studienbücher Literaturwissenschaft), S. 31.

[11] Pestalozzi, a. a. O., S. 95.

[12] Fred Manthey: "Kriterien zur Bestimmung des Schwierigkeitsgrades der Inhaltsstruktur erzählerischer Lesetexte", in: *Deutsch als Fremdsprache* 14 (1977), H. 1, S. 21.

[13] In: *Deutsch als Fremdsprache* 15 (1978), H. 4, S. 193; Anf.

[14] Eberhard Lämmert 1970, zitiert nach: Harro Müller-Michaels: "Literaturdidaktik als normsetzende Handlungswissenschaft" in: *Literaturdidaktik*, hrsg. v. J. Vogt. Düsseldorf 1972 (= Literatur in der Gesellschaft, Bd. 10), S. 19.

[15] vgl. auch Alois Wierlacher: Germanistik und Ausländerstudium. In: Otmar Werner/Gerd Fritz (eds.): Deutsch als Fremdsprache und neuere Linguistik. München 1975, S. 287 ff. – Ders.: Überlegungen zur Begründung eines Ausbildungsfachs Deutsch als Fremdsprache. In: Jahrbuch Deutsch als Fremdsprache 1, 1975, S. 122 ff. – Die Bibliographie *Topographie der Germanistik*. Standortbestimmung 1966–1971 von G. Herfurth/J. Hennig/L. Huth, Berlin 1971, führt auf den Seiten 76–78 schon 28 Titel auf, die sich mit Iser/Weinrichs 1969 zuerst erschienenen Vorschlägen beschäftigen. Die Texte selbst sind augenblicklich am leichtesten zugänglich in: *Ansichten einer zukünftigen Germanistik*, hrsg. v. J. Kolbe. Berlin 1973 (= Ullstein Taschenbuch, Bd. 3017): Wolfgang Iser: "Überlegungen zu einem literaturwissenschaftlichen Studienmodell", S. 191–205; Harald Weinrich: "Überlegungen zu einem Studienmodell der Linguistik", S. 206–213.

[16] Die Rufe nach der völligen Abschaffung der Klassiker haben sich so schnell in ihrem naiven Geschichtsverständnis und ihrem oberflächlichen Wissenschaftsbegriff enthüllt, daß man sich mit ihnen kaum mehr auseinanderzusetzen braucht. Ein illustratives Beispiel für das hier Gemeinte bildet Hans-Joachim Grünwald (Bremer Kollektiv): "Sind die Klassiker etwa nicht antiquiert?", in: siehe Anm. 13, S. 148–161. Das Belegmaterial für seine Ansicht bezieht der Verfasser vorwiegend aus den unsäglichen Königs-Erläuterungen zu Klassikern. Das ist so, als wenn man nur Courts-Mahler zitierte und dann behauptete, die deutsche Literatur tauge nichts.

[17] Karl Otto Conrady: *Einführung in die Neuere deutsche Literaturwissenschaft*. Reinbeck 1966 (= rowohlts deutsche enzyklopädie, Bd. 252/253), S. 113.

[18] Ludwig Borinski: "Bemerkungen zu den Studienmodellen Weinrich/Iser", in: Literatur in Studium und Schule. Loccumer Experten-Überlegungen zur Reform des Philologiestudiums, hrsg. v. O. Schwencke. Loccum 1970 (= Loccumer Colloquien 1), S. 35.

[19] Siehe zu diesem Begriff: Christian Grawe: Artikel "Kulturanthropologie", in: Historisches Wörterbuch der Philosophie, hrsg. v. J. Ritter/K. Gründer, Bd. 4, Sp. 1324–1327. Vgl. Hans J. Vermeer: Sprache und Kulturanthropologie. Ein Plädoyer zur interdisziplinären Zusammenarbeit in der Fremdsprachendidaktik. In: Jahrbuch Deutsch als Fremdsprache 4, 1978, S. 1–21.

[20] Gerry Cohen/Barrie Joy: "The Tyranny of Culture: Modern Language Departments in the Australian University", in: Vestes. The Australian Universities' Review 21 (1978), issues 3 and 4, p. 39.

[21] Gerald Stieg: Dialektische Vermittlung. Zur Rolle der Literatur im Landeskunde-Unterricht. Im vorliegenden Band S. 459 ff. [zuerst in Jahrbuch

Deutsch als Fremdsprache 3, 1977]. Vgl. auch: Gudrun Fischer: "Die landeskundliche Komponente bei der Behandlung literarischer Texte im Deutschunterricht für ausländische Germanistikstudenten", in: Deutsch als Fremdsprache 14 (1977), H. 2, S. 78–89.

[22] Bertaux, a. a. O., S. 3 f.

[23] Um diese Behauptung durch eine eigene Erfahrung zu verdeutlichen: Mir gelang es vor zwei Jahren nicht, für einen interdisziplinären Kurs über europäische Romantik eine Anthologie deutscher romantischer Lyrik in englischen Übersetzungen zu finden, ja, ich mußte feststellen, daß es derlei nicht einmal auf Deutsch gibt.

[24] Siehe das Mannheimer Gutachten zu ausgewählten Lehrwerken Deutsch als Fremdsprache erstellt im Auftrag des Auswärtigen Amtes der Bundesrepublik Deutschland von der Kommission für Lehrwerke Deutsch als Fremdsprache. 3. Auflage. Heidelberg 1978.

[25] Siehe Anm. 1, ebd.

[26] Siehe seinen Beitrag: Deutsche Literatur als fremdkulturelle Literatur, Band 1 der vorliegenden Sammlung, S. 146–165.

[27] Im Jahrbuch der internationalen Germanistik V/2 (1973), wo in einer Reihe von Aufsätzen von Hugo Kuhn, Roswitha Wisniewski, Peter Ganz und Rita Stambaugh/Petrus Tax für die Aktualität der Altgermanistik plädiert wird, S. 124–154.

[28] Jürgen Gideon: "Einige Überlegungen zum Literaturunterricht", in: siehe Anm. 18, S. 61.

Franz Hebel

Die Rolle der Literatur in der Kulturvermittlung oder: Gibt es eine 'repräsentative Relevanz' von Texten: Erörtert am Beispiel von Gerhart Hauptmanns Komödie "Der Biberpelz"

Die Frage nach der Rolle der Literatur in der Kulturvermittlung ist vielschichtig; sie kann in diesem Zusammenhang nur unter einem Aspekt behandelt werden. Sie ist vielschichtig, insofern sie als die Frage nach der innerliterarischen Überlieferung verstanden werden kann, motiv- oder formgeschichtlich zum Beispiel. Dann ist sie eine Frage der Literaturgeschichte in traditionellem Sinne. Sie kann aber auch als wirkungsgeschichtliche Fragestellung aufgefaßt und einer moderner verstandenen Literaturgeschichte zugeordnet werden, die den Leser einschließt. Sofern die Frage auf Probleme der Kritik oder der Stabilisierung bestehender gesellschaftlicher Verhältnisse und/oder auf Homologien zwischen dem Bewußtsein von Gruppen und dem im Text ausgedrückten Bewußtsein bezogen wird, gehört sie in eine nicht nur empirisch verstandene Literatursoziologie. Hier wird sie als die Frage danach verstanden, ob und wie Literatur in die jeweils bestehenden Kulturen der Entstehungszeit bzw. der Aufnahmezeit eingegliedert ist oder nicht. In Begriffen traditioneller Unterscheidungen von Wissenschaften gesprochen, handelt es sich dabei um eine Frage im Überschneidungsbereich von Literaturwissenschaft, Kulturtheorie und Literaturdidaktik. Ein erfolgversprechender Weg, eine Antwort auf die gestellte Frage zu finden, wird durch die Hinwendung zu dem Problem eröffnet, ob es eine "repräsentative Relevanz" für die Auswahl von Texten in der literarischen Vermittlung gebe und wie diese zu verstehen sei. Mögen die materiellen Vermittler in der Institution Literatur[1] bei ihren Entscheidungen auch vor allem materiellen Gesichtspunkten folgen, so daß unsere Frage dort kaum zur Geltung kommt, so überwiegt bei den ideellen Vermittlern (Kritikern usf.) im allgemeinen doch eine kritische Auswahl, die auf das *Ganze* der jeweiligen Kultur gerichtet ist. Es ist aber nicht zu verkennen, daß die Auswahlkriterien für Texte in der literarischen Vermittlung oft den Auswählenden selbst undurchschaut bleiben, weil die für die jeweiligen Praxisbedürfnisse überlieferten Gewohnheiten ausreichen oder auszureichen scheinen. Das gilt für den muttersprachlichen wie für den fremdsprachlichen Unterricht.

Vorwegnehmend und vermutend kann zunächst gesagt werden: *Das Kriterium der "Repräsentativen Relevanz" literarischer Texte betrifft eine zweifache Beziehung: Die zur geltenden Kultur der Entstehungszeit und die zur geltenden Kultur in der Zeit der Aufnahme.*

Diese Vermutung besagt zunächst nicht mehr, als daß Relevanz und Repräsentativität von Texten dem naiven Bewußtsein sowohl an die Bedeutung des Textes in seiner Entstehungszeit als auch an seine Bedeutung für die Zeit der Aufnahme gebunden sind. Zur Entfaltung und Begründung dieser Vermutung muß zunächst der Kulturbegriff entwickelt werden, der der folgenden Argumentation zugrundeliegt.

1. Klärung des Kulturbegriffs

a) Was ist eine "Kulturelle Tatsache"?

Geisteswissenschaftler, die sich mit Sprache, Literatur, Künsten, Recht usf. beschäftigen, erliegen leicht der Gefahr, den Zusammenhang zu vergessen, in dem diese stehen. Je mehr die Entschlüsselung der überlieferten Artefakte des Rückgriffs auf einen weiten Referenzrahmen bedarf, weil die vermittelten Sachverhalte ohne Kenntnisse der Politik, Wirtschaft, Gesellschaft ihrer Entstehungszeit nicht verstanden werden können, um so weniger tritt dieser Mangel hervor. Das sehen wir z. B. in der Orientalistik, der Altphilologie, auch der Altgermanistik. Inzwischen ist mit der Forderung nach sozialgeschichtlicher Fundierung der Literaturgeschichte der Anspruch gesetzt, jene "vergeßliche" Literaturwissenschaft zu überwinden, die einem zu engen Kulturverständnis folgt. Ethnologen forderten und fordern seit langem einen umfassenden Kulturbegriff. "Betrachtet man den Kulturprozeß in irgendeiner seiner konkreten Manifestationen, so setzt er stets menschliche Wesen voraus, die in bestimmten Beziehungen zueinander stehen, die also organisiert sind, die Artefakte handhaben, und die miteinander durch die Sprache oder einen andersartigen Symbolismus verkehren."[2] Diese Tätigkeiten und ihre Organisation in Institutionen geschehen in Wirtschaft, Politik, Recht, Künsten usf. auf zwei Ebenen. Zunächst der der primären Bedürfnisbefriedigung in der Auseinandersetzung mit der äußeren Natur, für die das biologische Überleben bestimmend ist; dann – und das "dann" meint hier weder eine zeitliche Unterscheidung noch eine der Rangfolge, sondern verweist auf einen anderen analytischen Aspekt – dann auf der Ebene der "sekundären Bedürfnisse", die durch die kulturellen Tätigkeiten und ihre Institutionalisierung selbst hervorgerufen werden. Die kulturellen Tätigkeiten auf der ersten Ebene brechen zusammen, wenn die auf der zweiten nicht befriedigt werden und umgekehrt. Denn sowohl die Spezifik der primären als auch die der sekundären Bedürfnisse wird durch die Art ihrer Befriedigung verändert. Kulturelle Tätigkeit beeinflußt den Gegenstand, auf den sie sich richtet, und den, der sie ausübt, und beide nicht isoliert. Was den Gegenstand angeht, werden durch Einwirkung darauf natürliche, technische, rechtliche u. a. Zusammenhänge verändert. Was den Handelnden betrifft, so wirken seine Handlungen auf ihn und die Organisation seiner Beziehungen zu den anderen Handelnden zurück. Die Einsicht z. B., daß die Vorratswirtschaft im Alten Ägypten, die wegen der periodischen Nilüberschwemmungen nötig war, das politische System sowie Künste, Religion und Recht dort beeinflußte, wurde bei der deutlichen Sprache des Materials schon früh gewonnen. Im allgemeinen kann man aber sagen, daß "bei der Behandlung dessen, was gemeinhin der geistige Aspekt der Kultur genannt (wird), der nüchterne und gegenständliche Weg über die sozialen Organisationen nicht immer eingehalten (wurde). Historiker des philosophischen Denkens, der politischen Ideologien oder der künstlerischen Schöpfungen haben nur zu häufig die Tatsache übergangen, daß jede Art persönlicher Eingebung nur dadurch zu einer wirklichen Kulturtatsache werden kann, daß sie die öffentliche Meinung einer Gruppe für sich gewinnt, der Idee die materiellen Mittel zum Ausdruck verschafft und so in einer Institution vergegenständlicht wird."[3] Die Institutionen, in deren Rahmen "jede Art persönlicher Eingebung" erst zu einer "Kulturtatsache" werden kann, haben alle eine "Verfassung", sie setzen "stillschweigend die Annahme gewisser grundlegender Wertsetzungen und Gesetze voraus."[4] Das gilt z. B. auch für Verbrecherbanden. Da deren grundlegende Wertsetzungen und Gesetze aber nicht funktional sind für das "Gesamtschema" der jeweiligen Kultur, wird ihre Organisation "als gefährlich und als eine, die entdeckt, vertilgt und bestraft werden muß (anerkannt)".[5] Die Durchsetzung des "Gesamtschemas" einer Kultur, ihrer "integrierenden Imperative"[6], geschieht nicht nur im politischen Bereich und dort mit Mitteln äußeren Zwanges, sondern auch in den Bereichen von Recht, Kunst, Religion, Erziehung und dort mit Hilfe "von Kodifikationen der konstituierenden Regeln, von mythologischen Vorstellungen und von Wertsetzungen, die das organisierte Verhalten der Gruppe lenken und organisieren".[7] Kultur wird bei solcher Auffassung als "Kultivierung" der biologischen Impulse der Menschen gesehen. Die dazu erforderlichen Tätigkeiten erscheinen dabei funktional zum Zweck der spezifischen menschlichen Bedürfnisbefriedigung, in deren Rahmen auch die "höheren" kulturellen Leistungen zu sehen sind: "Sie nehmen etwas von dem Lustempfinden auf, das für die erfolgreiche Durchführung des Vitalablaufes kennzeichnend ist. Kurz, der Organismus reagiert auf die instrumentellen Elemente mit der gleichen oder mit ähnlicher Begehrungskraft, wie auf die Objekte, die dieses Begehren unmittelbar mit physiologischer Lust entgelten. Wir können diese starke, unausweichliche Anhänglichkeit des Organismus an bestimmte Gegenstände, Normen oder Personen, die Hilfsmittel zur Befriedigung organischer Bedürfnisse sind, mit dem Wort *Wert,* das Wort im weitesten Sinn genommen, bezeichnen."[8]

In solchen Beziehungen der "Stellvertretung" (aliquid stat pro aliquo: das Hilfsmittel steht (partiell) für die Bedürfnisbefriedigung) sieht Malinowski eine Parallele zum "Symbolismus" der Sprache und der Künste, wenn nicht ihre Fundierung[9].

Wir gewinnen aus diesen Überlegungen vier Ergebnisse:

1. Kultur ist Tätigkeit, und zwar Tätigkeit verschiedener Art;

2. Diese Tätigkeiten sind organisiertes Handeln und *als solches* Kulturtatsachen;

3. Kulturtatsachen sind im Zusammenhang primärer und sekundärer Bedürfnisbefriedigung zu sehen; auch abgeleitete und vermittelte Tätigkeiten haben an dem Lustgewinn teil, der mit Bedürfnisbefriedigung in Vitalabläufen verbunden ist;

4. Angenommene grundlegende Wertsetzungen und Gesetze gesellschaftlicher Gruppen können im Widerspruch zum Gesamtschema der betreffenden Kultur stehen und (von dieser aus und für diese gesehen) disfunktional sein.

In einer Funktionaltheorie der Kultur, in deren Rahmen diese Ergebnisse gewonnen wurden, kann aber die Frage nicht beantwortet, nicht einmal sinnvoll gestellt werden, was dann geschieht, wenn das Gesamtschema der Kultur disfunktional ist und bisher nicht anerkannte Teilgruppen die zur Reproduktion erforderlichen Funktionen besser erfüllen, auch die besseren grundlegenden Wertsetzungen und Gesetze haben. Wir wissen aus der Geschichte, daß dieser Fall eintreten kann, die französische Revolution z. B. zeigt ihn in einer besonderen historischen Gestalt. Wenn man auch den geistigen Aspekt der Kultur im Zusammenhang der Institutionen sehen muß, so genügt es doch nicht zu betrachten, daß und wie sich persönliche Eingebungen in Institutionen vergegenständlichen, sondern es ist auch zu bedenken, wie das Entstehen und – eventuell disfunktionale – Weiterbestehen und der Untergang solcher Institutionen erklärt werden kann. Vor allem ihr disfunktionales Weiterbestehen kann m. E. nur im Zusammenhang mit Herrschaft erklärt werden. Daß dafür aber eine Funktionaltheorie der Kultur nicht ausreicht, ist vor allem daran zu erkennen, daß in ihr das Problem der "integrierenden Imperative" nur in bezug auf ein als stets funktional unterstelltes Gesamtschema der Kultur erörtert werden kann.

b) "Integrierende Imperative" im Rahmen einer kritischen Kulturtheorie

Eine Kulturtheorie, deren Totalitätsbegriff, deren Begriff von einem Gesamtschema also "die Anerkennung einer Vielzahl verschiedener gleichzeitiger Praktiken voraussetzt", ohne nach der "Intention" dieser Praktiken zu fragen, kommt über eine Funktionaltheorie nicht hinaus und bleibt aus den genannten Gründen unzureichend.[10] Der hier in Anlehnung an Raymond Williams gebrauchte Begriff der "Intention" kann im Deutschen allerdings leicht mißverstanden werden. Williams gebraucht ihn in dem Sinn, daß "der Begriff der Intention ... den richtigen Akzent (setzt). Zwar ist ohne Zweifel eine Gesellschaft ein komplexes Ganzes solcher (d. i. verschiedener gleichzeitiger, F. H.) Praktiken, aber jede Gesellschaft hat auch ihre spezifische Organisation und Struktur, und deren Prinzipien können als direkt auf bestimmte gesellschaftliche Intentionen bezogen aufgefaßt werden, wobei es sich um Intentionen handelt, die die Gesellschaft definieren und die, wie die Erfahrung lehrt, die Herrschaft einer bestimmten Klasse sind."[11]

"Intention" darf nicht mit "Ideologie" gleichgesetzt werden, die es gleichwohl gibt. Vielmehr "geht es um ein zentrales, wirksames und herrschendes System von Bedeutungen und Werten, die nicht irgendwie abstrakt sind, sondern organisiert und gelebt werden."[12] Auf dem Weg "selektiver Tradition" in Ausbildung und Familie, durch Definitionen und Organisation der Arbeit und auf der intellektuellen und theoretischen Ebene geschieht – wenigstens tendenziell – eine Inkorporation der oppositionellen und alternativen Elemente der jeweils bestehenden Gesamtkultur. "Es handelt sich um ein Bündel von Bedeutungen und Werten, die, da sie als Praktiken erfahren werden, sich gegenseitig zu bestätigen scheinen. Und dies konstituiert für die meisten Menschen der Gesellschaft einen Sinn von Realität, von absoluter, da erfahrener Realität, über den sie in ihrem normalen Lebensbereich nur schwer hinausgelangen können."[13] Es handelt sich dabei *nicht* um "isolierbare Bedeutungen und Praktiken der herrschenden Klasse", nicht nur um "vergangenes, dessen Hülsen leicht abzuschütteln wären", sondern um eine Praxis, an der alle Gesellschaftsmitglieder, wenn auch auf verschiedene Weise, beteiligt sind.

Die Tendenz zur Inkorporation, die die zentrale Kultur kennzeichnet, trifft auf kulturelle Tätigkeiten, die nach zwei Aspekten zu unterscheiden sind:

I. als *alternativ* zur herrschenden Kultur oder
II. als *oppositionell* zur herrschenden Kultur
und nach ihrer zeitlichen Beziehung
1. als *residuale Elemente* bzw.
2. als *neu entstehende Elemente* der jeweils gegenwärtigen herrschenden Kultur.

Die möglichen Überschneidungen dieser vier Aspekte können in einem Vierfelderschema dargestellt werden:

	I.	II.
1.	alternativ residual	oppositionell residual
2.	alternativ neu entstehend	oppositionell neu entstehend

Die zeitliche Unterscheidung als *residual* und *neu entstehend* bedarf keiner Erläuterung, wenn sie auch im konkreten Fall nicht einfach zu treffen sein mag. Die modale Unterscheidung zwischen *alternativ* und *oppositionell* soll den Unterschied zwischen individuell-privaten und kollektiv-öffentlichen Versuchen kennzeichnen, eine andere Lebensform als die bestehende durchzusetzen. "Aber ich bin mir sicher, daß in der seit dem letzten Krieg entstandenen Gesellschaft der Prozeß der Inkorporation aufgrund von Entwicklungen im gesellschaftlichen Charakter der Arbeit, der Kommunikation und der Art, wie und wo Entscheidungen getroffen werden, um ein Vielfaches mächtiger geworden ist als in jeder vorausgehenden kapitalistischen Gesellschaft."[14] Bei verstärkter Tendenz zur Inkorporation gilt der herrschenden Kultur der Unterschied zwischen alternativen und oppostionellen kulturellen Tendenzen nicht viel. "Eine Auffassung oder Praxis mag als Abweichung durchaus toleriert werden, indem sie lediglich als ein besonderer Lebensstil angesehen wird. Je notwendiger sich aber der Bereich der Herrschaft ausdehnt, desto mehr müssen eben diese Bedeutungen und

Praktiken von der dominierenden Kultur nicht nur als Mißachtung oder bloße Ablehnung, sondern als Herausforderung begriffen werden."[15] Eingriffe der Zensur (der Sache nach, denn dem Namen nach gibt es sie ja meist nicht mehr!) in Lebensformen und deren Begründungen sind Indizien dafür.

Als Ertrag dieser Überlegungen in Anlehnung an Gedanken von Raymond Williams ist festzuhalten:

1. Kulturen sind nicht einheitlich. Sie sind als gesellschaftlicher Prozeß der Auseinandersetzung der zentralen, herrschenden Kultur mit Alternativen und Oppositionen zu begreifen, die in Anlehnung an residuale oder neu entstehende kulturelle Tendenzen entwickelt werden;
2. In dieser Auseinandersetzung versucht die herrschende Kultur, die Alternativen und Oppositionen durch selektive Tradition zu inkorporieren;
3. der Prozeß der Inkorporation ist gegenwärtig besonders mächtig und übt starken Druck auf Alternativen und Oppositionen aus.

c) "Bildprojektion" als vermittelnder Begriff

Im zweiten Teil dieser Überlegungen stehen in einem überprüfenden Interpretationsversuch ausgewählte Texte im Mittelpunkt; wie aber sollen einzelne Texte auf die entwickelten allgemeinen kulturtheoretischen Ergebnisse bezogen werden? Als Vermittlung zwischen einem Kulturschema und einzelnen kulturellen Tätigkeiten sollen "Bildprojektionen"[16] verstanden werden. Bei der Interpretation der Texte wird es ja darauf ankommen, zwei unterscheidbare Beziehungen miteinander zu verschmelzen. Es handelt sich dabei zum einen um die Beziehung des Textes (als Ergebnis kultureller Tätigkeit, als "Kulturtatsache") auf die Gesamtkultur seiner Zeit. Die Art dieser Beziehung kann mit einem Begriffspaar aus obigem Vierfelderschema gekennzeichnet werden. Zum anderen geht es um die Beziehung des Textes auf die Gesamtkultur der Zeit, in der die Interpretation als kulturelle Tätigkeit (im Ergebnis ebenfalls als "Kulturtatsache") geleistet wird. Auch diese Beziehung kann mit Begriffen aus dem obigen Vierfelderschema gekennzeichnet werden. Goethes "Werther" war in der Zeit seiner Entstehung oppositionell-neu entstehenden kulturellen Tendenzen zuzuordnen. Die Rezeption des Textes belegt es.[17] Im Leben Edgar Wibeaus in Ulrich Plenzdorfs Roman "Die neuen Leiden des jungen W."[18] wird er residual-alternativ aufgenommen. Plenzdorfs Roman als ganzer ist, worauf zumindest seine Kritik in der DDR verweist[19], oppositionell-residual zu lesen.

Eine Untersuchung und Deutung der Beziehungen, in die der Text in der jeweiligen Gesamtkultur eingeht, setzt voraus, daß man den Text nicht als Artefakt mit festgelegten Bedeutungen versteht, sondern daß man "die Beziehung zwischen einer kollektiven Form und einem individuellen Projekt ... als Praxis einer Gruppe in einer bestimmten Periode"[20] ins Auge faßt. In ähnlicher und weiterführender Weise erklärt W. E. Mühlmann den Zusammenhang zwischen mythischen Grundstrukturen und ihren gesellschaftlichen Wirkungen. Er deutet die Inhalte von Mythen als "Bildprojektionen", die retrospektiv und prospektiv sein können. "Jene umfassen die Überlieferungen von einem 'goldenen Zeitalter', sie sind im großen und ganzen aristokratisch in ihrer Tönung, rückwärts gewandt, resigniert; diese hingegen sind vorzugsweise verbunden mit adventistisch – optimistischen Impulsen sozialer Unterschichten; voller Hoffnung, das 'goldene Zeitalter' ... in der Zukunft, sogar in naher Zukunft wieder hergestellt zu sehen. ... Die herrschenden Schichten können, solange sie tatsächlich die Macht in Händen halten, an einer Veränderung der Dinge nicht interessiert sein, sie können sie nur fürchten, und wo sie sich anbahnt, mit pessimistischen Augen betrachten. Es sind die unteren Gesellschaftsschichten ..., die allein von einer Veränderung etwas erhoffen, weil sie 'nichts zu verlieren und alles zu gewinnen' haben. In dem einen Falle (Retrospektion) handelt es sich um mythische Überlieferung, in dem anderen (Prospektion) um Prophetie – die freilich an den Mythos anknüpfen kann und dies oft auch tut."[21]

Mühlmanns Begriff der (retrospektiven bzw. prospektiven) Bildprojektion, der uns zur Vermittlung zwischen sehr allgemeinen kulturtheoretischen Aussagen und interpretierender Tätigkeit an einzelnen Texten dienen kann, stimmt darin mit dem Begriff des "Projektes" von Williams überein, daß er als entwerfende Tätigkeit zu sehen ist, die auch der Aufnehmende leisten muß. Dem Begriff des "Werkes" wird also der der "kulturellen Praxis" gegenübergestellt. Zudem wird der Begriff der Bildprojektion – ebenfalls wie bei Williams – doppelt determiniert gesehen: durch Bezug der Bildprojektionen auf die Zeit einerseits und auf das Herrschaftsinteresse andererseits.[22]

Die eingangs geäußerte Vermutung, das Kriterium der "repräsentativen Relevanz" betreffe diese zweifache Beziehung literarischer Texte, nämlich die zur geltenden Kultur ihrer Entstehungszeit u n d zur geltenden Kultur der Zeit der Aufnahme, kann nach den angeführten Überlegungen so als Hypothese neu formuliert werden:

Literarische Texte sind Bildprojektionen, seien es prospektive, seien es retrospektive, die alternativ oder oppositionell zur zentralen Kultur stehen. Sie haben repräsentative Relevanz, wenn sie nicht nur den Inkorporationstendenzen der zentralen Kultur ihrer Entstehungszeit, sondern auch denen der Aufnahmezeit entgegenstehen. In diesem Widerspruch wird sowohl ihre (alternative oder oppositionelle) Eigenart erkennbar als auch die Eigenart der zentralen Kultur – wenigstens in je einzelnen charakteristischen Zügen. (Das in dieser Differenz liegende Moment der Nicht-Determiniertheit wird textseitig über die Abweichungen von der Alltagssprache realisiert, leserseitig als Freiheit und Chance kreativer Ichleistungen intellektueller und sinnlicher Art erfahren).

Das folgende Schema soll den in der Hypothese formulierten Gedanken verdeutlichen:

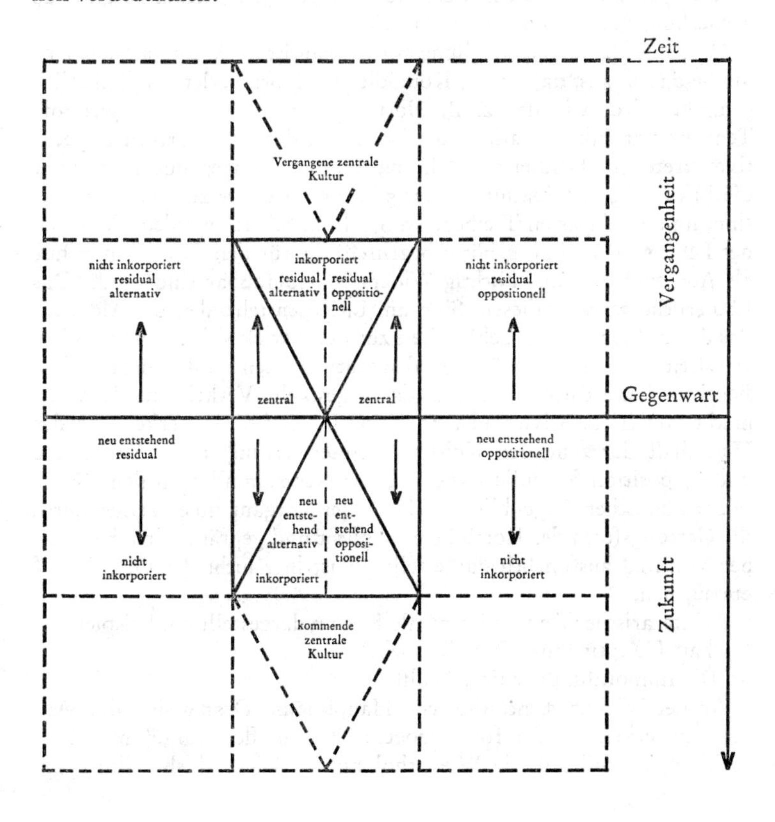

2. Bemerkung zu formsemantischen Projektionsbedingungen der Komödie

Die entwickelte Hypothese ist auf eine Nicht-Übereinstimmung der Bildprojektionen mit den etablierten Bildern der zentralen Kultur bezogen. Das jedenfalls ist der entscheidende Inhalt des Begriffs der "Projektion" bzw. des "Projektes", wie er hier entwickelt wurde. Demgegenüber können zunächst die Unterschiede zwischen Alternative und Opposition und zwischen Hinwendung zur Vergangenheit oder Hinwendung zur Zukunft vernachlässigt werden. Es ist aber zu prüfen, inwiefern die vom Autor gewählte, aus Traditionen der zentralen Kultur stammende Form die Beziehung zum Gesamtschema der jeweiligen Kultur beeinflußt. In unserem Falle betrifft diese Frage die Gattung der Komödie, zu der wenigstens einige unser Thema berührende Bemerkungen angebracht erscheinen.

Geht man bei der Darstellung formsemantischer Merkmale der Komödie davon aus, daß in der Komödie eine Normverletzung lächerlich gemacht wird, wie das z. B. Northrop Frye tut[23], dann wird die Tendenz zur Inkorporation zu sehr betont, die "integrativen Imperative" treten in falscher Gewichtung hervor. Demgegenüber erscheint die Erklärung, die Joachim Ritter gibt, umfassender zu sein: "Im Unsinn, im ausgelassenen Treiben, im Spiel, im Scherz, werden die Seiten des Lebens als zu ihm gehörig begriffen, die für den Ernst immer nur als Ausgegrenztes und Nichtig-Widerständiges faßbar sind" und: "Das Lächerliche wäre in diesem Sinn am Entgegenstehenden das Moment, das durch diese seine Zugehörigkeit zur Lebenswelt sichtbar und positiv ergriffen werden kann."[24] In den entwickelten kulturtheoretischen Begriffen kann Ritters Gedanke als die gespielte Verkehrung der Ohnmacht von Alternative und Opposition in Macht, als Verkehrung der Herrschaft der zentralen Kultur in Unterwerfung unter Alternative und Opposition formuliert werden, letzteres zumindest in den unmittelbar komischen Augenblicken. Wie dieser Vorgang im einzelnen durch die Gattungsform der Komödie ermöglicht und geprägt wird, hat Rainer Warning ausführlich dargestellt. Es ist hier nicht der Ort, darauf einzugehen.[24a]

3. Literarischer Text und zentrale Kultur, dargestellt am Beispiel von Gerhart Hauptmanns "Der Biberpelz"

a) Die Immoralität der Frau Wolff

An der Wirkungsgeschichte von Hauptmanns Drama sind drei Akzente zu erkennen, der formbezogene, der auf den Schluß vor allem gerichtet ist und auf die Wiederholung der Diebstahlshandlung, ein inhaltlicher, durch den die Karikatur der preußisch-obrigkeitsstaatlichen Bürokratie in der Figur des Amtsvorstehers von Wehrhahn hervorgehoben wird und ein anderer inhaltlicher Akzent, durch den die Aufmerksamkeit auf die Gestalt der Frau Wolff gelenkt wird. Nur letzterer soll im folgenden beachtet werden.

In der Komödie selbst wird die Frau Wolff als tüchtige Waschfrau, als fleißig, ehrenhaft, als "ehrliche Haut" (4. Akt) durch von Wehrhahn eingeschätzt und von Krüger als "ordentliche Frau" und "ehrliche Frau" betrachtet. Seit der Uraufführung der Komödie hat man sich mit dem Problem auseinandergesetzt, daß Frau Wolff einerseits stiehlt, wildert und täuscht und daß sie andererseits die Sympathie vieler Zuschauer gewinnt. Die Argumentationsmuster, die gebraucht werden, können wie folgt charakterisiert werden:

Bruno Wille, ein Freidenker, sieht im Handeln der Frau Wolff "das naive Freibeutertum des urwüchsigen Menschen", "die Moral des naiven Spitzbuben"[25] zur Geltung kommen, letztere von ihr selbst im 1. Akt so formuliert: "Mit dem bissel Arbeiten wirschte weit komm. ... Und wenn de erscht reich bist, Julian, und kannst in der Eklipage sitzen, da fragt dich kee Mensch nich, wo de's her hast. Ja, wenn ma's von armen Leiten nähme!"

Ähnlich spricht Otto Erich Hartleben in der Berliner "Welt am Montag" davon, er bewundere "vor allem ihr Ethos – die geniale moralische Unbefangenheit, mit der die Menschen und die Dinge gesehen und hingestellt sind – dieses selbstverständliche Jenseits von Gut und Böse, von Schuld und Strafe. Die Wolffin ... ist kein gewöhnlicher Dieb aus Verkommenheit und innerem Unwert – sie stiehlt aufgrund einer Weltanschauung, die ihr das Stehlen als erlaubte Gegenwehr im Kampf des Lebens gestattet."[26]

Auch Hans Joachim Schrimpf folgt diesem Muster, wenn er sagt: "Diebstahl und Betrug erscheinen im 'Biberpelz' ganz und durchaus in isoliert komischer Beleuchtung, als Akte der Notwehr im Vitalkampf gegen soziale Ungerechtigkeit und fragwürdige Eigentumsverhältnisse, als listige Ausbeutung der Ausbeuter, selbst da, wo der Bestohlene ein zwar griesgrämiger, aber sonst braver und anständiger Hausbesitzer ist. Der Immoralismus der Frau Wolffen im 'Biberpelz' ist vormoralisch, er hat den Bereich bürgerlicher Moral noch nicht erreicht."[27]

Sollte Schrimpf mit dem Gebrauch von Begriffen wie "Eigentumsverhältnisse" und "Ausbeutung der Ausbeuter" auf eine marxistisch-kritische Intention Hauptmanns angespielt haben wollen, so wäre dem aus den unten bei der Erörterung der Brechtschen Bearbeitung angeführten Gründen zu widersprechen. In differenzierterem Gesellschaftsbezug schreibt Michael Pehlke über die Amoralität der Handlungen im "Biberpelz". Zunächst weist er auf den in der Komödie dargestellten "Kampf aller gegen alle" hin, wie ihn die Frau Wolff gegen Krüger, gegen Motes, dieser gegen sie, Wehrhahn gegen Krüger und Fleischer führt. "Daß sie untereinander kämpfen, macht die Stabilität des gesellschaftlichen Gefüges aus und zeigt zugleich seine Stagnation. Die Energien, die die Personen des Stückes in ihre diversen Überlebenstechniken investieren, verpuffen nutzlos, bewegen nichts, bewirken keine Veränderung, sondern zementieren den gesellschaftlichen Status quo. In einem solchen System kann nichts aufgedeckt, keine Schuld festgestellt und bestraft werden, weil keine verbindliche Moral mehr existiert."[28] Hier wird der Immoralismus der Frau Wolff als gesellschaftliche Stagnation interpretiert; umgekehrt bedeutet das: Eine erneuerungsfähige Gesellschaft, die wechselnden Anforderungen gewachsen sein will, bedarf einer verpflichtenden Moral.

b) Frau Wolff als Frau aus dem Volk

Das zweite wichtige Interpretationsmuster ist das von der Frau Wolff aus der "Frau aus dem Volk", in dem Frau Wolff für das Volk steht. Gustav Freytag meint, Hauptmann habe in der Frau Wolff "eine Waschfrau, eine kluge Spitzbübin" geschildert, "welche überlegen ihre Umgebung beherrscht." "In seiner Zeichnung der Charaktere aus dem Volk hat er eine sichere Hand und wundervolle Energie . . ."[29]

In national-völkischem Sinne beurteilt Adolf Bartels die Darstellung der Frau Wolff in "Der Biberpelz". "Wir Deutschen haben stets eine Vorliebe für die Diebskomik gehabt – ich brauche nur an die köstlich erzählten Streiche des Zundelheiner und Zundelfrieder in Hebels 'Schatzkästlein' zu erinnern; Hauptmann fußt also mit seinem Stück auf echt deutsch volkstümlicher Grundlage, . . ."[30] Bartels ordnet "Der Biberpelz" in die Reihe der "germanischen Volkskomödien" ein, die er mit Holberg (eigentlich Shakespeare) beginnen läßt und deren Höhepunkt für ihn "Der zerbrochene Krug" von Kleist ist. Die "Verquickung der Diebskomödie mit dem, dazu noch temporären politischen Leben" kann er nur als "sehr unglücklich" bezeichnen.[31] Die Transformation des Politisch-Sozialen ins Nationale, diese entscheidende Tendenz der deutschen zentralen Kultur seit der Reichsgründung von 1871 vor allem, findet hier einen Beleg.[32]

Der in diesem Strang der Wirkungsgeschichte gebrauchte Volksbegriff meint Volk als das "Ursprüngliche", das "Kraftvolle", das, was intellektuellen Konstruktionen und formalen Regelungen die "Natürlichkeit" entgegenstellt. Wenn auch die juristische Verteidigung der Komödie Hauptmanns durch den Staatsanwalt Wulffen zu begrüßen ist, so ist doch auch seine Bindung an diesen Volksbegriff zu beachten. "Spitzbuben und Hehler läßt er (der Dichter) aus volkstümlichem Boden erwachsen und gibt ihnen auch sonst noch etwas mit, was sie uns menschlich näher rückt... Wo der Strafprozeß zur Farce wird, lacht oder weint das Volk mit seinen Verbrechern."[33]

Der Text der Komödie Hauptmanns läßt es aber m. E. unangemessen erscheinen, dem Interpretationsansatz von der Frau Wolff als einer "Frau des Volkes" zu folgen. Denn Frau Wolff zeigt *nicht* das Verhalten eines mit sich übereinstimmenden, kraftvoll natürlichen Menschen, auf den das Klischee vom Ursprünglichen zielt, sie handelt auch nicht in einem Vitalkampf, wie Schrimpf meint, denn sie leidet nicht Not.[34] Ihr geht es um sozialen Aufstieg für sie selbst und ihre Töchter, sie kämpft einen individuellen sozialen Aufstiegskampf. Sie kann nicht als eine Gestalt aus dem "Volk" im Sinne Herders, des jungen Goethe oder der Frühromantik gesehen werden, sondern sie ist eine Kleinbürgerin – aber eine Kleinbürgerin o h n e Gehorsam gegenüber den moralischen Regeln der zentralen Kultur. Sie hat die Kraft zur "Immoralität", die historisch-faktisch dem Kleinbürgertum stets fehlte[35], weil dieses in der Sehnsucht "nach oben" und der Angst "nach unten" sich moralisch auch dann "nach oben" anpaßte, wenn es von dort nicht anerkannt wurde. Das Kleinbürgertum "sah sich zu dieser Zeit (in der "wilhelminischen" 1888–1918 etwa, F. H.) bereits in einer wirtschaftlichen Situation, die sozialen Aufstieg nur noch in Einzelfällen erlaubte, da der Konkurrenzkapitalismus in Deutschland keine längere Phase der industriellen Entwicklung besetzen konnte, sondern schnell durch wirtschaftliche Konzentration und Oligopole abgelöst wurde. Das Kleinbürgertum, das sich in den Jahrzehnten um 1900 bereits von der wirtschaftlichen Konzentration einerseits, von dem wachsenden Proletariat andererseits in seiner Stellung bedroht fühlte, fand einen Ausweg aus diesem Dilemma dadurch, daß es den 'Feind' nach außen verlagerte."[36] So jedenfalls in der geschichtlichen Wirklichkeit. In der Wirklichkeit von Hauptmanns Komödie ist das anders, dort "nimmt" Frau Wolff den Konkurrenzkampf mit allen Mitteln "an". In Übereinstimmung mit Richard Weber bin ich der Auffassung, daß die Komödie in der Überanpassung der Frau Wolff, wie sie z. B. in ihrem Gebrauch von Fremdwörtern und ihrem Verhalten Dr. Fleischer gegenüber zum Ausdruck kommt, und mit ihrem unbeugsamen Aufstiegswillen Züge aus dem Sozialcharakter des Kleinbürgers zeigt. Aber dadurch, daß sie den "Feind" *nicht* nach außen verlagert, sondern daß sie in der innergesellschaftlichen Auseinandersetzung auf ihn eingeht, wenigstens auf ihn einzugehen versucht, weicht sie vom kleinbürgerlichen Sozialcharakter ab. Das ist ein Grund dafür, daß von Wehrhahn und Krüger, auch Dr. Fleischer, sie nicht richtig einschätzen können. Der ihr – im Sozialcharakter ähnliche – Mitspieler Motes wird von uns verachtet, weil er seinen "Kampf" nicht nur nach "oben", sondern auch nach "unten" richtet. Damit schließt er sich selbst aus der Schar der Schelme aus; er sucht im Nationalen eine Möglichkeit der Integration, weil ihm die Kraft fehlt, den begonnenen "Kampf" alleine durchzuhalten. Es scheint, daß Reinhold Schneider die Gestalt der Frau Wolff ähnlich erlebt hat, wie sie hier gedeutet wurde, denn er schreibt: "Der 'Biberpelz' ist, als Verklärung der Diebin und Verhöhnung der Justiz destruktiv revolutionär."[37]

Das trifft unseres Ermessens insofern zu, als die Handlungsweisen der Frau Wolff einer Utopie entsprechen, die man als die vom "mutigen Kleinbürger" kennzeichnen könnte. Hauptmanns Komödie ist nicht-inkorporiert alternativ. Die angeführten Tendenzen der Wirkungsgeschichte zeigen, wie die zentrale Kultur den Text zu inkorporieren versucht, damit auch die in ihm dargestellte Utopie. Dafür kann noch ein schlagendes Beispiel angeführt werden, in dem der Autor durch Einbettung seiner Interpretation in eine umfassende Theorie das Nicht-Inkorporiert-Alternative des Textes in die zentrale Kultur zurückzuholen versucht. Die prospektive Bildprojektion vom alltäglichen "Guerillakampf"[38] der Kleinbürgerin Frau Wolff, durch den sie ihren Aufstieg erzwingen will und in dem sie die Bedeutung moralischer Begriffe "revirtualisiert", aus ihren Bedeutungsfestlegungen befreit und wieder flüssig macht[39], wird dort zum geschichtslosen Kampf des Mütterlichen gegen das Männliche verallgemeinert; die Bedeutungen der Begriffe werden dadurch in einen Rahmen gesetzt, in dem sie feste Erklärungskontexte haben. Oskar Seidlin schreibt: "... Es ist ja nicht nur so, daß die Wolffen als unvergleichlich geglückte Bühnenfigur Handlung und Raum der 'Biberpelz'-Welt beherrsche. Sie ist wahrhaft Inbegriff und Abbild der 'Mutter', die zum Kampf angetreten ist – und zu welch köstlich triumphalem Kampf! – gegen alles, was den Bereich des Mannes konstituiert: staatliche Ordnung, geregelt garantierten Besitz, konsolidierte Machtstellung, die gerade sie in ihrer lachhaften Hohlheit entlarven wird. Kein Zweifel, daß um sie die Luft des Anarchischen weht; für sie sind die Dinge der Welt noch 'frei', noch nicht besetzt von Vorschriften und Normen, auf denen Zivilisation beruht. Erstaunlicherweise ist nie vermerkt worden, daß die Güter, an denen sie sich vergreift, von tiefsinniger Bedeutung sind. Drei Diebstähle wird sie begehen – und was stiehlt sie? Einen Rehbock, den sie, eine Wilderin, in der Schlinge gefangen hat; eine Fuhre schönen Brennholzes, das 'auf der Straße' lag, vor dem Hause des Rentier Krüger; und dort lag es, weil Krügers Magd, Mutter Wolffens Tochter Leontine, sich geweigert hatte, es noch zu nächtlicher Stunde einzubringen; und schließlich – krönende Glanzleistung in der Karriere der Gaunerin! – Rentier Krügers nagelneuen Biberpelz.

Wild im Forst, Gehölz des Waldes, Fell des Tieres, das im Wasser schwimmt – es sind durchaus nicht zufällige und beliebige Gegenstände, auf die Wolffen ihre diebischen Hände legt. Es sind die freien Gaben, die 'Mutter Natur' ihren Kindern geschenkt hat, als solche unveräußerlich, und wenn die Wolffen sie sich holt, dann ist dies nicht nur im ökonomischen Sinne eine Expropriation der Expropriateure, sondern unter dem Zeichen des Naturrechts eine Reklamation des Mütterlichen durch die Mutterwelt. Was hier durchschimmert, ist die Wiederherstellung eines präzivilisatorischen Zustandes, in dem es Besitz noch nicht gibt, Besitz in dem wörtlichen Sinne von einem Besetzen der Güter, mit denen die große Mutter ihre Menschenkinder nährt und ihnen ihre Lebenswärme erhält. Darum auch gehören die drei Dinge, die Mutter Wolffen durch ihre diebischen Manipulationen wieder unter die Leute bringt, zu der Kategorie jener mythisch und religiös erlebten Urtümlichkeiten, die obrigkeitlicher Satzung und dem Gesetz entzogen sind. Sie verbürgen des Menschen Anteil an der Mutter Natur, und sie dürfen ihm, weil sie aus dem Urgrunde kommen, nicht von oben ab- und zugeteilt werden. Wenn immer diese Güter von Institution und Organisation, von der Herrschaftswelt besetzt werden, dann empört sich der Urinstinkt."[40]

Handlungen und Dinge, vor allem die gestohlenen Gegenstände, gewinnen hier ihre Bedeutung nicht mehr in und aus dem Zusammenhang des sozialen Aufstiegskampfes, sondern aus dem symbolstiftenden Gegensatz "Mutterwelt" – "Herrschaftswelt". "Besitz" wird ethymologisch erklärt, die Situation ins Präzivilisatorische verschoben, es bleibt aus Hauptmanns Drama Frau Wolff als "Urtyp" vorgeschichtlicher Prägung übrig. Die zentrale Kultur hat die ursprünglich nicht inkorporierte Opposition inkorporiert, indem eine durch Autor und Leser/Zuschauer historisch bezogene Figur ins Zeitlose transformiert wird.

c) Frau Wolff als nicht-proletarische Figur

Einen ganz andersartigen Versuch, Hauptmanns Komödie in eine zentrale Kultur zu integrieren, stellt die Bearbeitung dar, in der das Berliner Ensemble Brechts die Stücke "Der Biberpelz" und "Der Rote Hahn", beide ursprünglich mit je vier Akten, in einem sechsaktigen Drama zusammenfaßte. Der Vorgang und seine Bedeutung tritt in der "Analyse der Bearbeitung" von Heinz Lüdecke besonders klar hervor. Den Inhalt und seine Veränderungen stellt er so dar: "Mutter Wolff, eine arme Waschfrau in einem Vorort von Berlin – Zeit: 1887, als Bismarcks Militärgesetz umkämpft war – will 'höher hinaus'. Durch Diebereien, zu denen sie auch ihren Mann anstiftet, hofft sie, die Lage ihrer Familie zu verbessern. Sie stiehlt zuerst Brennholz und dann einen kostbaren Biberpelz (bei Hauptmann errät der Zuschauer aus Andeutungen, daß Frau Wolff die Diebin ist; in der Bearbeitung sieht man den Diebstahl auf offener Bühne.) Der Amtsvorsteher von Wehrhahn, ein militaristischer Streber und arroganter Leuteschinder vernachlässigt die Aufklärung dieser Delikte, da ihm die Verfolgung der Kriegs- und Rüstungsgegner wichtiger ist. (Hauptmanns 2. und 4. Akt sind auf eine Szene in Wehrhahns Amtszimmer reduziert.) Im "Roten Hahn" überredet Mutter Wolffen, die inzwischen Witwe geworden ist und zum zweiten Mal geheiratet hat, ihren vertrottelten Mann, den Flickschuster und ehemaligen Polizeispitzel Fielitz, zu einem Versicherungsbetrug. Dem schlechten Beispiel mehrerer Nachbarn folgend, zündet das Paar das eigene Häuschen an, um sich mit der Versicherungssumme an der allgemeinen Baukonjunktur zu beteiligen. Der Verdacht wird geschickt auf einen Schwachsinnigen gelenkt. Wehrhahn schickt ihn in die Irrenanstalt, da er, blind von Gehässigkeit und Übereifer, in der Brandstiftung einen Racheakt gegen den 'staatserhaltenden Polizeispitzel' vermutet. Der Schwiegersohn der Wolff-Fielitz baut das neue Haus, sie selbst stirbt, während das Richtfest 'patriotisch' gefeiert wird. Bei Hauptmann ist der Vater des Schwachsinnigen ein pensionierter preußischer Wachtmeister namens Rauchhaupt; die Bearbeitung hat ihn in den erwerbslosen sozialdemokratischen Eisendreher Rauert verwandelt, der in der Schlußszene von der Wolff-Fielitz die Aufdeckung des Tatbestandes fordert und in der Auseinandersetzung mit ihr die politische Deutung des Geschehens gibt. (Der 2. Akt des Hauptmannschen 'Roten Hahn' ist gestrichen.)"[41]

Diese "kritische Aneignung kulturellen Erbes" besteht darin, daß "die bei Hauptmann fehlende ideologische 'Lösung' des sozialen Konflikts ... hinzugefügt (ist)". Lüdecke behauptet, die Fortsetzung der Lebensgeschichte der Frau Wolff in "Der Rote Hahn" zeige, daß Gerhart Hauptmann "Kritik an seiner Mutter Wolff geübt (habe), indem er sie acht Jahre nacht Vollendung des 'Biberpelz' in die von Unternehmergier besessene Kleinspekulantin Fielitz verwandelte ... Man merkt der Fortsetzung an, daß der Dichter etwas ahnte und aussprechen wollte, zu dessen richtiger Formulierung seine Kraft und Einsicht nicht ausreichten. ... Was ihm fehlte, war die Erkenntnis der historischen Rolle des Proletariats ..."[42]

Der arbeitslose Eisendreher Rauert, Sozialdemokrat, der in der Bearbeitung an die Stelle Rauchhaupts tritt, macht Frau Wolff in ihrer Todesstunde ihren (und Hauptmanns) Fehler klar. Er besucht sie, um von ihr Unterstützung für die Freilassung seines schwachsinnigen Sohnes aus der staatlichen Irrenanstalt zu erbitten. Frau Fielitz, die bei solcher Unterstützung Entdeckung ihrer Taten fürchten muß, bietet an, die Kosten für den Aufenthalt in einem Privatheim zu übernehmen:
"*Rauert:* Ich will Ihr Geld nich. Auch een Privatheim nützt jar nischt.
Fr. Fielitz (fieberhaft): Ja, ich weeß schon, Gustav muß raus. Was aus meine Kinder wird, is Ihn' alles egal. Bloß damit so a Kranker frei rumloofen tutt. Was wird Gustav schon tun? Im Graben sitzen und uff die Glocken uffpassen!
Rauert: Ooch das; soll er.
Fr. Fieltiz: Rauert, ich weeß, wie eens da zumute is. Ich verstehe Sie, bloß es geht ni. Rauert, Sie sind a Roter, nich? Se missen doch a Mitgefiehl haben mit die armen Leute. (Pause) Eene neie Untersuchung wird' ich ni aushalten, ni mit meinem Herze.
Rauert: Wat Sie sich injebrockt ham, det missen Se schon auslöffeln. Ick kann Ihn' nich helfen. Sie wollten ruff, alleene, kost' wat kost'. Det heeßt: nich, wat et Sie kost', sondern wat et uns kost'!

Sie sind jenau, wie die andern, die jetzt da drüben Brand legen in jroßem Maßstab und jleichzeitig rufen, die Roten legen Brand. Sie ham jegloobt, Se könn' sich jesundstoßen, wenn Sie Brand lejen, Sie ham's nich jeschafft, und die andern, die Jroßen, werden's ooch nich schaffen. Sie werden nur alles zugrunde richten. Sie sind aus Peterswalde, Sie sind die Tochter von 'nem Weber, Frau Fielitz. Et jibt sowat wie 'ne Arbeiterbewejung, davon müssen Se jehört haben. Sie sind 'nen andern Weg jejangen. Ihren eigenen, nich mit Ihrer Klasse! Jetzt, wo Se bis zum Halse im Dreck stecken, woll'n Se von uns Mitgefühl. Nee, det is nich."[43]

Rauert bleibt bei seiner Ablehnung des angebotenen Geldes und damit bei der Ablehnung einer Zusammenarbeit zwischen ihm und Frau Fielitz. Deren Lebensphilosophie hören wir zum Abschluß aus ihrem eigenen Munde in knappster Zusammenfassung: "Mir hab'n uns missen schinden und schuften durchs Leben, eener so gutt wie der andre dahier. Wer ni' mitmacht, is faul, wer mitmacht, is schlecht. (Rauert wendet sich zum Fenster.) Ma holt doch bloß alles ausm Dreck raus. Ma will eben raus aus dem Matsch, wo wir uns alle miteinander rumbeißen ... Raus! Fort! Höher nuff ..."[44] Während Frau Wolff stirbt, findet draußen die nationalistische Feier statt.

Das Berliner Ensemble hat Hauptmanns Texte so bearbeitet, wie es einem "zugerechneten" Bewußtsein nach dem Stand der Erkenntnis seiner Mitarbeiter, vor allem Brechts, entspricht. Dieses "zugerechnete" Bewußtsein ist das der zentralen Kultur eines sozialistischen Landes, die auf den Theorien von Marx, Engels, Lenin u. a. beruht und die z. B. in der DDR besteht. Dabei handelt es sich um einen außerliterarischen Sachverhalt, der zunächst vom "erworbenen" (oder "erreichten") Bewußtsein des Autors zu unterscheiden ist. Diesem Unterschied gilt der Vorwurf, Hauptmann habe "die Erkenntnis der historischen Rolle des Proletariats"[45] nicht gehabt. Übrigens, wenn auch inhaltlich ganz anders gefüllt, taucht das gleiche Argumentationsmuster vom Unterschied zwischen "zugerechnetem" und "erworbenem" (oder "erreichtem") Bewußtsein auch bei Reinhold Schneider auf: "Der 'Biberpelz' ist, als Verklärung der Diebin und Verhöhnung der Justiz, destruktiv revolutionär; das Stück dokumentiert in der Anlage eine merkwürdige menschliche und künstlerische Schwäche des großen Gestalters, wie sie, auf gleicher Höhe, kaum wieder angetroffen werden kann. (Die Fortsetzung im 'Roten Hahn' ist Eingeständnis, macht aber den Fehler nicht gut: Der Rechtskreis eines Dramas muß geschlossen sein.)"[46]

Offenbar treffen wir hier auf einen (den?) Mechanismus der Inkorporation von Alternativem oder Oppositionellem durch die zentrale Kultur. Das vorgebliche Wissen um die Differenz zwischen "zugerechnetem" und "erworbenem" (oder "erreichtem") Bewußtsein wird aber nicht nur dazu benutzt, den Bewußtseinsstand des Autors zu kritisieren, sondern auch, sogar vor allem, um den literarischen Text zu beurteilen und – gegebenenfalls – zu verändern. Es ist ja keinesfalls selbstverständlich, daß der immerhin mögliche Bewußtseinsrückstand Hauptmanns sich in seinem Drama so unmittelbar spiegelt, wie das hier unterstellt wird. Der Veränderungsversuch des Berliner Ensembles ist aber gescheitert. Dies nicht vor allem wegen der Tatsache, daß Gerhart Hauptmanns Witwe nach der ersten Aufführung weitere Aufführungen untersagte, sondern, zumindest meines Ermessens, weil das "zugerechnete" Bewußtsein von der Rolle des Proletariats, das die Grundlage der Bearbeitung war, historisch-gesellschaftlich falsch war und ist. Die historisch-gesellschaftliche Entwicklung hat vielmehr gezeigt und zeigt noch, daß der Sozialcharakter, der für die "Massen" der Gegenwart bestimmend ist, am besten mit dem Begriff "Zwischenschicht" benannt wird. Zu ihm gehört in der außerliterarischen Wirklichkeit die Bereitschaft zur Anpassung "nach oben" in ständiger Verkennung der Tatsache, daß der Zugang dahin allenfalls in Einzelfällen möglich ist. Ebenso gehört dazu die Angst, "von unten" eingeholt zu werden. Hauptmann läßt uns in der Gestalt der Frau Wolff diesen Sozialcharakter so selbstbestimmt erleben, wie Kleinbürger sein könnten, wenn es für sie eine kollektiv gesicherte Aufstiegschance gäbe und die Angst vor denen "unten" unberechtigt wäre.

Für die deutsche Entwicklung zur Zeit Gerhart Hauptmanns war jedenfalls die oben erwähnte Verknüpfung von Obrigkeitsstaat und Industrialisierung charakteristisch, die zur Bewahrung von Untertanengeist bei gleichzeitigem wirtschaftlichem und zivilisatorischem Fortschritt führte. An der Gestalt von Frau Wolff können wir miterleben, wie ein Mitglied der "Zwischenschicht" gleichzeitig sich unterwirft *und* revoltiert, eine sonst verachtenswerte, feige, hinterhältige Verhaltensweise. Hauptmann hat dieses "Negative" dadurch "positiviert"[47], daß der Sieg des Gegenspielers von Wehrhahn anstelle des Erfolgs der Frau Wolff die noch schlimmere Wirklichkeit begründet hätte. Die Hauptmanns Komödie zuzuordnende Tragödie wäre die von der Kooperation (statt Überlistung) zwischen Frau Wolff und von Wehrhahn. Es wäre die Tragödie der Immoralität unter dem Anschein von Gesetz und Moral, angedeutet durch die Figur des Motes, der die echte Gegenfigur zu Frau Wolff ist, nämlich der Kleinbürger ohne Kraft der Selbstbestimmung, wie Frau Wolff sie auszeichnet. Es wäre die Tragödie des deutschen Faschismus. Indem Hauptmann – wie immer durch das Komische "positiviert" – die Negativität der "Zwischenschicht" des deutschen Kleinbürgertums erlebbar und erfahrbar macht, ermöglicht er seinem Publikum das Abweichen von der zentralen Kultur. Diese interpretiert, wie wir gesehen haben, Frau Wolff entweder als "Frau aus dem Volk" und versucht sie so aus dem sozialen Rahmen heraus in den nationalen mit einem klar erkennbaren äußeren "Feind" zu transformieren; das ist die konservative Lösung. Oder man wählt die Lösung des Berliner Ensembles, bei der die Figur der Frau Wolff in einem Rahmen interpretiert wird, der von einem zugerechneten Bewußtsein aus konstruiert ist, in dem die utopischen Momente von Hauptmanns Komödie ebenfalls getilgt sind. In beiden Fällen ginge es übrigens um die "höchsten Güter der (jeweiligen) Nation"; in beiden Fällen wäre das an der Figur der Frau Wolff getilgt, was zur Identifikation einladen könnte: die prospektive Bildprojektion des selbstbewußten Kleinbürgers.

Eingangs wurde das Kriterium der "repräsentativen Relevanz" literarischer Texte vermutend als eine doppelte Beziehung und so nur formal formuliert, als die Beziehung nämlich zwischen literarischen Texten und zentraler Kultur der Entstehungszeit einerseits *und* literarischen Texten und zentraler Kultur der Zeit ihrer Aufnahme andererseits. Jetzt können wir – immer auch im Bezug auf das ausgeführte Beispiel – sagen:

Die Relevanz eines literarischen Textes ist gegeben, wenn er kulturelle Tätigkeit ermöglicht, so daß der Bezug zur Gesamtschau der Text- und Leserkultur hergestellt, besser: erzeugt werden kann. Repräsentativ ist der Text dann, wenn der Aufnehmende dabei auf die Inkorporationstendenz der zentralen Kultur der Textumgebung trifft. Texte von repräsentativer Relevanz ermöglichen die intensive Erfahrung der eigenen Kräfte und Sinne der Aufnehmenden, weil diese wegen der gegenläufigen Tendenzen von Text und zentraler Kultur aufs äußerste beansprucht werden – bzw. in dem Maße, in dem der Aufnehmende sich auf den Text einläßt, beansprucht werden können.

Die "Praxis Literatur" besteht darin, daß der Leser aus dem Text das Werk als eine vom Autor gelenkte "Bildprojektion" erzeugt. Diese bezieht er wohl zunächst und vor allem auf die zentrale Kultur seiner eigenen Welt. Die bildhafte Projektion des Textes gegenüber der zentralen Kultur des Entstehungsraumes und der Entstehungszeit kommt dabei aber wenigstens indirekt ins Spiel. Anders würde er als "Dokument" einer vergangenen – oder der gegenwärtigen – zentralen Kultur gelesen, als Dokument statt als Projektion. Hauptmanns Komödie enthält auch Mitteilungen über die preußische Verwaltung und die "einfachen Leute" seiner Zeit, wie er sie in Erkner (bei Berlin) kennenlernte. Diese Mitteilungen sind aber nicht das Ziel seiner Darstellung. Sie könnten es sein, wenn er als Autobiograph oder Chronist schreiben würde. Ersteres hat Hauptmann ja auch getan. Für seine Komödie sind die genannten Inhalte aber nur der Stoff, den er zur "Konstruktion" seiner Bildprojektion benutzt. Würde man die Komödie nur auf dieser Inhaltsebene lesen, wozu gerade der Fremdsprachenunterricht aus landeskundlichem Interesse verführen kann, dann wäre Hauptmanns "Spiel" mit dieser Wirklichkeit verfehlt – auch die Bedeutung seiner Aussage.

Anmerkungen

[1] Vgl. Franz Hebel, Literatur als Institution und als Prozeß, in: Jahrbuch Deutsch als Fremdsprache, hg. Alois Wierlacher, Bd. 3, Heidelberg 1977, S. 94 ff. – gekürzte Fassung jetzt in Band 1 des vorliegenden Readers.

[2] Bronislaw Malinowski, Die Funktionaltheorie (1939), in: Ders., Eine wissenschaftliche Theorie der Kultur, Ffm. 1975 (stw 104), S. 22. Zum Kulturbegriff insbesondere des Faches Deutsch als Fremdsprache vgl. bes. die Beiträge von Hermann Bausinger (Zur Problematik des Kulturbegriffs) und Heinz Göhring (Interkulturelle Kommunikation und Deutsch als Fremdsprache) in Band 1 des vorliegenden Readers sowie Alois Wierlacher: Die Gemütswidrigkeit der Kultur. In: Jahrbuch Deutsch als Fremdsprache 3, 1977, S. 116 ff.

[3] Bronislaw Malinowski, Eine wissenschaftliche Theorie der Kultur (1941), Titelaufsatz zu 2), dort S. 86.

[4] A 3, S. 85.

[5] A 3, a. a. O.

[6] A 3, S. 160.

[7] A 3, S. 161.

[8] A 3, S. 166.

[9] Die Formulierung an entsprechender Stelle heißt: "Es ist interessant zu bemerken, daß wir damit in weitem Umfang die Hauptelemente des Symbolismus in der Kultur vorweggenommen haben. Der Symbolbegriff soll nämlich, wie man ganz grob sagen kann, andeuten, daß ein Ding für ein anderes gesetzt wird; oder daß das Zeichen oder Symbol in sich eine Idee, eine Empfindung oder irgendeinen anderen Teil der introspektiv bekannten Substanz 'Bewußtsein' enthält. Wir werden gleich sehen, daß alle derartigen Definitionen metaphysisch gefärbt sind und daß in der Wirklichkeit sich der Symbolismus nicht auf irgendeiner mystischen Relation zwischen dem Zeichen und den Inhalten des menschlichen Geistes aufbaut, sondern auf den Zusammenhang zwischen einem Gegenstand, einer Gebärde oder Handlung und ihrer Einwirkung auf den rezeptiven Organismus." (A 3, S. 166/167).

[10] Raymond Williams, Zur Basis-Überbau-These in der marxistischen Kulturtheorie (1973), in: R. W., Innovationen, Ffm. 1977, S. 188.

[11] Williams geht also nicht von "Gesetzen" der Geschichte oder von dichotomischen Gesellschaftsmodellen aus, sondern von geschichtlicher Erfahrung.

[12] A 10, S. 190.

[13] A 10, S. 190/191.

[14] A 10, S. 194.

[15] A 10, S. 194.

[16] Wilhelm E. Mühlmann, Die mythischen Strukturen in: Ders. Chiliasmus und Nativismus, Berlin, 2. Druck 1964, S. 291 ff., hier S. 297.

[17] Vgl. Klaus Scherpe, Werther und Wertherwirkung, Bad Homburg u. a. 1970.

[18] Ulrich Plenzdorf, Die neuen Leiden des jungen W. (Rostock 1973) Ffm. 1973.

[19] Diskussion um Plenzdorf, "sinn und form", Jhg. 25, Heft 1, Januar 1973.

[20] A 10, S. 199 ff., insbesondere S. 201.

[21] A 16, S. 297.

[22] Obwohl es für unsere Argumentation unerheblich ist, sei zur Vermeidung von Mißverständnissen daran erinnert, daß der Beitrag von Mühlmann in der hier zitierten Form erstmals 1961, der von Williams 1973 erschienen ist.

[23] Northrop Frye, Analyse der Literaturkritik (1957), dtsch. Stgt. 1969, S. 47: "Das Thema des Komischen ist die Integration der Gesellschaft, die für gewöhnlich so vor sich geht, daß ihr eine Zentralfigur einverleibt wird."

[24] Joachim Ritter, Über das Lachen, in: Ders. Subjektivität, Ffm. 1974 (= BS 379), S. 62 ff., hier: S. 82 und S. 76/77.

[24a] Rainer Warning, Elemente einer Pragmasemiotik der Komödie, in: Wolfgang Preisendanz und Rainer Warning (Hg.), Das Komische (= Poetik und Hermeneutik VII, München 1976, S. 279 ff., vor allem S. 325 ff.

[25] "Freie Bühne", 4. Jhg. (1893), H. 10, S. 1163.

[26] "Welt am Montag" vom 7. 3. 1898, zit. nach: Ludwig Marcuse, Gerhart Hauptmann und sein Werk, Bln./Leipzig 1922, S. 170.

[27] H. J. Schrimpf, Das unerreicht Soziale: Die Komödien Gerhart Hauptmanns 'Der Biberpelz' und 'Der Rote Hahn', in: Hans Steffen (Hg.), Das deutsche Lustspiel Bd. 2, Göttingen 1969, S. 40.

[28] Michael Pehlke, Report Ruhrfestspiele 3, Recklinghausen 1976, S. 2.

[29] "Deutsche Revue" 19. Jhg., Bd. 2, April–Juni 1894, S. 127 f.

[30] Adolf Bartels, Gerhart Hauptmann, Weimar 1897, S. 149.

[31] A 30, S. 156.

[32] Vgl. Franz Hebel, Lesen – verstanden als die Fähigkeit, in und mit Literatur Erfahrungen zu machen, Institut für Lehrerfort- und -weiterbildung, Mainz 1977, S. 9 ff., insbesondere S. 37.

[33] Gesetz und Recht, 10. Jhg. 1908, H. 4, S. 77. Vgl. auch: Franz Hebel, Pragmatische und poetische Texte. Ihre Rolle im Deutschunterricht, Diskussion Deutsch 44, 1978/79, S. 519 ff.

[34] Darauf weist vor allem Fritz Martini hin: F. M., Gerhart Hauptmanns "Der Biberpelz", in: Lustspiele und Lustspiel, Stgt. 1974, S. 231 ff.

[35] Zum Begriff "Zwischenklasse" und zur Geschichte dieser Schicht in Deutschland vgl.: Dieter Claessens, Kapitalismus als Kultur, Düsseldorf u. a. 1973.

[36] Dieter Claessens, Arno Klönne, Armin Tschoepe, Sozialkunde der Bundesrepublik Deutschland, Düsseldorf, Köln [8]1978, S. 12/13.

[37] Reinhold Schneider, Winter in Wien, Freiburg i. Br. 1958, S. 88.

[38] Alfred Kerr: "... Die Weber waren der offene Krieg der Unteren gegen die Besitzenden; der Biberpelz gab den versteckten, listigen Guerillakrieg dieser Unteren gegen die Besitzenden. Jetzt kommt der Rote Hahn: er

zeigt, wie die Unteren selbst zu Besitzenden werden." (Gesammelte Schriften, 1. Reihe, Bd. 1: Das neue Drama, Bln. 1917, S. 93).

[39] Vgl. Franz Hebel, A 33.

[40] Oskar Seidlin, Klassische und moderne Klassiker, Göttingen 1972 (= Kleine Vandenhoeck-Reihe 355), S. 86 f.

[41] Heinz Lüdecke, Analyse der Bearbeitung in: Berliner Ensemble, Helene Weigel (Hg.), Theaterarbeit, Düsseldorf o. J., S. 196.

[42] A 41, S. 197.

[43] A 41, S. 193/194.

[44] A 41, S. 194.

[45] Vgl. A 42.

[46] Vgl. A 37.

[47] Warning spricht in Anlehnung an Ritter davon, daß die Komödie als "Positivierung der Negativität" verstanden werden könne. Vgl. A 24a.

Raimund Belgardt

Dichtung: Zwischen Eudämonie und Ideologie

Prolegomena einer integrativen Literaturtheorie

> ... durch Schreiben kann man nicht klug werden, höchstens eine Ahnung des Glücks bekommen.
>
> Franz Kafka

Der *embarras de richesse* an Literaturtheorien erfordert eine integrative Literaturtheorie. Vor allem die Extrempositionen: Dichtung als "selig in sich selbst" scheinendes Artefakt[1] oder als "Waffe gegen die Herrschenden"[2] sind unhaltbare Positionen. Unhaltbar, weil hier das Umgehen mit vielschichtigen poetischen Texten Anlaß zu einseitiger Theoriebildung wird. Und auf welche Theorie oder Methode sollte der ausländische Student, kaum der Sprache mächtig, eingeschworen werden? Auf die werkimmanente oder die soziologisch-marxistische? An welche soll er sich halten? An die geistesgeschichtliche oder phänomenologisch-formgeschichtliche, an die morphologische, mythologische oder psychoanalytische, an die strukturalistisch-linguistische oder an die wirkungs- und rezeptionsästhetische? "Aus diesem Wirrwarr finde sich ein Pfaffe!" dürfte er mit Kleists Jeronimus sagen.[3] Nun ist es aber auch wahr, daß alle diese Methoden unser Wissen und unsere Erkenntnisse über die Seinsweise und die gesellschaftliche Funktion eines poetischen Textes vermehrt und präzisiert haben. Nur vor Vereinseitigungen ist zu warnen. Denn an einem Text als Kommunikationsmodell über eine sich verändernde und veränderbare Wirklichkeit ist alles relevant: was wie worüber kommuniziert wird, und von wem und für wen. Selbstverständlich können alle diese Aspekte nicht mit gleicher Ausführlichkeit behandelt werden, doch darf auch *einer* davon nicht zu einer Dichtungstheorie verabsolutiert werden.

Eine integrative Literaturtheorie scheint also notwendig, die sich die Erkenntnisse einzelner "Theorien" zunutze machen kann. Wichtig schon aus sprachlichen Gründen ist für den ausländischen Studenten, daß die Literaturbetrachtung textbezogen, also primär am Lesen des Textes orientiert ist. Und bei einer solchen Praxis der Literaturvermittlung erweist sich nun eine integrative Literaturbetrachtung von besonderem Vorteil, weil der poetische Text selbst eine sprachliche Integration der politischen, sozialen, wirtschaftlichen, geistigen und ethischen Probleme seiner Umwelt ist. Der Text, versteht sich, ist keine Abbildung seiner Umwelt, ihrer geistigen Ordnungen (Sinnsysteme, Ideologien) oder sozialen Einrichtungen. Er kann aber verstanden werden "als eine Umformulierung bereits formulierter Realität, durch die etwas in die Welt kommt, das vorher nicht in ihr war."[4] Dieses Neue nennen wir den Willen zur Eudämonie. εὐδαιμονία bezeichnet bei Aristoteles das erstrebenswerte höchste Gute.[5] Es bedeutet ein "Wohleingefügtsein in die als göttlich, als 'dämonisch' verstandene Natur", was für die nachklassische Zeit zu modifizieren wäre als das Wohleingefügtsein des Menschen in die gesellschaftliche Praxis.[6] Eudämonie wird mit "Glück" übersetzt, und dieser Ausdruck ist z. B. in der klassisch-romantischen Literatur, in der fiktiven wie auch essayistischen, allenthalben zu finden. Goethe läßt Wilhelm Meister am Ende des Romans bekennen: "... ich weiß, daß ich ein Glück erlangt habe, das ich nicht verdiene und das ich mit nichts in der Welt vertauschen möchte." Und Kleists Ottokar findet "ein neugebornes Glück." Die Dichter, so scheint es, schicken ihre Helden gerne auf Expeditionen nach dem Glück, das sie finden oder nicht finden. In der Tat, an der ganzen Literaturgeschichte ist dies zu beobachten; die Dichtung erfindet immer neue Tropen zur Umschreibung und Benennung des glückhaften Zustandes der Eudämonie. Kleist schreibt: "... das ist eben das Talent der Dichter, welche ebenso wenig wie wir in Arkadien leben, aber das Arkadische oder überhaupt Interessante auch an dem Gemeinsten, das uns umgibt, herausfinden können." (II, 572)

Auf diesen Gegensatz kommt es an: das Gemeine, die alltägliche Wirklichkeit ist eudämonielos, ihre Sinnsysteme und geistigen Ordnungen sind zu Ideologien verfestigt und ihre gesellschaftlichen Formen sind ideologiebestimmt. Sie verhindern die Eudämonie an der Entfaltung. Die Dichtung macht die Wirklichkeit transparent und legt die Bedingungen frei für die Entfaltung oder Nicht-Entfaltung der Eudämonie. Das Neue der Dichtung ist notwendig, weil die Gesellschaft Defizite aufzuweisen hat. Den Konflikt zwischen dem Arkadischen und dem Gemeinen oder der Ideologie[7] und der Eudämonie, wie wir die beiden Strukturelemente formelhaft nennen wollen, stellt die Dichtung dar, bewältigt ihn in der Form und vermittelt ihn dem Leser als ästhetische Erfahrung.[8]

Was gemeint ist, soll an einem Textbeispiel und durch einen Überblick seines umweltlichen Kontextes erläutert werden.

In der ersten Szene des dritten Aktes der *Familie Schroffenstein* gebraucht Kleist einen Vergleich und eine Metapher, um zwei unterschiedliche Zustände im Verhalten der Agnes auszudrücken. Ottokar nennt sie einen "verschloßnen Brief" und vergleicht sie mit einem "schönen Buch":

> Wie war es damals
> Ganz anders, so ganz anders. Deine Seele
> Lag offen vor mir, wie ein schönes Buch,
> das sanft zuerst den Geist ergreift, dann tief
> Ihn rührt, dann unzertrennlich fest ihn hält.
> Es zieht des Lebens Forderung den Leser
> Zuweilen ab, denn das Gemeine will
> Ein Opfer auch; doch immer kehrt er wieder
> Zu dem vertrauen Geist zurück, der in
> Der Göttersprache ihm die Welt erklärt,
> Und kein Geheimnis ihm verbirgt, als das
> Geheimnis nur von seiner eignen Schönheit,
> Das selbst ergündet werden muß.
> Nun bist
> Du ein verschloßner Brief. – (95 f.)[9]

Der Kontext dieser Stelle und die vorangegangenen Ereignisse verdeutlichen, was geschehen ist, was mit den beiden Zuständen des Damals und des Jetzt gemeint ist. Die Analogie Ottokar-Leser und Agnes-schönes Buch bleibt jedoch im Kontext ziemlich unverständlich. Das ist so, weil das "Welterklären" ein Prozeß ist (immer kehrt er wieder zu dem vertrauten Geist zurück), der hier in der ersten Szene des dritten Aktes ja noch nicht abgeschlossen sein kann. Analog dem Lesen und dem Dichten ist es ein Prozeß, der erst am Ende des "Buches" fertig ist, und erst von dorther "ergründet" werden kann, d. h. seinen Sinn erhält. Hier fungiert diese Metapher vorerst als eine Steuerung des Lesers/Zuschauers, die er bei der Sinnkonstitution des Textes berücksichtigen muß. Auf die komplexen Bezüge dieser Lesermetapher zum Dichten und Welterklären kommen wir noch zurück; sie transzendiert die Geschehensebene des Dramas und weist auf sein Telos hin, auf die Sinnkonstitution des Textes im Leser und, wie uns scheint, auf die Funktion von Dichtung überhaupt.

Zunächst fragen wir nach der Andersartigkeit der beiden Zustände, die Ottokar im Verhalten der Agnes feststellt. Von Agnes gefragt, warum er sie "Maria" nennt, antwortet er:

Erinnern will ich dich mit diesem Namen
An jenen schönen Tag, wo ich dich taufte
Ich fand dich schlafend hier in diesem Tale,
Das einer Wiege gleich dich bettete.
Ein schützend Flordach webten dir die Zweige,
Es sang der Wasserfall ein Lied, wie Federn
Umwehten dich die Lüfte, eine Göttin
Schien dein zu pflegen. – Da erwachtest du,
Und blicktest wie mein neugebornes Glück
Mich an. – Ich fragte dich nach deinem Namen;
Du seist noch nicht getauft, sprachst du. – Da schöpfte
Ich eine Handvoll Wasser aus dem Quell,
Benetzte dir die Stirn, die Brust, und sprach:
Weil du ein Ebenbild der Mutter Gottes,
Maria tauf ich dich. (95)

Ersichtlich wird aus diesen Zitaten Kleists Gestaltung von Substanz und Funktion der Liebe zwischen Ottokar und Agnes. Etwas kommt durch sie in diese Welt, was bislang nicht in ihr anwesend war: ein “neugebornes Glück”. Dies Glück transzendiert alles bisher Bekannte und Geliebte: “Du gehst mir über alles Glück der Welt, / Und nicht ans Leben bin ich so gebunden, / So gern nicht, und so fest nicht, wie an dich”, bekennt Ottokar, und ihren Namen will er wissen, um “Mit einer Silbe das Unendliche / Zu fassen ...” (77) Das Neugeborne ist zunächst namenlos und unbenannt; diskursiv-rationale Sprachmittel reichen zu dessen Benennung nicht aus. Kleist greift zur Metapher: “Ebenbild der Mutter Gottes”, und an anderer Stelle: “Engel”, “Strahlenrein wie eine Göttin” (61) und zur metaphorischen Naturidylle: das Tal als Wiege, Zweige als Flordach, Lüfte wehen wie Federn und der Wasserfall singt ein Lied. Es ist Göttersprache! Warum aber ist *sie* notwendig zur Welterklärung? Warum kann eine diskursiv-rationale Sprache dies nicht leisten? Sprache reflektiert die Bewußtseinshaltung des Sprechers, und dessen Denkformen und Welteinstellung äußern sich in der Sprache. Kleist unterscheidet seine Figuren und deren Welteinstellung sehr scharf nach ihren Denkformen: solche, die dem Unendlichen, dem Unbegriffenen, dem Neuen gegenüber offen sind und sich um Einsicht in die “Wahrheit”, i. e. um den “ganzen Zusammenhang der Dinge” (II, 679) bemühen (wie z. B. Sylvester), und solche, deren Denkweise von Vor-Urteilen (Ideologie!) und Eigennutz bestimmt ist und die auf dem Irrtum als Wahrheit bestehen. “Aber das ist eben das Übel, daß jeder seinen Weg für den rechten hält." (II, 696) Ruperts "blinde Rachsucht" (102) ist ein Beispiel für eine solche ideologiebestimmte, an Vorurteil und Eigennutz "gebundene" Denkweise; sie führt zu Mord und Totschlag, zur Dehumanisierung und Pervertierung der Welt, wo "Menschen / Mit Tieren die Natur gewechselt" und das Weib seine Natur wechselt, indem es "das Kleinod Liebe" aus dem Herzen verdrängt, "um die Folie, / Den Haß, hineinzusetzen". (53) Ottokar und Agnes dagegen sind der Veränderung ihrer Denkweise fähig. Und dies ist notwendig zur Humanisierung der Welt, oder anders gewendet: zur Erfahrung des Glücks, was unveräußerlich zur Gattung Mensch gehört. Wenn Agnes annimmt, Ottokar wolle sie vergiften, ist sie "ein verschloßner Brief". Doch sie kommt zur Einsicht in diesen Irrtum, ihre "Seele" öffnet sich wieder der Liebe (ein offnes "schönes Buch") und die Erfahrung des Glücks kann ihr zuteil werden; dazu bedarf es aber einer dem Neuen, dem "Unendlichen" und "Unbegriffenen" gegenüber offene Denkweise.

In Ottokar, durch seine Liebe zu Agnes, hat Kleist eine solche Erfahrung des Glücks gestaltet. Für Thematik und Struktur des Dramas ist diese Erfahrung von zentraler Bedeutung. Inwiefern? Zunächst bildet sie den notwendigen Kontrast zu "des Lebens Forderung", zum "Gemeinen", dem das Humane immer wieder zum Opfer fällt. Und wie Liebe Folie zum Haß ist, steht das "neugeborne Glück" im Kontrast zum "Glück der Welt", Reichtum, Ehre, soziale Stellung. Sodann ist die Erfahrung des Glücks Medium der Welterklärung; sie ist es insofern als Ottokar durch sie zu der Erkenntnis kommt, daß die Welt nicht so ist, wie er sie sich bislang vorgestellt hatte. Erinnern wir uns an den Beginn des Dramas: Ottokar und sein Vater Rupert empfangen das Abendmahl und schwören "Rache! Rache! auf die Hostie, / Dem Haus Sylvesters, Grafen Schroffenstein. / ... Dem Mörderhaus Sylvesters". (52) Und Jeronimus gegenüber erklärt Ottokar: "Es gab uns Gott das seltne Glück, daß wir / Der Feinde Schar leichtfaßlich, unzweideutig, / Wie eine runde Zahl erkennen." (55) Nun, das Haus Sylvesters ist kein Mörderhaus. Das Gegenteil ist der Fall! Aber diese Wahrheit konstituiert sich erst am Ende des Dramas, erst im 5. Akt ist der Erkenntnisprozeß und -weg abgeschlossen, den zu gehen, Ottokar veranlaßt wird durch die Erfahrung der Liebe. Hier hat Ottokar zunächst nicht den geringsten Zweifel, daß Sylvester Peter hat ermorden lassen, daß er alle Erben ausrotten wird, damit – gemäß des Erbvertrags – das Haus Rossitz in den Besitz Sylvesters übergeht. Die Welt ist von Haß und Eigennutz bestimmt! Die einzige logische Alternative ist hier, dem zuvorzukommen und das Haus Sylvester auszurotten. Es gibt keinen Zweifel: das ist auch der Wille Gottes: "Dessen Willen wollen wir vollstrecken, / Rache! Rache! Rache! schwören wir." (51) Zu solcher monumentalen Vermessenheit versteigt sich der Mensch, wenn die Liebe, wenn "die Sorge für das Wohl anderer" (II, 572) abwesend ist.

An Wilhelmine von Zenge schreibt Kleist in dem Brief vom 31. Jan. 1801: "Denke einmal an alle die Abscheulichkeiten, zu welchen der Eigennutz die Menschen treibt – denke Dir einmal die glückliche Welt, wenn jeder seinen eignen Vorteil gegen den Vorteil des andern vergäße..." Dieser Einsicht, was nötig ist für eine "glückliche Welt", folgt der Entschluß: "... mein heiligster Wille ist es. *Immer* und in *allen* Fällen will ich meines eignen Vorteils ganz vergessen... und nicht bloß gegen Dich, auch gegen andere und wären es auch ganz Fremde *ganz uneigennützig* sein..." (II, 624) Solcher Wille, seinen Beitrag für eine glückliche Welt zu leisten – ja, er empfindet es als seine Pflicht, als eine Schuld, die er abtragen müsse (II, 684; vgl. auch S. 692) – bewirkt in Kleist den Entschluß, Dichter zu werden, um dadurch für, wie er sagt, "meinen menschenfreundlicheren Zweck" zu arbeiten. Seiner Offizierskarriere und allen Ämtern, die der Staat zu bieten hat, gibt er den Abschied. Bemerkenswert ist die Begründung: die "militärische Disziplin" mache es unmöglich, die Pflichten als Offizier mit seinen Pflichten als Mensch zu vereinen, und für den Staat solle er das von ihm Verlangte tun, "... und doch soll ich nicht untersuchen, ob das, was er von mir verlangt, gut ist. Zu seinen unbekannten Zwecken soll ich ein bloßes Werkzeug sein – ich kann es nicht." (II, 584) Als Dichter dagegen ist er frei von gesellschaftlichen Zwängen und kann seiner "inneren Vorschrift" gehorchen: "Ein großes Bedürfnis ist in mir rege geworden, ohne dessen Befriedigung ich niemals glücklich sein werde; es ist dieses, *etwas Gutes zu tun.*" (II, 692)

Das Talent der Dichter, meint Kleist (wie eingangs zitiert), bestehe darin, "das Arkadische oder überhaupt Interessante auch an dem Gemeinsten, das uns umgibt, heraus finden können." (II, 572). Das für Kleist überhaupt Interessante, die Gestaltung des Arkadischen in der *Familie Schroffenstein* scheint die Forschung völlig übersehen zu haben. Für F. Koch ist das "ganze Stück... eine einzige Abfolge von Akten des Versehens, Verdenkens (Verdacht!), Verkennens, Vergehens an der Wirklichkeit..." Für B. Blume die "Darstellung der Hölle, in der er selber [Kleist] haust". Und G. Blöcker sieht darin einen "babylonischen Turm aus Mißtrauen, Irrtum, rasender Ironie und mörderischer Verblendung... das Modell eines kompletten Kosmos des Absurden" und "die tragische Groteske des Erkenntnisbankrotts".[10] Diese Urteile sind typisch für die Kleistrezeption der sechziger Jahre, zum 150. Todesjahr Kleists; vorher verherrlichte man die Wahrheit des absoluten Gefühls bei diesem Dichter.[11] Man hätte sich an Kleists etwas bissiges Epigramm erinnern sollen:

> Scheltet, ich bitte, mich nicht! Ich machte, beim delphischen Gotte, / Nur die Verse; die Welt nahm ich, ihr wißt's, wie sie steht. (I, 21)

Darstellung der Welt, wie sie steht, ist nicht Dichtung; für Kleist nicht und für keinen anderen Dichter. Die Kunst liegt im "Verse machen". Und das bedeutet, etwas Neues in die Welt bringen, das Gemeine um das Arkadische erweitern, dies in der Welt, wie sie ist, offenbar machen, diese bereichernd und verändernd. Dichtung ist dann Darstellung des Gemeinen *und* Arkadischen, oder anders ausgedrückt: Dichtung ist immer Negation der Welt wie sie ist und Modellentwurf einer möglichen anderen Welt.

Mit der *Familie Schroffenstein* hat Kleist geradezu einen Modellfall dafür geschaffen, wie eine "glückliche Welt" entstehen und gestaltet werden kann, wie diese "gebrechliche Welt" (I, 421; II, 15, 143) sich verändern könnte zu "einem lieblichen Schauplatz des Lebens". (I, 479) So besteht der Hauptteil der gestalteten Vorgänge gerade aus Versuchen, das Mißtrauen, die Irrtümer, die mörderische Verblendung zu *überwinden* und die Versehen *aufzuklären*. Und diese Versuche sind erfolgreich, – insofern am Ende die beiden Häuser versöhnt sind, wenn auch nicht immer rechtzeitig für ein allseitiges Happy-end. Agnes und Ottokar werden von ihren eigenen Vätern ermordet; aber das ist nicht das Entscheidende, für Kleist nicht und nicht für das Drama. Bei einem Lesen des Dramas, so wird berichtet, versetzten die makabren und grotesken Einfälle Kleist und seine Zuhörer in einen solchen Lachkrampf, daß die Lektüre nicht beendet werden konnte. (I, 919) Und im Ernst sagt Kleist: "Das Leben ist das einzige Eigentum, das nur dann etwas wert ist, wenn wir es nicht achten ... und nur der kann es zu großen Zwecken nutzen, der es leicht und freudig wegwerfen könnte. Wer es mit Sorgfalt liebt, moralisch tot ist er schon, denn seine höchste Lebenskraft, nämlich es opfern zu können, modert, indessen er es pflegt". (II, 670) Aus dieser Überzeugung stirbt Kohlhaas, "freudig" und "heiter". (II, 102) Und Ottokar springt von dem Turm des Kerkers mit den Worten: "Das Leben ist viel wert, wenn mans verachtet". (137)

Er will zu seinem Vater, um ihm "Das ganze Rätsel von dem Mord" zu erklären und ihn damit vom Morden abzuhalten. Ottokar kann ihn nicht erreichen und so bleibt Rupert am Ende des Dramas, "sein eigen schneidend Schwert im Busen", (147) und fleht um Verzeihung:

> Sylvester! Dir hab ich ein Kind genommen,
> Und biete einen Freund dir zum Ersatz.
> *Pause*
> Sylvester! Selbst bin ich ein Kinderloser!
> *Pause*
> Sylvester! Deines Kindes Blut komm über
> Mich – kannst du besser nicht verzeihn, als ich? (152)

Sylvester verzeiht, reicht ihm die Hand und die beiden Frauen, Eustache und Gertrude umarmen sich. Ursula liefert den Kommentar dazu: "Gott sei Dank! / So seid ihr nun versöhnt". (152)

Auf diese Versöhnung ist das Drama angelegt. Sylvester, Agnes' Vater, bemüht sich von Anfang an darum. Als ihm die Fehde angekündigt wird, weil Rupert glaubt, Sylvester habe den kleinen Peter ermorden lassen, will er sofort nach Rossitz und Rupert über diesen Irrtum aufklären. (86; 93 f.; vgl. auch 113) Dieses Zusammenkommen der Väter wird auch von Agnes und Ottokar gewünscht:

> Ja könnte man sie nur zusammenführen!
> Denn einzeln denkt nur jeder seinen einen
> Gedanken, käm der andere hinzu,
> Gleich gäbs den dritten, der uns fehlt.
> – Und schuldlos, wie sie sind, müßt ohne Rede
> Sogleich ein Aug das andere verstehn. (102)

Die Zusammenkunft der Väter muß aber bis zum Ende ausgespart bleiben, denn sonst hätte das Drama keine Handlung. So beschränkt Kleist die Aussprache auf die Kinder, i. e. die Agnes-Ottokar-Handlung. Als Agnes erklärt, daß ihre Familie "in Frieden mit den Nachbarn" lebt, ruft Ottokar aus: "Mädchen! Mädchen! O / Mein Gott, so brauch ich dich ja nicht zu morden!" (77) Eine wirkungsvolle Zeile, die nur dazu dient, mit rhetorischer Emphase auf die neue Einsicht Ottokars, auf die Wende in seiner Denkweise hinzuweisen, denn Ottokar hat nicht die Absicht, sie zu ermorden, er hatte ihr gerade versichert: "deinem Engel / Kannst du dich sichrer nicht vertraun, als mir". (76) Trotzdem – Agnes' Gemüt ist "gestört"; zu Beginn des dritten Aktes erscheint sie in der "Stellung der Trauer" und ist bereit, das Gift zu trinken, das, wie sie glaubt, Ottokar ihr ins Wasser gemischt hat: "Nun ists gut. / Jetzt bin ich stark. Die Krone sank ins Meer, / Gleich einem nackten Fürsten werf ich ihr / Das Leben nach." (96) Dieser Irrtum klärt sich gleich auf, und der dann folgende Dialog ermöglicht die Aufklärung auch anderer Irrtümer. Agnes muß erkennen, daß Johann nicht als Meuchelmörder gesandt worden ist, um sie zu töten: "Mein Gott, was ist das für ein Irrtum. – Nun / Liegt er verwundet in dem Kerker, niemand / Pflegt seiner, der ein Mörder heißt, und doch / Ganz schuldlos ist." (103) *Schuldlos sein* und *Mörder heißen* – das ist ein Paradox. Es bedeutet aber nicht, daß nun die ganze Welt ein Paradox oder ein Rätsel wäre, denn zu dessen Auflösung braucht es nur den Abbau der Irrtümer. Es ist die Funktion Ottokars im Drama, diese Möglichkeit zu erweisen. "So wie einer, / Kann auch der andre Irrtum schwinden", sagt er jetzt, und "...fruchtlos ist doch alles, kommt der Irrtum / Ans Licht nicht, der uns neckt." (103)

Diese neue Bewußtseinshaltung läßt ihn überlegen, warum "an beiden Händen / der Bruderleiche just derselbe Finger, / Der kleine Finger fehlte", und läßt ihn Nachforschungen darüber anstellen "an dem Ort der Tat". (104) Nicht mehr ist Ottokar von Vorurteil bestimmt; er ist gleichsam dem "unbegriffnen" Leben gegenüber wieder offen und eben das setzt ihn instande, die Wahrheit zu erforschen und das Unbegreifliche zu begreifen. Sylvesters verzweifelte Frage: "Wer kann das Unbegreifliche begreifen?" (73) erhält hier durch Ottokar ihre Antwort, wenn er zu Barnabe sagt: "Du hast gleich einer heilgen Offenbarung / Das Unbegriffne mir erklärt". (131) Die Erklärung des Unbegreiflichen ist einfach eine Erkenntnis der Tatsachen: Man hatte Peter in einem Waldstrom ertrunken gefunden (130) und ihm "die Finger / Aus Vorurteil nur abgeschnitten". (137) Da nun "alles ist gelöst" und Sylvesters Schuldlosigkeit erkannt, (ebd.) kann Ottokar auf die Erfüllung seiner Liebe hoffen: "Agnes! Agnes! Agnes! / Welch eine Zukunft öffnet ihre Pforte! / Du wirst mein Weib, mein Weib! weißt du denn auch / Wie groß das Maß von Glück?" (140) "...o Übermaß, wie werd / Ich dich ertragen". (130)

Diese Erfahrung des Glücks und die Antizipation der Glückseligkeit, so resümieren wir, ist ein wesentliches Kompositionselement in dieser wie auch jeder anderen Dichtung Kleists.[12] Es geht also nicht an, die *Familie Schroffenstein* eindeutig als "Darstellung der Hölle", oder wie auch immer einseitig, zu interpretieren. Vielmehr beansprucht die Darstellung des Arkadischen den gleichen Raum und die gleiche Gültigkeit wie die Darstellung des Gemeinen. Erst dadurch erweist sich die Dichtung als authentisches Kommunikationsmodell über die Wirklichkeit, die für Kleist ja beides, das Arkadische und das Gemeine umschließt. "Das Leben ist . . . wie ein Widerspruch, flach und tief, öde und reich, würdig und verächtlich, vieldeutig und unergründlich, ein Ding, das jeder wegwerfen möchte, wie ein unverständliches Buch, sind wir nicht durch ein Naturgesetz gezwungen es zu lieben?" (II, 670)

Fragen wir weiter nach dem Verhältnis von Dichtung und Wirklichkeit: wie erfährt Kleist diesen Widerspruch, das Leben, und wie reagiert er als Dichter auf die erfahrene Wirklichkeit? Wie bekannt, tritt der 22jährige mit dem Anspruch auf, "den sichern Weg des Glücks zu finden und ungestört – auch unter den größten Drangsalen des Lebens – ihn zu genießen!" (II, 301) Dies Glück gründe sich nicht "auf äußere Dinge", sondern im Innern; und da "muß es sich gründen, . . . denn die Gottheit wird die Sehnsucht nach Glück nicht täuschen, die sie selbst unauslöschlich in unsrer Seele erweckt hat, wird die Hoffnung nicht betrügen, durch welche sie unverkennbar auf ein für uns mögliches Glück hindeutet". Und weiter: "Denn glücklich zu sein, das ist ja der erste aller unsrer Wünsche, der laut und lebendig aus jeder Ader und jeder Nerve unsres Wesens spricht, der uns durch den ganzen Lauf unsers Lebens begleitet . . . es muß ein Glück geben, das sich von den äußeren Umständen trennen läßt, alle Menschen haben ja gleiche Ansprüche darauf, für alle muß es also in gleichem Grade möglich sein." (II, 302) Dies Glücksverlangen – Kleist erfährt es mit besonderer, der ihm eigentümlichen Intensität und dem bürgerlichen Individualismus seiner Zeit gilt ein gleiches Glück für alle als geschichtliche Aufgabe – dies Glück wird Kleist nur sehr spärlich zuteil. Wenn er es findet, umschreibt er es gelegentlich mit dem Ausdruck "Paradies"; so etwa Naturerlebnisse: "In meinem Innern sah es so poetisch aus, wie in der Natur, die mich umgab . . . Vor mir blühte der Lustgarten der Natur – eine konkave Wölbung, wie von der Hand der Gottheit eingedrückt. Durch ihre Mitte fließt der Rhein, zwei Paradiese aus einem zu machen. In der Mitte liegt *Mainz*, wie der Schauplatz in der Mitte eines Amphitheaters"; (II, 673; vgl. auch II, 663) das Rheintal ist eine Gegend "wie ein Dichtertraum", "wo der Geist des Friedens und der Liebe zu den Menschen spricht, wo alles, was Schönes und Gutes in unserer Seele schlummert, lebendig wird . . . und die ganze Natur gleichsam den Menschen einladet, vortrefflich zu sein" (II, 674 f.) – und so auch bei Marie von Kleist, die ihm als Beispiel eines Menschen gilt, der das "Paradies" in der Brust herumträgt. (II, 878)

Kleist jedoch will kein Naturdichter werden, er will für die Menschheit wirken. "Andere beglücken, es ist das reinste Glück auf dieser Erde." (II, 691) Das Glück gründet in solchen Tugenden wie Edelmut, Gerechtigkeit, Menschenliebe, Bescheidenheit, im Bewußtsein guter Handlungen, im Gefühl unsrer menschlichen Würde. (II, 304) Durch gute Handlungen will Kleist sie vermehren in der Welt: "Ein großes Bedürfnis ist in mir rege geworden, ohne dessen Befriedigung ich niemals glücklich sein werde; es ist dieses, *etwas Gutes zu tun* ... Es liegt eine Schuld auf dem Menschen, die, wie eine Ehrenschuld, jeden, der Ehrgefühl hat, unaufhörlich mahnt ... es steht fest beschlossen in meiner Seele: ich will diese Schuld abtragen." (II, 692) Es ist nun Kleists tragisches Dilemma, daß die Zeit, in der er lebt, ihm keinen Wirkungskreis bietet, dieses dringende Bedürfnis zufriedenzustellen. "Wenn ich mich nun aber umsehe in der Welt, und frage: *wo* gibt es denn wohl etwas Gutes zu tun? – ach, Wilhelmine, darauf weiß ich nur eine einzige Antwort." (II, 692) Kleist sagt nicht, was diese Antwort ist, aber man darf annehmen, daß es die Dichtkunst ist, wodurch er Gutes für die Menschheit wirken will; denn er berichtet in demselben Brief vom 10. Okt. 1801, daß er "ein Ideal ausgearbeitet" habe, aber nicht begreifen könne, "wie ein Dichter das Kind seiner Liebe einem so rohen Haufen, wie die Menschen sind, übergeben kann". (II, 694) Eine andere Möglichkeit, Gutes zu tun und dadurch glücklich zu werden, gibt es auf dieser Welt offenbar nicht. An Adolfine von Werdeck schreibt er:

> *Ordentlich* ist heute die Welt; sagen Sie mir, ist sie noch schön? Die armen lechzenden Herzen! Schönes und Großes möchten sie tun, aber niemand bedarf ihrer, alles geschieht jetzt ohne ihr Zutun. Denn seitdem man die Ordnung erfunden hat, sind alle großen Tugenden unnötig geworden. Wenn uns ein Armer um eine Gabe anspricht, so befiehlt uns ein Polizeiedikt, daß wir ihn in ein Arbeitshaus abliefern sollen. Wenn ein Ungeduldiger den Greis, der an dem Fenster eines brennenden Hauses um Hilfe schreit, retten will, so weiset ihn die Wache, die am Eingange steht, zurück, und bedeutet ihn, daß die gehörigen Verfügungen bereits getroffen sind. Wenn ein Jüngling gegen den Feind, der sein Vaterland bedroht, mutig zu den Waffen greifen will, so belehrt man ihn, daß der König ein Heer besolde, welches für Geld den Staat beschützt. – Wohl dem Arminius, daß er einen großen Augenblick fand. (II, 700)

Das ganze Zeitalter, so urteilt Kleist summarisch im "Gebet des Zoroaster", liege im Elend darnieder. Zwar sei der Mensch zum "König der Erde", sei ihm "ein so freies, herrliches und üppiges Leben bestimmt", aber "gleichwohl von unsichtbaren Geistern überwältigt, liegt er, auf verwunderungswürdige und unbegreifliche Weise, in Ketten und Banden; das Höchste, von Irrtum geblendet, läßt er zur Seite liegen, und wandelt, wie mit Blindheit geschlagen, unter Jämmerlichkeiten und Nichtigkeiten umher. Ja, er gefällt sich in seinem Zustand..." (II, 325)

Solche Selbstentfremdung des Menschen und seine Dehumanisierung perpetuiert sich denn auch in den gesellschaftlichen Institutionen und Systemen, die den Menschen bestimmen. Kleist nennt sie mit aller gewünschten Deutlichkeit: das Militär, (II, 479) den Staat, (II, 584, 681) die Wissenschaften, (II, 628 f., 679) die Religion (II, 317, 683) und gesellschaftliche Zwänge, "alle diese Vorschriften für Mienen und Gebärden und Worten und Handlungen", die nur dazu dienen, die "Blößen" des Herzens zu verdecken. In der Gesellschaft müsse man immer eine Rolle spielen und "froh kann ich nur in meiner eigenen Gesellschaft sein, weil ich da ganz wahr sein darf. Das darf man unter den Menschen nicht sein, und keiner ist es". (II, 628) So fühlt sich Kleist ganz unfähig, sich "in irgendein konventionelles Verhältnis der Welt zu passen". Eine Reihe von Jahren, in welchen er über die Welt "im großen frei denken konnte", habe ihm dem, "was die Menschen Welt nennen", sehr unähnlich gemacht. "Ich finde viele ihrer Einrichtungen so wenig meinem Sinn gemäß, daß es mir unmöglich wäre, zu ihrer Erhaltung oder Ausbildung mitzuwirken". (II, 692)

Alle gesellschaftlichen Einrichtungen, so darf man das Fazit von Kleists Gesellschaftskritik ziehen, sind ihres Zweckes entfremdet, dem Menschen Lebensorientierung zu sein und seine Humanität zu fördern; sie bestehen nur noch aus dem Eigeninteresse, sich selbst zu perpetuieren, und sind bestimmt von ihrer eigenen Ideologie. Zwar, "ideologische Systeme" können sich auch "als nützlich, ja als unentbehrlich erweisen, als Leitsysteme, die den Menschen die Welt erklären, ihnen Werte und Normen setzen und sie erst dadurch zum Handeln – und damit zum Leben befähigen".[13] Aber die Ideologie leistet nicht, was sie verspricht. Jede Religion und jede Staatsverfassung verspricht dem Menschen Friede auf Erden, *life, liberty and the pursuit of happiness.* Eingelöst haben sie jedoch ihre Versprechen noch nicht und werden es wohl auch niemals. Kleist empfindet diese Spannung zwischen dem intensiven Glücksverlangen und der glück- bzw. eudämonielosen

Wirklichkeit als unerträglich. In einem der letzten Briefe an Marie von Kleist begründet er seinen "Entschluß zu sterben" mit den Worten: "Was soll man doch, wenn der König diese Allianz abschließt, länger bei ihm machen? Die Zeit ist ja vor der Tür, wo man wegen der Treue gegen ihn, der Aufopferung und Standhaftigkeit und aller andern bürgerlichen Tugenden, von ihm selbst gerichtet, an den Galgen kommen kann." (II, 884) Und so erschießt er sich, 34jährig, mit der Hoffnung auf "jene bessere Welt, wo wir uns alle, mit der Liebe der Engel, einander werden ans Herz drücken können" (II, 888) – während der "Teufel Aberwitz" diese Welt weiter in Banden hält. (II, 886) Die Zeit, die Ordnungen der Welt, die Handlungswirklichkeit – Kleist erfährt sie als eudämonielos und unveränderbar: Am Ende seines Lebens muß er bekennen: ihm habe die Kraft gefehlt, "die Zeit wieder einzurücken". (II, 884)

Ganz anders in der Dichtung. Hier wird die Statik der Realität, der "Einrichtungen der Welt" und deren politische, ökonomische, religiöse, soziale und andere Bestimmtheiten übersetzt in die Dynamik der Beziehungen, Veränderungen und Wendungen sowohl menschlicher als auch gesellschaftlicher Art. Es sind dies Wendungen und Veränderungen – um es grob zu sagen – von der Ideologie zu dem Glückszustand der Eudämonie. Paradigmatisch hat Kleist diese zwei Arten der Wendung und Veränderung gestaltet in *Prinz Friedrich von Homburg* und *Michael Kohlhaas*. Dem Prinzen wird sein heißersehntes "Glück" (I, 648) erst zuteil, nachdem er den schmerzhaften Prozeß einer Bewußtseinsveränderung durchlitten hat. Nataliens kommentierende Worte: "Du Unbegreiflicher! Welch eine Wendung? / Warum? Weshalb?" (I, 689) weisen mit Nachdruck auf diese Wendung und geben einen Schlüssel zur Interpretation des Dramas.[14] Und Kohlhaas' "höchster Wunsch auf Erden" erfüllt sich, wenn er die "Errichtung einer besseren Ordnung der Dinge" (II, 41) erkämpft hat. Im Bewußtsein, daß seine Nachkommen "froh und rüstig", frei von Schmerzen über die Ungerechtigkeit der Welt werden leben können, stirbt er "freudig" und "heiter" (II, 102 f.) Kohlhaas *hat* die Kraft, die Zeit wieder einzurücken.

Die Dichtung also, diese Nicht-Wirklichkeit denkt Wirklichkeit immer veränderbar und konstituiert die Eudämonie immer wieder aufs neue – damit Alternativmöglichkeiten entwerfend zu der "Welt, wie sie ist" und der enthumanisierten Welt humane Vor-Bilder entgegenstellend. Nicht die Welt ist unbegreiflich für Kleist, wie man gemeint hat – unbegreiflich ist, daß sie eudämonielos ist. "Kann man auch nur den Gedanken wagen, glücklich zu sein, wenn alles in Elend darnieder liegt?" (II, 782) Am Ende nennt Kleist sein Leben "das allerqualvollste, das je ein Mensch geführt hat". (II, 887) Alle irdischen Garantien von Glück und alle metaphysischen Verheißungen sind Täuschungen; ideologiebestimmte Systeme leisten nicht, was sie versprechen; ein gesellschaftlich institutionalisiertes Glück gibt es nicht. Das Wagnis, glücklich zu sein – das ist und bleibt das Wagnis der Dichtung. So geht es in jedem Werk um die Eudämonie: in konkreter Gestaltung zeigt jedes Werk, wie sie möglich ist oder warum sie nicht möglich ist; unter Anklage steht immer eine Wirklichkeit, die eudämonielos ist. Anstelle der Ideologie tritt die Dichtung als System der "Welterklärung", die das "Unbegreifliche" begreiflich macht.

Die gesellschaftliche Funktion der Dichtung besteht eben darin, die Eudämonie zu gestalten, damit sie faßbar und erfahrbar bleibe im Zeitalter des Elends und der Not, wie Kleist und Schiller z. B. ihre Zeit immer wieder benennen. Kleist sieht sich in seiner Dichterrolle als Knecht des Herrn, die Menschen "aus der wunderlichen Schlafsucht, in welcher sie befangen liegen", zu wecken und sie ihrer königlichen Bestimmung auf "ein so freies, herrliches und üppiges Leben" wieder bewußt zu machen. (II, 325 f.) Schiller spricht im 9. Brief *Über die ästhetische Erziehung des Menschen* von einer ähnlichen Mission des Künstlers: zwar "der Sohn seiner Zeit", aber nicht ihr "Günstling", ist er bestimmt, sein Jahrhundert nicht "mit seiner Erscheinung zu erfreuen, sondern furchtbar wie Agamemnons Sohn, ... es zu reinigen". "... gib der Welt, auf die du wirkst, die *Richtung* zum Guten, so wird der ruhige Rhythmus der Zeit die Entwicklung bringen." Der Künstler soll also den "Verderbnissen der Zeit" immer etwas Besseres entgegenstellen. Die Eudämoniemodelle sind in jeder Epoche andere, gemäß der veränderten gesellschaftlichen Wirklichkeit. Aber ihre Funktion ist immer die gleiche: daß der Weg zur "Glückseligkeit" offen bleibt, daß die Eudämonie dem Menschen erfahrbar ist, wenn auch nur durch die Kunst. "Das goldene Zeitalter ist in der Poesie ewig gegenwärtig", sagt Friedrich Schlegel.[15] Der Wunsch nach dessen Verwirklichung ist jedoch Illusion, obwohl die Hoffnung nach dessen Rückwirkung auf die politisch-sozialen Verhältnisse bestehen bleibt: "Was in der Poesie geschieht, geschieht nie oder immer. Sonst ist es keine rechte Poesie. Man darf nicht glauben sollen, daß es jetzt wirklich geschehe". (Ath.-Fragm. 101)

Die Eudämoniemodelle der klassisch-romantischen Epoche – die Tropen vom goldenen Zeitalter, von der Poetisierung der Welt, von dem

Adel der Menschheit, von der höheren, veredelten oder göttlichen Natur des Menschen, vom Gott-Menschen und dessen Glückseligkeit waren von ihren Autoren nicht gedacht als Darstellungen zeitlos-gültiger Werte – man muß sie verstehen lernen als Reaktionen und Antworten auf eine freudlose und inhumane Alltagswirklichkeit, wo der Mensch, "anstatt die Menschheit in seiner Natur auszuprägen, ... bloß zu einem Abdruck seines Geschäfts, seiner Wissenschaft" wird.[16] Es sind "revolutionäre" Antworten auf ästhetischem Gebiet[17] und ausgelöst durch die Erschütterungen der Zeit als Folge der französischen Revolution und Kants Zerstörung des Absolutheitsanspruchs aller metaphysischen Norm- und Ordnungsvorstellungen für die jetzt auf die eigenen Denk- und Erfahrungskategorien zurückgeworfene menschliche Erkenntnis – sprechen die Antworten neue Bewußtwerdungen aus, wie sie der klassisch-romantischen Epoche in jenem geschichtlichen Augenblick notwendig erschienen und möglich waren. Es sind die notwendigen Antworten auf Schillers Fragen: "Woran liegt es, daß wir noch immer Barbaren sind?" "Kann aber wohl der Mensch dazu bestimmt sein, über irgendeinem Zwecke sich selbst zu versäumen?" Das sind Fragen von dauernder Aktualität, die immer wieder zu stellen und zu beantworten sind. Jede Epoche stellt sie und jede Epoche sucht und findet andere Antworten. Schiller antwortet am Ende der Aufklärung mit der Einsicht und Forderung: "Sollte uns die Natur durch ihre Zwecke eine Vollkommenheit rauben können, welche uns die Vernunft durch die ihrigen vorschreibt? Es muß also falsch sein, daß die Ausbildung der einzelnen Kräfte das Opfer ihrer Totalität notwendig macht; oder wenn auch das Gesetz der Natur noch so sehr dahin strebte, so muß es bei uns stehen, diese Totalität unsrer Natur, welche die Kunst zerstört hat, durch eine höhere Kunst wiederherzustellen."[18] Dies ist eine Aufgabe, die als unerfüllte Forderung noch vor uns steht: den Menschen nicht versäumen, die Totalität seiner Natur nicht fragmentieren und damit dehumanisieren – das sind Forderungen, die auch heute allenthalben gestellt werden, sowohl in der Dichtung als auch in der kritischen Reflexion über die gesellschaftliche Funktion der Literatur.

Aus dem Ungenügen an der Wirklichkeit, so scheint es, geht der Impuls aller Dichtung hervor. Die romantische Trope vom goldenen Zeitalter und die klassische von der veredelten Menschheit wären so zu verstehen als Vor-Bilder für die zeitgenössische Praxis, die zwar die jeweils statisch erscheinende Alltagswirklichkeit transzendieren, aber zugleich auch bereichern um die Dimension der Veränderbarkeit und des zukünftig Möglichen. Als Alternativmöglichkeiten zur unzulänglich empfundenen Alltagswirklichkeit sind die in der Dichtung entworfenen Vor-Bilder ihrer Tendenz nach zwar antigesellschaftlich aber nicht außergesellschaftlich. Die Gesellschaft bedarf ihrer, um das "Arkadische", das Menschenwürdige und Bessere in der vorgegebenen Wirklichkeit herauszufinden und darzustellen. Schiller nannte dieses Ziel die *Darstellung des Ideals*. "*Der Menschheit ihren möglichst vollständigen Ausdruck zu geben*", ist nach Schiller der "Begriff der Poesie". Was bei dem griechischen Menschen "*wirklich* stattfand", nämlich die "Übereinstimmung zwischen seinem Empfinden und Denken", das "harmonische Zusammenwirken seiner ganzen Natur", existiere jetzt "bloß *idealisch* ... als ein Gedanke, der erst realisiert werden soll."[19] Dies bedeutet, daß der moderne Dichter gleich dem griechischen weiterhin die Eudämonie darstellt, freilich nicht die verwirklichte, sondern die antizipierte, die im Laufe der Zeit zu realisierende – "eine Aufgabe für mehr als *ein* Jahrhundert", wie Schiller bekennt.[20] Durch den Kunst hervorbringenden Spieltrieb jedoch, darauf gerichtet, "die Zeit in der Zeit aufzuheben",[21] kann im Hier und Jetzt erfahrbar werden, was sich im Laufe der Zeit erst realisieren soll: die Kunst gibt Vor-Bilder einer verwirklichten Eudämonie.

Was Schiller die *Darstellung des Ideals* nannte, findet seine Entsprechung in dem zeitgemäßeren Ausdruck: die Darstellung der *Eudämonie* als *antizipierte Realität*. Diese Begriffe sind von Fr. Tomberg bzw. E. Bloch erhellt worden. Eudämonie bedeutet das Wohleingefügtsein des Menschen in die Wirklichkeit als gesellschaftliche Praxis.[22] Und *antizipierte Realität* meint die Realität, die zwar noch nicht verwirklicht ist, aber möglich ist in einer "noch offenen, unfertigen, prozeßhaften" Welt, "in der Entwerfbares, Veränderbares noch geschehen kann ..."[23] Könnte die – wie immer geartete – antizipierte Eudämonie je Alltagswirklichkeit werden, dann wäre jede Art von Entfremdung aufgehoben und alle Dichtung gewiß unnötig geworden. Aber weder das eine noch das andere steht bevor, da ja gerade ständiger Wandel und unendliche Veränderbarkeit die essentiellen Charakteristika unserer geschichtlichen Welt sind. Fr. Schlegel drückt das so aus:

> Dieser Satz, *daß die Welt noch unvollendet ist*, ist außerordentlich wichtig für alles. Denken wir uns die Welt vollendet, so ist alles unser Tun nichts. Wissen wir aber, daß die Welt unvollendet ist, so ist unsere Bestimmung wohl, an der Vollendung derselben mitzuarbeiten ... (KSA, XII, 42)[24]

> Die Unvollendung der Poesie ist notwendig. Ihre Vollendung = das *Erscheinen des Messias* oder die stoische Verbrennung. Hat die Fantasie den Sieg davon getragen über die Reflexion, so ist die *Menschheit vollendet.* (E 2090)[25]

An der Vollendung der Welt mitzuarbeiten, oder moderner ausgedrückt: die Entfremdung des Menschen in seiner gesellschaftlichen Wirklichkeit weitmöglichst aufzuheben, die Gründe seiner Fragmentierung zu erkennen und bessere Zustände zu bewirken, die eine Verwirklichung des Menschen in seiner Totalität ermöglichten, das gibt dem menschlichen bzw. literarischen Tun seinen Sinn.

Aus den bisherigen Überlegungen ist ersichtlich, daß Dichtung immer den Konflikt darstellt (und ihn zu bewältigen versucht) zwischen dem So-Sein der Alltagswirklichkeit und dem dem menschlichen Bewußtsein indigenen Verlangen zum besseren Sein. Beides gehört zur menschlichen Praxis. Der historische Prozeß kennt zwar nichts als Veränderung, der Mensch aber will, daß seine zukünftige gesellschaftliche Wirklichkeit eine gute sein soll. Dichtung ist somit *Mimesis der menschlichen und gesellschaftlichen Praxis*;[26] sie stellt immer beides dar: die Wirklichkeit wie sie ist und wie sie sein sollte oder könnte, das Gemeine *und* das Arkadische. Schon Aristoteles wies der Dichtung diese Aufgabe zu. Nicht bloß das wirklich Geschehene habe der Dichter darzustellen, "er muß uns vielmehr sehen lassen, was gemäß der inneren Wahrscheinlichkeit oder Notwendigkeit möglich wäre und hätte geschehen können."[27] Und seitdem ist dies Auftrag der Dichtung.

Auch dadurch erfüllen die in der Dichtung entworfenen Eudämoniemodelle ihre gesellschaftliche Funktion, daß sie nie Wirklichkeit werden. Zwar erscheint die Alltagswirklichkeit als korrekturbedürftig gegenüber dem Modell, da dies aber *verändernd* auf die Zeit wirken soll, muß, wie Tomberg formuliert, "der Fortschritt der Praxis ... gerade dieses Modell wieder korrigieren, so daß für die Kunst unaufhörlich die Notwendigkeit erwächst, neue Modelle zu konzipieren."[28] So leistet die Dichtung ihren Beitrag zur Verwirklichung des Humanen auf jeder Stufe des langen Weges der Menschheitsentwicklung, indem sie der Welt wie sie ist Vor-Bilder einer besseren entgegenstellt. Sehr grob schematisiert: In der Antike steht den Greueln der Zeit die Katharsis und das höchste Gut eines eudämonistischen Lebens gegenüber, im Barock ist es die Heilsgewißheit, in der Aufklärung sind es die "Tugenden", im Sturm und Drang sind es Verwirklichung der menschlichen Natur und eine verbesserte "natürliche" Gesellschaft, in der Klassik die veredelte Natur, in der Romantik das Goldene Zeitalter, die Poetisierung der Welt und die transzendenzbezogenen Werte, im Realismus das "sanfte Gesetz" und die Restauration der "Realia" im Bereich der Natur, der Familie, der Gesellschaft, im Expressionismus der "neue Mensch", gefolgt vom "neuen Humanismus", usw. "Glück" erfährt auch Kafka, falls er "die Welt ins Reine, Wahre, Unveränderliche heben kann"; und das Schreiben bietet ihm die Möglichkeit, "eine Ahnung des Glücks" zu bekommen.[29] Obwohl jede Epoche andere Denkformen und Modelle für das "Wohleingefügtsein" des Menschen in die gesellschaftliche Praxis entwickelt, ist die Aporie zwischen Ideologie und Eudämonie jedoch allenthalben evident. Die diversen Tropen der Klassiker und Romantiker, manche der Tradition entnommen und mit neuen Bewußtseinsinhalten angefüllt: ob goldenes Zeitalter, ästhetischer Staat, Veredelung des Charakters, ob Ideal oder Harmonie, Arkadien oder Paradies, ob Übereinstimmung von Empfinden und Denken, Einheit mit der Natur, oder einfach Glück und Glückseligkeit – es sind alles Umschreibungen der Eudämonie, klassisch-romantische Denkformen und Modellentwürfe, die ihnen gleichsam als "Perspektive des nächsten Schrittes" möglich schienen.[30]

Dichtung hat so immer eine emanzipatorische Funktion, ist nie ohne Tendenz und gesellschaftliches Engagement. Dichtung ist immer Ideologiekritik und "Welterklärung". Sie zielt immer auf Veränderung und tendiert stets auf Eudämonie. "... als praktische Verhaltensweise, zielt sie direkt aufs Glück der Menschen; doch weil das unwiederbringlich dahin zu sein scheint, auf die Zerstörung der Bedingungen dessen, was dieses Glück verhindert."[31] Und immer engagiert sie den Leser in eine andere Welt als die ihm bisher bekannte.

Auch die Dichtung unserer Zeit steht in dieser Tradition; oder anders gewendet: erfüllt die, wie es scheint, ihr wesenseigene Funktion, Emanzipation zu sein und "Expedition nach der Wahrheit", wie Kafka formulierte, unternimmt das Wagnis, glücklich zu sein. Um das anzudeuten, sei es erlaubt, wenigstens einige zeitgenössische Schriftsteller zu zitieren.

Hans Magnus Enzensberger (Poesie und Politik, 1962):

> Poesie tradiert Zukunft. Im Angesicht des gegenwärtig Installierten erinnert sie an das Selbstverständliche, das unverwirklicht ist. Francis Ponge hat bemerkt: seine Gedichte seien geschrieben als wie am Tage nach der geglückten Revolution. Das gilt für alle Poesie. Sie ist Antizipation, und sei's im Modus des Zweifels, der Absage, der Ver-

neinung. Nicht daß sie über die Zukunft spräche: sondern so, als wäre Zukunft möglich, als ließe sich frei sprechen unter Unfreien, als wäre nicht Entfremdung und Sprachlosigkeit (da doch Sprachlosigkeit sich selbst nicht aussprechen, Entfremdung sich nicht mitteilen kann). Solches Vorgreifen schlüge ihr zur Lüge aus, wäre es nicht zugleich Kritik; solche Kritik, wäre sie nicht Antizipation im gleichen Atemzug, zur Ohnmacht. So bedroht, so schmal ist der Weg der Poesie, und so gering, nicht größer als das unsere, doch deutlicher, ihr Glück.

Peter Handke (Ich bin ein Bewohner des Elfenbeinturms, 1967):[32]
Die Wirklichkeit der Literatur hat mich aufmerksam und kritisch für die wirkliche Wirklichkeit gemacht. Sie hat mich aufgeklärt über mich selber und über das, was um mich vorging . . .
Ich erwarte von einem literarischen Werk eine Neuigkeit für mich, etwas, das mich, wenn auch geringfügig, ändert, etwas, das mir eine noch nicht gedachte, noch nicht bewußte *Möglichkeit* der Wirklichkeit bewußt macht, eine neue Möglichkeit zu sehen, zu sprechen, zu denken, zu existieren. Seitdem ich erkannt habe, daß ich selber mich durch die Literatur habe ändern können, daß mich die Literatur zu einem andern gemacht hat, erwarte ich immer wieder von der Literatur eine neue Möglichkeit, mich zu ändern, weil ich mich nicht für schon endgültig halte. Ich erwarte von der Literatur ein Zerbrechen aller endgültig scheinenden Weltbilder. Und weil ich erkannt habe, daß ich selber mich durch die Literatur ändern konnte, daß ich durch die Literatur erst bewußter *leben* konnte, bin ich auch überzeugt, durch meine Literatur andere ändern zu können. Kleist, Flaubert, Dostojewski, Kafka, Faulkner, Robbe-Grillet haben mein Bewußtsein von der Welt geändert.

Dieter Wellershoff (Fiktion und Praxis, 1969):[33]
Das abweichende und gestörte Verhalten, das gefesselte, verstümmelte und scheiternde Leben ist ein so dominantes Thema der Literatur, daß man sie eine negative Anthropologie nennen könnte. Sie verweigert so ihre Anpassung an die geltenden Normen, zeigt, was der Buntdruck der Reklame verleugnet, erinnert an ungenutzte und verdorbene Kapazitäten des Menschen, aber vor allem ist die Abweichung ein Vehikel der Innovation. Ein plötzlicher Sprung in eine neue Qualität findet hier statt. Bilder äußerster Unfreiheit werden für Autor und Leser zu Erweiterungen ihrer Erfahrung, zu Möglich-

keiten, alles scheinbar Bekannte, auch sich selbst neu zu sehen. Das ist nur möglich, weil man in der Fiktion die Bindung an den Augenblick auflösen und eine Gegenwart des Nicht-Gegenwärtigen erschaffen kann, von Raum und Zeit unabhängige Vorstellungswelten, die zugleich persönlich und allgemein sind . . .
Durch die imaginäre Kombinatorik wird mehr daraus, Neues und Anderes. Nur deshalb sind wir nicht in uns selbst gefangen, sondern können andere Menschen und Situationen verstehen und vielleicht auch neue Erfahrungen erfinden. Der Traum, könnte man sagen, macht der Praxis Vorschläge, hält für und gegen sie den Spielraum möglicher Veränderung offen.

Max Frisch:[34]

Wenn wir heute von Engagement sprechen, meinen wir allerdings immer das direkt-politische Engagement: Literatur als Propaganda für eine Ideologie. Es ist aber schon ein Engagement, wenn Literatur die gebräuchliche Sprache auf ihren Wirklichkeitsgehalt hin testet; ein Engagement an die Realität, somit Kritik an der Ideologie. Wir kommen ohne Ideologie nicht aus, aber sie braucht immerzu eine Kontrolle. Diese leistet die Literatur – auch dann, wenn sie nicht mit einem direkt-politischen Engagement auftritt, gerade dann.

Dramaturgisches. Ein Briefwechsel mit Walter Höllerer. Berlin 1969, S. 38 f.

Octavio Paz:[35]

Concebíamos a la poesía como un 'salto mortal', experiencia capaz de sacudir los cimientos del ser y llevarlo a la 'otra orilla', ahí donde pactan los contrarios de que estamos hechos. Una experiencia capaz de transformar al hombre, sí, pero también al mundo. Y, más concretamente, a la sociedad.

Es bedarf natürlich weiterer Textanalysen aus den verschiedenen Epochen der Literaturgeschichte und eingehenderer Untersuchungen zur Ausführung, Bestätigung und Korrektur des hier skizzierten Entwurfs einer möglichen integrativen Literaturtheorie. Fassen wir vorläufig und thesenhaft zusammen:

1. Eine integrative Literaturtheorie als Arbeitsmodell ermöglicht es, den fiktiven Text in seiner vielschichtigen Komplexität zu erfassen wie auch in seiner synchronen und diachronen Wirksamkeit im Humanisierungsprozeß der Menschheitsentwicklung. Im ursprünglichen Sinne ist diese Theorie ein Anschauen, Betrachten und Erforschen des Hervorge-

brachten; mithin am Lesen der Texte und am Leseprozeß orientiert, der kritische Theoriebildung und pädagogische Praxis miteinander zu verbinden sucht. Auch Literaturvermittlung ist emanzipatorische Praxis; sie partizipiert an der Vermittlung des Humanen und zeigt dessen Möglichkeiten und Widerstände in der Praxis auf.

Sie integriert die Erkenntnisse anderer "Theorien", sowohl derer, die den poetischen Text als "sprachliches Kunstwerk", als ontologische Entität also, analysieren, wie derer, die die Funktionalität des Textes erforschen, seine geschichtlichen Entstehungsbedingungen, seine wirkungsgeschichtliche Potenz und seine Stellung im gesellschaftlichen Produktions- und Kommunikationsprozeß. Wenn es auch unmöglich ist, alle Aspekte gleichzeitig und eingehend zu behandeln, darf weder der eine noch der andere einseitig zur "Theorie" verabsolutiert oder völlig unberücksichtigt bleiben. An einem Text als Kommunikationsmodell ist alles relevant: was (Werkpoetik, Regeltheorie), von wem (Sprechertheorie), über was (Inhaltstheorie), an wen (Wirkungs-, Rezeptionstheorie) und wie (Redetheorie) kommuniziert wird.[36]

2. Eine integrative Literaturtheorie ist dem Erfassen des poetischen Textes angemessener, weil dieser selbst sprachliche Integration der Tendenzen seiner Zeit ist. Der Dichtung als Ver-Dichtung kommt die kritische Erkenntnisfunktion zu, "im Spiel mit den 'möglichen Wirklichkeiten' aufzudecken, was an Wahrheit die historische Realität verborgen hält. 'Welcher Art ist diese unbestimmte Realität, auf die das Kunstwerk hinweist? Sie ist der Gesamtkontext der sogenannten sozialen Erscheinungen: z. B. Philosophie, Politik, Religion, Wirtschaft usw. Deshalb ist die Kunst mehr als jedes andere gesellschaftliche Phänomen fähig, eine bestimmte Epoche zu charakterisieren und zu repräsentieren', sagt Jan Mukarovský".[37] *Der Text selbst* bringt die politischen, sozialen, wirtschaftlichen, die geistigen, religiösen und moralischen Probleme seiner Umwelt zur Sprache und zu deren Verständnis ist es nicht notwendig, Begriffskategorien aus den anderen Disziplinen anzuwenden.

3. Ein derart weit gefaßter Begriff von Dichtung ermöglicht es, den Text zu erfassen als Kommunikationsmodell über eine veränderbare und sich verändernde Wirklichkeit. In dieser Hinsicht sind Isers Ausführungen und Definitionen über den *Akt des Lesens* (s. Anm. 4) relevant. "Kommunikation wäre unnötig, wenn nicht durch sie etwas vermittelt würde, das Unbekanntheitsgrade besitzt. Deshalb bestimmt sich Fiktion als Kommunikation, da durch sie etwas in die Welt kommt, das nicht in ihr ist". (Iser, S. 353) Die "Leistung der Fiktion" ist "Nicht-

Gegebenes aus seiner Abwesenheit zu holen und es dadurch zur Gegebenheit zu machen". (Iser, S. 347) Der fiktionale Text ist Reaktion und Antwort auf die Defizite der in und von einer Epoche angebotenen Sinnsysteme.

> Roman und Drama [im 18. Jahrhundert] formulierten Möglichkeiten, die im Blick auf die gesamtgesellschaftlich herrschenden Systeme gerade keine waren und sich folglich nur durch die Fiktion in der Lebenswelt unterbringen ließen. Eine solche Funktion der Literatur erklärt dann auch, warum man immer wieder geneigt ist, Fiktion und Wirklichkeit als ein Oppositionspaar zu begreifen, während der Sache nach durch Fiktion eher etwas darüber ausgesagt wird, was die herrschenden Systeme ausklammern und folglich nicht in die von ihnen organisierte Lebenswelt einzubringen vermögen. Konstituiert die Fiktion einen solchen Gesamtzusammenhang der Wirklichkeit, dann ist sie nicht mehr deren Opposition, sondern deren Kommunikation. (Iser, S. 122)

Durch den fiktionalen Text "geschieht keine Reproduktion herrschender Sinnsysteme, vielmehr bezieht sich der Text darauf, was in den jeweils herrschenden Sinnsystemen virtualisiert, negiert und daher ausgeschlossen ist." (Iser, S. 120) Per definitionem also bildet Dichtung, der fiktionale Text, keine vorgegebene Wirklichkeit ab, noch stellt er sie dar, noch betoniert er die jeweils herrschenden Sinnsysteme; aber er kann verstanden werden "als eine Umformulierung bereits formulierter Realität, durch die etwas in die Welt kommt, das vorher nicht in ihr war." (Iser, S. 8)

4. Das Neue, was durch die Dichtung in die Welt kommt, ist offenbar nichts Schlechtes oder rein Negatives; aber doch etwas, das unsere Perzeption von Wirklichkeit verändert, erweitert, bereichert und berichtigt. Das Neue wird hier verstanden als der Eudämoniewille, den der Text als ästhetische Energie entfaltet. Durch die ästhetische Erfahrung, die ein Text vermittelt, affiziert er das Bewußtsein des Lesers/Zuschauers, emotiv und rational, zur kritischen Reflexion und vielleicht zum positiven Handeln gegenüber der Wirklichkeit. Die Strategie des Textes mag den Eudämoniewillen als Sinnpotential des Textes konstituieren oder die Bedingungen seiner Abwesenheit freilegen und dadurch zeigen, was es ist, was in den menschlichen Beziehungen und gesellschaftlichen Einrichtungen die Eudämonie an der Entfaltung verhindert.

5. Die Dichtung bringt den Eudämoniewillen in die menschliche Praxis oder erweckt ihn in ihr, was Konflikt erzeugt mit den etablierten Ideologien der Alltagswirklichkeit. Die Dichtung stellt den Konflikt dar und bewältigt ihn durch die Form, in der Ordnung des Textes. Wenn wir Dichtung als Mimesis der menschlichen Praxis verstehen, bedeutet Mimesis formal-ästhetisch *Darstellung des Konflikts* und wirkungsästhetisch *ein Wiedererkennen* im Dargestellten der Sehnsucht des Lesers nach einem glückhaften Sein. Der Ausdruck Mimesis ist nicht mißzuverstehen als Nachahmung der Natur und steht nicht im Gegensatz zu expressiver oder abstrakter Kunst, er umfaßt diese.

6. Diese Theorie steht nicht im Gegensatz zur Praxis der Dichtung. Wie die fortschreitende Praxis immer neue Modelle produziert, so ist die Theorie offen gegenüber zukünftiger Modifizierung durch die Praxis. Eine integrative Literaturtheorie kann kein abgeschlossenes System sein; ihr eignet die Dimension der Veränderbarkeit und des zukünftig Möglichen, damit teilhabend am Humanisierungsprozeß der Menschheit und an der Erweiterung des kritischen Bewußtseins der eigenen wie auch vergangener Zeiten. Es ist deutlich: eine integrative Literaturtheorie will einen umfassenderen, dynamischen Begriff von Dichtung entwickeln, der der geschichtlichen Veränderung offen ist und der der aktuellen, der historischen und der utopischen Komponente und Dimension der Dichtung wie auch ihrer gesellschaftlichen Funktion Rechnung trägt.

Ist eben diese Offenheit nicht auch die, welche den Studenten (Leser) auszeichnet und erwartet, der sich in die fremde Kultur/Literatur einläßt? Sucht er im Auslandsstudium nicht auch das visionäre Ich – das sich erkannt, gefunden hat? Die deutsche Literatur, so gelesen, gewinnt jene didaktische Relevanz, die das Literaturstudium so oft verspricht und doch so selten hat.

Aus Raumgründen konnte hier nur ein nicht-deutscher Autor (O. Paz) zitiert werden. Der Auslandsstudent kann gewiß mehrere Texte aus der Eigenkultur als Beispiele addizieren, die den Konflikt zwischen Eudämoniewillen und ideologiebestimmter gesellschaftlicher Praxis thematisieren und gestalten. Dadurch ist dem Studenten eine Möglichkeit zur Identifikation gegeben, die bei der Vermittlungsarbeit zwischen Eigen- und Fremdkultur m. E. entscheidend ist. Sie entscheidet, ob ein Text von Kleist oder auch von Iser fremd bleibt oder ob die Aneignung glückt. Eben das ist das Ziel einer integrativen Literaturbetrachtung und -theorie: dem fremdkulturellen Rezipienten aus dem Überreichen, praktisch unerfaßbaren Angebot der deutschen Dichtung und Literaturkritik das zu vermitteln, was seine Kulturmündigkeit fördert, was zur Ausbildung seiner eigen- und fremdkulturellen Kompetenz beiträgt und zu globaler Verständigung befähigt. Kann Dichtung dies leisten? Es kommt auf den Versuch an: sie als Medium der "Welterklärung" zu verstehen und zu vermitteln. Der fremdkulturelle Leser Kleists (der Klassiker, der Romantiker, u. a.) entdeckt Bekanntes: sein eigenes Glücksverlangen – und er entdeckt das andere, fremde, was er auch aktualisieren sollte als Erkenntnis der eigenen Historizität und als reflektierte Aneignung der Tradition. Das eine führt zum Abbau kulturspezifischer Rezeptionsbarrieren; letzteres zur Erkennung und Anerkennung kontrastiver Aspekte zwischen Eigen- und Fremdkultur. Beides ist relevant für den Leser, indem es fruchtbar wird für sein Selbstverständnis und sein Weltverstehen. Beides ist fernerhin relevant für fachspezifische Kompetenzbildung z. B. in vergleichender Kultur- und Literaturwissenschaft.

Anmerkungen

[1] Emil Staiger: Die Kunst der Interpretation. Studien zur deutschen Literaturgeschichte. Zürich 1955, S. 35 ff.

[2] Rainer Taëni: Literatur als "Kunst": Waffe gegen die Herrschenden. In: Literaturdidaktik. Aussichten und Aufgaben. Hrsg. J. Vogt. Literatur in der Gesellschaft Bd. 10. Düsseldorf 1972, S. 162. Zur *Methode der Literaturvermittlung und Literaturdidaktik* siehe die weiteren Aufsätze in dieser Sammlung. Ferner: Lesen 2, Der alte Kanon neu: Zur Revision des literarischen Kanons in Wissenschaft und Unterricht. Hrsg. W. Raitz u. E. Schütz. Opladen 1976. Literatur und Leser. Theorien und Modelle zur Rezeption literarischer Werke. Hrsg. G. Grimm. Stuttgart 1975. Rezeptionsästhetik. Theorie und Praxis. Hrsg. Rainer Warning. UTB 303. München 1975. Hans-Georg Kemper: Angewandte Germanistik. UTB 252. München 1974. Karl Otto Conrady: Literatur und Germanistik als Herausforderung. Frankfurt a. M. 1974 (suhrkamp taschenbuch 214). G. Cepl-Kaufmann/W. Hartkopf: Germanistikstudium. Stuttgart 1973 (Texte Metzler 15). Dietrich Krusche: Rezeptionsästhetik und die Kategorie der Veränderung. In: Jahrbuch Deutsch als Fremdsprache Bd. 1, Heidelberg 1975, S. 17–26; auch Bd. 3 dieses Jahrbuchs, 1977, insbesondere den thematischen Teil, hrsg. von Alois Wierlacher: Literatur und ihre Vermittlung: Aspekte einer Literaturwissenschaft des Deutschen als Fremdsprache, S. 77–239 (Angabe von methoden- und ideologiekritischen Studien der letzten Jahre hier auf S. 168, Fußn. 1). Wilh. Helmich: Dimensionen und Grundbegriffe der Literaturdidaktik. In: Sprachpädagogik. Literaturpädagogik (Festschrift für Hans Schorer). Hrsg. Wilhelm L. Höffe, Frankfurt

a. M. 1969, S. 113–132; auch weitere Aufsätze in dieser Festschrift. Reform des Literaturunterrichts. Eine Zwischenbilanz. Hrsg. H. Brackert/W. Raitz, Frankfurt 1974. Und den auf amerikanische Verhältnisse abgestimmten Sonderband Focus on Literature, Special Editor Konrad Schaum, Die Unterrichtspraxis, Bd. IV, No. 2, American Association of Teachers of German: Fall 1971.

[3] Kleist wird zitiert nach der Ausgabe von Helmut Sembdner: Heinrich von Kleist. Sämtliche Werke und Briefe. 2 Bde., 3. Auflage, München 1964, I, S. 93. Weitere Angaben im Text nach Band und Seitenzahl.

[4] Wolfgang Iser: Der Akt des Lesens. Theorie ästhetischer Wirkung. UTB 636. München 1976, S. 8.

[5] Dazu u. a. Ingemar Düring: Aristoteles. Darstellung und Interpretation seines Denkens. Heidelberg 1966, besonders S. 469. Wilhelm Perpeet: Antike Ästhetik. Freiburg 1961, bes. S. 56 ff. Wilhelm Szilasi: Macht und Ohnmacht des Geistes. Bern 1946, bes. das Kapital zur Nikomachischen Ethik, S. 107 ff. u. Friedrich Tomberg (s. Anm. 6).

[6] Friedrich Tomberg: Mimesis der Praxis und abstrakte Kunst. Ein Versuch über die Mimesistheorie. Neuwied u. Berlin 1968, S. 15.

[7] Ideologie wird hier verstanden als ein *geschlossenes* System der "Welterklärung". Weil es geschlossen ist, erweist es sich als feindlich gegenüber der Wahrheitsfindung und der geschichtlichen Veränderung. Es wird zunehmend von nur eigennützigen Interessen bestimmt und erweist sich bei fortschreitender Entwicklung und Erkenntnis als falsches Bewußtsein. Das betrifft sowohl den einzelnen Menschen (Vor-Urteil) als auch gesellschaftlich sanktionierte Sinnsysteme und Einrichtungen. Vgl. Max Horkheimer: "Der Name Ideologie sollte dem seiner Abhängigkeit nicht bewußten, geschichtlich aber bereits durchschaubaren Wissen, dem vor der fortgeschrittensten Erkenntnis bereits zum Schein herabgesunkenen Meinen, im Gegensatz zur Wahrheit vorbehalten werden. Wertgebung aber, sofern sie glaubt, aus der geschichtlichen Verflechtung sich befreien zu können, oder infolge dieser Verflechtung bloß noch den Weg in Zufälligkeit und Nihilismus offen zu sehen, ist selbst Ideologie in dem engen und prägnanten Sinn." Ideologie und Handeln. In: M. H. und Th. W. Adorno: Sociologica II, 2. Auflage, Frankfurt 1967, S. 47. Mit Gewinn zu lesen sind auch zwei neuere Studien von Erwin Hölzle: Idee und Ideologie. Eine Zeitkritik aus universalhistorischer Sicht. Bern 1969 und die von Eugen Lemberg (s. Anm. 13).

[8] Durch den so affizierten Leser kann das Neue der Dichtung als Potential auf die Wirklichkeit zurückwirken. Kleists Auffassung von der Wirksamkeit der Kunst erweist sich als erstaunlich modern, wenn er schreibt: "... Erfindung ist es überall, was ein Werk der Kunst ausmacht. Denn nicht das, was dem Sinn dargestellt ist, sondern das, was das Gemüt, durch diese Wahrnehmung erregt, sich denkt, ist das Kunstwerk." (II, 783) Vgl. W. Iser: "Das Werk ist das Konstituiertsein des Textes im Bewußtsein des Lesers." (Akt des Lesens, a. a. O., S. 39).

[9] Zitate aus der *Familie Schroffenstein* werden im Text nur durch Seitenzahlen angegeben und beziehen sich auf den ersten Band der Ausgabe von H. Sembdner (s. Anm. 3), S. 48–152.

[10] F. Koch: Heinrich von Kleist, Bewußtsein und Wirklichkeit. Stuttgart 1958, S. 61. B. Blume: Kleist und Goethe. In: Monatshefte, 38, 1946; jetzt auch in: Heinrich von Kleist. Aufsätze und Essays. Hrsg. W. Müller-Seidel. Darmstadt 1967, S. 155. G. Blöcker: Heinrich von Kleist oder das absolute Ich. Berlin 1960, S. 21, 22. In einer vorzüglichen Analyse nennt H. C. Seeba das Stück die "Tragikomödie des Menschen im Zustand des Sündenfalls". Der Sündenfall des Verdachts. Identitätskrise und Sprachskepsis in Kleists 'Familie Schroffenstein'. In: DVjs 44, 1970, S. 71.

[11] So G. Fricke: Gefühl und Schicksal bei Heinrich von Kleist. Berlin 1929, und P. Böckmann: Kleists Aufsatz 'Über das Marionettentheater', 1927, und Die Verrätselung des Daseins in Kleists Dichten, 1958. Beide Aufsätze jetzt in: Formensprache. Studien zur Literaturästhetik und Dichtungsinterpretation. Hamburg 1966.

[12] Man mag hier protestieren und etwa auf das andere *pièce noire* Kleists, auf den *Findling* hinweisen. Doch ist zu erinnern, daß hier nur die Umkehrung des Modells gestaltet ist: die *Zerstörung* des Familienglücks des mitleidigen "guten Alten" (II, 199) und seiner "trefflichen Gemahlin", das "Muster der Tugend". (II, 201, 209) Kleist ist nur konsequent, wenn er Piachi den Himmel verweigern läßt, denn dieser muß den "höllischen Bösewicht" Nicolo, "der nicht im Himmel sein wird, wiederfinden" und für die Zerstörung der Eudämonie durch "die abscheulichste Tat, die je verübt worden ist", durch alle Ewigkeit hindurch bestrafen. (II, 212–214) Bliebe eine solche Tat ungerächt, ob auf Erden oder in der Transzendenz, gäbe es keine Hoffnung auf Eudämonie. Auch Kohlhaas kann und darf seinen Feinden ihre ungerechten Handlungen nicht vergeben; täte er es, würde er einwilligen, daß es auf Erden keine oder nur halbe Gerechtigkeit zu geben brauche. Himmel und Hölle sind ohnehin als dichterische Metaphern zu verstehen in dieser Zeit der Säkularisierung des Transzendenten (dazu s. Hans Blumenberg: Die Legitimität der Neuzeit. Frankfurt a. M. 1966, besonders den ersten Teil: Säkularisierung – Kritik einer Kategorie des geschichtlichen Unrechts, S. 9–74). Piachi verweigert die Absolution und "die Wohnungen des ewigen Friedens", denn Kleist ist sich bewußt und will zeigen, daß die Eudämonie Aufgabe und Ziel für die Tätigkeit des *Menschen* ist.

[13] Eugen Lemberg: Ideologie und Gesellschaft. Eine Theorie der ideologischen Systeme, ihrer Struktur und Funktion. Stuttgart et al. 1971, S. 12.

[14] S. meinen Aufsatz: Prinz Friedrich von Homburgs neues Wissen. In: Neophilologus, XLI no. 1, 1977, S. 100–110.

[15] Kritische Friedrich-Schlegel-Ausgabe, Bd. XVIII, hrsg. Ernst Behler. München et al. 1963, S. 339, No. 202.

[16] Friedrich Schiller: Schriften zur Philosophie und Kunst. Goldmanns Gelbe

Taschenbücher, 524. München 1959, S. 79 (Ästhetische Briefe). Alle Schiller-Zitate aus diesem Band unter Abkürz.: GGT.

[17] Vgl. z. B. folgende Schlegel-Zitate: "Der Augenblick scheint in der Tat für eine *ästhetische Revolution* reif zu sein", für eine "wichtige Revolution der ästhetischen Bildung". Fr. Schlegel: 1794–1802, Seine prosaischen Jugendschriften. Hrsg. Jakob Minor. Wien 1882, Bd. 1, S. 121 und 172.

[18] GGT 524; Ästhetische Briefe, S. 85 und 82 f.

[19] GGT; Über naive und sentimentalische Dichtung, S. 169.

[20] GGT; Ästhetische Briefe, S. 84.

[21] Ebenda, S. 102.

[22] F. Tomberg: a. a. O., S. 15, 17 et passim.

[23] Ernst Bloch: Antizipierte Realität – Wie geschieht und was leistet utopisches Denken? In: Der utopische Roman. Hrsg. R. Villgradter/F. Krey, Wissenschaftliche Buchgesellschaft: Darmstadt 1973, S. 23. Vgl. dazu Rainer Taëni: a. a. O., S. 164: das Werk des Künstlers müsse drei Anforderungen erfüllen: "*Widerspiegelung* der Wirklichkeit, *Antizipation* einer zukünftig besseren, menschlicheren Wirklichkeit und *Parteilichkeit:* Stellungnahme für diese bessere zukünftige Wirklichkeit bereits in der Gegenwart."

[24] Kritische Friedrich-Schlegel-Ausgabe, Bd. XII, hrsg. Jean-Jacques Anstett, München et al. 1964, S. 42.

[25] Friedrich Schlegel: Literary Notebooks, 1797–1801. Hrsg. Hans Eichner, London 1957. Wird im Text zitiert nach Eichners Zählung der Eintragungen.

[26] Vgl. F. Tomberg, a. a. O., S. 21–23, 83, et passim. Tombergs Neubewertung des aristotelischen Mimesis-Begriffs ermöglicht es ihm, auch die moderne "abstrakte" Kunst als Mimesis zu erweisen. Dieser Arbeit Tombergs ist die vorliegende für wertvolle Hinweise verpflichtet. Wie ein neues Mimesis-Verständnis fruchtbar werden kann für eine Kafka-Deutung und für die Lyrikinterpretation hat Gerhard Neumann überzeugend erwiesen: "Ein Bericht für eine Akademie". Erwägungen zum "Mimesis"-Charakter Kafkascher Texte. DVjs, 49, 1975 Heft 1, S. 166–183. Lyrik und Mimesis. In: Sprachen der Lyrik. Festschrift für Hugo Friedrich. Hrsg. Erich Köhler. Frankfurt a. M. 1975, S. 571–605. Hier auch weitere Literatur zur neueren Mimesis-Diskussion. S. ferner den Poetik und Hermeneutik-Band: Nachahmung und Illusion. Kolloquium Gießen, Juni 1963. Hrsg. H. R. Jauß, München 1964. Hans-Georg Gadamer: Kunst und Nachahmung. In: Kleine Schriften II, Interpretationen. Tübingen 1967.

[27] Zitiert bei F. Tomberg: a. a. O. S. 22. Der Entwurf neuer Ordnungen gilt von jeher als eine Funktion der Dichtung. Bei Scaliger z. B. heißt es, daß Poesie "nicht nur Vorhandenes wiedergebe, sondern auch, was sein könnte und was sein sollte". Zitat bei K. O. Conrady: Einführung in die neuere deutsche Literaturwissenschaft. Reinbeck 1966, S. 79. Vgl. auch R. Hartung: Sprache im technischen Zeitalter. 9/19, 1964, S. 692: Literatur sei

zu verstehen als "Wagnis und Abenteuer oder als Versuch, eine neue Ordnung zu gewinnen".

[28] F. Tomberg: a. a. O., S. 51.

[29] F. Kafka: Gesammelte Werke. Hrsg. Max Brod. F. Kafka: Tagebücher 1910–1923. Schocken Books, New York 1948, S. 534. F. Kafka: Briefe an Felice und andere Korrespondenz aus der Verlobungszeit. Hrsg. E. Heller u. J. Born, Schocken Books, New York 1967, S. 102.

[30] F. Tomberg: a. a. O., S. 51.

[31] Peter Buchka: Die Schreibweise des Schweigens. Ein Strukturvergleich romantischer und zeitgenössischer deutschsprachiger Literatur. München 1974, S. 16.

[32] Zitiert aus Was will Literatur? Bd. 2: von 1918–1973. UTB 402. Hrsg. J. Billen u. H. H. Koch. Paderborn 1975. Enzensberger, S. 149; Handke, S. 232. Weitere Aufsätze in diesem Band sind relevant und aufschlußreich für das Thema dieser Arbeit.

[33] Zitiert nach D. Wellershoff: Literatur und Veränderung. Versuche zu einer Metakritik der Literatur. Köln, Berlin 1969, S. 30, 31 f., s. auch S. 69 f.

[34] Zitiert nach Max Frisch: Stich-Worte. Ausgewählt von Uwe Johnson. Frankfurt a. M. 1975, S. 119, s. auch S. 120, 132 f., 249.

[35] Zitat bei Ludwig Schrader: Der Bogen und die Leier oder die ewige Gegenwart. Modernität als Theorie bei Octavio Paz. In: Sprachen der Lyrik, a. a. O., S. 789.

[36] Zu den "Theorien" vgl. Horst Turk: Literaturtheorie I. Literaturwissenschaftlicher Teil; Studienbibliothek Germanistik Bd. 2. Göttingen 1976.

[37] Erika Dingeldey: Schwierigkeiten beim Unterrichten über den Zusammenhang von Politik und Literatur. In: Literaturdidaktik, a. a. O., S. 145 f.

Eberhard Frey

Rezeptionsforschung in der Didaktik deutscher als fremder Literatur

Rezeptionsforschung und Literaturwissenschaft

Unter dem Stichwort "Rezeption" ist in den letzten Jahrzehnten eine solche Vielzahl verschiedenartiger literaturtheoretischer Ansätze und praktischer Einzeluntersuchungen erschienen, daß es bis jetzt unmöglich ist, das Gebiet der Rezeptionsforschung klar zu umreißen. Nicht einmal der Name, geschweige denn die Kompetenzen dieses neuen Forschungsbereichs sind geklärt. Rezeptionsästhetik (Warning 1975), Wirkungsästhetik (Hohendahl 1974a), Rezeptionsgeschichte (Vodička 1975), Wirkungsgeschichte (Mandelkow 1976), Textverarbeitung (Wieland 1971), Konkretisationserhebung (Groeben 1977), Verstehenstheorie (Glinz 1973) sind nur einige der zahlreichen Varianten des Bereichs der Rezeptionsforschung, dessen Kompetenzen sich wiederum mit den Bereichen der Textwissenschaft (Texttheorie, Textlinguistik, Textsemiotik, Textsemantik, Textpragmatik und ähnliches), der Literatursoziologie, Literaturpsychologie, Kommunikationstheorie, Stilistik, allgemeinen Linguistik und vielen anderen überschneiden. Die Vielfalt der theoretischen Ansätze und Benennungen ist ein Symptom dafür, daß die Literaturwissenschaft und viele ihrer Nachbardisziplinen in Bewegung geraten sind, und es wird wohl noch eine Weile dauern, bis sich die Grenzen der Kompetenzbereiche und die Unterteilungen wieder klarer abzeichnen.

Eine wichtige Gemeinsamkeit dieser verschiedenen Varianten der Rezeptionsforschung ist allerdings, daß hier als Literaturwissenschaft nicht so sehr das Studium von literarischen Texten und ihren Autoren betrieben wird als die Untersuchung von literarischen *Kommunikationsprozessen*, die in ihren einfachsten Formen durch das Grundmodell:

Autor (Produzent) → Text (Signal) → Leser (Rezipient)

dargestellt werden, sich das Interesse besonders auf die zweite Hälfte dieser Relation konzentriert. Die Untersuchung der Beziehungen zwischen Text und Leser, der Aufnahme und Amplifikation eines Textes durch den Leser, kann zum Beispiel die Reaktion eines individuellen Lesers auf ein einziges Wort oder Stilmittel verfolgen, oder sein persönliches Ausfüllen der "Unbestimmtheitsstellen" im Text[1], oder die Reaktionen vieler Leser auf einen bestimmten Text, oder die Rezeption der Werke eines Autors in einem großen Leserkreis, bis hin zum gesamten Einfluß einer nationalen Literatur auf eine andere, zur Wirkung von Literatur überhaupt auf Kultur und Gesellschaft und auf deren geschichtliche Entwicklung.

Dabei mag die Betonung auf dem Text liegen, dessen voller semantischer, stilistischer, struktureller Inhalt erst anhand von Leserreaktionen erschlossen werden kann, oder die Betonung liegt auf dem Rezipienten, auf seiner psychologischen und soziologischen Determiniertheit, die die Rezeption bestimmen mag, auf den Eindrücken und Assoziationen, die der Text in ihm hervorruft und den weiteren Auswirkungen auf sein Verhalten und seine Umwelt. Wichtige Grundlage aller Rezeptionsforschung ist aber immer die Erforschung der allgemein gültigen Gesetzmäßigkeiten des literarischen Kommunikationsvorgangs.

Da im Gegensatz zu anderen alltäglichen Kommunikationsarten bei der "literarischen" Kommunikation die Sprachformen selbst stärker in den Vordergrund des Bewußtseins und des ästhetischen Interesses rücken, spielt bei ihrer Erforschung neben der Linguistik und Ästhetik vor allem die Stilistik eine wichtige Rolle. Die Stilistik behandelt einerseits die in den verschiedenen kommunikativen Situationen *üblichen, typischen* sprachlichen Formen und Gepflogenheiten, die "Stilregister", an denen sich der Leser orientiert, wenn er die im Text präsentierten literarischen Situationen in seiner Vorstellung nachschafft. Sie beschreibt andererseits auch die *Abweichungen* von solchen situationstypischen Normen, die "Stilmittel" also, die besonders bei literarischen Texten durch ihren Überraschungs- und Assoziationswert die ästhetischen und affektiven Reizwirkungen im Leser hervorrufen. Untersuchungen der Stilrezeption leisten somit einen wertvollen Beitrag zur literarischen Interpretation und Wertung.

Literaturdidaktik und ausländische Leser

Daß also die Rezeptionsforschung in ihren verschiedenen Variationen zu einem zentralen Anliegen der Literaturwissenschaft und damit auch der Germanistik geworden ist, steht außer Zweifel. Die Frage ist, welche Rolle rezeptionsanalytische Methoden und rezeptionstheoretische

Blickpunkte in der Literaturdidaktik, und zwar besonders in der für ausländische Leser gemünzten Literaturdidaktik, spielen können. Hier gilt es zunächst zu entscheiden, welche Zwecke der Literaturunterricht in einer fremden Sprache und Kulturtradition erfüllen soll und welche Motive den Schüler oder Studenten zum Lesen fremdsprachiger Literatur anregen. Ganz grob lassen sich ungefähr vier Gruppen ausländischer Leser der deutschen Literatur unterscheiden:

1. die Leser von Übersetzungen, deren Hauptmotivationen wohl Unterhaltung und eine übernationale, interkulturelle Allgemeinbildung sein dürften. Dazu gehören auch Schüler und Studenten, die im Literaturunterricht mit "Weltliteratur" bekannt gemacht werden. Diese Gruppe liest vermutlich die momentanen internationalen Bestseller und die großen deutschen "Weltklassiker".

2. Schüler und Studenten der deutschen Sprache und Literatur. Hier ist das Hauptziel des Literaturstudiums zunächst allgemeine Motivierung und Übung beim Lernen der Fremdsprache und dann, auf einer fortgeschrittenen Stufe, die geistige "Liberalisierung" durch das extensive literarische Erlebnis eines anderen Kulturkreises neben dem eigenen. Einführung in die großen Dichter der Weltliteratur spielt dabei nur eine sekundäre Rolle.

3. die ausländischen Leser auf deutschsprachigem Gebiet. Ob es sich dabei um Studenten, Schüler, Erwerbstätige oder Besucher handelt, das Hauptmotiv beim Lesen dürfte weniger "Liberalisierung" als vielmehr "Akkulturation" sein, d. h. Anpassung an den deutschen Lebensstil und Einfühlung in die deutsche Denk- und Verhaltensweise, soweit sie sich in der Literatur und Kulturtradition niedergeschlagen hat. Selbst bei Austauschstudenten und relativ kurzfristigen Besuchern dürfte Akkulturation zumindest für die Zeit des Auslandsaufenthalts ein Hauptmotiv sein, denn sie sind ja gerade deshalb ins Land gekommen, weil sie sich vom täglichen Druck zur Anpassung an die neue Umgebung eine besondere Lernwirkung erhoffen.

4. die zweisprachigen und die sprachlich und literarisch ganz besonders ausgebildeten Leser im Ausland. Neben Auswanderern, die damit vorwiegend die Verbindung zur alten Heimat aufrechterhalten, handelt es sich hier vorwiegend um die professionellen Leser deutscher Literatur im Ausland, die Lehrer, Forscher, Übersetzer, Kritiker und Lektoren, die dann hauptsächlich entscheiden, was an deutscher Literatur von den anderen ausländischen Lesern gelesen wird.

Von den vier Gruppen kommt wohl die dritte in ihrer Zielsetzung den typischen deutschen Schullehrplänen am nächsten, denn sowohl ausländische als einheimische Schüler und Studenten in Deutschland sollen doch zunächst und zuvörderst in die deutsche Kulturgemeinschaft und Literaturtradition eingeführt werden. Auch die Deutsch-Studenten im Ausland (Gruppe 2), deren Bildungserlebnis auf die Kontrastierung von zwei verschiedenen Kulturen ausgerichtet ist, müssen demnach vorwiegend mit dem typisch und exemplarisch Deutschen in der Literatur konfrontiert werden, obwohl dieses nun durch die Vergleichsmöglichkeiten mit der eigenen Literatur und dem größeren geographischen, psychologischen und soziologischen Abstand natürlich viel objektiver und distanzierter betrachtet werden kann, als wenn man in Deutschland zu Gast ist. Die Möglichkeit zur Distanzierung und zur Objektivierung der kulturellen Unterschiede wird noch stärker, ja praktisch zur Routine, in der vierten Gruppe, der Gruppe der zweisprachigen Spezialisten, so daß sich deren Interesse stärker dem allgemein Menschlichen und Ähnlichen zuwenden kann, das dann endlich bei den Lesern von Übersetzungen (Gruppe 1) ganz in den Vordergrund rückt, da ja durch die Übersetzung schon eine starke Adaption an den eigenen Kulturhintergrund geleistet ist und der Welterfolg eines Buches doch weitgehend von der Übertragbarkeit der darin gebotenen menschlichen Situationen abhängt. Trotzdem ist bei allen vier Lesergruppen der kulturelle Kontrast ein wesentlicher Bestandteil des Leseerlebnisses, zumindest solange sich der Leser dessen bewußt ist, daß er ein ausländisches Buch liest.

Methoden der Rezeptionsforschung

Entsprechend diesen verschiedenen Gruppierungen und Motivierungen sowohl als den bestimmten Zielen der einzelnen Forscher können verschiedene Methoden der empirischen Rezeptionsforschung und verschieden dimensionierte Forschungsbereiche für die fremdsprachliche Literaturdidaktik relevant werden. Die im folgenden angeführten Einzelbeispiele behandeln vorwiegend die Rezeption deutscher Literatur im anglo-amerikanischen Kulturraum. Viele der gebotenen Ergebnisse sind noch tentativ und als Anreiz zur weiteren Erforschung zu verstehen.

Um mit der größten und gröbsten Forschungsdimension zu beginnen: die Rezeption einer ganzen nationalen Literatur durch eine andere Nation oder Sprachgemeinschaft, obwohl sie auf den ersten Blick einen gigantischen Forschungsbereich darstellt, läßt sich ungefähr einschätzen, wenn man etwa vergleicht, wieviel Raum dieser Literatur in

Anthologien, Enzyklopädien, Bibliographien und anderen Nachschlagewerken eingeräumt wird. Natürlich hängt dies zum Teil von den persönlichen Präferenzen der Herausgeber ab, aber diese versuchen doch immer auch, mehr oder weniger intuitiv, eine möglichst repräsentative Auswahl und Verteilung des Materials zu erreichen und den Bedürfnissen der Leser entgegenzukommen. Außerdem kontrollieren sie durch ihre Auswahl wiederum weitgehend die allgemeine Einschätzung und Rezeption einer ausländischen Literatur.

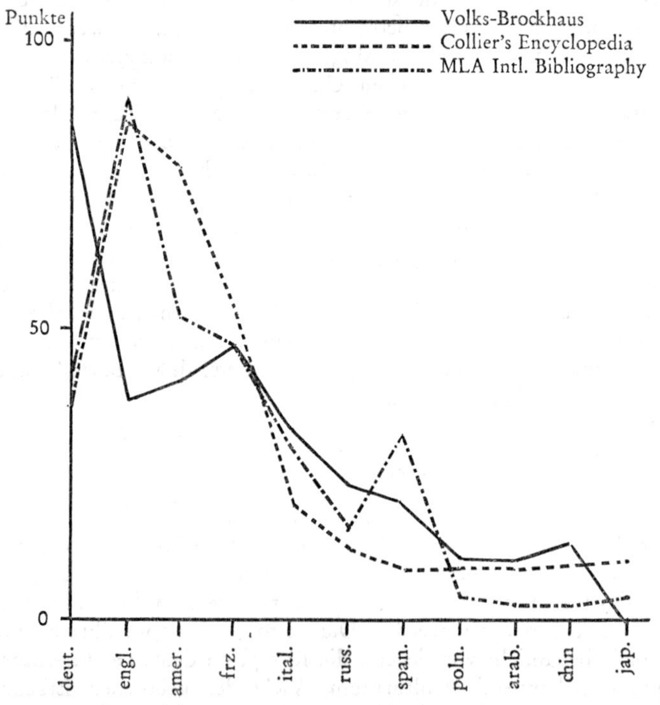

Abb. 1: Relative Einschätzung der Nationalliteraturen.

Ein Vergleich zwischen einer deutschen Enzyklopädie (*Der Volks-Brockhaus* 1956) und einer amerikanischen (*Collier's Encyclopedia* 1966) ist auf Abbildung 1 dargestellt. Die für beide Enzyklopädien wichtigsten Literaturen, nämlich die englische, amerikanische, deutsche, französische, italienische, russische, sind aufgeführt zusammen mit der spanischen, polnischen, arabischen, chinesischen und japanischen als weiteren Stichproben. Die angegebenen Werte entsprechen der Anzahl der jeder Literatur gewidmeten Zeilen, sind aber auf einen gemeinsamen Durchschnittswert standardisiert, da natürlich die 24bändige *Collier's Encyclopedia* viel längere Artikel enthält als der (mir zufällig zur Verfügung stehende) *Volks-Brockhaus*. Eine gründliche Untersuchung müßte natürlich die meisten wichtigen Enzyklopädien und Nachschlagewerke auf beiden Seiten mit einschließen und auch zeitlich genauer abgestimmt sein. Als relativ neutrale Bezugswerte wurden die Durchschnittszahlen der bibliographischen Einträge in vier Jahrgängen der *MLA International Bibliography* (1974–1977) der graphischen Darstellung beigegeben. (Ohne Zweifel lassen sich auch hier aus mehr Material noch bessere neutrale Werte herausdestillieren.) Daß die Enzyklopädien jeweils der eigenen Literatur besonders viel Platz einräumen, ist verständlich. Doch scheint die "Collier's"-Kurve der "MLA"-Kurve bei fast allen anderen Literaturen näher zu kommen als die "Brockhaus"-Kurve. Besonders interessant ist es, daß gerade die amerikanische Enzyklopädie der englischen Literatur den Vorrang einräumt, während im Brockhaus der amerikanischen Literatur etwas mehr Platz gewidmet wird als der englischen. Vielleicht geschah dies unter dem starken Eindruck der amerikanischen Vormacht in den fünfziger Jahren oder unter dem Einfluß der im Nachkriegs-Nachholbedarf verschlungenen Werke von amerikanischen Zeitgenossen wie Hemingway, Faulkner und Steinbeck. Derartige Spekulationen sind aber eigentlich erst nach einer ausführlicheren Datensammlung sinnvoll; so etwa auch die Frage, warum der *Volks-Brockhaus* die japanische Literatur gar nicht erwähnt, während sie bei *Collier's* ungefähr der chinesischen gleichgestellt ist. Wichtig für unsere literaturdidaktische Fragestellung ist vor allem die Beobachtung, daß die deutsche Literatur, sowohl bei *Collier's* als in der *MLA-Bibliography*, nach der englischen, amerikanischen und französischen mit geringem Abstand den vierten Platz einnimmt. Der deutsche Literaturunterricht für Ausländer kann sich also auf einen wohletablierten Ruf der deutschen Literatur in der westlichen Welt, oder doch zumindest in den U.S.A., stützen, und das obwohl dort aus praktischen Gründen mehr Spanisch als Deutsch in den Schulen und Universitäten gelehrt wird.

Wie sieht nun dieses amerikanische Bild der deutschen Literatur im einzelnen aus? Für eine solche Frage wird unter anderem die unterschiedliche Länge der Einzelartikel über die Autoren in den verschiedenen Nachschlagewerken relevant, aber auch Bibliographien, offizielle

Lehrpläne, Lesebücher und Anthologien müssen in die Untersuchung eingeschlossen werden. Tafel 1 zeigt zunächst in der ersten Spalte die zehn längsten Artikel über deutsche Autoren in *Collier's Encyclopedia* (1966) (diese Artikel haben sich übrigens in späteren Ausgaben fast nicht verändert). Hier sind Lessing, Schiller, Thomas Mann, Heine und Nietzsche ungefähr ebenbürtig behandelt, während der Goethe-Artikel fast dreimal so lang ist. Hauptmann, Kafka, Brecht und Keller bilden eine weitere Größenordnung, dann fällt die Länge der Artikel auf etwa 80 Zeilen ab. Nach den zehn wichtigsten Autoren in *Collier's Encyclopedia* (siehe die Rangordnung in Klammern hinter den Zeilenzahlen) folgen noch solche, die bei den anderen vier Zählungen zumindest die Rangnummer 10 erreichten. Das wissenschaftliche und literarische Interesse an den ersten zehn Autoren, wie es sich in den Einträgen der *MLA-Bibliography* (1974–1977) reflektiert (siehe die zweite Spalte), ist auch heute noch entsprechend stark, mit Ausnahme von Hauptmann und Keller, die hier nur den 26. bzw. mehr als 40. Rang erreichen. Auch Lessing erhält anscheinend etwas weniger wissenschaftliche Beachtung als offizielle Bewunderung. Dafür treten hier Rilke, Hofmannsthal und Kleist stärker in den Vordergrund und Thomas Mann nimmt nach Goethe ganz klar den zweiten Rang ein, mit einigem Abstand erst gefolgt von Brecht und Kafka. Im *Volks-Brockhaus* (1956) (siehe dritte Spalte) bewahrt Schiller seine übliche Zweitstellung nach Goethe, die auch in den deutschen Lehrplänen und amerikanischen Textbüchern beibehalten ist. Modernere Schriftsteller (siehe Kafka und Brecht) werden hier fast durchwegs kurz und bündig behandelt. Doch auch zum Beispiel in Fritz Martinis weiterverbreiteter deutscher Literaturgeschichte (1963) sind Brecht und Kafka nur kurz erwähnt und bleiben dort weit hinter der 40. Stelle zurück. Kafka und Brecht haben denn auch erst in der Mitte der sechziger Jahre allgemeinen Eingang in den westdeutschen Schulunterricht gefunden, nachdem sie in den USA schon über ein Jahrzehnt zu den wichtigsten deutschen Autoren gehört hatten. Neben Kleist zählt der *Volks-Brockhaus* auch Hölderlin und Herder zu den zehn wichtigsten Persönlichkeiten der deutschen Literatur, während Heine auf die 14. Stelle abfällt.

Nach den offiziellen *Lehrplänen für die Gymnasien Baden-Württembergs* (1962), ergänzt durch Erlasse von 1965 und 1966[2], wurde für unseren Vergleich in Tafel 1 die vorgeschriebene Pflichtlektüre mit 4 Punkten, Lektüre in enger Auswahl mit 2 Punkten bewertet, und zusätzlich empfohlene Werke und Autoren erhielten 1 Punkt. Das Ergebnis (siehe vierte Spalte in Tafel 1) ist wohl für die vorwiegend lyri-

	Collier's (Zeilen)	MLA (Einträge)	Brockhaus (Zeilen)	Baden-Württ. Gymn. Lehrpl. (Erwähnungen)	5 amer. Textbücher (Seiten)
Goethe	715 (1)	598 (1)	79 (1)	28 (1)	128 (1)
Lessing	278 (2)	108 (15)	24 (3)	10 (4)	35 (6)
Schiller	275 (3)	133 (9)	47 (2)	21 (2)	94 (2)
T. Mann	267 (4)	487 (2)	19 (6)	9 (7)	39 (4)
Heine	263 (5)	198 (6)	13 (14)	5 (25+)	42 (3)
Nietzsche	250 (6)	194 (8)	24 (4)	6 (16)	23 (15)
Hauptmann	160 (7)	67 (26)	16 (9)	8 (9)	29 (12)
Kafka	152 (8)	246 (4)	8 (40+)	5 (20)	32 (8)
Brecht	146 (9)	283 (3)	6 (50+)	10 (5)	36 (5)
Keller	133 (10)	30 (40+)	15 (11)	8 (10)	35 (7)
Rilke	64 (29)	200 (5)	16 (10)	4 (25+)	21 (16)
Hofmannsthal	56 (32)	194 (7)	12 (15)	8 (11)	30 (10)
Kleist	66 (27)	128 (10)	20 (5)	11 (3)	29 (11)
Hölderlin	64 (28)	114 (14)	19 (7)	6 (15)	9 (20+)
Herder	67 (26)	28 (40+)	17 (8)	4 (40+)	3 (40+)
Meyer	40 (40+)	26 (40+)	10 (22)	10 (6)	7 (25+)
Storm	(8) (80+)	55 (30)	9 (35)	9 (8)	5 (30+)
Hesse	52 (33)	120 (11)	15 (12)	5 (25+)	30 (9)

Tafel 1: Die wichtigsten deutschen Autoren nach verschiedenen Quellen. (Die Zahlen in Klammern geben die Rangordnung an.)

schen Dichter nicht ganz adäquat, da neben den wichtigsten Namen nur die Titel von "Ganzschriften" in den Lehrplänen genannt wurden; trotzdem sind die Unterschiede zu den anderen Rangordnungen (und zu früheren Versionen des Lehrplans) aufschlußreich. Brecht, der vor 1966 im Lehrplan überhaupt nicht genannt wurde, steht nun an 5. Stelle, also ähnlich wie in der internationalen und amerikanischen Germanistik; aber Kafka bleibt immer noch ziemlich im Hintergrund. Heines Prosa wird nur einmal am Rande erwähnt, Rilkes Prosa – im Gegensatz zu früheren Lehrplänen – gar nicht. Meyer und Storm haben viel größeren Vorrang als im Ausland und auch etwas mehr als im *Brockhaus*, sie gehören hier zu den ersten Zehn.

Interessant ist in diesem Zusammenhang eine Vorbemerkung im Lehrplan: die Schüler sollten die Lebensgeschichte "unserer großen

Dichter (z. B. Klopstock, Lessing, Goethe, Schiller, Kleist, Hölderlin, Grillparzer, Keller, Rilke, Th. Mann)" kennenlernen (S. 43). Auch hier werden also beiläufig zehn "große Dichter" genannt, aber statt Brecht, Hauptmann, Meyer und Storm erscheinen Klopstock, Hölderlin, Grillparzer und Rilke in dieser Liste der "Großen"; auf dem Weg von der Theorie zur Schulpraxis des Lehrplans scheint sich eine gewisse Verschiebung vom Idealismus hin zum Realismus und Naturalismus, von der Poesie zur Prosa eingeschlichen zu haben. Aber das ist nur *eine* der möglichen Hypothesen. Eine andere ist die leichtere Lesbarkeit der ersteren vier Autoren, die besonders auf den Unter- und Mittelstufen des Schulunterrichts ein wichtiges Argument zur Auswahl ist.

Aus ähnlichen Gründen vielleicht, aber doch auch mit entsprechenden kulturpolitischen Konsequenzen, standen im Lehrplan vor 1966 noch solch kernig-packende Geschichten wie Wilhelm Schäfers *Anekdoten*, Gorch Fock *Das schnellste Schiff der Flotte*, Hans Leip *Der Nigger auf Scharhörn* und in der Oberstufe Autoren wie Erwin Guido Kolbenheyer, Emil Strauß, Hans Grimm, Hermann Stehr, die es sich im Dritten Reich bequem gemacht hatten und auf die man anscheinend noch zwanzig Jahre später nicht verzichten zu können glaubte. Nach 1966 sind sie dann durch zeitgenössische Namen wie Aichinger, Frisch, Böll, Dürrenmatt, Borchert, Bender, Gaiser, Andersch, Johnson und Schnurre ersetzt, aber auch jetzt ist noch nirgends die Rede von solch wohletablierten Zeitgenossen wie Grass, Handke, Celan und Christa Wolf, ja nicht einmal von alten Bekannten wie Heinrich Mann, Döblin, Schnitzler, Wedekind, Toller, Tucholsky, Kraus, Kästner und Barlach. Vielleicht sind sie als "jugend-gefährdende" Schriftsteller erst nach der Reifeprüfung zu empfehlen.

Die fünfte Spalte in Tafel 1 gibt die Resultate einer Auswertung von fünf amerikanischen Textbüchern zur ersten Einführung in die deutsche Literatur (Blume 1974, Fleissner 1968, Phelps & Stein 1971, Diller et. al. 1970, Washington 1969), die teils an den High Schools, vorwiegend aber an Universitäten und Colleges benützt werden. Die Rangordnung in den Textbüchern unterscheidet sich von den Gymnasium-Lehrplänen vor allem durch den relativen Vorrang von Heine, Kafka und – wohl ein momentanes Zugeständnis an die Hippie-Generation – Hesse und durch die geringere Betonung von Meyer, Storm und Kleist. Bei der Zurückhaltung gegenüber Kleist spielt sicherlich die sprachliche Komplexität eine Rolle, bei Storm und Meyer sind es wohl eher inhaltliche Gründe. Daß Heine im Ausland beliebter ist als zu Hause, hat er am eigenen Leibe erfahren. Ob er und Kafka irgendwie der deutschen

"Volksseele" nicht so sehr entsprechen wie etwa Storm und Kleist, wäre zu untersuchen.

Inzwischen bleibt die Frage, wie weit der Lehrplan die "Volksseele" bestimmt und wie weit die "Volksseele" den Lehrplan, eine Frage, die für den Deutschunterricht im Inland sowohl als im Ausland relevant ist. Gerade an der verschiedenen Rezeption von Heinrich Heine in Deutschland und im Ausland scheint sich zu zeigen, wie hartnäckig überkommene Vorstellungen von Generation zu Generation weitergegeben werden. Schon eine 1875 in England entstandene deutsche Gedichtanthologie (Buchheim 1885) hat nicht etwa Goethe oder Hölderlin, sondern Heine als Frontispiz, und ihm wird auch ebensoviel Platz wie Goethe in der Anthologie eingeräumt. Noch heute, hundert Jahre später, ergibt sich bei einem Vergleich von 9 deutschen und 3 anglo-amerikanischen Gedichtanthologien aus den letzten Jahrzehnten (siehe auch Frey 1980, Kap. 4), daß Heine bei den deutschen Anthologien nach Brentano, Claudius und Droste-Hülshoff an 12. Stelle steht, während er bei den amerikanischen nach Goethe und Rilke den 3. Platz einnimmt. Hat sich in England und Amerika die freiheitliche, sozialkritische und gleichzeitig romantisch heimwehkranke Gesinnung einheimischer Intellektueller und deutscher Auswanderer, die der Heine-Rezeption förderlich war, tatsächlich über hundert Jahre lang erhalten, oder wurde hier einfach ein traditioneller Dichterkanon weitergereicht? Die allgemeine Erfahrung spricht dafür, daß sich in einer freien Gesellschaft die Anthologien trotz allem Nachhinken dem Geschmack und der Gesinnung der Leserschaft anpassen. Das würde bedeuten, daß Heines Werke auch heute noch bestimmten Neigungen der amerikanischen und englischen Leserschaft entgegenkommen; es bedeutet aber nicht unbedingt, daß Heine der deutschen Leserschaft weniger zu bieten hat, nicht einmal relativ weniger als etwa Claudius, Meyer oder Hölderlin, wenn man bedenkt, daß die Heine-Rezeption für den größten Teil ihrer 150 Jahre durch Zensur oder staatliche, religiöse, ideologische und kulturpolitische Kontrolle eingeschränkt wurde.

Das empirische Beweismaterial zu derartigen Überlegungen und Urteilen ist allerdings nicht so leicht zu beschaffen, denn es gilt zu zeigen, welches Publikum in welchem Ausmaß bestimmte Werke und Autoren liest und auch liebt. Bestsellerlisten sind in Amerika relativ leicht zugänglich, aber sie geben in ihrer Beschränkung auf die zehn kommerziell meistverkauften Bücher ein ziemlich einseitiges Bild. Immerhin läßt sich etwa feststellen, daß Ende des 19. Jahrhunderts die Grimmschen *Kinder- und Hausmärchen* und Johanna Spyris *Heidi* in Amerika großen Erfolg hatten, dann um 1930 Erich Maria Remarques *Im Westen nichts Neues* (*All Quiet on the Western Front*) (ca. 600 000 Exemplare) und *Der Weg zurück* (*The Road Back*) und noch einmal 1946 *Arc de Triomphe* (*Arch of Triumph*). Anfang der dreißiger Jahre wurden dort auch Vicki Baum, Hans Fallada und Franz Werfel mit ihren Erfolgsromanen populär und letzterer schrieb dann in Amerika den bisher größten deutschen Bestseller *Das Lied von Bernadette* (*The Song of Bernadette*), der dort 1942–45 in weit über einer Million Exemplaren erschien. Den letzten größeren Erfolg in Amerika hatte Günter Grass' *Die Blechtrommel* (*The Tin Drum*) in den sechziger Jahren. Solche Erfolge machen es dann auch verständlich, daß Werfel und Remarque besondere Artikel in *Collier's Encyclopedia* erhalten, während etwa Novalis, Storm, Stifter, Raabe und Büchner nur im größeren Zusammenhang erwähnt werden. Die vielen kleineren Erfolge und Mißerfolge deutscher Literaturwerke in Amerika lassen sich dagegen viel schwerer ermitteln, die Einzelauskünfte von den Verlagen sind nur umständlich oder gar nicht zu erhalten; doch bietet die jährliche Buchhandelsbibliographie *Books in Print* wenigstens Information darüber, ob ein deutsches Buch in Amerika erschienen und noch im Handel ist, und die Rezensionen in den großen Tageszeitungen, Magazinen und Fachzeitschriften (z. B. *The New York Times Book Review, Saturday Review, The German Quarterly, World Literature Today*) geben die so wichtigen kritischen Rezeptionen dazu.

Daß der kommerzielle Erfolg eines Buches auch in Amerika keineswegs immer mit seinem literarischen Rang gleichgesetzt wird, zeigt sich an der Tatsache, daß 1939 auch Hitlers *Mein Kampf* auf den amerikanischen Bestsellerlisten erschien, obwohl es wahrscheinlich in keinem der zahlreichen amerikanischen Listen, Sammlungen und Digests der "Great Books" aufgeführt ist. Diese Listen und Sammlungen der großen Werke der Weltliteratur, die dem individuellen Selbstbildungsbedürfnis und den vielen großen und kleinen öffentlichen Bibliotheken als Leitfaden dienen sollen, sind meistens ein Kompromiß zwischen populärem Geschmack und akademisch-kritischer Auswahl. So erscheinen zum Beispiel in Frank Magills *Masterplots: 2010 Stories and Essay Reviews from the World's Fine Literature* (1976) neben schöngeistigen Klassikern wie Goethe, Schiller, Heine, Hölderlin und Hebbel auch Kant, Schopenhauer, Freud, Jung und Schweitzer, neben den drei großen mittelhochdeutschen Epikern auch moderne Autoren wie Wedekind, Broch, Grass und Uwe Johnson, und dann natürlich Erfolgsautoren wie Gustav Freytag, Jacob Wassermann, Felix Salten (*Bambi*) und

Lion Feuchtwanger, alles in allem 72 deutsche Werke unter 2010 großen Werken der Weltliteratur (das sind übrigens weniger als 4 %). Das gegenseitige Abwägen von breiter Publikumswirkung und akademisch-kritischer Wertschätzung, das in solchen "Great Books"-Sammlungen praktiziert wird, ist auch ein notwendiges Element der literarischen Rezeptionsforschung, besonders im Hinblick auf die Literaturdidaktik, die ja aus Gründen der Motivierung neben den ästhetischen Qualitäten immer auch die potentielle Popularität eines Werkes in Betracht ziehen muß.

Noch direkter als durch das Studium von Bestseller- und "Great Books"-Listen läßt sich die potentielle Leserreaktion durch Leserbefragungen feststellen. Im Literaturunterricht bedeutet das die informelle oder systematische Sammlung der Reaktionen von Schülern, Studenten und Lehrkräften. Informell geschieht dies natürlich fortdauernd im Unterrichtsgespräch, in den Prüfungen und Hausarbeiten und in der Sammlung von Lehrerreaktionen durch die Administratoren und Verlage. Eine große *systematische* Lehrerumfrage über die amerikanische Schulliteratur wurde zum Beispiel 1969 von Caroll, Davies & Richman durchgeführt, um einen repräsentativen Literaturkorpus von über 1000 Publikationen für das *American Heritage Word Frequency Book* (1971) zusammenzustellen. Im kleineren Umfang ist es oft zweckmäßig, am Ende eines Literaturkurses eine kurze (möglichst anonyme) Umfrage darüber anzustellen, welche der behandelten Werke den Studenten am besten bzw. am wenigsten gefallen haben und warum. Allerdings ergeben sich nach meiner Erfahrung dabei nur wenige unabhängige Urteile: der literarische Ruf eines Autors und die Meinung des Lehrers wiegen meist viel schwerer als die unbefangene Reaktion des Studenten. Es gehört viel Selbstvertrauen oder Dickköpfigkeit dazu, gegen den offiziellen literarischen Meinungsdruck anzugehen.

Ein relativ unabhängiges Bild von der langfristigen Rezeption deutscher Literatur und Kultur in den USA läßt sich aus einer statistischen Analyse der zahlreichen fachlichen Einstufungstests gewinnen, denen sich amerikanische Studenten oft zu Beginn ihres Universitätsstudiums unterziehen müssen. So wurden 40 neue Studenten an der Brandeis University, die zwei bis fünf Jahre Deutschunterricht an einer "High School" hinter sich hatten, im Herbst 1976 unter anderem vor die Aufgabe gestellt, 20 Begriffe und Namen aus der deutschen Literatur kurz zu identifizieren. In der folgenden Liste, die nach der Zahl der richtigen Identifikationen geordnet ist, wurden für jede zureichende Identifikation 2 Punkte, für jede vage, aber nicht falsche Identifikation 1 Punkt gegeben (siehe die Zahlen in Klammern): Der Steppenwolf (35), Die Lorelei (34) (meistens als Sagengestalt oder Felsen), Wilhelm Tell (32) (meist als apfelschießender Freiheitskämpfer), Heinrich Böll (23), Mutter Courage (17), Expressionism (15), Der Erlkönig (13), Rilke (13), Nathan der Weise (9), Hugo von Hofmannsthal (9), Max Frisch (8), Der Tod in Venedig (8), Tonio Kröger (7), Die Dreigroschenoper (7), Sturm und Drang (6), Die Leiden des jungen Werthers (6), Bildungsroman (5), Hans Sachs (4), Das Glasperlenspiel (3), Woyzeck (3).

Hesses *Steppenwolf* war Anfang der siebziger Jahre unter Amerikas Jugend so populär, daß man gar eine "Rock Group" nach ihm benannte. Von den übrigen in dieser Befragung nicht genannten Autoren sind sicherlich auch Goethe, Schiller, Kafka, Brecht und Thomas Mann dem Namen nach vielen bekannt, während Böll und Frisch zusammen mit Borchert und Brecht im Anfängerunterricht eine gewisse Rolle spielen. Also *Steppenwolf* und *Lorelei,* William (!) Tell und Heinrich Böll, so buntkariert sieht das deutsche Kulturbild junger Amerikaner heute aus.

Analyse der Stilrezeption

Eine andere direkte Befragungsmethode, die vom momentanen Ruf der Autoren und von der Meinung des Lehrers weitgehend unabhängig ist, besteht darin, daß den potentiellen Lesern kurze, nicht weiter identifizierte literarische Textproben zur (anonymen) Beurteilung vorgelegt werden. Es zeigte sich bei einer solchen Umfrage anhand von 10 modernen Texten (vgl. Frey 1947a und 1980, Kap. 1) an der über 60 Versuchspersonen von verschiedenem Alter und Bildungshintergrund und verschiedener Nationalität beteiligt waren, daß in der allgemeinen Beurteilung und Bevorzugung der einzelnen Texte große Uneinigkeit herrschte. Die 10 Texte hatten alle ungefähr das gleiche Thema ("Beschreibung von Wetter und Himmel"), so daß die Unterschiede in der Beurteilung vorwiegend aus den stilistischen Eigenarten der Texte entstanden. Wenn überhaupt eine allgemeine Tendenz in den Beurteilungen sichtbar wurde, so war es die mögliche Unterscheidung zwischen kontroversen und weniger kontroversen Texten, also solchen, bei denen die Einzelbewertungen mehr voreinander abwichen und andere mit weniger Abweichung. Auch die Gruppierung der Personen nach Geschlecht oder Muttersprache (Deutsch oder Englisch), ja selbst nach dem Lebensalter brachte keine klaren Tendenzen. Eine Gruppierung nach dem Grad der sprachlichen und literarischen Ausbildung ergab jedoch signifikante Unterschiede: das Urteil der Gruppe auf der höchsten Ausbildungsstufe entspricht ungefähr dem Ruf der Autoren dieser Textabschnitte in der literarischen Welt, das Urteil der Vertreter der niedrigsten Ausbildungsstufe stellt dazu den genauen Gegenpol dar, besonders bei den kontroversen Texten. Was den literarisch Erfahrenen an einem Stil imponiert, entgeht den weniger Erfahrenen oder wird von ihnen nicht verstanden; was letzteren gefällt, wird oft von den ersteren als schwülstig und klischeehaft verurteilt. Dabei lassen sich für die Textproben drei Gruppen unterscheiden: Texte, die bei zunehmender literarischer Erfahrung der Rezipienten in der Bewertung (1) steigen, (2) gleichbleiben, (3) fallen. Von den Textproben stammen in der Tat die Texte der ersten, in der Bewertung steigenden Gruppe von bekannteren modernen oder avantgardistischen Autoren, die der zweiten, wenig kontroversen Gruppe von bekannten mehr traditionellen Autoren, die der dritten, in der Bewertung fallenden Gruppe von relativ unbekannten Autoren (zum Teil in Übersetzung). Das Stilurteil ist demnach in erster Linie eine Sache der literarischen Erfahrung des Lesers, wobei die mündliche Sprachbeherrschung und die Muttersprache nur eine sekundäre Rolle spielen.

Der relativ geringe Einfluß der ursprünglichen "Muttersprache" auf das *literarische* Stilempfinden von Lesern mit ähnlichem *literarischen* Bildungsniveau erscheint einleuchtend, wenn man bedenkt, daß in den meisten Sprachen sich die literarischen Stilregister klar von den umgangssprachlichen Registern und noch mehr von den mündlichen Lokaldialekten unterscheiden. In diesem Sinne sind eigentlich die meisten Leser zwei- oder mehrsprachig, und zwar eher noch in Deutschland als etwa in Amerika, wo manche Mundarten nahe an der Standardsprache liegen. Die Schriftsprache mit ihren literarischen Feinheiten wird von den Heranwachsenden in jahrelanger Mühe gelernt, während sie sich die mündliche "Muttersprache" fast mühelos aneignen. Wirklich so zu schreiben, wie man tagtäglich spricht, wird den Schülern zu beiden Seiten des Ozeans gründlich ausgetrieben. Während also der Einfluß der zuerst gesprochenen "Muttersprache" auf das Stilempfinden in der Schriftsprache nicht überschätzt werden sollte, ist der Einfluß der Lesebücher, Comics, Zeitschriften und Jugendbücher und auch wohl des meist nach Manuskript gesprochenen Fernsehens dagegen schon stärker. So läßt es sich erklären, daß viele deutsch-kanadische Universitätsstudenten mit deutscher Grund- und Realschulausbildung auf einem "primitiveren" literarischen Geschmacksniveau stehen als ihre kanadischen Altersgenossen mit drei Jahren Deutschunterricht an der Universität, die man gleich von vornherein mit Borchert, Frisch, Böll und Grass gefüttert hat. Trotzdem sind natürlich die deutsch-gebürtigen Studenten auf Grund ihrer längeren Erfahrung mit der Sprache und Literatur in vielen stilistischen Einzelbeobachtungen sicherer und genauer als die anderen, besonders wenn es darum geht, bestimmten Sprachformen entsprechende Situationskontexte (d. h. Stilregister) zuzuordnen und gleichzeitig Abweichungen von solchen Kontext-Normen (d. h. stilistische Reizelemente, Stilmittel) zu erkennen.

Für eine solche detaillierte Rezeptionsanalyse wurden die Versuchspersonen gebeten, alle im Text aus irgendeinem Grund auffallenden oder unerwarteten Elemente zu unterstreichen und kurz zu erläutern. Es zeigt sich dabei eine große Übereinstimmung der unterstrichenen Stellen, so daß sich die stilistisch wirksamen kontrastierenden Elemente im Text klar abzeichneten, obwohl die jeweils angegebenen Gründe für die Unterstreichungen oft sehr verschieden waren. In Abbildung 2 ist die Leserreaktion auf eine dieser Textproben dargestellt. Die Versuchspersonen sind je nach dem Grad ihrer allgemeinen und literarischen Ausbildung in zwei Gruppen zu je 30 Personen geteilt. In Gruppe 1 sind Personen mit mindestens zwei Jahren deutscher oder entsprechender ausländischer Universitätsausbildung (B.A.), und zwar meistens Germanisten aufgenommen; die Personen der Gruppe 2 haben etwa das Ausbildungsniveau von Abiturienten bzw. von zwei Jahren amerikanischer Universitätsausbildung. Etwa $^3/_4$ der Gruppe 1 haben überwiegend deutsche Schulbildung, aber nur etwa $^1/_3$ der Gruppe 2. Die Breite des schwarzen Bandes (R_x) unter dem Text entspricht jeweils der Zahl der Unterstreichungen prozentual. (Das dritte Band (U_x) gibt Vergleichszahlen aus der deutschen Sprachstatistik, auf die später eingegangen werden soll.) Es wurde also etwa das Wort *niedergegangen* in Text I von 47 % der Gruppe 1 und von 63 % der Gruppe 2 unterstrichen und vorwiegend als "mot juste" oder treffendes Beiwort charakterisiert. Die *Fackeln* als Metapher für Blitze fallen 90 % der Gruppe 1 und 97 % der Gruppe 2 auf, während das fast technische Kompositum *Hängezweige* nur bei 43 % bzw. 38 % der Leser in jeder Gruppe Beachtung findet. Aber klarer als die Prozentzahlen zeigt uns der visuelle Gesamteindruck dieser Darstellung, daß die Leserreaktionen auf stilistische Stimuli im Text große Einheitlichkeit zeigen und daß sich stilistisch relevante Stellen deutlich hervorheben.

Während also die Fähigkeit zur Identifizierung stilistisch relevanter Stellen in beiden Gruppen praktisch gleich ist, obwohl in der einen die "deutschen" Leser ganz stark vorwiegen und in der anderen die "aus-

Abb. 2: Leserreaktionen zu Text I.

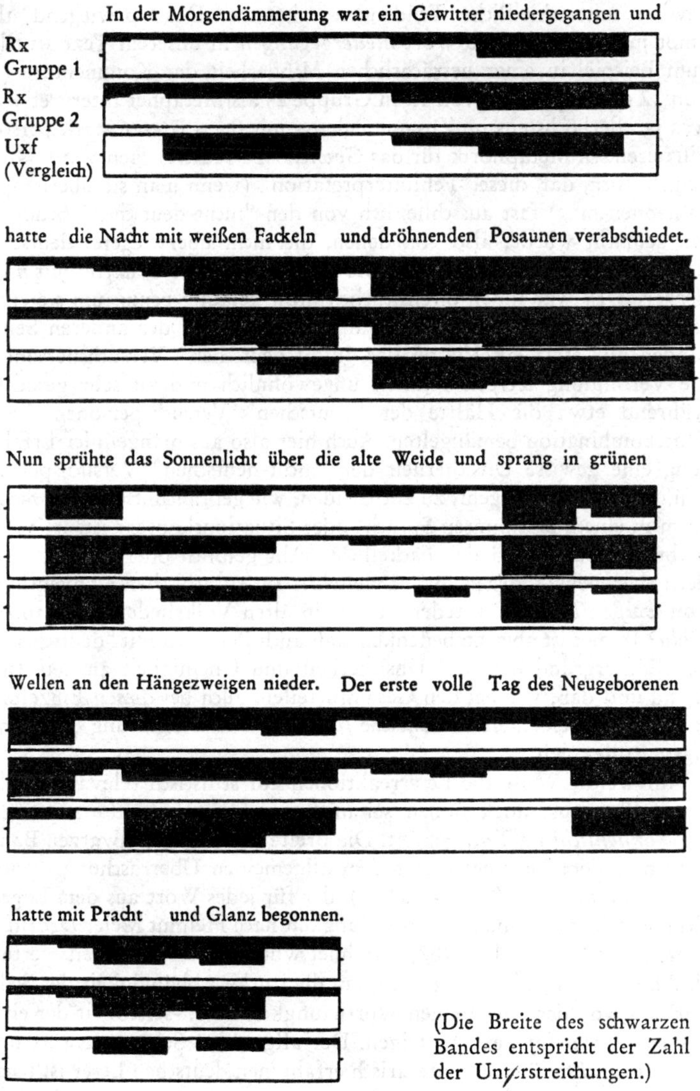

(Die Breite des schwarzen Bandes entspricht der Zahl der Unterstreichungen.)

ländischen", so lassen sich bei genauer Betrachtung der Kommentare zu den Unterstreichungen trotz aller anscheinenden Uneinheitlichkeit gewisse unterschiedliche Tendenzen erkennen. Das vorwiegend als "mot juste" bezeichnete Wort *niedergegangen* in unserem Text wurde zum Beispiel in einer beträchtlichen Minderheit der Kommentare (2 von 12 in Gruppe 1, 6 von 15 in Gruppe 2) als Metapher interpretiert, was ja allerhöchstens im Zusammenhang mit der späteren stark personifizierenden Metaphorik für das *Gewitter* zu rechtfertigen wäre. Nun zeigt es sich, daß diese "Fehlinterpretation" (wenn man sie überhaupt so nennen mag) fast ausschließlich von den "nicht-deutschen" Studenten gemacht wurde, also von denen, die nicht überwiegend deutsche Schulbildung hinter sich hatten. Die Verbindung von *Gewitter* mit *niedergegangen* war ihnen offensichtlich nicht geläufig genug um sie einfach als exakte, treffende Wortwahl zu sehen. Auf der anderen Seite fanden nur etwa ein Viertel der "nicht-deutschen" Versuchspersonen die Verbindung *weißen Fackeln* ungewöhnlich und zu sehr gesucht, während etwa die Hälfte der "deutschen" Versuchspersonen diese Wortkombination bemängelten. Auch hier also aus mangelnder Erfahrung eine gewisse Unsicherheit der "nicht-deutschen" Versuchspersonen, wenn es darum geht, zu entscheiden, wie gebräuchlich eine Sprachform in einem bestimmten Sprach- oder Situationskontext ist. Ist vielleicht in Deutschland das Fackellicht nicht gelblich oder rötlich, sondern eher weiß? Oder gehört es vielleicht zur sprachlichen Konvention, von *weißen Fackeln* zu reden, so wie in alten Volksliedern vom *roten Gold*? Immer ist aber zu bedenken, daß auch Personen mit "deutschem" Schulhintergrund hier viel Unsicherheit und Uneinigkeit an den Tag legen, und daß, wie bei den Gesamturteilen, auch bei diesen Einzelurteilen die allgemeine und deutsche *literarische* Leseerfahrung die wichtigste Rolle spielt.

Auf welche Weise die Leserreaktionen auf stilistisch relevante Stellen im Text zustandekommen, sei am Beispiel der Verbindung *sprühte das Sonnenlicht* im Text gezeigt. Die Breite des dritten schwarzen Bandes unter dem Text entspricht dem allgemeinen Überraschungs- oder Seltenheitswert U_{xf} (0 % – 100 %), der für jedes Wort aus dem Logarithmus seiner allgemeinen Worthäufigkeit nach Helmut Meier *Deutsche Sprachstatistik* (Bd. II, 1967) errechnet wurde. Die "Seltenheitswerte" sind hier etwas zu hoch gegriffen, um die starke Abhängigkeit der Stilwirkung von der allgemeinen Worthäufigkeit bzw. -seltenheit der einzelnen Wörter im Text zu zeigen. Der allgemeine Seltenheitswert des Wortes *sprühte* für einen literarisch erfahrenen deutschen Leser ist nach meinen letzten Schätzungen eher auf etwa $U_{xf} = 60\,\%$ anzusetzen. Auf Grund neuerer experimenteller und sprachstatistischer Untersuchungen (vgl. Frey 1980, Kap. 1) ist die Annahme berechtigt, daß sich verschiedenartige Stilwirkungen, die an derselben Textstelle konvergieren, nicht einfach linear addieren, sondern eher wie verschieden gerichtete Vektoren in einem Kräftefeld zusammenwirken. Da die Kommentare der Gruppe 1 fast gleich oft die Genauigkeit oder Seltenheit des Wortes *sprühte* allgemein erwähnen wie seine besondere metaphorische Wirkung im Zusammenhang mit *Sonnenlicht*, so können wir also auch für den metaphorischen Effekt (U_{xm}) etwa 60 % Überraschungswert ansetzen und erhalten dann als gesamten stilistischen Überraschungswert

$$U_x = \sqrt{(U_{xf})^2 + (U_{xm})^2} = \sqrt{60^2 + 60^2} = 85\,\%,$$

was so ziemlich der Leserreaktion $R_x = 83\,\%$ der Gruppe 1 entspricht. Die Gruppe 2 hat ebenso viele Kommentare zur Metaphorik, aber etwa 20 % mehr Kommentare betonen die Exaktheit oder Seltenheit des Wortes *sprühte*, so daß wir hier $U_{xf} = 72\,\%$ annehmen müssen. Die Gesamtwirkung $U_x = \sqrt{72^2 + 60^2} = 94\,\%$ entspricht gut dem höheren Reaktionswert $R_x = 93\,\%$, den die Gruppe 2 auf dieses Wort zeigt. Überhaupt scheint die Gruppe 2 auf den allgemeinen Seltenheitswert einzelner Wörter (z. B. *Morgendämmerung*, *Sonnenlicht*) etwas stärker zu reagieren als die Gruppe 1, was zum Teil auf die "nicht-deutschen" Versuchspersonen zurückgeführt werden kann, aber noch genauer untersucht werden muß. Wichtig ist die Erkenntnis, daß bei stilistischen Konvergenzen – die übrigens an den meisten stilistisch hervorgehobenen Stellen eines Textes zu finden sind – die Stilwirkung nur relativ gering abfällt, selbst wenn bei der Rezeption eine ganze Stilkomponente verlorengehen sollte. Im obigen Beispiel würde etwa gänzlich ohne die Metaphorik der Überraschungswert bei der Gruppe 2 nur von 94 % auf 72 % abfallen, obwohl eine Stilkomponente von 60 % Überraschungswert verlorengegangen ist. Ein junger oder ausländischer Leser braucht also keineswegs erst auf die volle Entwicklung seines literarischen Stilempfindens zu warten, bevor er ein literarisches Kunstwerk auch stilistisch hinreichend zu erfassen vermag. Andererseits kann der Mangel an literarischer Erfahrung bei der *ästhetischen Bewertung* gewisser stilistischer Hervorhebungen große Unterschiede bringen. Die klischeehafte Phrase *mit Pracht und Glanz* wird zum Beispiel in Gruppe 1 mit einer überwältigenden Mehrheit von 12:2 abgelehnt; in Gruppe 2 ist diese Ablehnung auf das Verhältnis 12:8 reduziert. An dieser höheren Einschätzung der Textstelle sind aber "deutsche" und "nicht-deutsche" Versuchspersonen gleichermaßen beteiligt. Das bestätigt die ursprüngliche Beobachtung bei der Gesamtbewertung der Texte, daß sich "deutsche" und "nicht-deutsche" Leser bei gleichem *literarischen* Erfahrungsniveau nur wenig in ihren durchschnittlichen Werturteilen unterscheiden.

Ausblick

Der weitgespannte Bogen der Rezeptionsforschung von der Einschätzung einer gesamten Nationalliteratur bis zur Wertung eines einzelnen Wortes im literarischen Kontext wurde an einigen konkreten Beispielen demonstriert und die Anwendungsmöglichkeiten auf die Literaturdidaktik wurden direkt oder implizite angedeutet. Eine allgemeine Bestandsaufnahme der gegenwärtigen Lage der Rezeption deutscher Literatur im Ausland ist im Interesse aller vier einleitend unterschiedenen Lesergruppen sowohl als der Leser und Pädagogen im Inland, die dadurch vielfach ganz neue Einblicke in die eigene Literatur erhalten mögen. Die Rolle der deutschen Literatur innerhalb einer anderen Nationalliteratur wird erst voll verständlich, wenn gleichzeitig die wichtigsten Wesenszüge jener Nationalliteratur und ihre kulturellen Hintergründe erarbeitet worden sind und zum Vergleich zur Verfügung stehen.

Dieses gegenseitige Verständnis und die globalen Überblicke über die Rolle der deutschen Literatur innerhalb der Weltliteratur sind wohl am wichtigsten für die Lehrer von deutscher Literatur in Übersetzungen. In der Literaturdidaktik für Ausländer in Deutschland steht vermutlich die Kanonfrage im Vordergrund. Im kulturellen Anpassungsprozeß ist die Rücksicht auf das Ursprungsland des Lesers weniger wichtig als die Betonung des typisch Deutschen in der Literatur im Rahmen einer weltoffenen, kritischen Haltung. Dagegen wird der deutsche Literaturunterricht im Ausland immer einen Kompromiß schließen müssen zwischen den momentanen Bedürfnissen und Lieblingsthemen der Studenten, den neuesten literarischen Strömungen im deutschen Sprachraum und den großen klassischen Werken der deutschen Literatur. Dazu muß dem Lehrer die deutsche Literaturrezeption in allen drei Bereichen bekannt sein. Für ihn ist auch das vergleichende Studium der Stilrezeption wichtig, bis hin zum Einzelwort, denn die Entwicklung des Stilempfindens setzt die zunehmende Einsicht in eine stetig wachsende Zahl von bisher fremden sprachlichen und außersprachlichen Situationen voraus, eine Einsicht, die im Zentrum des humanistischen Bildungsgedankens steht. Auch die Rezeptionsforschung selbst und ihre Methoden können im Rahmen einer humanistischen Bildung zum Lehrgegenstand werden, denn sie vermitteln wichtige Einblicke in allgemein menschliche und gesellschaftliche Kommunikationsvorgänge. Bei den Literaturgenießern und Experten endlich liegt der Schwerpunkt nicht auf der Literaturdidaktik, sondern auf der eigenen Informationssammlung, die durch Bibliographien, Rezensionen und Fachpublikationen erleichtert werden kann. Für sie mag dann Rezeptionsforschung auch zum reinen Selbstzweck werden, der in der Befriedigung wissenschaftlichen Wissendurstes seine letzte Erfüllung findet.

Anmerkungen

[1] vgl. Ingarden 1968, S. 49 ff.
[2] Die weitere Lehrplanentwicklung bleibt außer Betracht, weil es um 'synchronische Schnitte' geht, nicht um Lehrplangeschichte als solche.

Bibliographie

Blume, Bernhard: German Literature. Texts and Contexts. New York 1974.
Buchheim, C. C. (Hrsg.): Deutsche Lyrik. Selected and Arranged with Notes and a Literary Introduction. 5. Auflage, London 1885.
Carroll, John B., Peter Davies & Barry Richman: The American Heritage Word Frequency Book. Boston/New York 1971.
Collier's Encyclopedia. 24 Bde. New York 1966.
Diller, Edward, Roger A. Nicholls & James R. McWilliams: Meisterwerke der deutschen Sprache. New York 1970.
Fleissner, O. S. & E. M. (Hrsg.): Deutsches Literaturlesebuch. New York 1968.
Frey, Eberhard: Rezeption literarischer Stilmittel. Beobachtungen am 'Durchschnittsleser'. In: LiLi 15, 1974, S. 80–94.
–: Was ist guter Stil? Ausländische und einheimische Leserreaktionen auf literarische Textproben. In: Hohendahl (Hrsg.) 1974a, S. 135–161. Auch in Frey 1975, S. 37–78.
–: Stil und Leser. Theoretische und praktische Ansätze zur wissenschaftlichen Stilanalyse. Bern/Frankfurt 1975.
–: Text und Stilrezeption. Kronberg/Ts. 1980.
Glinz, Hans: Textanalyse und Verstehenstheorie I. Frankfurt 1973. (= Studienbücher zur Linguistik und Literaturwissenschaft 5).

Groeben, Nobert: Rezeptionsforschung als empirische Literaturwissenschaft. Paradigma – durch Methodendiskussion an Untersuchungsbeispielen. Kronberg/Ts. 1977.

Hohendahl, Peter Uwe (Hrsg.): Sozialgeschichte und Wirkungsästhetik. Dokumente zur empirischen und marxistischen Rezeptionsforschung. Frankfurt 1974a.

Ingarden, Roman: Vom Erkennen des literarischen Kunstwerks. Tübingen 1968.

Lehrpläne für die Gymnasien Baden-Württembergs. Herausgegeben vom Kultusministerium des Landes Baden-Württemberg. Villingen [1962]. Ergänzt durch Erlasse K. u. U. S. 553/1966 und K. u. U. S. 699/1965.

Magill, Frank N. (Hrsg.): Masterplots. 2010 Stories and Essay Reviews from the World's Fine Literature. Englewood Cliffs, N. J. 1976.

Mandelkow, Karl Robert: Probleme der Wirkungsgeschichte. In: Jahrbuch für Internationale Germanistik 2, 1970, H. 1, S. 71–84. Auch in: Hohendahl 1974a.

Martini, Fritz: Deutsche Literaturgeschichte von den Anfängen bis zur Gegenwart. 12. Auflage, Stuttgart 1963.

Meier, Helmut: Deutsche Sprachstatistik. Bd. II. Hildesheim 1967.

1974 MLA International Bibliography of Books and Articles on the Modern Languages and Literatures. 3 Bde. New York 1976.

1975 MLA International Bibliography of Books and Articles on the Modern Languages and Literatures. 3 Bde. New York 1977.

1976 MLA International Bibliography of Books and Articles on the Modern Languages and Literatures. 3 Bde. New York 1977.

1977 MLA International Bibliography of Books and Articles on the Modern Languages and Literatures. 3 Bde. New York 1978.

Phelps, Reginald H. & Jack H. Stein: The German Heritage. New York 1970.

Vodička, Felix V.: Struktur der Entwicklung. München 1975.

Der Volks-Brockhaus. 12. Auflage, Wiesbaden 1956.

Warning, Rainer: Rezeptionsästhetik. Theorie und Praxis. München 1975.

Washington, Lawrence & Ida: A Preview of German Literature. New York 1969.

Wienold, Götz: Textverarbeitung. Überlegungen zur Kategorienbildung in einer strukturellen Literaturgeschichte. In: LiLi 1/2, 1971, S. 59–89. Auch in: Hohendahl 1974a.

Gerald Stieg

Dialektische Vermittlung

Zur Rolle der Literatur im Landeskunde-Unterricht

1. *Das Verhältnis von Literatur- und Landeskunde als Problem des Kontextwissens*

Die Landeskunde, wie sie Robert Minder versteht,[1] hat in der klassischen Philologie als Altertumswissenschaft seit jeher eine notwendige Funktion gehabt.[2] Der literarische Text wurde hier abwechselnd als wichtigste "landeskundliche" Quelle gelesen oder von den landeskundlichen Kenntnissen her erschlossen. Sowohl die Komödien des Aristophanes wie die politischen Gedichte Walthers von der Vogelweide verlangen zu ihrem vollen Verständnis ein umfassendes Kontextwissen, zugleich sind sie aber auch wertvolle Quellen zur Erschließung dieses Kontextwissens. Schon die alexandrinische Homer-Exegese enthält im Kern alle unsere Frage betreffenden Schwierigkeiten und Probleme. Die historische Distanz, die den Leser vom Werk trennt, wird durch *Historisierung* des Textes überwunden. Selbst wenn Zirkelschlüsse unterlaufen – der literarische Text selbst als die wichtigste landeskundliche Quelle –, ist zumindest eines erreicht: die notwendige Reflexion auf den fremd gewordenen Kontext.

Der Deutschlandkundeunterricht für Ausländer hat nicht nur die historische, sondern auch die geographisch-kulturelle Distanz zu überwinden. Besonders im Ausland hängt das Schicksal eines Textes wesentlich von der Möglichkeit ab, die Barrieren des fehlenden Kontexts zu überwinden.

So gesehen scheint die Antwort auf unsere Frage sehr einfach: jede historische, geographisch-kulturelle Distanz verlangt gebieterisch den Dienst von Hilfswissenschaften zum Verständnis (und Genuß) eines literarischen Textes. Umgekehrt gefragt heißt das: der literarische Text ist auf Grund seiner Komplexität (Nichteindeutigkeit) zunächst *fremder* als der politisch-institutionelle Kontext. Es schiene also absurd, die Literatur als Quellenmaterial für die Landeskunde zu benützen, d. h. Fremdes durch noch Fremderes zu erklären. Doch hat der höhere Komplexitätsgrad des literarischen Textes die Fähigkeit, das landeskundliche Detailwissen einsinniger Natur in einen übergreifenden Kontext zu integrieren. Wir erfahren mehr über ein politisch-gesellschaftliches System, wenn wir einen Roman heranziehen, als wenn wir uns nur auf die Lektüre der Verfassung und Gesetze beschränken. Umgekehrt jedoch kann der Roman ohne das nötige landeskundliche Wissen nicht voll verstanden werden. Die Funktion und Rolle der Literatur im Landeskunde-Unterricht wäre also zu definieren als *integrierende:* die formale Komplexität des literarischen Textes ermöglicht eine Vielfalt von Perspektiven, die der landeskundliche dokumentarische Text nicht aufweisen kann. In einer so verstandenen Konzeption bliebe der Primat des literarischen Textes gewahrt, weil seine Funktion nicht der anderer landeskundlicher Disziplinen gleichzuordnen ist. Mit seiner *Literaturgeschichte nach Stämmen und Landschaften,* die von Walter Muschg als Symptom der "Zerstörung der deutschen Literatur" verstanden worden ist, hat Josef Nadler den Prototyp einer Literaturwissenschaft geliefert, der der "Landeskunde" (wie Nadler sie versteht) den Primat über den Text zuspricht. Damit war in hohem Maße die Würde des großen literarischen Textes in Frage gestellt, er rangierte bestenfalls gleichberechtigt neben anderen (im Extremfall Hitlers *Mein Kampf*) Dokumenten einer nationalen Geschichtsschreibung. Der Nationalsozialismus hat diese Tendenz auf ihren totalitären Gipfel getrieben: in seiner Wertehierarchie fand sich das literarische Kunstwerk den übrigen alles total beherrschenden Werten (Volk, Rasse) gänzlich unter- und eingeordnet (oder definitiv von ihnen ausgeschlossen und damit unwürdig der wissenschaftlichen Befassung mit ihnen).

Die Reaktion der deutschen Germanistik nach 1945 ist bekannt: der totalen Versklavung des Textes im Rahmen einer "völkischen Landeskunde" folgte seine ebenso totale Befreiung. Die Einzelinterpretation "großer" Texte feierte Triumphe, es wurde werkimmanent verfahren. Vom "Wagnis der Sprache" war nun die Rede wie vorhin vom Wagnis des soldatischen Lebens. Der literarische Text trug alles in sich, vom armen Diener verwandelte er sich zu einem tyrannischen Herren, dem mit Hingabe und Selbstverleugnung auch die kleinsten Winke abgelauscht wurden und dessen Leib eifersüchtig von jeder Beschmutzung durch Geschichte und Politik freigehalten wurde.

Doch textimmanente Interpretation setzt als notwendige Vorbedingung einen verbindlichen gemeinsamen kulturellen und historischen Horizont voraus, als ein als selbstverständlich angesehenes Vorwissen bzw. Kontextwissen. Unmittelbar nach 1945 schien dieser Konsensus gesichert, konnte man doch den Untertang des Nazi-Regimes ganz im Sinne Thomas Manns oder Johannes R. Bechers als Triumph der deutschen kulturellen Tradition über die Barbarei interpretieren. Daß der schöne Schein trog, wurde bald offenbar, und sei es nur durch die Tatsache der Zerreißung des einheitlichen deutschen Kulturraums.

Die Wiedergewinnung einer einheitlichen Kultur erwies sich nur allzuschnell als die Krönung des Kaisers ohne Kleider. Nicht nur daß die Bundesrepublik, die DDR und Österreich eine bewußt eigenständige Literaturpolitik trieben, zu der auch eine Neuinterpretation der Tradition gehörte, der literarische und kulturelle Kanon war noch zwei Phänomenen ausgesetzt, die seine Gültigkeit in Frage stellen mußten: 1) der schon in der Weimarer Republik begonnene, dann radikal unterbrochene Prozeß des Einströmens fremder kultureller Muster, insbesonders aus dem französischen und angelsächsischen Bereich in die Bundesrepublik, aus dem russischen in die DDR, brachte eine außerordentliche Erweiterung des Materials mit sich, durch die die kanonische Suprematie und Eindeutigkeit etwa der Klassiker fragwürdig wurde, auf jeden Fall aber relativiert wurde. 2) Viel tiefgreifender und für unsere Fragestellung gewichtiger ist das Phänomen einer unzweifelhaften *Beschleunigung* der Geschichte der Kenntnisse in allen Bereichen, dieser noch kaum beschriebene Prozeß, der nicht nur das pure Wissen, das man in Kurven darstellen kann, sondern die Grundlagen der Lebens- und Denkgewohnheiten erfaßt hat, der keineswegs nur Wissenschaft und Technik, sondern ebenso Moral und Politik betrifft. Man denke an den Abbau der sexuellen und religiösen Tabus; schon sie allein genügen, um einer enttabuierten Generation das Verständnis aller Literatur zu erschweren, die aus den Widersprüchen der Tabus gespeist wurde. Doch geht dieser Prozeß viel weiter: er zieht gemeinsam mit der politischen Teilung und den ausländischen Einflüssen notwendigerweise den Verlust eines selbstverständlichen, gemeinsamen kulturellen Hintergrunds nach sich. Die "Werke" werden "Fremde" in der Umgebung ihrer eigenen Sprache, ganz zu schweigen von den anderen Ländern.

Z. B. konnte noch nach 1945 ein bestimmtes kulturelles Kontextwissen als gegeben angenommen werden, das antike Geschichte, Bibelkenntnis und Kirchengeschichte umfaßte. Gerade dies Vorverständnis kirchlicher, biblischer und religionshistorischer Zusammenhänge ist ein eminent wichtiges Beispiel für die Rolle, die die Landeskunde im Literaturunterricht spielen kann; denn die einschneidendste deutsche Revolution war ja eine religiöse: die Reformation. Insofern kann die Rolle der Religion für die deutschsprachige Literatur gar nicht überschätzt werden. Ein Beispiel: Ein ganz und gar areligiöser Autor wie Brecht setzt sowohl in seiner frühen als in seiner marxistischen Phase beim

Publikum selbstverständlich Bibelkenntnis, aber auch Vertrautheit mit liturgischen Texten und Gebräuchen voraus. Ohne den parodierten Hintergrund verlieren die Gedichte der *Hauspostille* ebenso wie die *Hitlerchoräle* ihren Sinn, ganz zu schweigen von den biblischen Anspielungen (etwa der Grablegung in der *Maßnahme*) und der Bedeutung der volkstümlich kommunikativen bibelnahen Diktion. Dieser religiöskultische Kommunikationshorizont, mit dem Brecht rechnete, hat sich im deutschen Sprachraum weitgehend verflüchtigt, im Ausland hat er nie existiert. Die Konsequenz dieses Sachverhalts heißt: ein als evident vorausgesetztes Referenzsystem, das ursprünglich dazu beitrug, einen Text eindeutiger zu machen, kann plötzlich dazu beitragen, ihn zu verdunkeln. Die Literaturkunde muß in diesem Fall unbedingt zur vermittelnden Instanz der Landeskunde greifen, d. h. sie muß das Referenzsystem ihres Textes aufhellen.

Gewiß handelt es sich hier um nichts völlig Neues, sondern nur um einen allerdings sehr beschleunigten historischen Vorgang, dem das Literaturverständnis seit jeher unterlag. Er war nur in bestimmten Bereichen stark verhüllt durch den Umstand, daß eine Reihe von Werken der Literatur (ähnlich wie fundamentale religiöse Texte) selbst integrierter Bestandteil eines kulturellen (ja hin und wieder sogar kultstellvertretenden) Kontextes geworden waren, z. B. durch Auswendiglernen bestimmter kanonischer Texte in der Schule.

Das selbstverständliche kulturelle Erbe kann, wie gesagt, nicht mehr vorausgesetzt werden. Damit wird auch das Zitat, wesentliches Ingredienz einer Kulturgemeinschaft, weithin unverständlich, weil das Referenzsystem nicht mehr gegenwärtig ist. So kann es geschehen, daß bestimmte Werke der DDR-Literatur, die weiterhin selbstverständlich mit dem kulturellen Erbe als Gemeingut rechnen, eben aufgrund dieses ihres Aspekts der "Volksverbundenheit" im Westen teilweise hermetisch werden können.

Selbst innerhalb eines Sprachbereichs, ja selbst innerhalb einer Kultur kann innerhalb kurzer Zeit selbstverständliches Kontextwissen völliger Aporie vor einem Text weichen. Die Historisierung des Textes ist ein Versuch, sich diesem Prozeß des Unverständlichwerdens energisch zu widersetzen; der Strukturalismus geht den entgegengesetzten Weg der Enthistorisierung. Beide stoßen auf die Rolle des literarischen Kanons, beide tendieren zu dessen Entliterarisierung, d. h. zur Ausdehnung des Literaturbegriffs auf bislang "unwürdige" Texte, d. h. "Kontexte". Beide Tendenzen reflektieren den Vorgang der Zerstörung eines einheitlichen Vorwissens, wozu auch der literarische Kanon gehört.

Im folgenden mache ich den Versuch, ausgehend von Zwängen, in denen sich die französische Germanistik befindet, ein Modell zur Verbindung von Literatur- und Landeskunde vorzuschlagen, das sich auf praktische Erfahrung stützt.

2. Modellbeispiele aus der Praxis

Der Studienplan von Asnières sieht für die ersten beiden Studienjahre im großen und ganzen ein rein landeskundliches Programm vor. Im *ersten* Jahr wird das gegenwärtige Phänomen "civilisation" allemande studiert (Bundesrepublik, DDR und Österreich); die Literatur hat, wenn sie herangezogen wird, illustrierende Funktion. Im *zweiten* Studienjahr werden Deutschland und Österreich in einem historisch-systematischen Querschnitt studiert, der die Geschichte des deutschen Reiches von 1871 bis 1945 und die Geschichte der ersten österreichischen Republik von 1918 bis 1938 umfaßt. Die einzelnen Epochen (1871–1918, 1918–1933, 1933–1945) werden systematisch unter verfassungsgeschichtlichem, innen- und sozialpolitischem, ökonomischem und außenpolitischem Aspekt analysiert. Anschließend folgt ein Block von Vorlesungen und Proseminaren zur Literatur der behandelten Zeiträume. Dabei geht es keineswegs um ein literaturhistorisches Panorama, sondern um Themenstellungen zum Verhältnis von Literatur und Politik, z. B. von Literatur und Republik, Literatur und Arbeiterbewegung oder Literatur des wilhelminischen Bürgertums und ihr Verhältnis zum Staat. Erst im dritten Studienjahr gewinnt die Literatur größere Bedeutung. Sehen wir uns das Verfahren nun genauer an. Als Beispiele wähle ich Heinrich Manns *Der Untertan* und Hermann Kants *Die Aula.*

Beispiel 1: Heinrich Mann, *Der Untertan:* das soziale und politische System der wilhelminischen Epoche.

Im zweiten Studienjahr werden, wie gesagt, Auszüge aus dem Roman bewußt als Dokumente zum Verständnis der politischen, sozialökonomischen, ja sogar außenpolitischen Probleme der bismarckschen und wilhelminischen Ära herangezogen. Die Hauptpersonen des Romans werden dementsprechend als Inkarnationen der wichtigsten politischen Parteien und sozialen Gruppen des Zeitalters dechiffriert. Von Wulckow repräsentiert das Junkertum und die konservative Partei, Diederich Heßling vertritt das industrielle Großbürgertum, das mit seinen eigenen politischen Idealen von 1848 bricht und als nationalliberale Partei sich den Junkern verbündet und überdies zu einem der Hauptträger der alldeutschen politischen und ökonomischen Expansionsbestrebungen wird. Der Arbeiter Napoleon Fischer spiegelt die Verbürgerlichung und Integrations- und Kompromißbereitschaft einer im Geist Max Webers zur Staatsführung berufenen Sozialdemokratie. Der Alte und der junge Buck illustrieren das Scheitern des demokratischen Freisinns von 1848, die Ohnmacht des Bürgertums, das seinen eigenen Klassenidealen treu bleibt. Sogar Stöckers Kreuzpartie ist in diesem Panorama vertreten und damit die antisemitische Komponente im Nationalliberalismus. Heßlings Fabrik steht stellvertretend für den wilhelminischen Willen zur Eroberung des Weltmarkts, des "Platzes an der Sonne". Kurz: im landeskundlichen Grundkurs wird der Roman als *Schlüsselroman* gelesen. Die Studenten verifizieren gewissermaßen ihre landeskundlichen Kenntnisse an einem literarischen Text. Genaugenommen erfüllt der Text die Rolle einer komplexen soziologischen und politologischen Studie, durch die die Detailkenntnisse in einen größeren Zusammenhang gestellt werden. Der Roman wird nicht als in sich geschlossenes Kunstwerk interpretiert, sondern völlig aus seinen politischen und historischen Voraussetzungen heraus begriffen. Landeskunde schafft die nötigen Kontextkenntnisse für die Romanlektüre, der Roman bestätigt umgekehrt die erworbene Kontextkenntnis. In ähnlicher Weise werden in diesem Grundkurs z. B. Gerhart Hauptmanns *Die Weber* (unter Einschluß der Parlaments-Debatten), Döblins *Berlin Alexanderplatz*, Brechts *Maßnahme* interpretiert. Es wäre denkbar, Thomas Manns *Buddenbrooks* in ähnlicher Weise als Bild des Prozesses der Reichswerdung unter preußischer Führung, des Vordringens einer neuen expansionistischen Kapitalistenklasse (Hagenström), ja sogar Kafkas *Prozeß* als Illustration für den bürokratisch-autoritären Aspekt der sterbenden Monarchie zu lesen usw. Literatur ist also in der Tat ein Mittel unter anderen, um "Deutschland" zu lehren und zu lernen.

Heinrich Manns Roman kann aber auch und wird nun im *dritten* Studienjahr in einer völlig anderen Perspektive behandelt, sei's in einem Seminar über den Roman des 20. Jahrhunderts im allgemeinen, sei's in der präziseren Fragestellung nach der Satire im 20. Jahrhundert. In beiden Fällen wird das erworbene landeskundliche Wissen weitgehend vorausgesetzt, also von einem gemeinsamen Kontextwissen her operiert. Neu gefragt wird, *wie* die Literatur auf einen bestimmten historisch-gesellschaftlichen Kontext reagiert. Der simplistische Abbildungscharakter der Literatur wird also aufgegeben zugunsten einer

Befragung des Textes auf seine Perspektive, seine sprachliche Struktur. Um die Mannigfaltigkeit literarischer Reaktionsmöglichkeiten zu zeigen, werden Texte verschiedener Tendenz gegeneinander gestellt, z. B. *Der Untertan, Die Buddenbrooks, Der Prozeß* für die Epoche vor dem 1. Weltkrieg oder *Doktor Faustus* und *Die Blendung* von Elias Canetti als Reaktionen auf den Faschismus. Es wird dabei sichtbar gemacht, daß derselbe historisch-politische Kontext Werke ganz entgegengesetzter Form und Perspektive hervorbringen kann, daß also die Rolle des Werks durch seinen Dokumentarwert keineswegs erschöpft ist. *Der Untertan* wird also nicht mehr als praktikables Inventar sozialer und politischer Zustände gelesen, sondern als ein aus einer einheitlichen satirischen Perspektive geschriebenes, bewußt *strukturiertes Kunstwerk.* Der Kunstgriff Heinrich Manns, seinen Helden Diederich Heßling dauernd auf der Suche nach der Identifikation mit dem Kaiser Wilhelm II. sein zu lassen, ist mehr als Abbild des Faktums, daß das nationalliberale Bürgertum der Epoche sich in verzweifelter Nachahmung der Aristokratie übte. Es liegt ihm die Struktur des Märchens zugrunde und ihr eingebunden die des klassischen Bildungsromans: in beiden Fällen mit negativer Verkehrung der Tendenz. Die Herausarbeitung der spezifisch literarischen Kunstmittel des Romans könnte, wäre sie vom historischen Kontext isoliert, dazu verführen, den Roman als bloß struktuelle Kritik an einem ewigen – sprich "unvermeidlichen" – Verhältnis von Herr und Untertan, ja gar als Psychogramm der sado-masochistischen Persönlichkeit zu lesen. Er ist auch *dies,* aber ihre Bedeutung bekommen diese Aspekte doch nur durch die historische Fixierbarkeit. Der Roman ist doch zuallererst ein *gesellschaftskritischer* Roman. Ohne die landeskundliche Grundierung der Rezeption riskiert das Werk, zu einem bloßen Symbol des Untertanengeistes zu werden; ohne die Einbeziehung seiner formalen und strukturalen Mittel würde es verkümmern zur fiktionalen Darstellung des nationalliberalen Verrats an den Bürgerrechten von 1789 und 1848 zugunsten der "machtgeschützten Innerlichkeit".

Der Roman kann eine Totalität vermitteln, die mit den bloßen Mitteln der Landeskunde nicht erreichbar ist. Aber diese Vermittlung erfolgt nicht im leeren Raum, sie ist basiert auf dem notwendigen Kontextwissen, das nur die Landeskunde vermitteln kann. Es wäre jedoch ein schwerwiegender Irrtum und methodischer Rückfall in einen primären Positivismus, würde man das landeskundliche Kontextwissen auf eine Art griffbereiten Lexikons reduzieren, etwa eines Zitatenlexikons. Denn die Zitate aus dem Munde Wilhelms, die Heinrich Mann verwendet, sind zwar Zeugnisse einer bestimmten Politik, sie sind aber auch integrierende Bestandteile der satirischen Form. Nur wenn die Vermittlung von Romanform und soziopolitischem Kontextwissen gelingt, kann von einer zufriedenstellenden Kooperation von Landeskunde und Literatur gesprochen werden. Die Rhetorik der Textvermittlung muß bewußt ihre Voraussetzungen mitliefern.

Beispiel 2: Hermann Kant, *Die Aula:* DDR-Geschichtsbewußtsein und Funktion des kulturellen Erbes.

Im oben skizzierten Studiengang des 2. Studienjahres kann Kants Roman als Illustration bestimmter Aspekte der Geschichte und sozialen Entwicklung der DDR gelesen werden, z. B. als Beispiel für die Überwindung der Klassenschranken im Unterrichtswesen, für die Rolle der Arbeiter- und Bauernfakultäten, aber auch für die Rivalität zwischen DDR und BRD, nicht zuletzt als Dokument für die DDR-interne Kritik am Bürokratismus und an einer voranschreitenden Verbürgerlichung. Die DDR-Landeskunde ist unabdingbare Voraussetzung für ein volles Verständnis dieses Textes: daß der Prozeß der Entstehung einer sozialistischen Gesellschaft in der offiziellen Historiographie in genau definierte Etappen eingeteilt ist, daß diese Etappen genau datierbar sind. All das ist Voraussetzung für das Verständnis des Textes im 3. Jahr. Denn sogar das Formproblem, das heißt die Rückwendung Kants auf Thomas Manns Romankunst, ist undurchsichtig, wenn es nur als Formproblem und nicht als kulturpolitisch bedingtes Phänomen erkennbar wird.

Während eines Bachkonzerts, an dem eine Gruppe der ABF-Studenten teilnimmt, wird vom Autor die Anekdote zum kulturpolitischen Symbol umgewandelt.

"Zwölf Jahre später war das (= Student 1949:1961) ein Wort wie viele andere, war ein Wort wie Baum oder Frühstück oder Klempner, aber ohne diese zwölf Jahre war es ein Gipfelwort, ein Wort wie Himalaja oder Südamerika oder Shanghai oder Prinzregent oder Kohinoor oder Shakespeare oder Bach, Bach zum Beispiel, war auch ein Wort wie Oboe oder Fagott oder Cembalo, war ein Wort aus dem Jenseits, war zwar von dieser Welt, aber aus dem Jenseits dieser Welt, nicht zu fassen, nicht zu haben."[3]

Die Aneignung des Wortes, seine "Inbesitznahme", könnte beinahe als Modell für Literatur- und Landeskundeunterricht dienen. Nicht als Wort erobert der Held "Bach", sondern als ihm endlich begreifbar gewordenes historisches Phänomen. Die Studenten der ABF vollziehen stellvertretend für die gesamte DDR die Aneignung des großen humanistischen bürgerlichen Erbes (und klagen damit implizit das bundesdeutsche Bürgertum an, seine wertvollste Tradition zu verschleudern). In solchen Passagen wird der Alleinvertretungsanspruch der DDR im kulturellen Bereich manifest.

Merkwürdigerweise kann der von Kant beschriebene Vorgang, ein *Lernvorgang!*, beinahe als Modell für unsere Frage gelesen werden. Im zitierten Passus vollzieht sich eine semantische Metamorphose: ein fernes, geheimnisvolles, prestigegeladenes Wort, das unverständlich war, weil ihm der konkrete Inhalt fehlte, wird integriert. Die Methode dafür ist die bewußte *Historisierung* des Klassencharakters des Worts. In der Eroberung der neuen Sprache manifestiert sich der Gewinn einer neuen Welt. Aber dafür genügt es nicht, die Worthülsen zu lernen wie Nestroys pathetisch-komische Hausknechte. Kants Helden begnügen sich nicht mit der Hülse, sie steigen gleichsam zu jener Sprache auf, die dem bürgerlichen Literatur- und Kunstverständnis seit Jahrhunderten als Privileg zur Verfügung steht. Daß dem heute nicht mehr so ist, impliziert eine Veränderung des Methodenbewußtseins in den literarischen Disziplinen. Um zum Literaturverständnis *auf*zusteigen, bedarf es heute eines bewußten *Ab*stiegs in die Landeskunde, sonst verfällt die Befassung mit Literatur einem sterilen Subjektivismus und Hermetismus. Umgekehrt wird die Vielfältigkeit der materiellen Basis erst im literarischen Text als Gesamtheit greifbar. Das läßt sich auch in anderer Hinsicht kurz verdeutlichen.

Es versteht sich von selbst, daß im Sprachunterricht der ersten Studienjahre nach Möglichkeit Texte von geringer Komplexität verwendet werden sollen, daß aber von Anfang an der Sprachunterricht über die technische Beherrschung der grammatischen Regeln hinausweisen soll auf den kulturellen und historischen Kontext der Worte und Begriffe. Ab dem dritten Studienjahr wird die Technik des Übersetzens (vom Deutschen ins Französische und viceversa) zu einem privilegierten Ort der Vermittlung des Kontextwissens. Hier kann der litarische Text eine kapitale Funktion bekommen. Seine größere Komplexität weist ihm sogar eine Schlüsselrolle in der Vermittlung des landeskundlichen Kontextwissens zu. Die semantische Eindeutigkeit der spezialisierten Übersetzungen von dokumentarischen Texten wird durch die vermittelte Mehrdeutigkeit des literarischen Textes ergänzt. Gerade bei der Übersetzung erweist sich die oben vorgeschlagene Rolle des literarischen Textes als Integrationsfaktor. Denn das Ziel einer Übersetzung ist erreicht, wenn nicht Wörter und Begriffe, sondern der Kontext übersetzt werden. Je komplexer der Text, desto komplexer der Kontext.

Die Rolle der Literatur im Rahmen des Landeskundeunterrichts ist nirgends höher einzuschätzen als im Bereich der Übersetzung. Denn hier erweist die Literatur aufgrund ihrer komplexen von der simplen Alltags- oder Fachsprache abweichenden Faktur ihren Rang als notwendiges Instrument der Integration der pluridisziplinären Spezialkenntnisse der Landeskunde.

Die Studenten, die vom Modell Asnières geprägt sind, bezeugen es zur Genüge. Ohne in den Götzendienst des Monopols der Literatur zu verfallen, plädieren sie für eine Wechselbeziehung zwischen den Disziplinen der Landeskunde, die gleich weit entfernt ist von impressionistischer Rhetorik wie von dem Auseinanderfallen der Spezialdisziplinen der Landeskunde: "Es handelt sich um gegenseitige Wirkungen und Beeinflussungen. Sie ergänzen sich, bewußt oder unbewußt. Die Literatur trägt dazu bei, die Kultur (im weitesten Sinne) eines anderen Landes besser kennen zu lernen."

Aus diesem Text eines zwischen zwei Anforderungen hin- und hergerissenen Studenten geht hervor, daß der Lernende am besten den Weg ahnt. Es ist Aufgabe der Lehrenden, keinen Weg zu versperren, sondern dem Literaturunterricht jene Rolle zuzuweisen, die ihm entspricht: die der dialektischen Vermittlung, der immer neu zu versuchenden Integration der zerfallenen Wirklichkeit.

Anmerkungen

[1] "Sozialstruktur, Geschichte, politische Institutionen, religiöse Konfessionen, Philosophie, Literatur und Kunst." In: La civilisation allemande. Guide bibliographique et pratique. Paris 1971, S. 87.

[2] Auf den Modellcharakter der Altphilologie weist auch Alois Wierlacher hin. In: Überlegungen zur Begründung eines Ausbildungsfachs Deutsch als Fremdsprache. In: Jahrbuch Deutsch als Fremdsprache 1, 1975, S. 123.

[3] Hermann Kant: Die Aula. Frankfurt 1972, S. 264.

Rainer Kußler

Zum Problem der Integration von Literaturvermittlung und Landeskunde

1. Einführung

Im Gegensatz zu Gerald Stieg, der sich aus der Sicht der Lehrbedingungen in Asnières[1] mit der Integration von Literaturvermittlung und Landeskunde befaßt, geht es im vorliegenden Beitrag[2] nicht darum, die Rolle der Literatur im Landeskunde-Unterricht[3] zu bestimmen, sondern – umgekehrt – um die Rolle der Landeskunde im Literaturunterricht, und zwar aus der Sicht der Lehrvoraussetzungen an der Universität Stellenbosch. Zu diesen Voraussetzungen gehören neben organisatorischen Besonderheiten (z. B. reglementierte Kurse) zwei Negativfaktoren, die für das Fach Deutsch an südafrikanischen Universitäten allgemein gelten: der unzulängliche Ausbildungsstand der Studienanfänger, den das nachstehend erwähnte "brainstorming" dokumentiert[4], und die chronische personelle Unterbesetzung der Seminare, die zielstrebige Forschungsarbeit außerordentlich erschwert.

In Stellenbosch versuchen wir diese Negativfaktoren durch ein integratives Konzept auszugleichen, in dem – wie ich zu zeigen versuche[5] – Textwissenschaft und Textdidaktik gemeinsam fundiert sind in einem rezeptionstheoretischen Modell. Das Grundproblem, an dessen Lösung wir arbeiten, ist die Frage: Wie verstehen südafrikanische Studenten deutsche Texte, und aufgrund welcher Voraussetzungen verstehen sie sie so? Die empirische Konkretisationserhebung ist unser wichtigstes Instrument; die Erhebungsresultate dienen – gemäß der lehrtheoretischen Prämisse[6] – jeweils als Ausgangspunkte der textanalytischen Bemühungen im Unterricht. Forschung heißt dann Unterrichtsforschung qua Rezeptions- bzw. Konkretisationsforschung. Das Konzept hat den Vorzug, daß es Forschungs- und Lehrtätigkeit vereinigt und – indem es laufend Daten über Rezeptionsvoraussetzungen und -verhalten unserer Studenten liefert – eine fortwährende Kontrolle unserer Unterrichtsarbeit erlaubt. Das Konzept wird dadurch selbst laufend differenziert und modifiziert.

So wäre das nachstehend skizzierte Ermittlungsverfahren zum landeskundlichen Informationsstand z. B. dahingehend zu erweitern, daß nicht nur das faktische Vorwissen der Lernenden, sondern auch ihre Einstellung zur Zielkultur in den Blick geraten. Eine ausgezeichnete methodologische Anleitung dazu bietet jetzt Horst Arndt, der das Ziel verfolgt, "die im Objektbereich der Landeskunde vorhandenen bzw. vermittelten Vorstellungen, Anschauungen, Konzeptionen, Stereotypen, *attitudes* und *beliefs* terminologisch zu präzisieren, zu explorieren, dabei Hinweise auf Techniken zur Quantifizierung und damit die Möglichkeit der Überprüfung und gegebenenfalls Modifikation zu geben, und zwar in einer Weise, die sowohl das Objekt, als auch die Subjekte in diesem Prozeß, d. h. die Schüler, einschließt."[7]

Die Resultate dieser Erhebung müßten dann im Licht des allgemeinen Rezeptionsverhaltens der Studenten oder der Faktoren, die dieses Verhalten bestimmen, ausgewertet und interpretiert werden. Aufschlußreich sind nach unserer Erfahrung z. B. die spontanen Leserreaktionen auf Texte bzw. Textauszüge[8], Lesemotivation und -erfahrung[9], Sprachkompetenz[10] und Stilvermögen[11].

Im folgenden wird, ausgehend von den nicht näher geprüften Angaben zur Zielkultur, der Aspekt des landeskundlichen Vorwissens thematisiert.

2. *Problem und Lösungsstrategie*

> Nach zwei verlorenen Weltkriegen und einem gewaltigen Wiederaufstieg ist Deutschland heute wieder das bedeutendste Land Europas. Es ist ein schönes Land mit schneebedeckten hohen Bergen, riesigen grünen Wäldern, vielen Flüssen und romantischen alten Städten, Dörfern, Burgen und Schlössern. Die Deutschen sind fröhliche, sorglose, tüchtige Leute, die gern Feste feiern, singen und viel Bier trinken. Sie haben berühmte Musiker und Dichter hervorgebracht. Deutsch ist eine schwierige, aber schöne Sprache, die sich besonders zum Singen und zum Befehlen eignet. Bedauerlich ist der gegenwärtige Sittenverfall in Deutschland.

So sehen südafrikanische Studenten der Germanistik Deutschland und die Deutschen[12]. Angesichts derartiger Sterotypen bedarf Alois Wierlachers Forderung, die Germanistik als Fremdsprachenphilologie müsse bezüglich der Lehrerbildung ausgehen vom "Berufsbild . . . eines Deutschlehrers (mit dem Schwergewicht Sprach- oder Literaturwissenschaft), *der als solcher zugleich Landeskenner ist*"[13], keiner weiteren

Begründung. Gerade als Germanist im Ausland hat man diese Forderung ernstzunehmen, und zwar um so mehr, je weiter man von Mitteleuropa entfernt ist; denn der ausländische Student und spätere Lehrer kennt Land und Leute oft nicht aus eigener Anschauung und muß sich daher weitgehend auf die Kenntnisse verlassen, die ihm selber während seiner Ausbildung vermittelt wurden.

Wie aber bildet man Studenten aus, so daß sie als Germanisten zugleich Landeskenner sind? – Anders gewendet: Wie ist die Landeskunde in das Studium der Germanistik zu integrieren? Denn um Integration – mindestens um eine Integration – geht es, wenn Deutsch als Zielsprache und -literatur gelehrt wird und nicht die Landeskunde selbst das zentrale Erkenntnisziel der Germanistik sein kann wie z. B. am "Institut d'Allemand d'Asnières" der Sorbonne. Pierre Bertaux, der Gründer und Leiter dieses Instituts, definiert die Germanistik als "études de la civilisation allemande"[14]. Er geht davon aus, daß der deutsche Student der Germanistik "nicht nur die Sprache, sondern auch die spezifische Umwelterfahrung als sicheren Besitz bereits mitbringt"[15], während sein Kommilitone im Ausland "von der deutschen Sprache und der sozialen Wirklichkeit Deutschlands in den meisten Fällen nur äußerst rudimentäre Grundbegriffe, ja häufig sogar falsche Vorstellungen" besitzt[16]. Diesem Mangel, der durch das skizzierte Deutschlandbild südafrikanischer Studenten voll bestätigt wird, versucht Bertaux abzuhelfen mit dem Konzept einer "kritischen Deutschlandkunde"[17], das alle Elemente umfaßt, "die eine Gesellschaft in einem gegebenen historischen Augenblick charakterisieren"[18]. Dieses Konzept beruht auf dem Prinzip der "integrierten Pluridisziplinarität", d. h. es "lehren nicht nur Literaturwissenschaftler als Germanisten, sondern auch jüngere deutschsprachige Historiker, Politologen, Wirtschaftswissenschaftler, Kunsthistoriker usw."[19]. Ein solcher "pluridisziplinär" zusammengesetzter Lehrkörper wie in Asnières freilich dürfte andernorts – zumal im außereuropäischen Ausland – kaum realisierbar sein; Positionen für Nicht-Germanisten innerhalb germanistischer Abteilungen stehen nicht zur Verfügung, ein Verbundsystem ist – schon aus sprachlichen Gründen – schwer zu organisieren, und doppelkompetente Lehrkräfte sind selten. Das befreit die im Ausland lehrenden Germanisten aber keineswegs von der Verpflichtung, die Landeskunde gehörig einzukalkulieren. Dabei geht es nicht nur um ein aktuelleres Deutschlandbild. Es wäre schon viel gewonnen, wenn die Landeskunde wenigstens dort berücksichtigt würde, wo sie dem wissenschaftlichen Verständnis deutscher Sprache und Literatur dient.

Um das erforderliche Landeskunde-Wissen zu bestimmen, muß der Lehrer zunächst ermitteln, welche Zeichen im jeweiligen Text mit welchen landeskundlichen Vorkenntnissen der Lernenden korrelieren müßten, um von diesen verstanden werden zu können. Die Diskrepanz zwischen dem damit global bestimmten Soll-Zustand und der tatsächlichen Fähigkeit der Studenten, diese Zeichen hinreichend zu dekodieren, entspricht der Gesamtmenge der nun im Unterricht zu vermittelnden landeskundlichen Informationen. Welche dieser Zeichen dann tatsächlich und wie intensiv sie erläutert werden, richtet sich nach der Funktion des Zeichens im jeweiligen Text, nach dem Wissensstand der Rezipienten, nach der für die Unterrichtseinheit zur Verfügung stehenden Zeit usw.

Es ist klar, daß auf der Ebene dieser nach Karlheinz Stierle elementarsten Rezeptionsleistung, der "Übersetzung des signifiant in sein signifié"[20], kein umfassendes Deutschlandbild zu ermitteln ist. Das kann auch nicht das Ziel einer in die Literaturwissenschaft integrierten Landeskunde sein. Ihr muß es vielmehr darum gehen, die Funktion wesentlicher landeskundlicher Aspekte, nach Maßgabe ihrer Relevanz für das Verständnis des jeweiligen Textes, im gesamtgesellschaftlichen Rahmen der Zielkultur bewußt zu machen. Das mag bereits auf der Ebene der Zuordnung der Sachen zu den Zeichen ein komplexes Unterfangen sein; vor allem dann, wenn es für den zu erklärenden Sachverhalt in der Ausgangskultur keine Entsprechung gibt. Noch aufwendiger ist u. U. die Erklärung von Interferenzen. Daß aber ein vertieftes Textverständnis – als grundsätzliche Vorbedingung literaturwissenschaftlichen Arbeitens – nicht nur im Falle zeitgenössischer Texte von landeskundlichen Informationen abhängt, wird niemand bestreiten. Die Übermittlung dieser Informationen braucht nicht immer im Unterricht selbst zu erfolgen. Gerade bei fortgeschritteneren Studenten kann eine Bereitstellung von entsprechenden Materialien zum Selbststudium in vielen Fällen genügen. Was der Literaturunterricht selbst wird leisten müssen, ist die Ermittlung des tatsächlichen Informationsstandes der Studenten; einmal aus Gründen der Unterrichtsökonomie, zum anderen, weil die Einsicht des Lernenden in seine persönlichen Kenntnisdefizite eine wesentliche Voraussetzung dafür bildet, daß er sie motiviert und gezielt abbauen kann.

Ein solches Ermittlungsverfahren ist rezeptionstheoretisch zu begründen. Dabei kann ich auf Überlegungen zurückgreifen[21], die einer – wie ich meine – zeitgemäßen Auffassung von der "Literaturwissenschaft ... innerhalb eines Ausbildungsfachs Deutsch als Fremdsprache"

Rechnung tragen, indem sie versuchen, "die unnatürliche Trennung der Literaturwissenschaft und der Literaturdidaktik rückgängig zu machen"[22]. Im Zentrum dieser Überlegungen steht ein didaktisch am lehrtheoretischen Ansatz von Heimann und Schulz und textwissenschaftlich vor allem an Siegfried J. Schmidt orientiertes "literaturdidaktisches Funktionsmodell" von Hartmut Heuermann et al.[23], das von Gunter Martens' (1975) textästhetischem Ansatz her differenziert wird. Dem Modell von Heuermann et al. liegt die Auffassung zugrunde, daß Unterrichten als eine Tätigkeit anzusehen sei, die – bezüglich der Lernenden – eine Veränderung von einem IST-Zustand zu einem SOLL-Zustand bezwecke, und daß der SOLL-Zustand, die Unterrichts*ziele* also, sowie adäquate Unterrichts*methoden* nur vom jeweiligen IST-Zustand her sinnvoll zu bestimmen seien. Die Rezeption schriftlicher Texte erscheint dann als ein Prozeß, in dem Konstituenten der Textkomponente (z. B. Gesellschaftsbezug, Form, Thematik, Sprache) mit Konstituenten der Leserkomponente (z. B. soziale Situation, Sprachkompetenz, Altersstufe, Vorwissen) konvergieren. Die Vermittlung von Literatur ist nach diesem Modell also nur sinnvoll zu leisten, wenn sie vom tatsächlichen Rezeptionsverhalten der Schüler ausgeht. Dieses Ergebnis wird von Martens grundsätzlich bestätigt; er stellt fest, daß ästhetische Kommunikation bei geschriebenen Texten durch ästhetische Signale ausgelöst werde, die der Leser aufgrund seiner spezifischen Rezeptionssituation und bestimmter Präsuppositionen als solche verstehe. Im Sinne des Modells von Heuermann et al. hätte eine Textästhetik demnach zu klären, wie die Rezeption ästhetischer Texte gesteuert wird von Vorwissen, Lesemotivation und -erfahrung, der Sprachkompetenz, Intelligenz, der sozialen Situation usw. von Lesern. Die gemeinsame Erkenntnis aus beiden Modellen liegt also darin, daß alle an Leseprozessen beteiligten Faktoren bekannt sein müssen, bevor die Literaturwissenschaft die Rezeption schriftlicher Texte hinreichend beschreiben und bevor die Literaturdidaktik diese unter pädagogischen Gesichtspunkten beurteilen kann. Damit ist freilich das Globalziel rezeptionsorientierter Bemühungen postuliert, das Literaturwissenschaft und Literaturdidaktik – vor allem bezüglich der Ermittlung und Auswertung empirischer Daten zum Rezeptionsverhalten – nur gemeinsam mit anderen Wissenschaften (z. B. Psychologie, Soziologie) verwirklichen können[24].

3. *Ein Unterrichtsversuch*

Die nachstehende Skizze eines Unterrichtsversuchs soll zeigen, wie die Landeskunde im Zuge solcher Bemühungen mit der Texterschließung verbunden werden kann. Sie thematisiert also nur den Aspekt des "Vorwissens", der mit landeskundlich relevanten Zeichen im Text korrespondieren müßte, und versucht sich der Schwierigkeiten zu vergewissern, die bereits auf dieser elementaren Ebene entstehen.

An der Veranstaltung, von der im folgenden ansatzweise berichtet werden soll, nahmen 19 Studenten des 3. Jahrgangs (5. Semester) von 1976 teil, die – mindestens – befriedigende Deutschkenntnisse besaßen und elementare literaturwissenschaftliche Arbeitstechniken beherrschten. In ihrem ersten Studienjahr hatten diese Studenten einen Überblick über die deutsche Literaturgeschichte erhalten und in Übungen zur Einführung in die Textanalyse ausgewählte Texte verschiedener Epochen bearbeitet, u. a. drei Satiren Bölls. In ihrem zweiten Studienjahr hatten sie je ein Themenproseminar zur deutschen Literatur von 1500 – 1750, 1750 – 1848 und 1848 – 1945 sowie eine Einführung in die Praxis rezeptionsorientierter Textanalyse absolviert[25].

Das Thema der Veranstaltung lautete: "Probleme der Fiktionalität am Beispiel von Heinrich Bölls Erzählung *Die verlorene Ehre der Katharina Blum oder: Wie Gewalt entstehen und wohin sie führen kann*"[26]. Legitimiert ist dieses Thema durch den Hinweis, den Böll seiner Erzählung voranstellt und der im Kommunikationsapparat des Rezipienten eine u. U. ausschlaggebende Signalfunktion erhalten kann:

> Personen und Handlung dieser Erzählung sind frei erfunden. Sollten sich bei der Schilderung gewisser journalistischer Praktiken Ähnlichkeiten mit den Praktiken der "Bild"-Zeitung ergeben haben, so sind diese Ähnlichkeiten weder beabsichtigt noch zufällig, sondern unvermeidlich.[27]

Indem Böll hiermit einräumt, daß ein – wie sich dann beim Lesen herausstellt: eminent wichtiger – Aspekt des fiktionalen Handlungsgefüges eine direkte Entsprechung in der "Faktizität"[28] hat, fordert er den Leser dazu dauf, sein "Vorwissen" über die "Bild"-Zeitung und über Bölls Einstellung dieser gegenüber in den Rezeptionsakt mit einzubringen. Dem Leser freilich, dem entsprechende Vorkenntnisse fehlen, wird durch diese Mitteilung ein Informationsrückstand signalisiert, der eine adäquate Rezeption der Erzählung verhindern könnte. Da anzunehmen war, daß dies bei den meisten Seminarteilnehmern der Fall sein würde, mußte zunächst ein entsprechender landeskundlicher

Bezugsrahmen erstellt werden, den Bölls Erzählung insofern nicht liefern kann, als die darin dargestellte "Zeitung" als Fiktion erscheint, der Böll – nur im zitierten Vorspann, wohlgemerkt – *Ähnlichkeiten* mit der "Bild"-Zeitung bescheinigt. Es mußten hier also zusätzliche Texte – Auszüge aus der "Bild"-Zeitung bzw. Texte, die diese unmittelbar charakterisieren – bereitgestellt werden. Die Materialplanung wäre gewiß schwierig gewesen, wenn nicht auf hervorragend geeignete Texte hätte zurückgegriffen werden können, die bei Glinz (1973) abgedruckt sind: ein Kommentar der "Bild"-Zeitung über "Scheel und die Hysterie"[29], eine Wiedergabe der Erklärung Scheels, auf die der "Bild"-Kommentar sich bezogen haben mußte[30], ein "Spiegel"-Artikel Bölls zu dem Thema "Will Ulrike Gnade oder freies Geleit?"[31] und ein ZDF-Kommentar von Klaus Harpprecht[32], auf die der "Bild"-Kommentar ebenfalls bezuggenommen hatte, sowie eine Antwort des nordrhein-westfälischen Justizministers Diether Posser, wiederum im "Spiegel" erschienen, an Böll[33].

Anhand des "Bild"-Kommentars sollte nun der Informationsstand der Seminarteilnehmer ermittelt werden. Der Text lautet:

Scheel und die Hysterie

Wir nehmen es hin, wenn ein Dichter wie Böll nicht den Terror der Baader-Meinhof-Bande für die Unruhe in Deutschland verantwortlich macht, sondern die BILD-Zeitung.

Wir nehmen es hin, wenn ein glatter Mann wie Harpprecht seinen Böll im ZDF nachbetet.

Wir nehmen es hin, wenn andere Blätter, die breiter und ausführlicher über den Terror der Baader-Meinhof-Bande berichtet haben als wir, der BILD-Zeitung das "Schüren einer Baader-Meinhof-Hysterie" unterstellen.

Wir nehmen es aber nicht hin, daß ein verantwortlicher Mann wie Walter Scheel wider besseres Wissen die BILD-Zeitung beleidigt. Scheel nahm gestern die Maßnahme des FDP-Innenministers Genscher gegen die Baader-Meinhof-Bande in Schutz.

Im gleichen Atemzug verstieg er sich zu der Behauptung, die "vor allem von der BILD-Zeitung geschürte Baader-Meinhof-Hysterie" nütze nur den Gegnern des demokratischen Rechtsstaates.

Dies ist wahrlich das Wort eines Opportunisten. Scheel will einerseits die Verdienste des FDP-Mannes Genscher im Kampf gegen

Baader-Meinhof für seine Partei nützen. Er denkt wohl schon an die nächste Wahl und möchte die Stimmen der Bürger haben, die für Recht und Ordnung sind. Gleichzeitig will er aber Beifall von Böll und Harpprecht und der Linken in seiner eigenen Partei bekommen. Auch da stecken wohl Wählerstimmen.

Wenn viele tausend Polizisten ganze Städte, ganze Autobahnstrecken abriegeln und kontrollieren – ist das ein Werk der BILD-Zeitung? Wenn Hunderte von bewaffneten Beamten Gerichtsgebäude hermetisch absichern und die Richter Pistolen bekommen – ist das ein Werk der BILD-Zeitung?

Wir werden weiter sagen, daß jemand, der mordet, ein Verbrecher ist, auch wenn er politische Gründe vorgibt.[34]

Den Studenten wurde aufgetragen, diesen Text genau zu lesen und dann schriftlich mitzuteilen, zu welchen Aspekten sie (evtl. zusätzliche) Informationen bräuchten, um ihn hinreichend verstehen und beurteilen zu können. Von den 19 Seminarteilnehmern verlangten Aufklärung über

- Baader-Meinhof: 18
- ZDF: 15
- Scheel: 14
- FDP: 14
- Harpprecht: 13
- Böll: 11
- die "Bild"-Zeitung: 11
- Zeitgeschichte, politische Situation: 6
- Genscher: 6
- den Begriff "demokratischer Rechtsstaat": 5
- die politischen Parteien in der BRD: 4
- Wahlverfahren in der BRD: 4

Dieses Ergebnis zeigt, daß nur *ein* Student den Text voll verstanden zu haben glaubte. Allen übrigen Teilnehmern fehlten elementare Vorkenntnisse; die Baader-Meinhof-Gruppe kannte sonst niemand, vom ZDF hatten die meisten noch nie gehört. Scheel – zum Zeitpunkt der Untersuchung Bundespräsident – war nur fünf Studenten ein Begriff. Daß die Mehrzahl der Befragten angab, keine, zumindest keine ausreichenden Kenntnisse über Böll zu haben, und daß Genscher gar bekannter sein sollte als Böll oder auch als Scheel, schien kaum glaubhaft.

Der Text weist Genscher zwar als "FDP-Innenminister" aus, während er über Scheels Position schweigt. Da aber ebenso viele Teilnehmer die FDP wie Scheel als Leerstelle angegeben hatten und ja auch Böll im Text – immerhin – als "Dichter" gekennzeichnet ist, konnte es nicht einleuchten, daß Genscher dreizehn Studenten kennen sollten, Böll dagegen nur acht und Scheel gar nur fünf. Nachfragen ergaben, daß von diesen fünf Studenten, die Scheel nicht genannt hatten, vier ausreichende Kenntnisse über Scheel besaßen, während von den dreizehn Probanden, die Genscher nicht aufgeführt hatten, nur einer tatsächlich über diesen Bescheid wußte. Die Befragten neigten anscheinend dazu, Kenntnisdefizite zu verbergen oder Unbekanntes als unwichtig abzutun.

Die Befragung erbringt also keine verläßlichen Ergebnisse. Sie weist – für 18 der Teilnehmer jedenfalls – lediglich einen allgemeinen Informationsrückstand bezüglich des vom Text angesprochenen deutschlandkundlichen Hintergrunds aus. Befriedigender wäre vielleicht ein Befragungsmodus, der zunächst alle unbekannten Elemente des Textes ungeachtet ihrer Wichtigkeit im Kontext zu ermitteln versucht. In einem zweiten Durchgang könnten die Probanden dann beauftragt werden, zu jedem der ermittelten Elemente stichwortartig ihren tatsächlichen Wissensstand darzulegen. Die Möglichkeit, Kenntnisdefizite zu übersehen oder bewußt zu verbergen, würde dadurch ausgeschaltet, und die Befragung müßte verläßlichere, differenziertere Resultate erbringen. (Diese Erwartung bestätigte sich in einer 1977 durchgeführten Nachfolgeuntersuchung).

Das Bewußtsein beträchtlicher Informationslücken, das die Frage nach dem zum Verständnis des "Bild"-Kommentars nötigen Vorwissen in unserem Fall gleichwohl ausgelöst hatte, dürfte mit verantwortlich sein für den eigentlich bestürzenden Umstand, daß keiner der Probanden zu wissen verlangte, was Scheel – über das Zitat im "Bild"-Kommentar hinaus – tatsächlich gesagt und in welchem Zusammenhang er es gesagt hatte. Denn daß der Kommentar durch diese Information überhaupt erst beurteilbar wird, hätte jeder Teilnehmer, ungeachtet aller Verstehensschwierigkeiten im einzelnen, erkennen müssen. Hier wird deutlich, in welch hohem Maße die Formen von Sozialbedingungen (Lehrer-Erwartung, Statusfragen) konkrete Bedeutung für den Lektüreprozeß und seine Erforschung gewinnen[35]: Die Einsicht in die Peinlichkeit des unzulänglichen eigenen Wissensstandes lähmt anscheinend das kritische Bewußtsein. Wenn dies zutrifft, steckt in diesem Umstand auch ein wichtiges hochschuldidaktisches Argument für eine

Einbeziehung von Deutschlandstudien in die literaturwissenschaftliche Arbeit.

Ein besonderer didaktischer Vorzug solcher Kontextstudien besteht darin, daß die landeskundlichen Aspekte nicht abstrakt, als Sachen "an sich" gleichsam, erscheinen, sondern in sinnvollen Funktionszusammenhängen, die mit den Texten jeweils vorgegeben sind, erfaßt werden können. Für die Erklärung des Begriffs "demokratischer Rechtsstaat" z. B. gibt es vom "Bild"-Kommentar her einen festen Bezugsrahmen, der etwa durch die Gegensätze Pressefreiheit – Demagogie markiert werden könnte. Nicht der Rechtsstaat überhaupt steht hier zur Debatte, sondern was "Rechtsstaat" im Hinblick auf die freie Meinungsäußerung in der Bundesrepublik bedeutet. Innerhalb dieses Problemkreises geht es nun wiederum um das konkrete Beispiel der Berichterstattung über Baader-Meinhof, das seinerseits auf die Art der Berichterstattung durch die "Bild"-Zeitung eingeengt ist. Mit der Darstellung dieser Aspekte konnten in unserer Lehrveranstaltung anhand des bei Glinz vorfindlichen Materials nicht nur die im Zusammenhang mit dem "Bild"-Kommentar aufgetretenen Verstehensschwierigkeiten behoben und damit wesentliche Kenntnisse über die Bundesrepublik bereitgestellt werden, sondern zugleich auch das für das Verständnis von Bölls *Katharina Blum* unerläßliche Vorwissen.

Der Vergleich zwischen dem "Bild"-Kommentar und der Wiedergabe von Scheels Erklärung durch den Pressedienst der FDP ließ erste Schlüsse auf die Art der Berichterstattung der "Bild"-Zeitung zu. Die Feststellung, daß diese mit Unterstellungen operiert und Vermutungen als Fakten ausgibt, wurde durch Bölls "Spiegel"-Artikel erhärtet. Böll bezieht sich darin auf die Ausgabe der "Bild"-Zeitung vom 23. Dezember 1971, die in dicken Überschriften verkünde: "Baader-Meinhof-Gruppe mordet weiter", und weist dann nach, daß diese Aussage nach dem derzeitigen Stand der Ermittlung allenfalls auf Indizien beruhe. Böll macht konkrete Angaben zur Auflagenstärke der "Bild"-Zeitung (4 000 000) und zur wahrscheinlichen Zahl ihrer Leser (10 000 000), die – verglichen mit der Einwohnerzahl der Bundesrepublik (60 000 000) – Scheels Vorwurf stützen, "Bild" schüre die Baader-Meinhof-Hysterie. Für ähnlich demagogisch wie die "Bild"-Zeitung hält Böll die ZDF-Sendung "Aktenzeichen XY ungelöst" von Eduard Zimmermann. Mit seiner Auffassung, daß Baader-Meinhof für den Rechtsstaat Bundesrepublik keine Gefahr darstelle, die er mit ausführlichen Zitaten aus dem Manifest der Gruppe zu belegen versucht, setzen sich Harpprecht und Posser kritisch auseinander. Beide bringen weitere Informationen zur Springer-Presse, zur Baader-Meinhof-Gruppe, zum Verhältnis Rechtsstaat – Terrorismus – Massenmedien und nicht zuletzt zu Böll selbst. Sie rücken den sehr aggressiven und z. T. unsachlichen Artikel Bölls ins rechte Licht. Dabei zeigt sich, daß Harpprecht keineswegs – wie es im "Bild"-Kommentar hieß – "seinen Böll ... nachbetet". Und Posser setzt klar auseinander, wie Strafverfolgung in einem freiheitlich-demokratischen Rechtsstaat vonstatten geht.

Wenn hier vom Begriff "demokratischer Rechtsstaat" ausgegangen wurde, um die am "Bild"-Kommentar ermittelten Verstehensschwierigkeiten in einem funktionalen Zusammenhang zu beheben, so war das eine durchaus willkürliche Entscheidung. Man hätte ebenso bei einem anderen, vielleicht einem häufiger genannten Begriff, dem Namen "Scheel" etwa, ansetzen und über dessen damalige Position im Staat (als Vorsitzender der FDP Außenminister) auf die Zusammensetzung der Regierung (Koalition), des Parlaments eingehen und von daher die staatliche Ordnung der Bundesrepublik ansatzweise erläutern können. Dabei wären die unbekannten Begriffe ebenfalls aus einem sinnvollen Zusammenhang heraus verständlich geworden.

4. *Ertrag*

Was die Studenten in einem solchen induktiven Verfahren lernen, ist zweifellos wertvoller als etwa die Zahlen, Daten und Fakten, die in deutschlandkundlichen Handbüchern dargeboten werden[36]. Denn erstens wird Wissen dabei nicht um seiner selbst willen und vornehmlich mit dem Ziel vermittelt, in Prüfungen abgefragt zu werden, sondern im Interesse eines möglichst tiefen Textverständnisses. Und zweitens wird der Lernende, wenn die Textanalyse zugleich paradigmatische Merkmale der Zielkultur erschließt, mit seiner eigenen Wirklichkeit konfrontiert, von der her oder im Unterschied zu der er diese Merkmale überhaupt erst verstehen kann. So mußten die Teilnehmer des Seminars, von dem hier berichtet wurde, die Erkenntnis gewinnen, daß sich der Begriff "demokratischer Rechtsstaat", wie er für ihr Land gilt, wesentlich von dem unterscheidet, was in der Bundesrepublik darunter zu verstehen ist. Solche Erkenntnisse sind nicht als zufällige Nebenwirkung des Verfahrens zu verbuchen, sondern von vornherein einzuplanen als zentrales Lehrziel einer Disziplin, die gelehrt wird im Bewußtsein ihrer "geschichtlichen Bedingtheit, also ... der Vorurteilsstruktur geisteswissenschaftlichen Denkens – die besonders von der Auslandsgermanistik zu reflektieren wäre, weil sie Deutsch als Fremdsprache und Fremdliteratur zu vermitteln hat"[37]. Die Konfrontation der Zielkultur mit der Ausgangskultur ist unerläßlich, wenn Landeskunde so unterrichtet werden soll, daß sich der Lernende seiner jeweiligen Verstehensvoraussetzungen bewußt wird. Eben darin aber liegt die besondere Chance solcher Bemühungen; denn wo "zielkultureigene" Aspekte von "zielkulturfremden" her in funktionalen Zusammenhängen erschlossen werden, wird Landeskunde unter "kritisch-emanzipativem" Aspekt möglich:

> Die Zeichen der Zielkultur werden so gefiltert, daß ihre Relevanz für die gegenwärtige Situation des Zeichenbenutzers ("native") deutlich ... wird ... Das so erstellte Aktualitätsraster der Zielkultur ... wird dem entsprechenden Raster der Ausgangskultur gegenübergestellt und in seinen äquivalenten Elementen verglichen ... Der Vergleich resultiert für den ausgangssprachlichen Zeichenbenutzer ... in einer veränderten Haltung der eigenen Situation gegenüber, die sich produktiv in einer neuen Handlungskompetenz innerhalb der Ausgangskultur niederschlägt ... welche ihrerseits ein anderes Verhältnis zu fremden Kulturen einleitet.[38]

Studenten in literaturwissenschaftlichen Kursen solche Fähigkeiten zu vermitteln, ist – nach den oben referierten Erfahrungen jedenfalls – gewiß nicht einfach[39]. Grundlegende Bedeutung kommt der Materialplanung zu[40]. Sicherzustellen ist vor allem, daß das landeskundliche Wissen nicht punktuell bleibt; bestimmte Texte sind für jeden Kurs unter landeskundlichem Aspekt so auszuwählen, daß exemplarisches Lernen möglich wird. Dazu eignen sich bevorzugt Texte der Gegenwartsliteratur, die unter unmittelbarer Bezugnahme auf das Zeitgeschehen typische Merkmale der deutschsprachigen Länder erhellen. Nach meinen bisherigen Erfahrungen empfiehlt es sich, mit pragmatischen Textsorten zu beginnen, allmählich zu kürzeren fiktionalen fortzuschreiten – geeignet wären z. B. Lieder Degenhardts ("Deutscher Sonntag", "Horsti Schmandhoff"), Gedichte mit Deutschlandmotivik[41] oder Arbeiterliteratur – und schließlich Ganzschriften zu behandeln, etwa *Örtlich betäubt* von Grass, Plenzdorfs *Neue Leiden des jungen W.* oder Hochhuths *Hebamme.*

Wenn es gelingt, zum landeskundlichen Verweisungsfeld des jeweiligen Textes den tatsächlichen Informationsstand der Lernenden verläßlich zu ermitteln und die bestehenden Kenntnisdefizite innerhalb funktionaler Zusammenhänge der Zielkultur und unter Berücksichtigung der entsprechenden Gegebenheiten der Ausgangskultur abzubauen, müßten Lehrer auszubilden sein, die als Literaturwissenschaftler zugleich Landeskenner, darüber hinaus aber Vermittler zwischen diesen und ggf. weiteren Kulturen sind. In dem Bemühen um dieses Ziel einer allgemeinen "Kulturmündigkeit"[42] träfe sich eine als Textwissenschaft konzipierte Fremdsprachengermanistik mit kulturwissenschaftlich orientierten Ansätzen[43]. Als Germanist im Ausland – zumal in einem Vielvölkerstaat wie Südafrika – kann ich mir ein lohnenderes Ziel literaturwissenschaftlichen Unterrichts nicht vorstellen.

Anmerkungen

[1] Vgl. in diesem Band S. 459 ff.
[2] Erweiterte Fassung von Kußler 1977.
[3] Stieg S. 460.
[4] Vgl. unten S. 470 f.
[5] Vgl. Kußler 1976a.
[6] Vgl. unten S. 472 f.
[7] Arndt 1978, S. 2 f.
[8] Vgl. Kußler 1976 b, S. 10-12 und 20-22.
[9] Erste Erkenntnisse zu diesem Aspekt bringt Pauw-Bodenstein 1978.
[10] Vgl. Kußler 1976 b, S. 12 f. und 22 f.
[11] Vgl. Frey 1972, 1974 und Spillner 1974, 1976. Zur Methodik der empirischen Rezeptionsforschung vgl. Groeben 1977, S. 70–130, und Spillner 1976.
[12] Der vorstehende Text beruht auf den Ergebnissen einer empirischen Erhebung zum Assoziationsfeld des Wortes "deutsch" unter den 70 Studienanfängern von 1976 im Fach Germanistik an der Universität Stellenbosch. In den Text sind alle Äußerungen eingearbeitet, die von jeweils mehr als 70 %, also mindestens 50 der Studenten gemacht wurden. Hervorzuheben ist, daß es sich dabei um Studenten handelte, die nach einer vier- bis fünfjährigen Schulausbildung das "Matrik" (die südafrikanische Reifeprüfung) in Deutsch als Fremdsprache bestanden hatten. – 1978 habe ich Studienanfänger beauftragt, den "typischen Deutschen" zu charaktierisieren. Die 20 Eigenschaften, die am häufigsten genannt wurden, sind (in der Reihenfolge der Häufigkeit der Nennungen): trinkt viel Bier; hat blonde Haare und blaue Augen; ist froh; singt gern; ist groß; freundlich; redet viel; feiert viele Feste; tanzt gern; ist meist dick; spricht schnell und laut; ißt gern und zwar vor allem Kartoffeln und Schweinefleisch; ist klug; vorlaut; intelligent; pünktlich; fleißig; aufbrausend.

[13] Wierlacher 1972, S. 89 (Hervorhebung von mir). Vgl. auch Wierlacher 1975, S. 128 f.
[14] Vgl. Witte 1976, S. 160. Zum Lehrprogramm von Asnières vgl. auch Stieg S. 463 ff.
[15] Bertaux 1972, S. 58.
[16] Bertaux 1975, S. 1.
[17] Witte 1976, S. 160.
[18] Witte 1976, S. 162.
[19] Witte 1976, S. 164.
[20] Stierle 1975, S. 348 f.
[21] Vgl. Kußler 1976 a.
[22] Wierlacher 1975, S. 133 f.
[23] Heuermann et al. 1973. Dieser Entwurf ist, erweitert und überarbeitet wieder erschienen als Heuermann et al. 1975.
[24] Nach der Phase theoretischer Konstituierung erscheinen jetzt immer häufiger Resultate empirischer Erhebungen (vgl. z. B. Albrecht 1976, Conrady 1976, Faulstich 1977, Groeben 1977, Kußler 1976 b, Spillner 1976, Willenberg 1978), wenngleich auch für diese Untersuchungen generell noch gilt, was Manfred Dierks in einer Rezension von Faulstich 1977 angemerkt hat: "Die ... Erhebungsmethoden und Analysekonzepte enthalten noch zu viele Fehlerquellen und Unschärfen ... Die Chancen wie die enormen technischen Schwierigkeiten von Empirie wie auch das Erfordernis interdisziplinärer Kollektivarbeit werden ... sehr deutlich." (Germanistik 19, 1978, 2, S. 330 f.).
[25] Vorgegangen wurde dabei nach Glinz 1973, S. 147–197. Zur Eignung des von Glinz entwickelten Verfahrens im fremdsprachlichen Literaturunterricht vgl. Kußler 1976 b.
[26] Text nach dtv 1150. 4. Auflage, München 1976.
[27] ebda., S. 5.
[28] Vgl. Glinz 1973, S. 106–146.
[29] Glinz 1973, S. 273.
[30] Glinz 1973, S. 275.
[31] Glinz 1973, S. 278–285.
[32] Glinz 1973, S. 285 f.
[33] Glinz 1973, S. 287–290.
[34] Glinz 1973, S. 273.
[35] vgl. insbesondere: Hartmut Eggert et al.: Die im Text versteckten Schüler. Probleme einer Rezeptionsforschung in praktischer Absicht. In: Grimm 1975, S. 272–294 und Gerd Michels: Das Konzept 'Textverarbeitung'. Kritische Bemerkungen zur Beschreibung und Analyse von Lektüreprozessen. In: Kopenhagener Beiträge zur germanistischen Linguistik 9, 1977, S. 7–34.
[36] Vgl. z. B. Rudolf Meldau: Kleines Deutschlandbuch für Ausländer: Wichtige Sachgebiete und ihr Wortschatz. 10. Auflage, München 1974. – Anne

und Klaus Vorderwülbecke: Blick auf Deutschland. Lese- und Arbeitsbuch für Ausländer. Stuttgart 1974. – Deutschlandfibel. Ein Wegweiser durch die Bundesrepublik. Englewood Cliffs/N. J. 1967.
Auch mit den Texten, die von Thijssen (1977) speziell zur landeskundlichen Vorbereitung auf die Lektüre von Bölls "Katharina Blum" empfohlen werden, lassen sich die entsprechenden Informationsrückstände nicht *in funktionalen Zusammenhängen* abbauen. Was – aus der Perspektive der "Bild"-Zeitung – Willy Brandt als Wahlkämpfer in Hamburg widerfuhr (S. 520) oder was – aus derselben Perspektive – Elisabeth Flickenschildt für den "kleinen Sonnenstrahl in unserem Leben" hält (S. 522), mag zur Illustration der "Bild"-Berichterstattung taugen; es paßt aber darüber hinaus nicht in den thematischen Rahmen (Rechtsstaat – Terrorismus – Massenmedien), den Bölls Erzählung verlangt.

[37] Elm 1976, S. 324.

[38] Köhring/Schwerdtfeger 1976, S. 76.

[39] Vgl. dazu auch den Beitrag Krusches in diesem Band, S. 340 ff.

[40] Vgl. S. J. Schmidt: Was ist bei der Selektion landeskundlichen Wissens zu berücksichtigen; Band 1 der vorliegenden Sammlung.

[41] Vgl. z. B. Frühwald o. J. Geeignete Gedichte finden sich auch in dem von mir herausgegebenen *Textbuch Lyrik*. Eine rückläufige Anthologie deutscher Gedichte von der Gegenwart bis zur Renaissance. München: Hueber 1978.

[42] Begriff nach Saul B. Robinsohn, zit. bei Wierlacher 1975, S. 134.

[43] Vgl. dazu Göhring 1975, 1976, 1978.

Literaturverzeichnis

Albrecht, Richard: Leseverhalten und Lektüregebrauch. Übersicht über neue empirische Untersuchungen. In: Diskussion Deutsch XX, 1976, S. 367–384.

Arndt, Horst: Verfahren zur Analyse und Quantifizierung von *attitudes* und *beliefs* im Bereich der Landeskunde. In: Horst Arndt/Franz-Rudolf Weller (Hrsg.): Landeskunde und Fremdsprachenunterricht. Frankfurt a. M. 1978, S. 1–37.

Bertaux, Pierre: Die Kultur der deutschsprachigen Länder in der französischen Germanistik und im Deutschunterricht. In: Wilhelm Siegler (Hrsg.): Die Kultur der deutschsprachigen Länder im Unterricht: Vorträge – Länderberichte – Diskussionen, Bericht über ein Internationales Seminar des Goethe-Instituts München 16. bis 20. März 1970. München 1972, S. 56–60.

Bertaux, Pierre: "Germanistik" und "germanisme". In: Jahrbuch Deutsch als Fremdsprache 1, 1975, S. 1–6.

Conrady, Peter: Schüler beim Umgang mit Texten. Eine empirische Untersuchung. Kronberg/Ts. 1976 (Monographien Literatur + Sprache + Didaktik 10).

Elm, Theo: Zur Situation der internationalen Germanistik: Bericht 2 über den 5. Kongreß der Internationalen Vereinigung für germanische Sprach-

und Literaturwissenschaft. Cambridge, 4.–9. August 1975. In: Jahrbuch Deutsch als Fremdsprache 2, 1976, S. 324–326.

Faulstich, Werner: Domänen der Rezeptionsanalyse. Probleme. Lösungsstrategien. Ergebnisse. Kronberg/Ts. 1977 (Empirische Literaturwissenschaft 2).

Frey, Eberhard: What is good style? Reader reactions to German text samples. In: Modern Language Journal 56, 1972, S. 310–323.

Frey, Eberhard: Rezeption literarischer Stilmittel. Beobachtungen am Durchschnittsleser. In: LiLi 15, 1974, S. 80–94.

Frühwald, Wolfgang: Das Deutschlandbild im Werke Bertolt Brechts. In: Beiträge zu den Fortbildungskursen des Goethe-Instituts für Deutschlehrer und Hochschulgermanisten aus dem Ausland 1974. München o. J. S. 219–233.

Glinz, Hans: Textanalyse und Verstehenstheorie I. Methodenbegründung – soziale Dimension – Wahrheitsfrage – acht ausgeführte Beispiele. Frankfurt a. M. 1973 (Studienbücher zur Linguistik und Literaturwissenschaft 5).

Göhring, Heinz: Kontrastive Kulturanalyse und Deutsch als Fremdsprache. In: Jahrbuch Deutsch als Fremdsprache 1, 1975, S. 80–92.

Göhring, Heinz: Interkulturelle Kommunikationsfähigkeit. In: Horst Weber (Hrsg.): Landeskunde im Fremdsprachenunterricht. Kultur und Kommunikation als didaktisches Konzept. München 1976, S. 183–193 und 256–260.

Göhring, Heinz: Interkulturelle Kommunikation und Deutsch als Fremdsprache. (Positionspapier für die "Internationale Sommerkonferenz Deutsch als Fremdsprache", Heidelberg, 24.–25. August 1978.)

Grimm, Gunter (Hrsg.): Literatur und Leser. Theorien und Modelle zur Rezeption literarischer Werke. Stuttgart 1975.

Groeben, Norbert: Rezeptionsforschung als empirische Literaturwissenschaft. Paradigma- durch Methodendiskussion an Untersuchungsbeispielen. Kronberg/Ts. 1977 (Empirische Literaturwissenschaft 1).

Heuermann, Hartmut; Hühn, Peter; Röttger Brigitte: Entwurf eines literaturdidaktischen Funktionsmodells. In: Hartmut Heuermann, Peter Hühn, Brigitte Röttger: Literatur und Didaktik I: Berichte und Kommentare. Göttingen 1973, S. 11–40.

Heuermann, Hartmut; Hühn, Peter; Röttger, Brigitte: Modell einer rezeptionsanalytischen Literaturdidaktik. In: Hartmut Heuermann, Peter Hühn, Brigitte Röttger (Hrsg.): Literarische Rezeption: Beiträge zur Theorie des Text-Leser-Verhältnisses und seiner empirischen Erforschung. Paderborn 1975, S. 89–112 (Informationen zur Sprach- und Literaturdidaktik 4).

Köhring, Klaus Heinrich; Schwerdtfeger, Inge Christine: Landeskunde im Fremdsprachenunterricht: Eine Neubegründung unter semiotischem Aspekt. In: Linguistik und Didaktik 25, 1976, S. 55–80.

Kußler, Rainer: Zur gemeinsamen Fundierung von Literaturwissenschaft und Literaturdidaktik. In: Acta Germanica 9, 1976, [a] S. 15–23.

Kußler, Rainer: Für einen lehrplangerechten Literaturunterricht. Methodologische Anregungen zur Überwindung einer verfehlten Praxis. In: Deutschunterricht in Südafrika 7 (Doppelheft), 1976, [b] S. 4–25.

Kußler, Rainer: Zum Problem der Integration von Literaturvermittlung und Landeskunde. In: Acta Germanica 10, 1977, S. 63–74.

Martens, Gunter: Textlinguistik und Textästhetik. Prolegomena einer pragmatischen Theorie ästhetischer Texte. In: Sprache im technischen Zeitalter 53, 1975, S. 6–35.

Pauw-Bodenstein, Ruth H.: Über die Freizeit-Leseaktivitäten der 1976 am Deutschen Seminar der Universität Stellenbosch immatrikulierten Studenten. Eine didaktisch motivierte Bestandsaufnahme. Universität Stellenbosch, Phil. F., M. A.-Diss. (Masch.), Stellenbosch 1978.

Spillner, Bernd: Linguistik und Literaturwissenschaft. Stilforschung, Rhetorik, Textlinguistik. Stuttgart et al. 1974.

Spillner, Bernd: Empirische Verfahren in der Stilforschung. In: LiLi 6, Heft 22, 1976, S. 16–34.

Stierle, Karlheinz: Was heißt Rezeption bei fiktionalen Texten? In: Poetica 7, 1975, S. 345–387.

Thijssen, M.: H. Böll: Die verlorene Ehre der Katharina Blum. Ein Unterrichtsentwurf für die Oberprima (V. W. O.). In: Levende Talen (Nr. 327, Dezember 1977), S. 517–530.

Wierlacher, Alois: Angewandte Deutsche Philologie. In: Ruperto Carola 50, 1972, S. 88–92.

Wierlacher, Alois: Überlegungen zur Begründung eines Ausbildungsfaches Deutsch als Fremdsprache. In: Jahrbuch Deutsch als Fremdsprache 1, 1975, S. 119–136.

Willenberg, Heiner: Zur Psychologie literarischen Lesens. Wahrnehmungen, Sprache und Gefühle. Paderborn 1978 (Informationen zur Sprach- und Literaturdidaktik 15).

Witte, Bernd: Kritische Deutschlandkunde. Ein Beitrag der Universität Paris III (Asnières) zu Theorie und Praxis einer kulturwissenschaftlichen Germanistik. In: Jahrbuch Deutsch als Fremdsprache 2, 1976, S. 158–170.

Theodore Ziolkowski

Zur Unentbehrlichkeit einer vergleichenden Literaturwissenschaft für das Studium der deutschen Literatur

I. *Die Gründe*

Aufschlußreich ist die Tatsache, daß es sich bei den Gründern der modernen Komparatistik – etwa Leo Spitzer, Erich Auerbach, René Wellek – so oft um Auswanderer gehandelt hat. Denn die Emigration symbolisiert die Haltung der intellektuellen Verfremdung gegenüber dem Eigenen, die die vergleichende Literaturwissenschaft vor allem anderen charakterisiert. Selbstverständlich bedeutet das keineswegs, daß der Komparatist immer nur als Emigré im Ausland wirken darf. Ernst Robert Curtius – um ein beliebiges aber exemplarisches Beispiel aus der nahen Vergangenheit zu greifen – gelang es, seine kritische Distanz gegenüber der eigenen Kultur auch in Deutschland aufrechtzuerhalten. Es ist übrigens kein Zufall, daß Komparatisten viel häufiger aus dem Studium der klassischen Philologie oder der Mediävistik – die ohnehin komparatistisch eingestellt sind – oder der modernen Fremdsprachen hervorgehen, als aus dem Studium der eigenen Nationalliteratur. Denn das ständige Sichbefassen mit dem zeitlich oder räumlich, jedenfalls sprachlich Entfernten verleiht dem betrachtenden Geist die objektivierende Distanz.

Andererseits gibt es viele Deutsche, die seit Jahren schon an ausländischen Universitäten die Germanistik betreuen und trotzdem genauso provinziell geblieben sind, als wenn sie die Heimat nie verlassen hätten. Sie halten ihre Vorlesungen ausschließlich auf deutsch, sie schreiben ihre Aufsätze in deutscher Sprache für deutsche Zeitschriften, sie haben keinen lebendigen Kontakt zur Kultur, in der sie leben, und richten sich nach dem, was sie im *Spiegel* lesen oder von Gastprofessoren aus der Bundesrepublik begierig aufschnappen. Auf die geographische Entfernung kommt es also nicht an, sondern auf die geistige Distanz, die es dem Komparatisten ermöglicht, nach dem gleichen Maße Eigenes wie Fremdes zu betrachten – das Nationale weder provinziell zu überschätzen noch snobistisch herabzusetzen. Mit anderen Worten: man nähert sich der eigenen Literatur mit einer gewissen Voraussetzungslosigkeit.

Wer im Ausland Deutsch als Fremdsprache unterrichtet oder sogar die deutsche Literatur in Übersetzung zu vertreten hat, muß schon von vornherein komparatistisch vorgehen, denn er hat es meistens mit Studenten zu tun, die keine von den üblichen Voraussetzungen mitbringen. Um ein paar einfache Beispiele zu erwähnen: der ausländische Student der deutschen Literatur hat die Bibel – insofern er sie überhaupt kennt! – in seiner eigenen Sprache, nicht im Wortlaut der lutherschen Übertragung im Ohr; er hat die deutschen Volkslieder meist nicht einmal gehört, geschweige denn gesungen; der geschichtliche Rahmen, den er bereit hat, ist der seiner eigenen und nicht der der deutschen Kultur. So muß man oft zu Analogien greifen, um eine literarische Situation zu erklären. Im "Werther" gibt es etwa eine berühmte Stelle, wo Werther und Lotte nach einem Sturm ans Fenster treten, um das herrliche Landschaftsbild zu betrachten. Lotte legt ihre Hand auf die Werthers und flüstert "Klopstock" – einen Namen, der wie eine Losung den ersten Ausbruch der Leidenschaft auslöst. Nun ist es so, daß kein amerikanischer Student je in seinem Leben von Klopstock gehört hat und daß außerdem der Name auch für das amerikanische Ohr einen komischen Klang besitzt. Wie soll man also ohne einen langen literaturgeschichtlichen Exkurs den Ernst des Augenblicks erklären? Ich greife in meiner Lehrpraxis zu einer Analogie, die strukturell identisch ist – das heißt, die relativ zur Kultur und Generation der Studenten in einem ähnlichen Verhältnis steht. Ich lege für Klopstock den Namen des bekannten amerikanischen Naturlyrikers Robert Frost ein, und jeder Student begreift sofort den Sinn der wichtigen Szene.

Das will keineswegs besagen, daß es der Komparatistik auf nichts weiter ankommt, als die Weltliteratur in Übersetzung mit erklärenden Kommentaren zu versorgen. Das Beispiel weist aber darauf hin, was die Komparatistik will und nicht will. Die vergleichende Literaturwissenschaft hat nicht den Ehrgeiz, das zu wiederholen, was die nationalen Literaturwissenschaften ohnehin leisten: das heißt unter anderem, das literarische Kunstwerk im Zusammenhang der nationalen Voraussetzungen – biographisch, historisch, kulturell und stilistisch zu begreifen. Die Rolle, die der Werther-Roman in Goethes Leben spielt, der Einfluß der Sturm-und-Drang-Bewegung, die Mischung von sprachlichen Elementen, die den charakteristischen Stil des Romans hervorbrachte – das kann und soll alles mit den Mitteln der Germanistik erfaßt werden.

In dem Augenblick aber, in dem man den Roman auf einer etwas höheren Ebene der Abstraktion begreifen und vorstellen will – als Beispiel der europäischen Vorromantik oder des Briefromans – muß man über die Grenzen der Nationalliteratur hinausblicken. Um ein weiteres Beispiel von Goethe zu nehmen: *Faust* gilt als ein typisch deutsches Werk, als Deutschlands berühmtester Beitrag zur Weltliteratur. Aber sobald wir Goethes Werk als eine Stufe in der europäischen Entwicklung des Faust-Stoffes von 1587 bis zur Gegenwart begreifen oder seine Rezeption bei ausländischen Lesern werten wollen, gehen wir schon komparatistisch vor. Damit haben wir aber bereits die wichtigsten Bereiche genannt, mit denen sich die Komparatistik befaßt: Periodisierung, Gattung, Thema und Wirkung.

Selbstverständlich interessiert sich auch der Germanist für diese Fragen. Die vergleichende Literaturwissenschaft ist nicht sosehr ein Stoffbereich als eine geistige Einstellung: der Komparatist besteht darauf, das literarische Kunstwerk in übernationalen Zusammenhängen zu erblicken. Das bedeutet, daß er bereit ist, die generischen und thematischen Quellen bzw. Einflüsse des betreffenden Werkes dorthin zu verfolgen, wohin sie führen. Es bedeutet ferner, daß man bereit ist, das Werk der eigenen Literatur aus jeder Sonderstellung zu heben und aus allen beschränkenden Voraussetzungen zu lösen, um es auf einer Ebene der Abstraktion zu betrachten, wo die Beziehungen zu Werken in anderen Sprachen und aus anderen Zeiten und Ländern evident werden.

Die vergleichende Literaturwissenschaft bzw. die komparatistische Einstellung ist also für das Studium der deutschen Literatur aus zumindest zwei Gründen unentbehrlich. Methodologisch bewahrt sie uns vor einer allzu engen Auffassung des literarischen Gegenstands – was Periodisierung, Gattung, Thema und Wirkung betrifft. Kritisch-wertend sorgt die Komparatistik dafür, daß wir das Eigene objektiv betrachten – daß wir das Nationale immer nach den (höchsten) Maßstäben der Weltliteratur beurteilen. Als praktisches Beispiel für diese verallgemeinernde These wollen wir die Säkularisation der Bibel bzw. deren Implikationen für die deutsche Literatur etwas näher ins Auge fassen.

II. *Ein Beispiel: Die Implikationen der Säkularisation der Bibel für die deutsche Literatur*

1. *Der historische Hintergrund*

Am Abend seines Selbstmordes läßt sich der junge Werther ein Essen von Brot und Wein servieren. Dann macht er mehrere Gänge im gräflichen Garten. In dem Brief, den er kurz darauf schreibt, versichert er Lotte, daß er nicht schaudert, den kalten, schrecklichen Kelch des Todes zu fassen. Schlag zwölf wird die Tat "vollbracht", indem er sich über dem rechten Auge durch den Kopf schießt. Diese berühmte Episode, welche die ständig im Laufe der Briefe wachsende Zahl von biblischen Anspielungen und Zitaten schließt, signalisiert einen Wendepunkt in der dichterischen Benutzung biblischen Stoffs in der deutschen Literatur. Denn hier wird zum ersten Mal in einer Dichtung von Rang der biblische Stoff bewußt und konsequent aus literarischen und nicht aus religiösen Gründen herangezogen, um den Geisteszustand des problematischen Helden zu beleuchten. Durch die merkwürdige Anhäufung von Worten und Motiven aus der Leidensgeschichte – Abendmahl von Brot und Wein, Verzweiflung im Garten, das Bild vom Kelch des Todes – gibt uns Goethe genial zu erkennen, daß Werther endgültig übergeschnappt ist: das intensive religiöse Gefühl, das ihn am Anfang nur vage nach einer mystischen Vereinigung mit dem All sehnen ließ, hat sich zu einem so halluzinatorischen Grad gesteigert, daß er sich in seiner Verwirrung mit dem Gottessohn identifiziert, dessen letzte Stunden er unbewußt nachahmt; und den eigenen Selbstmord kann er somit als eine Opfertat rechtfertigen, wodurch Lotte und Albert zum Glück erlöst werden sollen. Weitaus wirksamer als irgendeine theoretische Erörterung offenbart dieses Meisterstück an psychologischer Einsicht die besondere Art von seelischer Krise, woran dieser schwärmerische Jüngling des späten 18. Jahrhundert leidet. An den leichten Abwandlungen des Originals erkennt der aufmerksame Leser eine Art von sprachlicher Deformation, die der seelischen Deformation des leidenden Werther entspricht.

Zwar spielen biblische Motive seit den allerersten Anfängen in der germanischen bzw. deutschen Literatur eine kaum zu überschauende Rolle. Die Geschichte der deutschen Literatur hebt an mit Bibelübersetzungen, -paraphrasen und -kommentaren (etwa Otfrids Evangelienharmonie, dem "Heliand", der Wiener Genesis, u. dgl. m.), und bis ins 12. Jahrhundert läßt sich die Geschichte der schriftlich überlieferten deutschen Literatur praktisch mit geistlicher Dichtung identifizieren.[1] Lange noch behaupten sich in einer zunehmend weltlichen Kultur verschiedene Arten der geistlichen Dichtung, welche den biblischen Stoff in erster Linie wegen seines dogmatisch-ethischen Inhalts zitiert: etwa das Jesuitendrama des 16.–18. Jahrhunderts, die biblische Epik bis zu Bodmer und Klopstock, oder das geistliche Lied bis in die Gegenwart.

Bei Goethe spüren wir aber eine völlig neue Haltung, denn im "Werther" gilt die Bibel – für den Verfasser, wenn auch nicht für den Helden – als Kulturgut und nicht als Dokument des Glaubens.[2] Diese Säkularisierung der Bibel hängt von mehreren Faktoren ab, die erst im Laufe des 18. Jahrhunderts wirksam wurden.[3] Erstens: es war die große Aufgabe der kritischen Bibelforschung im 18. Jahrhundert, das Alte Testament mit den aufregenden neuen Entdeckungen der Naturwissenschaften in Einklang zu bringen: mit anderen Worten, Genesis mit der Geologie zu versöhnen. (Die Suche nach den Quellen des historischen Jesus – also die Rationalisierung des Neuen Testaments – begann erst gegen Ende des 18. und beherrschte dann die Bibelforschung des 19. Jahrhunderts). Dadurch wurden vor allem die Wunder der Schöpfung entmystifiziert. Zweitens: der Aufstieg des Historismus betonte zum ersten Mal die wesentlichen Unterschiede zwischen den geschichtlichen Zeitaltern. Das Alte Testament galt nicht mehr ausschließlich als Präfiguration des Neuen, sondern beide Testamente wurden zum ersten Mal in ihrer geschichtlichen Eigenart erkannt, wobei den Hebräern als Repräsentanten eines edlen Primitivismus ein neuer Wert zuerkannt wurde. Drittens: die Poetik des 18. Jahrhunderts begann zum ersten Mal, die Bibel als literarisches Dokument zu würdigen. In Übereinstimmung mit der klassischen hebräischen Sprache, die keine Bezeichnung für "Dichtung" hatte, kümmerten sich die jüdischen Exegeten ausschließlich um die ethische Aussage des Textes. Erst Robert Lowths "De sacra poesi Hebraeorum praelectiones" (1753) – ein Werk, das Herder tief beeindruckte – ermöglichte eine Unterscheidung zwischen Vers und Prosa, indem Lowth auf das Prinzip des "Parallelismus" als Grundzug der biblischen Poesie hinwies.[4]

Als Resultat dieser verschiedenen Entwicklung wurde jedenfalls die Bibel als Heilige Schrift allmählich säkularisiert. Aber in dem Maße, in dem die Bibel als religiöser Text ihre privilegierte Stelle verlor, wurde das Buch als historisches Dokument, in dem sich Geschichte und Bewußtsein des hebräischen Volkes zu erkennen gaben, um so höher geschätzt. Die so vermenschlichte Bibel rückte selbstverständlich in eine neue literarische Konstellation, indem sie zu einem Kulturgut schlechthin nivelliert wurde. Diese neue Auffassung zeigt sich deutlich bei Herder, der schon in seinem Reisejournal vom Jahre 1769 Moses und Homer bzw. Moses und Ossian vergleicht.[5] Goethe hat oft und dankbar von dem Einfluß Herders gesprochen, der ihn lehrte, die Bibel nicht nur oder sogar nicht primär als Erbauungsbuch, sondern als Dichtung zu betrachten. In den "Noten und Abhandlungen" zum "Westöstlichen Divan" heißt es etwa: "Da wir von orientalischer Poesie sprechen, so wird notwendig, der Bibel, als der ältesten Sammlung, zu gedenken. ... Erinnern wir uns nun lebhaft jener Zeit, wo Herder und Eichhorn uns hierüber persönlich aufklärten, so gedenken wir eines hohen Genusses, dem reinen orientalischen Sonnenaufgang zu vergleichen."[6] So kommt es, daß im "Werther" dieselbe für die europäische Vorromantik charakteristische Trias – Homer, Ossian, und Bibel – erscheint, um den geistigen Zustand des Helden zu charakterisieren. Es gehört ja zu Werthers sentimentalischem Charakter, daß er sein eigenes Bewußtsein eher durch Auseinandersetzung mit literarischen Texten als mit Menschen definiert.

Nach dem Ende des 18. Jahrhunderts begegnet uns also eine völlig neue Einstellung in dem Problemkreis "Bibel und Literatur". Es handelt sich nicht mehr ausschließlich um geistliche Dichtung, in der ein biblischer Stoff für christlich-religiöse Zwecke herangeholt wird, sondern vor allem um eine säkulare Literatur, die aus ausgesprochen weltlichen Gründen – sozial, psychologisch, politisch, philosophisch, geschichtlich – die Bibel verwendet. Im biblischen Drama des 19. Jahrhunderts – Gutzkows "Saul", Hebbels "Judith", Otto Ludwigs "Die Makkabäer" – geht es in keinem Fall um den Ausdruck eines christlichen Glaubens; statt dessen kommt es den Verfassern auf die Darstellung weltanschaulicher Haltungen oder psychologischer Probleme anhand eines biblischen Stoffes an. Rilkes "Christus-Visionen" sowie sein "Marien-Leben" bringen eine kühne, sogar blasphemische Interpretation zum Ausdruck; und die Säkularisierung von anderen biblischen Stoffen zeigt sich etwa in der Reihenfolge der "Neuen Gedichte", wo die Gedichte biblischen Inhalts einen nur mehr chronologischen Platz beanspruchen können zwischen den Gedichten klassisch-antiken Inhalts und denen mit einem mittelalterlichen Thema. Bei Thomas Mann erfährt der biblische Stoff eine noch prononciertere Abwandlung ins Säkulare, denn Mann schreibt ausdrücklich, es sei der Zweck seines Joseph-Romans, "zu beweisen, daß man auf humoristische Weise mythisch sein kann".[7] In einem anderen Zusammenhang gesteht der Autor, daß er von dem Stoff "entzückt" war und sofort ein Drängen spürte, "diese reizende Geschichte mit modernen Mitteln... zu erneuern und erzählerisch frisch hervorzubringen".[8]

Aber auch die Nacherzählung von bekannten biblischen Stoffen – auch wenn es sich wie bei Manns "Joseph" um eine n-fache Ausdehnung mit unerhört raffinierten Verdichtungen handelt – ist bloß eine, und zwar die einfachste Möglichkeit der Verwendung, die erst durch die Säkularisierung der Bibel ermöglicht wurde. Im folgenden wollen wir einige weitere repräsentative Möglichkeiten untersuchen, wobei wir uns auf Werke des 20. Jahrhunderts beschränken wollen, in denen es so gut wie nie auf die christlich-religiöse Bedeutung ankommt. Wenn wir vorläufig noch den Stoff im Auge behalten, so fällt es sofort auf, daß der biblische Stoff sehr oft gebraucht wird, um eine moderne Situation exemplarisch zu erhellen.

2. *Die exemplarische Funktion des säkularisierten Stoffes.*

Die exemplarische Funktion des biblischen Stoffes läßt sich auf manche Art und Weise andeuten, am ehesten wohl durch den Titel. Der Titel von Jochen Kleppers nachgelassenen Tagebüchern aus der Nazizeit – "Unter dem Schatten deiner Flügel" – suggeriert das Gefühl von Zuversicht bei äußerster Bedrohung, welche viele Psalmen kennzeichnet, in denen das Bild wiederholt vorkommt. Durch den Titel von Heinrich Schirmbecks Roman "Ärgert dich dein rechtes Auge" wird die ethische Situation des modernen Kernphysikers schlaglichtartig beleuchtet und verallgemeinert. Der in Anlehnung an Theodor Haeckers "Tag- und Nachtbücher" leicht abgewandelte Titel von Heinrich Bölls Roman "Wo warst du, Adam?" erinnert daran, daß eine ganze Generation den Krieg als ein "Alibi vor Gott" benutzte. Wenn Nietzsche seine geistige Autobiographie mit dem Pilatus-Wort "Ecce Homo" bezeichnet, so enthüllt sich eine geradezu geniale Verbindung von Hochmut und Ironie, die sich an der Inkongruenz zwischen dem biblischen und dem modernen Text entzündet. In der Gestalt Hiobs hat die moderne Literatur eine besonders ergiebige Möglichkeit für Ernst und Parodie entdeckt. In Oskar Kokoschkas Stück "Hiob" muß der Held wie sein biblischer Namensvetter ein bitteres Los erdulden; aber hier handelt es sich um das ironisch dargestellte Los eines betrogenen Ehemanns. Joseph Roth erzählt in seinem gleichnamigen Roman das hiobsartige Schicksal eines zeitgenössischen Juden, der nach Amerika auswandert.

Bezieht sich der Titel auf das ganze Werk, so beschränkt sich die Kapitelüberschrift auf eine besondere Episode. In Alfred Döblins Roman "Berlin Alexanderplatz" wird das Fazit – das Verschwinden von Biberkopfs Hochmut in einem Gefühl der menschlichen Solidarität – subtil vorweggenommen in einem Kapitel des 4. Buches: "Gespräche mit Hiob, es liegt an dir, Hiob, du willst nicht", das zugleich Stoff und Dialogstil der Bibel virtuos nachahmt. In Hermann Hesses Roman "Demian" wird der Kampf des Erzählers mit seinem Dämon in dem Kapitel "Jakobs Kampf" dargestellt. Damit der Leser den Zusammenhang nicht übersieht, wird im Text ausdrücklich auf die biblische Situation hingewiesen: "Es waren Worte über den Kampf Jakobs mit dem Engel Gottes, und das 'Ich lasse dich nicht, du segnest mich denn.'"[9] Der Abschnitt von Max Frischs "Tagebuch", in dem er das für seine weiteren Werke so bezeichnende Thema ankündigt, heißt: "Du sollst dir kein Bildnis machen."[10] Aber das moseische Verbot wird hier säkularisiert: denn Frisch kümmert sich nicht um plastische Bilder, sondern um das seelische Bild, das wir von unseren Mitmenschen formen und nach dem wir möchten, daß sie leben.

Wie Titel und Kapitelüberschrift kann auch das eingebaute Zitat bzw. das der Bibel entlehnte sprachliche Bild den Horizont des Textes exemplarisch erweitern. Auf der letzten Seite von Hermann Hesses "Die Morgenlandfahrt" entdeckt der Erzähler H. H. eine seltsame Plastik, die ihn zusammen mit seinem Freund Leo darstellt, und im Innern der Figur erblickt er ein ununterbrochenes Fließen oder Schmelzen aus seinem Ebenbild in das Bild Leos hinüber. Dieses Sinnbild des Themas – daß Dienen das höchste Ideal sei und daß Gestalten aus Dichtungen manchmal lebendiger und wirklicher seien als die Gestalten ihrer Dichter – wird mit den bekannten Worten aus dem Johannes-Evangelium kommentiert: "er mußte wachsen, ich mußte abnehmen" – ein Zitat, das Leo plötzlich mit Jesus gleichsetzt und das der ganzen Parabel plötzlich einen allgemeineren Sinn verleiht. Auch aus dem vierten Evangelium stammt das Losungswort, das in Heinrich Bölls Roman "Billard um halb zehn" leitmotivisch wiederkehrt: "Weide meine Lämmer!" In dem religiösen Milieu der Handlung scheint das biblische Zitat richtig angebracht; weil aber der symbolische Konflikt zwischen "Lämmern" und "Büffeln" auch auf politischer Ebene stattfindet, werden die Bereiche Religion und Politik durch das Zitat sprachlich verwoben. Hermann Brochs Roman "Die Schlafwandler" endet mit dem Paulus-Wort aus der Apostelgeschichte: "Tu dir kein Leid! denn wir sind alle noch hier!" – einem Wort, das das Hauptthema des dreibändigen Werkes rekapituliert: daß in einer Welt, die der herkömmlichen Werte verlustig gegangen ist, die menschliche Solidarität uns tröstet.

In Alfred Döblins Roman "Berlin Alexanderplatz" wimmelt es geradezu von Zitaten und Bildern aus verschiedenen Büchern beider Testamente, deren Zweck es ist, das Leben Franz Biberkopfs ins Exemplarische zu steigern.[11] Die Stadt Berlin, die sich als Biberkopfs große Gegnerin entpuppt, wird folgendermaßen charakterisiert. "Es ist ein Weib, bekleidet mit Purpur und Scharlach und übergüldet mit edlen Steinen und Perlen und hat einen goldenen Becher auf der Hand. Sie lacht. An ihrer Stirn steht ihr Name geschrieben, ein Geheimnis, die große Babylon, die Mutter der Hurerei und aller Greuel auf Erden...."[12] Hier handelt es sich um kein genaues Zitat, aber das Bild, das unzweideutig auf der Darstellung der Hure Babylon in der Offenbarung beruht, verleiht der Stadt Berlin im Jahre 1928 einen mythisch-dämonischen Zug, der den zeitlosen Charakter des Kampfes zwischen Mensch und Chaos enthüllt. In keinem dieser Fälle wird die Quelle des Zitates ausdrücklich zitiert. In den "Schlafwandlern" wird auf den Kontext des Paulus-Wortes etwa hundert Seiten vor dem Schluß hingewiesen, und der aufmerksame Leser hat das noch in Erinnerung. Die Zitate bzw. Bilder bei Böll und Döblin haben einen so ausgesprochen biblischen Klang, daß wohl auch der nicht bibelfeste Leser ahnt, worum es sich handelt. Nur bei Hesse besteht die Möglichkeit des Mißverstehens, denn das Johannes-Wort, das haargenau auf die textliche Situation paßt, steht nicht einmal in Anführungszeichen. Aber nur der Leser, der den richtigen Zusammenhang erkennt, begreift die wahre Absicht der Parabel.

3. Wandlungen des Exemplarischen zur Parodie.

Es liegt in der Natur des Exemplarischen, daß ein ungeahnter Zusammenhang festgestellt wird zwischen dem konkreten Einzelfall des literarischen Textes und der zeitlos-allgemeinen Gültigkeit des biblischen Beispiels. Wenn aber die Inkongruenz zwischen den beiden Polen der Analogie zu deutlich hervortritt, tendiert das Exemplarische sehr leicht zur Parodie. Diese Neigung sahen wir bereits in Kokoschkas "Hiob". Ein extravagantes Beispiel bietet Thomas Manns Roman "Der Zauberberg". In dem Kapitel "Vingt et un" lädt der holländische Plantagenbesitzer Pieter Peeperkorn seine neuen Freunde im Sanatorium "Berghof" zu einem festlichen Abend mit Wein, Essen und Kartenspiel

ein. Nach mehreren Stunden muß der unermüdliche Peeperkorn "mit erhobenem Zeigefinger" seine beschwipsten und erschöpften Gäste aus ihrer Lethargie wecken:
"Meine Herrschaften – gut. Das Fleisch, meine Herrschaften, es ist nun einmal – Erledigt. Nein – erlauben Sie mir –, 'schwach', so steht es in der Schrift. 'Schwach', das heißt geneigt, sich den Anforderungen – Aber ich appelliere an Ihre – Kurzum und gut, meine Herrschaften, ich *ap-pel-liere.* Sie werden mir sagen: der Schlaf. Gut, meine Herrschaften, perfekt, vortrefflich. Ich liebe und ehre den Schlaf... Wollen Sie jedoch bemerken und sich erinnern: Gethsemane! 'Und nahm zu sich Petrum und die zween Söhne Zebedei. Und sprach zu ihnen: Bleibet hie und wachet mit mir.' Sie erinnern sich? 'Und kam zu ihnen und fand sie schlafend und sprach zu Petro: Könnet ihr denn nicht eine Stunde mit mir wachsen?'" (S. 788 f.)

Auf den ersten Blick handelt es sich hier wieder, wie in den oben erwähnten Fällen, um ein einmaliges Zitat, womit der Szene ein ins Humoristische abgewandelter Sinn verliehen wird durch die stammelnde Unbeholfenheit des Redenden. Aber die Ausführlichkeit und Nachdrücklichkeit der Szene lassen uns bald andere Züge erkennen, die der ganzen Episode ein unerwartetes Gepräge geben. Zunächst fällt uns die Rahmensituation auf: "Zu zwölf Personen ließ man sich nieder." Die dienende Zwergin, die mit Wein und Speise hin und her eilt und die dem Direktor des Sanatoriums die Orgie verrät, macht dreizehn. In Peeperkorns kleinen blassen Augen merkt Hans Castorp trotz der gezwungenen Fröhlichkeit Zeichen von dem panischen Schrecken, der den verzweifelnden Alten bald zu seinem Selbstmord treiben wird. Dieses Entsetzen ist es, das dem Hinweis auf Jesus im Garten Gethsemane einen besonders ernsten Sinn verleiht. Wir sehen mit anderen Worten, daß die ganze Szene zu einer typologischen Nachahmung des Abendmahls (Jesus mit seinen zwölf Jüngern, Brot und Wein, Verrat) und der angstvollen Stunden im Gethsemane wird, wobei der von Leben strotzende und Bibel zitierende Peeperkorn unerwartet zu einer Postfiguration der Gestalt Jesu wird. Durch die biblische Analogie wird einerseits die existentielle Angst Peeperkorns vor seinem Tode exemplarisch vertieft. Wenn Peeperkorn vom Weltuntergang redet, merkt Hans Castorp, daß "in Peeperkorns Munde das Donnerwort seine ganze schmetternde und posaunenumdröhnte Wucht, kurz, biblische Größe gewann". Aber es ist andererseits unbestreitbar, daß aus der Inkongruenz zwischen der biblischen Gestalt des Heilands und der Romanfigur, deren Angst letzten Endes aus der Abnahme ihrer sexuellen

Potenz entsteht, eine parodistische Spannung entsteht. Gerade dieses Pendeln zwischen Ernst und Parodie verleiht der Gestalt Peeperkorns ihre unvergeßliche und lebensähnliche Ambivalenz.

4. Radikale Umwertungen des biblischen Stoffes.

Die Parodie hat als Voraussetzung ein allgemein anerkanntes Grundmuster, das durch die Parodie ins Groteske verzerrt wird: in diesem Sinne beruht die Parodie auf einer konventionellen Interpretation der Bibel. Es gibt aber, wenn wir einen Schritt weiter gehen, noch eine weitere Stufe der Säkularisierung, die über die Parodie hinausführt zur totalen Umwertung des biblischen Vorbildes. In einem gewissen Sinne haben wir es mit einem leisen Grad von Umwertung jedesmal zu tun, wenn ein moderner Autor die Bibel mit neuen und kritischen Augen liest. Die Moses-Darstellungen von Schiller bis zu Freud und Thomas Mann bieten ein typisches Beispiel für diese Art von Reinterpretation.[13] Aber in anderen Fällen geht die Revidierung soweit, daß wir es tatsächlich mit einer neuen Auffassung zu tun haben. Im letzten Abschnitt von Rilkes "Aufzeichnungen des Malte Laurids Brigge" wird als thematische Rekapitulierung des Romans und als symbolische Autobiographie des Erzählers die Geschichte vom Verlorenen Sohn nacherzählt. Der Abschnitt verdient besondere Achtung, weil hier zum ersten Mal Malte die eigenen Nöte insofern überwunden hat, als er jetzt imstande ist, objektiv gestaltend und erzählend mit dem eigenen Leben zurecht zu kommen. Die Erzählung beginnt aber mit einer auffallenden Umkehrung der herkömmlichen Parabel: "Man wird mich schwer davon überzeugen, daß die Geschichte des verlorenen Sohnes nicht die Legende dessen ist, der nicht geliebt werden wollte." Rilke erzählt mit erfinderischer Ausführlichkeit das Fortgehen des Sohnes, die Armut seines Lebens im Elend, und seine Rückkehr; aber alles wird umgewertet, um den Sinn des Romans zu unterstützen. Wir sehen Malte nämlich als den Entfremdeten, dem es endlich und nach unerhörter Mühe gelungen ist, sich von den Erwartungen und Hindernissen zu befreien, mit denen ihn die Liebe der Nächsten belastet hatte. "Was wußten sie, wer er war. Er war jetzt furchtbar schwer zu lieben, und er fühlte, daß nur einer dazu imstande sei. Der aber wollte noch nicht." Durch diese radikal umwertende Nacherzählung, die die Aufzeichnungen schließt, wird das Leben Maltes ins Überindividuelle erhoben – aber auch zugleich in einen Gegensatz mit dem Neuen Testament gesetzt.

In Hermann Hesses "Demian" kommt das Thema vom Verlorenen

Sohn auch vor, aber in der konventionellen Auffassung von dem, der sich nach "Anblick und Geruch der alten heimatlichen Stuben" sehnt (S. 113). Überhaupt haben die vielen Bibelanspielungen in den frühen Kapiteln des Romans – vor allem Hinweise auf Verlust der Unschuld und Verstoß aus dem Paradies – die konventionelle, ja völlig naive Bedeutung, die man von einem pietistisch erzogenen Knaben erwarten würde. Aber von dem Augenblick, da Demian in Emil Sinclairs Leben eingreift, werden sämtliche akzeptierten Werte bezweifelt und umgeworfen. Im dritten Kapitel wird zum Beispiel eine radikal neue Wertung der biblischen Erzählung von Kain avanciert. Nach einer Bibelstunde, in der der Lehrer die übliche Interpretation der Kainsgeschichte vorgetragen hat, behauptet Demian, daß man die Geschichte "auch ganz anders auffassen" kann. Überhaupt, meint er, sind die meisten Sachen, die man lehrt, ganz wahr und richtig: "aber man kann sie alle auch anders ansehen, als die Lehrer es tun und meistens haben sie dann einen viel besseren Sinn." In seinem Versuch, den jüngeren Freund zu einer produktiven Kritik des Herkömmlichen anzuregen, erklärt Demian die Geschichte von Kain folgenderweise:

"Es war da ein Mann, der hatte etwas im Gesicht, was den andern Angst machte. Sie wagten nicht ihn anzurühren, er imponierte ihnen, er und seine Kinder. Vielleicht, oder sicher, war es aber nicht wirklich ein Zeichen auf der Stirn, so wie ein Poststempel, so grob geht es im Leben selten zu. Viel eher war es etwas kaum wahrnehmbares Unheimliches, ein wenig mehr Geist und Kühnheit im Blick, als die Leute gewohnt waren. Dieser Mann hatte Macht, vor diesem Mann scheute man sich. Er hatte ein 'Zeichen'... Also erklärte man das Zeichen nicht als das, was es war, als eine Auszeichnung, sondern als das Gegenteil. Man sagte, die Kerls mit diesem Zeichen seien unheimlich, und das waren sie auch. Leute mit Mut und Charakter sind den anderen Leuten immer sehr unheimlich." (S. 125 f.)

Die so umgedeutete Formel wird mit diesem neuen Sinn beladen zu einem Hauptbild des Romans, zu einem seelischen Zeichen, woran sich Demian, Sinclair und deren Freunde erkennen. Es kommt nicht darauf an, ob diese Interpretationen bei Rilke und Hesse originell sind (sie sind es nicht); was uns betrifft, ist allein die Tatsache, daß hier ein biblischer Stoff in völlig umgewertetem Sinne herangezogen wird, um einen säkularen literarischen Text zu beleuchten. Mit anderen Worten: Hier wird die Bibel völlig entsakralisiert und zu nichts mehr als einem beliebigen kulturellen Stoff reduziert.

5. Die formbildende Funktion der säkularisierten Bibel.

Die Einwirkung der Bibel auf die Literatur läßt sich am leichtesten feststellen, wo es sich um einen bekannten Stoff handelt. Aber ein ähnlicher Einfluß läßt sich auch im Zusammenhang mit biblischen Formen beobachten. Schon in der früheren geistlichen Dichtung spielt die sprachliche Gestalt der Bibel eine gewisse Rolle. Die großen Kirchenlieder – von Luther über Gryphius und Kuhlmann bis zu Zinzendorf und Gellert – sind häufig nichts als Versifikationen der biblischen Psalmen. Und das geistliche Lied von Opitz und Angelus Silesius bis zu Novalis bezieht seine lebendigsten Bilder aus dem Hohenlied.[14] Aber in diesen Fällen haben wir es kaum mit einer bewußten formalen Nachahmung von Psalm und Hohemlied zu tun, da die Eigenart der biblischen Dichtung noch nicht erkannt worden war. Um sich zu überzeugen, daß es bei diesen Nachdichtungen auf den Inhalt und nicht auf die Form ankommt, braucht man nur den Text von "Ein' feste Burg ist unser Gott" mit Luthers Vorlage im 46. Psalm zu vergleichen. Nach der Säkularisierung der Bibel im späteren 18. Jahrhundert gab die neu erkannte Textgestalt auch Formen her für Zwecke, die mit Erbauung und christlichem Glauben nicht das geringste zu tun hatten. Ein bekanntes Beispiel zeigt sich bereits bei Goethe: es gehört zu den Gemeinplätzen der Literaturgeschichte, daß der Prolog im Himmel auf das Modell des Buches Hiob zurückgeht, ein Werk, das Goethe bekanntlich liebte und öfters zitierte.[15]

Bei verschiedenen modernen Autoren kommen "Psalmen" vor, die sich ausschließlich durch ihre dichterische Form (Parallelismus) kennzeichnen und nicht – wie in den frühen Kirchenliedern – bloß durch Inhalt und Bilder. Bei Trakl können wir noch von einer einfachen Säkularisierung der Form sprechen, denn Inhalt und Bilder, wenn auch völlig verweltlicht, stehen in keinem krassen Widerspruch zur Gestalt:

Psalm
Es ist ein Licht, das der Wind ausgelöscht hat.
Es ist ein Heidekrug, den am Nachmittag ein Betrunkener verläßt.
Es ist ein Weinberg, verbrannt und schwarz mit Löchern voll Spinnen.
Es ist ein Raum, den sie mit Milch getüncht haben.[16]

Aber in Bertolt Brechts "Hauspostille" klaffen Form und Inhalt des Psalms so weit auseinander, daß man von einer Art Parodie sprechen darf:

Dritter Psalm

1. Im Juli fischt ihr aus den Weihern meine Stimme. In meinen Adern ist Kognak. Meine Hand ist aus Fleisch.
2. Das Weiherwasser gerbt meine Haut, ich bin hart wie eine Haselrute, ich wäre gut fürs Bett, meine Freundinnen!
3. In der roten Sonne auf den Steinen liebe ich die Gitarren: es sind Därme von Vieh, die Klampfe singt viehisch, sie frißt kleine Lieder.
4. Im Juli habe ich ein Verhältnis mit dem Himmel, ich nenne ihn Azurl, herrlich, violett, er liebt mich. Es ist Männerliebe.
5. Er wird bleich, wenn ich mein Darmvieh quäle und die rote Unzucht der Äcker imitiere sowie das Seufzen der Kühe beim Beischlaf.[17]

Wer die Bibel mit den Augen des Literaturwissenschaftlers analysiert, erkennt, daß dieses Sammelwerk eine fast überwältigende Vielfalt von literarischen Formen enthält: Novelle (Ruth), biographische Erzählung (Abraham), Liebeslyrik (Hohelied), Epigramm (Sprüche), Parabel (Evangelien), geistliche Lyrik (Psalmen), dramatisches Gedicht (Hiob), Brief (Episteln), und noch andere. In den meisten modernen Werken, wo es sich nicht ausdrücklich um bezeichnete Formen wie "Psalm" oder "Parabel" handelt, kann man kaum mit Sicherheit sagen, ob eine bestimmte Form auf die Bibel zurückgeht oder nicht. Zum Schluß unseres Überblicks wollen wir aber noch eine letzte Möglichkeit der strukturellen Einwirkung erwähnen und zwar: Werke, in denen nicht einzelne Gattungen, sondern die Bibel als Ganzes nachgeahmt wird.

Wir hatten bereits Gelegenheit, die Tatsache zu notieren, daß Hesses "Demian" eine unwahrscheinliche Menge von biblischen Stoffen verwendet, die durch Kapitelüberschrift, Zitat und Bild spezifiziert werden. Diese Feststellung wird kaum überraschen, da es sich um ein Werk handelt, das sich zum Ziel gesetzt hat, die herkömmlichen religiösen Mythen für den Menschen des 20. Jahrhunderts durch radikale Umwertung zu modernisieren. Wenn wir aber näher hinblicken, so fällt auf, daß die Bilder in den ersten Kapiteln, wo der Sündenfall des Erzählers aus der knabenhaften Unschuld in das Bewußtsein des Jünglings dargestellt wird, weitgehend aus den ersten Kapiteln des Alten Testaments hergeholt sind: Sinclair lügt von einem Apfeldiebstahl, und er empfindet für die verlorene Unschuld "ein rasendes Heimweh wie nach verlorenen Paradiesen" (S. 130). Gegen Ende des letzten Kapitels erlebt der nun erwachsene Sinclair eine Vision am Himmel über den flandrischen Kampffeldern. Er sieht eine mächtige Göttergestalt mit funkelnden Sternen im Haar: "Die Göttin kauerte sich am Boden nieder, hell schimmerte das Mal auf ihrer Stirn. Ein Traum schien Gewalt über sie zu haben, sie schloß die Augen, und ihr großes Antlitz verzog sich in Weh" (S. 255). Wenn wir nach der Quelle dieses eindrucksvollen Bildes fahnden, so haben wir nicht weit zu suchen: im 12. Kapitel der Offenbarung redet Johannes von einem Zeichen, das er im Himmel erblickt habe: "ein Weib, mit der Sonne bekleidet, und der Mond unter ihren Füßen und auf ihrem Haupt eine Krone von zwölf Sternen. Und sie war schwanger und schrie in Kindesnöten und hatte große Qual zur Geburt." Wir haben es mit einem Roman zu tun, der mit Anspielungen auf Genesis beginnt und mit Bildern aus der Offenbarung endet; zwischen diesen beiden biblischen Polen hören wir von Kain, von Jakobs Kampf, von dem Schächer am Kreuz, und von anderen Stoffen aus beiden Testamenten. Es hat den Anschein, daß Hesse auch im strukturellen Sinn eine säkularisierte Bibel schreiben wollte – ein Bestreben, das durchaus übereinstimmt mit seiner thematischen Absicht, die Mythen der Bibel für seine Zeit umwertend zu retten.[18]

Hesse ist nicht der einzige moderne Autor, der auf diese Weise mit der Struktur der Bibel gespielt hat, um seiner Erzählung unerwartete Dimensionen abzugewinnen. Wenn wir die Sprache der Bilder mit peinlicher und wortwörtlicher Genauigkeit lesen, so enthüllt sich eine ähnliche Absicht in Günter Grass' Novelle "Katz und Maus". Schon auf der ersten Seite hören wir von Mahlkes Adamsapfel, von dem später behauptet wird, daß er in einer "wenn auch bizarren, dennoch ausgewogenen Harmonie" mit seinem imposanten Geschlechtsteil steht (S. 41). Im Kontext der Erzählung wird der Adamsapfel zum Symbol für den Verlust der Knabenunschuld. Im Laufe der Jahre bindet sich Mahlke eine Reihe von "Gegengewichten" – Schraubenzieher, Medaillen, Puscheln – um, die das monströse Zeichen seines Sündenfalles verdecken sollen; aber das adäquate Gegengewicht findet er erst in dem Ritterkreuz, das er gegen Ende der Erzählung im Krieg verdient. Wir sehen uns also wieder mit einem Werk konfrontiert, das in präziser Analogie zur Struktur der Bibel mit dem Verlust der Unschuld durch einen Adams*apfel* beginnt und mit Erlösung durch das Ritter*kreuz* endet. Eine genaue Analyse ergibt übrigens eine beinah unwahrscheinliche Menge von weiteren Bildern aus dem Neuen Testament, die Mahlke, der von seinen Mitschülern spöttisch als der "Erlöser" bezeichnet wird, charakterisieren und unzweideutig zu einer parodierten Jesus-Gestalt stempeln.[19]

6. *Die literaturwissenschaftlichen Implikationen der Bibelsäkularisierung.*

Rekapitulierend können wir jetzt feststellen, daß die Literatur, in der die Bibel eine beträchtliche Rolle spielt, in zwei Hauptkategorien zerfällt. Wenn es vor allem auf den christlich-religiösen Aussagewert der biblischen Stoffe und Bilder ankommt, sprechen wir von geistlicher Dichtung;[20] davon unterscheiden wir säkulare Werke, in denen der biblische Stoff oder die biblische Form einem nicht-religiösen Zweck untergeordnet ist, möge es sich um ein beiläufiges Zitat oder um eine Nachdichtung von mehreren hundert Seiten handeln. Obwohl die geistliche Dichtung ausführlich erforscht worden ist, hat die Literaturwissenschaft die säkularisierte Bibel und deren Einwirkung auf die deutsche Literatur noch keiner systematischen Untersuchung unterzogen.[21] Unsere vorläufige Übersicht hat aber eine Reihe von Fragen gezeitigt, die sich auf das Wann, das Warum, und das Wie der säkularisierten biblischen Literatur beziehen und die den Weg zu einem ergiebigen Studiengebiet weisen.

Die Geschichte der deutschen Literatur zeigt, daß die beiden Kategorien in einem bestimmten historischen Verhältnis zueinander stehen, und zwar bilden sie zwei Hauptperioden, die durch die Säkularisierung der Bibel im späten 18. Jahrhundert getrennt sind. Die geistliche Dichtung im engeren Sinne des Wortes hört nicht um 1800 mit einem Male auf; aber abgesehen von vereinzelten hervorragenden Beispielen der geistlichen Lyrik – etwa Annette von Droste-Hülshoff oder Rudolf A. Schröder – spielt diese Kategorie in der Literaturgeschichte der letzten zwei Jahrhunderte bei weitem keine so wichtige Rolle wie in dem vorhergehenden Jahrtausend. Andererseits hat die moderne deutsche Literatur in jeder Gattung eine Reihe von bedeutenden säkularen Texten aufzuweisen, die man ohne eine Kenntnis der Bibel keineswegs befriedigend interpretieren kann. Ja, es gibt sogar mehrere Autoren (von Goethe über Rilke, Hesse und Thomas Mann zu Günter Grass), deren Werke man kaum verstehen kann, wenn man ihr Verhältnis zur Bibel nicht begreift. Das bedeutet zunächst, daß auch in einem säkularen Zeitalter die Bibel ein wichtiges Quellenwerk geblieben ist, das der Literaturwissenschaftler genau so gewissenhaft studieren muß wie jeden anderen zentralen Text unserer Kultur.

Die säkularisierte Einstellung des Autors zur Bibel verlangt, daß der Literaturwissenschaftler jedesmal fragen muß, warum ein betreffender Autor die Bibel verwendet. In dem Augenblick nämlich, wo es nicht mehr auf den christlich-dogmatischen Aussagewert der Bibel ankommt, öffnet sich eine ganze Skala von weiteren Möglichkeiten, die sich von Glauben und exemplarischer Analogie zu Parodie und totaler Umwertung des biblischen Stoffes (bzw. der biblischen Form) erstreckt. Es gilt also, festzustellen, in welchem Verhältnis das Zeitalter zur Religion, der Autor zur Bibel, das Werk zum spezifischen Stoff steht. Um dieses Verhältnis richtig einzuschätzen, ist es selbstverständlich nötig, nicht nur den konventionellen Sinn des biblischen Stoffes, sondern auch die geistige Biographie des Autors bzw. die Kultur der Zeit gewissermaßen in Betracht zu ziehen.

Durch solche Fragestellung wird unsere Aufmerksamkeit schließlich auch auf technische Fragen gerichtet: wie wird der biblische Stoff gehandhabt? Durch welche Mittel erreicht Thomas Mann zum Beispiel die massive Anschwellung seines Joseph-Romans im Vergleich zum geringen Umfang der Quelle? Durch welche Mittel erzielt der Autor – etwa Grass in "Katz und Maus" oder Brecht in seinen "Psalmen" – die erwünschte parodistische Spannung zwischen Form und Inhalt? Durch welche Mittel – Titel, Kapitelüberschriften, Mottos, Zitate, umwertende Erklärungen u. s. w. – gelingt es dem modernen Autor, ein nicht mehr bibelfestes oder typologisch geschultes Publikum trotzdem auf die biblischen Analogien aufmerksam zu machen, auf die es in seinem Werk ankommt?

Die Frage nach dem Verhältnis von Bibel und Literatur hat also eine Reihe von eventuell produktiven Fragen hervorgebracht, die man vor jedem literarischen Werk zu stellen hat, in dem ein biblischer Stoff oder eine biblische Form für säkulare Zwecke herangezogen wird. (Die Fragen in bezug auf geistliche Dichtungen unterscheiden sich naturgemäß von diesen, weil es dort vor allem auf Inhalt und Aussage ankommt.) Fragen wir nun zum Schluß, welche Art von literaturwissenschaftlicher Tätigkeit wir hier getrieben haben, so finden wir uns in der Lage von Molières M. Jourdain, der mit staunendem Vergnügen feststellen konnte, daß er sein ganzes Leben lang Prosa geredet habe: wir haben vergleichende Literaturwissenschaft getrieben. Denn die Analyse, Interpretation und geschichtliche Ortung eines nationalliterarischen (bzw. deutschen) Textes durch Vermittlung eines nicht-nationalen (bzw. orientalischen) Textes dürfte als die allgemeinste und einfachste Definition der vergleichenden Literaturwissenschaft gelten.

Die Bibel stellt genauso sehr wie Kalidasas "Sakuntala", das Gilgamesch-Epos oder "1001 Nacht" ein wichtiges Dokument der orientalischen Dichtung dar. Aber es bestehen wesentliche Momente, welche in unserem Bewußtsein die Bibel von dem indischen Drama, dem babylonischen Epos und der arabischen Rahmenerzählung unterscheiden. Diese Unterschiede haben oft die Tatsache verstellt, daß jede Beschäftigung mit dem Fragenkomplex "Bibel und Literatur" zum Sachbereich Komparatistik gehört. Erstens: anders als jeder andere Text der nicht-deutschen Literatur hat die Bibel jahrhundertelang einen ausgesprochen, ja einen fast ausschließlich religiösen Grad von Aussagewert, der lange den rein literarischen Wert des Texts verhüllte – im Gegensatz etwa zu der Wirkung anderer orientalischer religiöser Texte wie des Korans oder der Upanischaden, die der Europäer primär als literarische oder jedenfalls kulturelle Dokumente auffaßt. Zweitens: durch die wichtige Rolle der geistlichen Dichtung in der deutschen Literaturgeschichte und vor allem durch die luthersche Übersetzung ging die Sprache der Bibel so sehr in die deutsche Sprache ein, daß eine ganze Reihe von gewagten orientalischen Bildern seit Jahrhunderten schon als kerndeutsch empfunden wird – eine Tatsache, die unserer Auffassung der Bibel als einem fremden, mit komparatistischen Mitteln anzugehenden Text entgegenwirkt.[22]

Trotz aller Eigentümlichkeiten der Bibel als literarischen Textes zeigt jedoch die vorhergehende Diskussion, daß jede Erörterung der Frage "Bibel und Literatur" unausweichlich auf zwei Gebiete führt, die prinzipiell zur Komparatistik gehören: Stoffgeschichte und Gattungsgeschichte. Wer etwa den vielen Odysseus-Romanen (von Walter Jens, Ernst Schnabel, Emil Barth, Hans Erich Nossack u. a. m.), die für die deutsche Nachkriegsliteratur so charakteristisch sind, gerecht werden will, muß wissen, daß sie am Ende einer Tradition stehen, die über James Joyce, Nikos Kazantzakis und Jean Giono mehr als zweitausend Jahre zurückrecht bis zu Homer. Durch die Anknüpfung an das uralte Thema wollen die Autoren das deutsche Nachkriegserlebnis des Heimkehrers in seinem breitesten menschlich-kulturellen Kontext exponieren, und dem Leser, der diese komparatistische Zusammenhänge nicht erblickt, entgeht gerade das, worauf es den Verfassern in erster Linie ankommt.[23] Ebenso begreift Klopstocks "Messias", Goethes "Römische Elegien", Hölderlins Oden und Rilkes Sonette völlig nur derjenige, der die fremden Muster erkennt, an denen die Dichter sich bewußt maßen.

Unsere Untersuchung hat nun gezeigt, daß die Einwirkung der säkularisierten Bibel auf die deutsche Literatur sich vor allem auf diesen beiden erzkomparatistischen Gebieten zu erkennen gibt. Die Frage nach der literarischen Verwendung von biblischen Bildern, die sich durch die luthersche Übersetzung sozusagen eingebürgert haben, braucht zwar nicht unbedingt mit komparatistischen Mitteln untersucht zu werden, denn diese Bilder werden nicht immer als "biblisch" empfunden.[24] Aber ein biblischer Stoff (etwa Kain) oder eine biblische Gattung (etwa Psalm) kommen dem Autor in einem säkularisierten Zeitalter als ausgesprochen "fremd" vor. Wenn die Frage nach dem Verhältnis eines deutschen Textes zur Bibel an sich schon eine komparatistische Übung darstellt, so ist es erst recht eine Aufgabe der vergleichenden Literaturwissenschaft, das so erfaßte Werk stoffgemäß und gattungsgemäß zu orten. Wenn wir uns etwa nach den Gründen erkundigen, warum der Hiobsstoff nach einer Periode der Vernachlässigung im Deutschland des 20. Jahrhunderts wieder lebendig wurde und wenn wir, um diese deutsche Faszination durch einen Kontrast besser zu würdigen, das amerikanische Beispiel von Archibald MacLeishs Drama "J. B." (deutsch: "Spiel um Hiob") heranziehen, so müssen wir mit komparatistischen Methoden vorgehen. Oder aber, wenn wir die parodierende Verwendung der Bibelform bei Günter Grass richtig begreifen wollen, so müssen wir "Katz und Maus" mit anderen typologischen Postfigurationen der Gestalt Jesu vergleichen, die seit etwa 1870 zu einer deutlich profilierten Gattung sich entwickelt haben – ein Vergleich, der Grass in Beziehung setzt nicht nur zur europäischen Literatur des späten 19. Jahrhunderts, sondern auch zu zeitgenössischen Schriftstellern in den Vereinigten Staaten und Schweden. Erst ein solcher Vergleich läßt den Kritiker mit mehr als impressionistischen Maßstäben den Grad von Originalität und Erfolg messen, den das deutsche Werk erreicht.

Es gebührt uns als Lesern und Mittlern deutscher Literatur also dauernd, die Meinung des bibelfesten Goethe, der ja auch den Begriff von "Weltliteratur" prägte, im Sinne zu behalten. In bezug auf das "Buch aller Bücher" behauptete er, "daß es uns deshalb gegeben sei, damit wir uns daran wie an einer zweiten Welt versuchen, uns daran verirren, aufklären und ausbilden mögen"[25] – ein echt komparatistisches Wort, das jeder Literaturwissenschaftler getrost über seinem Schreibtisch an die Wand als Leitspruch anbringen dürfte.

Anmerkungen

[1] Siehe die Übersicht über den heutigen Diskussionsstand in: Diether Krywalski (Hrsg.): Handlexikon zur Literaturwissenschaft. München 1974, S. 151 ff.

[2] Zu Goethes Verhältnis zur Bibel siehe Gertrud Janzer: Goethe und die Bibel. Leipzig 1929. – Vgl. auch Herbert Schöffler: Die Leiden des jungen Werther. Ihr geistesgeschichtlicher Hintergrund. Frankfurt a. M. 1938. Obwohl ich Schöfflers Interpretation des Romans als Erbauungsbuch ablehne, stimmt meine Analyse der Jesus-Parallelen wesentlich mit der seinigen überein.

[3] Murray Roston: Prophet and Poet. The Bible and the Growth of Romanticism. Evanston, Illinois 1965; Klaus Scholder: Ursprünge und Probleme der Bibelkritik im 17. Jahrhundert. München 1966; Hans W. Frei: The Eclipse of Biblical Narrative. A Study in Eighteenth and Nineteenth Century Hermeneutics. New Haven 1974. Zur Theorie bzw. Kritik des Begriffs "Säkularisation" siehe vor allem die maßgebenden Arbeiten: Albrecht Schöne: Säkularisation als sprachbildende Kraft. Studien zur Dichtung deutscher Pfarrersöhne. Göttingen 1958; und Dorothee Sölle: Realisation. Studien zum Verhältnis von Theologie und Dichtung nach der Aufklärung. Darmstadt und Neuwied 1973.

[4] Roston, S. 19 ff.

[5] J. G. Herder: Journal meiner Reise im Jahr 1769. Hrsg. von Katharina Mommsen. Stuttgart 1976, S. 129. S. 150.

[6] Hamburger Ausgabe Band 2. S. 128.

[7] Über den Joseph-Roman. In: Gesammelte Werke. Frankfurt a. M. 1960. Band 11, S. 625.

[8] Joseph und seine Brüder. Ein Vortrag. In: Gesammelte Werke. Band 11, S. 654.

[9] H. Hesse: Gesammelte Dichtungen. Frankfurt a. M. 1952. Band 3, S. 211.

[10] M. Frisch: Tagebuch 1946–1949. Frankfurt a. M. [2]1958, S. 31 ff.

[11] Siehe Erich Hülse: Alfred Döblin. Berlin Alexanderplatz. In: Rolf Geissler (Hrsg.): Möglichkeiten des modernen deutschen Romans. Frankfurt a. M. 1962, S. 74 ff.

[12] A. Döblin: Berlin Alexanderplatz. Hrsg. von Walter Muschg. Olten 1961, S. 277 f.

[13] Schiller: Die Sendung Moses (1790); Sigmund Freud: Der Mann Moses und die monotheistische Religion (1939); Thomas Mann: Das Gesetz (1943). – Vgl. Israel Weisfeld: This Man Moses. A Portrayal of Moses in the Bible, Rabbinic and General Literature. New York 1966.

[14] Arnold Oppel: Das Hohelied Salamonis und die deutsche religiöse Liebeslyrik. Berlin 1911; Hans Vollmer: Die Psalmenverdeutschungen von den Anfängen bis Luther. Potsdam 1932–33; Abraham Albert Avni: The Bible and Romanticism. The Old Testament in German and French Romantic Poetry. Haag 1969.

[15] Janzer (Anm. 2) S. 125, verzeichnet sämtliche Hiob-Zitate bei Goethe.

[16] Georg Trakl: Die Dichtungen. 12. Auflage. (Salzburg 1938), S. 57.

[17] Bertolt Brecht: Gesammelte Werke. Frankfurt a. M. 1967 (Werkausgabe ed. suhrkamp). Band 8, S. 243.

[18] Theodore Ziolkowski: The Novels of Hermann Hesse. Princeton, New Jersey 1965, S. 87 ff.

[19] Theodore Ziolkowski: Fictional Transfigurations of Jesus. Princeton, New Jersey 1972, S. 238 ff.

[20] Siehe Auguste Brieger: Kain und Abel in der deutschen Dichtung. Berlin 1934.

[21] Im Gegensatz zur Situation in der deutschen Literaturwissenschaft vgl. Edgar W. Work: The Bible in English Literature. New York 1917; Henrietta Tichy: Biblical Influences in English Literature. Ann Arbor, Michigan 1953; Roston: Prophet and Poet (Anm. 3); Avni: The Bible and Romanticism (Anm. 14).

[22] Siehe z. B. den ersten Abschnitt in Georg Büchmann: Geflügelte Worte.

[23] Theodore Ziolkowski: The Odysseus Theme in Recent German Fiction. In: Comparative Literature 14 (1962) S. 225–41.

[24] So kommt es, daß Schillers Wortschatz von der lutherschen Bibelübersetzung stark geprägt ist, obwohl Schiller selber im Vergleich zu Goethe und anderen Zeitgenossen so gut wie kein Interesse an der Bibel und deren Stoffe aufweist.

[25] Hamburger Ausgabe Band 2, S. 129.

Hans Hunfeld

Einige Grundsätze einer fremdsprachenspezifischen Literaturdidaktik

1.

In der gegenwärtigen Phase einer allgemeinen Umorientierung der Literaturdidaktik lassen sich Grundsätze einer fremdsprachenspezifischen Literaturdidaktik kaum vollständig und mit dem Anspruch auf Endgültigkeit formulieren: Mit einiger Verzögerung partizipiert die Fremdsprachendidaktik zwar inzwischen – was die Probleme des Literaturunterrichts angeht – an der Diskussion innerhalb der Germanistik und der muttersprachlichen Literaturdidaktik. Sie sucht also die Fülle der Vorschläge und Anstöße aus der Nachbardisziplin zu verarbeiten, während sie gleichzeitig die Eigenständigkeit ihrer Ziele und Methoden begründen muß. Von daher wird verständlich, warum die wissenschaftstheoretische Basis bislang ungeklärt ist. Auch die Einzelansätze der jüngsten Zeit können nicht darüber hinwegtäuschen, daß eine Grundlegung der fremdsprachenspezifischen Literaturdidaktik noch geschrieben werden muß.

Diese Feststellung ist nötig, um die Erwartungshaltung gegenüber den folgenden Bemerkungen auf das realistische Maß zu reduzieren. Was hier unter dem Titel "Grundsätze" angedeutet werden kann, sind lediglich *einige* Anmerkungen grundsätzlicher Art, die mehr den Charakter eines Denkanreizes als den einer abgesicherten Aussage für sich beanspruchen. Allerdings signalisieren sie – unter dem Einfluß der texttheoretischen und textdidaktischen Debatte der jüngsten Zeit – eine deutliche Abkehr von einigen traditionellen Positionen, die hier als bekannt vorausgesetzt werden müssen.

Der Literaturunterricht hat insgesamt jene Selbstsicherheit aufgeben müssen, die den pädagogischen oder sprachlichen Wert fiktionaler Literatur für den Schüler oder Studenten einigermaßen beliebig auf Begriffe brachte und vom jeweils *behaupteten* Lehrerfolg des Gegenstandes Literatur seinen Stellenwert im Unterricht bestimmte. Noch ist aber der allgemeinen Verunsicherung die weitgehende Übereinstimmung über die theoretischen und praktischen Grundlagen eines neuorientierten Literaturunterrichts nicht gefolgt. Das ist erst dann zu erwarten, wenn etwa die Auseinandersetzung innerhalb der Literaturwissenschaft um die beiden extremen Auffassungen von Text als unveränderlicher Substanz und Text als verschieden konkretisierbarer Appellstruktur zu einem Konsens geführt hat, der in die Praxis einwirken kann.

Die folgenden Ausführungen verstehen sich vor dem Hintergrund dieser Diskussion: da sie diese im vorgegebenen Rahmen nicht nachzeichnen können, muß auf die Beiträge im ersten Band dieses Readers sowie auf die Auswahlbibliographie im Anhang dieses Aufsatzes verwiesen werden.

2.

Für den fremdsprachlichen Literaturunterricht an deutschen Schulen hat die Diskussion vor allem die Einsicht gebracht, daß eine fremdsprachenspezifische Literaturdidaktik der muttersprachlichen Literaturwissenschaft und Didaktik wichtige Impulse verdankt, daß sie aber deren Denkmodelle und Arbeitsweisen nicht einfach kopieren kann. Das mag nach Binsenwahrheit klingen – die ernstgenommene Erkenntnis aber, daß die Distanz zum muttersprachlichen Literaturunterricht viel größer ist als bisher angenommen, verändert das bisherige Verständnis grundlegender Probleme der fremdsprachlichen Literaturdidaktik. Die Implikationen einer genaueren Einschätzung der besonderen Kommunikationssituation im fremdsprachlichen Unterrichtskontext und der spezifischen Ziele der Lektüre fremdsprachlicher Texte sind weitreichend: so läßt sich zum Beispiel die Interpretation von fremdsprachlicher Literatur nicht mehr als bloße Addition zur Lektüre muttersprachlicher Texte legitimieren. Von daher geraten traditionelle Begründungen in Gefahr, gewohnte Methoden der Erarbeitung verlieren ihren tradierten Anspruch. Andererseits wird ein neues Selbstbewußtsein spürbar: Auch für den Fremdsprachenunterricht werden jetzt verstärkt wieder literarische Texte gefordert – unter anderem gerade deswegen, weil die Fremdsprachendidaktik ihre fachspezifischen Ziele nicht mehr eng unter dem Stichwort des sprachlichen Fertigkeitserwerbs faßt und zudem deutlicher als früher auch fachübergreifende Ziele verfolgt.[1]

Diese hier nur pauschal andeutbaren Entwicklungen scheinen mir auch für das Arbeitsgebiet Deutsch als Fremdsprache im In- und Ausland interessant zu sein. Allerdings können die Problemstellungen der fremdsprachlichen Literaturdidaktik im hier gemeinten Zusammenhang nur dann auf Interesse stoßen, wenn zunächst gesehen wird, daß die Vermittlung von Literatur sowohl im fremdsprachlichen Unterricht an deutschen Schulen wie auch im Lehrgebiet Deutsch als Fremdsprache sich grundsätzlich unter den folgenden Bedingungen vollzieht, die beiden angesprochenen Bereiche also vergleichbar sind:

– Der didaktische Dialog erfährt gegenüber dem muttersprachlichen Unterricht eine Verstärkung des Kompetenzgefälles Lehrer – Schüler. Dieser Dialog wird im fremdsprachlichen Kontext also stärker gesteuert. Das hat Konsequenzen für die Lese- und Interpretationssituation, da sich von hierher die grundsätzlichen Bedingungen der Rezeption und der Reproduktion ergeben.

– Der Abstand des Textes zum Leser (der sprachliche, historische und kontextuelle Abstand) wird unter den spezifischen Bedingungen eines didaktischen Dialogs in einer dem Adressaten fremden Sprache deutlicher markiert als im muttersprachlichen Dialog über muttersprachliche Texte. Verstehendes Lesen muß sich ja als Verständnis in einer dem Leser fremden Sprache artikulieren.[2]

Interpretation kann als Übersetzung (in des Wortes vielfacher Bedeutung)[3] definiert werden. In der hier gemeinten Unterrichtssituation wird diese Übersetzung erheblich erschwert, weil die mündliche oder schriftliche Reproduktion der vom Adressaten geleisteten Übersetzung Übereinkünfte zwischen den Kommunikationspartnern voraussetzt, die durch die Kommunikation in der fremden Sprache aber erst geschaffen werden müssen.

3.

Diese erschwerten Lesebedingungen setzen den fremdsprachlichen Literaturunterricht deutlich vom muttersprachlichen ab. Die Erwartungen an den möglichen Unterrichtserfolg bestimmen sich von hierher, die Ziele des Literaturunterrichts müssen mit Blick auf diese Einschränkungen formuliert werden, die Auswahl von Literatur und die Methoden ihrer Darbietung haben die so gesetzten Grenzen zu beachten.

Erst diese Einsicht in die spezifischen Bedingungen des fremdsprachlichen Literaturunterrichts eröffnet ihm seine besonderen Möglichkeiten. Wenn er einerseits den muttersprachlichen Literaturunterricht nicht einfach nachäffen kann, so kann er andererseits gerade unter dem Diktat der ganz anderen Rahmenbedingungen der Lektüre von fiktionalen Texten Aspekte abgewinnen, die im muttersprachlichen Kontext meistens vernachlässigt werden. Ich kann in diesem Zusammenhang hier nur verkürzt wiederholen, was an anderer Stelle ausführlich dargestellt wurde:[4]

– Die Störung des Rezeptionsprozesses lenkt die Adressaten auf die Absichten fiktionaler Texte, vertraute Weisen des Verstehens zu verfremden. Dabei können die Vorerfahrungen aus dem muttersprachlichen Literaturunterricht die Begegnung mit fremdsprachlichen Texten erleichtern, wenn sie als solche von vornherein in die Interpretation eingebracht werden. Allerdings versteht sich von selbst, daß in dieser Hinsicht die Verhältnisse im traditionellen Fremdsprachenunterricht an deutschen Schulen für den Literaturlehrer besser einschätzbar sind als im Lehrbereich Deutsch als Fremdsprache. Die Vorverständnisse der Studenten müssen aber in jedem Falle erfragt werden, damit der jeweils besondere Abstand des deutschen Textes zum ausländischen Rezipienten in seiner Rolle als gesteuerter Leser unter den Bedingungen einer fremdsprachlichen Unterrichtssituation thematisiert werden kann.

Das grundsätzliche Ziel einer so angelegten Lektüre wird durch den Rückgriff auf einige Bemerkungen Gadamers beschreibbar: "Es sind die gestörten und erschwerten Situationen der Verständigung" – so Gadamer –, "in denen die Bedingungen am ehesten bewußt werden, unter denen eine Verständigung steht."[5] Gadamer verdeutlicht seine Auffassung am Beispiel der Übersetzung: "So wird der sprachliche Vorgang besonders aufschlußreich, in dem ein Gespräch in zwei einander fremden Sprachen durch Übersetzung und Übertragung ermöglicht wird."[5a] Was Gadamer dann zunächst an der Situation der Verständigung im Gespräch charakterisiert, nimmt für ihn "seine eigentliche Wendung ins Hermeneutische, wo es sich um das *Verstehen von Texten* handelt."[5b] (Hervorhebung von Gadamer) Wichtig wird in diesem Zusammenhang: "Die Fremdsprachlichkeit bedeutet nur einen gesteigerten Fall von hermeneutischer Schwierigkeit, d. h. von Fremdheit und Überwindung derselben."[5c]

Es geht hier nicht darum, Gadamers nicht unbestritten gebliebene Thesen *insgesamt* als Leitlinien einer Neuorientierung der fremdsprachlichen Literaturdidaktik vorzustellen. Einige Hinweise Gadamers aber können durchaus richtungsweisend sein, da sie die Bedeutung eines fremdsprachlichen Literaturangebots als eine Aufforderung zum verstehenden Lesen unterstreichen. So wenn Gadamer etwa ausführt, daß gerade im Studium der fremden Literatur nicht die Erlernung der fremden Sprache als solcher, sondern ihr Gebrauch einen neuen

Standpunkt in der bisherigen Weltansicht vermittle, da die andere Welt, die uns hier entgegentrete, nicht nur eine fremde, sondern eine beziehungsvoll andere sei, die nicht nur eine eigene Wahrheit *in sich*, sondern auch eine eigene Wahrheit *für uns* habe: "Die andere Welt, die da erfahren wird, ist nicht einfach Gegenstand der Erforschung, des Sichauskennens und Bescheidwissens. Wer die literarische Überlieferung einer fremden Sprache auf sich zukommen läßt, hat kein gegenständliches Verhältnis zu der Sprache als solcher ... Er verhält sich anders als der Philologe, dem die sprachliche Überlieferung Material der Sprachgeschichte oder Sprachvergleichung ist. Wir kennen das nur zu gut aus dem Erlernen fremder Sprachen und der eigentümlichen Abtötung der Literaturwerke, an denen die Schule uns in die fremden Sprachen führt."[5d]

– Die besonderen Möglichkeiten der Lektüre fremdsprachlicher Texte unter den Bedingungen einer fremdsprachlichen Unterrichtssituation, so kann man im Anschluß an Gadamer formulieren, erschließen sich eben dadurch, daß das Lesen dem Leser Mühe abverlangt. Gelingt – wie im muttersprachlichen Kontext bei der Lektüre muttersprachlicher Texte – die Kommunikation Text – Leser allzu mühelos, so überspringt der Leser ahnungslos die Kluft, die eigentlich immer den fiktionalen Text von seinem Leser trennt. Lesen als Verstehen schließt aber das Begreifen der Bedingungen ein, denen das Lesen überhaupt unterliegt. Hier kann der fremdsprachliche Literaturunterricht die Vorerfahrungen des muttersprachlichen Unterrichts vertiefen und kritisieren; hier, und nicht in der möglichst rasch zu erwerbenden Perfektion einer linguistischen Progression, liegt denn auch das spezifische Bildungsziel, das mit dem Angebot fremdsprachlicher Texte verbunden ist. Denn so sehr auch immer die Erfahrung der jeweils fremden Literatur als Kenntnisnahme fremder Kultur und also als Erweiterung des eigenen Erfahrungsraumes wichtig sein mag – die Beschäftigung mit fremdsprachlicher Literatur kann nicht ausschließlich damit begründet werden. Die quantitative Addition zusätzlichen Lesestoffes erübrigt sich, wenn sie darauf abzielt, die fremde Sache vor allem um ihrer selbst willen anzubieten.

4.

Es muß hier auf eine Konsequenz aufmerksam gemacht werden, die sich aus dem oben Skizzierten für denjenigen Literaturlehrer im Bereich Deutsch als Fremdsprache ergibt, der sich mit den hier angedeuteten Intentionen des Literaturunterrichts grundsätzlich identifizieren kann. Sie trifft den Lehrer des (traditionellen) Fremdsprachenunterrichts an deutschen Schulen nicht so stark, weil dieser zwar durch Vorwissen und Auswahlmöglichkeit der fremden Literatur näher steht als die von ihm angesprochenen Schüler, aber doch von ihr durch die grundlegende Distanz fremde Literatur – deutscher Leser getrennt bleibt.[6] Im Bereich Deutsch als Fremdsprache ist die Gefahr, die naturgegebenen Blockaden zu übersehen, die die deutsche Literatur einem ausländischen Leser entgegensetzt, für den deutschen Lehrer größer. Von hierher besteht Anlaß zur Selbstreflexion und zur Thematisierung der Vorgaben und Vorurteile des *Lehrers* im fremdsprachlichen Literaturunterricht: Wie sieht er selbst etwa das Verhältnis von sprachlich vorgeordneter Welt und ästhetischer Erfahrung? Um sich in die Situation seiner ausländischen Studenten wenigstens annähernd versetzen zu können, mag er etwa *seine* Distanz zur Literatur seines Landes, zum Beispiel zur klassischen deutschen Literatur, überprüfen. Bei dem Versuch, diesen Abstand für sich zu überbrücken, wird er die Notwendigkeit neuer Fragen an bisher Vertrautes erkennen, damit "zwischen dem Horizont vergangener Erfahrung und dem Interesse einer neuen Gegenwart"[7] das verstehende Lesen eine Vermittlung schaffen kann.

Eine solche Leseerfahrung verhindert jene naive Einstellung eines Literaturlehrers, der beim Angebot von deutscher Literatur an ausländische Studenten den Hinweis auf diejenigen Mechanismen unterschlägt, die eben dieses Angebot steuern. Ohne die Problematisierung von Abstand, Vorerfahrung, Auswahlkriterien und eigener Leseweise scheint mir die Lektüre deutscher Literatur mit ausländischen Studenten wenig sinnvoll. Denn die Aufforderung zum Lesen wird ohne die gleichzeitige Provokation, auch die grundlegenden Bedingungen des verstehenden Lesens zu diskutieren, doch eben die Mißverständnisse erzeugen, die sie eigentlich zu verhindern sucht: Wie sollte der ausländische Leser denn sonst erfahren, daß der Sinn eines deutschen Literaturwerkes für ihn – je nach Erkenntnisinteresse, Vorerfahrung und Vorurteil – sich anders erschließen kann als für den deutschen Leser? Wenn nicht nur das Angebot selbst, sondern auch die Rolle von Lehrern und Schülern als Leser mit sehr unterschiedlichen Voraussetzungen zur Diskussion steht, können sich jene Rückwirkungen einer Konfrontation mit fremdsprachlicher Literatur einstellen, die nicht nur die gegenwärtige Leseerfahrung, sondern auch die im jeweiligen muttersprachlichen Kontext vorher im Umgang mit fiktionalen Texten gewonnenen Einsichten kritisierbar und nachprüfbar werden lassen. Hier löst sich dann auch die gewohnte Einseitigkeit des traditionellen Literaturunterrichts auf. Die vielgeforderte Emanzipation und Mündigkeit des angesprochenen Lesers wird hier angebahnt, da es sich ja nicht länger darum handelt, der Autorität der jeweils dominierenden Sachkompetenz zu folgen. Es wird vielmehr versucht, über den Austausch der jeweiligen Leseerfahrungen zu einem Gespräch über die Wirkungsabsichten und tatsächlichen Wirkungen fiktionaler Literatur zu kommen, wobei der Dialog über die unterschiedlichen, auch vom jeweiligen kulturellen Kontext abhängigen Voraussetzungen für die Lektüre und Erwartungen an das Lesen fiktionaler Literatur jene Verständigung anstrebt, die über das Verstehen der Lesebedingungen hinaus zu einem Verstehen der grundsätzlichen Verständigungsvoraussetzungen führt. Erst dann werden die Postulate einer Literaturwissenschaft praktisch wirksam, die den Leser wieder in den Mittelpunkt ihrer Überlegungen stellen will und der es um mehr als den sogenannten ästhetischen Genuß geht. Wem das zu utopisch scheint, der möge sich die Frage stellen, was denn ein fremdsprachlicher Literaturunterricht eigentlich erreicht, der Literatur zum Gegenstand sprachlicher oder inhaltlicher Analyse macht und dabei die Termini der muttersprachlichen Literaturwissenschaft in die jeweils fremde Sprache übersetzt.[8]

5.

Nun hat Fremdsprachenunterricht – auch im Bereich Deutsch als Fremdsprache – natürlich nicht in der Hauptsache mit der Vermittlung fiktionaler Literatur zu tun. Von daher sind alle Vorschläge, die den Literaturunterricht aus seinem Kontext Sprachunterricht isolieren, in der Wirklichkeit des Fremdsprachenunterrichts ohne durchschlagende Wirkung. Das unausgewogene Verhältnis von Frage und Antwort, das oft den fremdsprachlichen Literaturunterricht prägt, wird bereits sehr früh in der ersten Phase des Spracherwerbs etabliert. Denn im allgemeinen ist es der konventionelle Lehrbuchtext, der die erste Leseerfahrung für den ausländischen Studenten vermittelt. Will man den für den Fremdsprachenunterricht so wichtigen Zusammenhang von Lehrbuchtexten und fiktionalen Texten, also das Verhältnis von Sprachunterricht und Literaturunterricht, etwas anders als in der Vergangenheit sehen und gewichten, so muß man fragen, ob die Struktur der gängigen Lehrbuchtexte und der Umgang mit ihnen eigentlich die spätere Begegnung mit fiktionalen Texten vorbereiten oder nicht eigentlich erschweren. Dazu einige unvollständige Anmerkungen:

– Quantitativ hat der Spracherwerb ganz zweifellos den größten Anteil am Fremdsprachenunterricht. Von daher hat der normale Lehrbuchtext Priorität. Ob er diese Vormachtstellung recht nutzen kann, sei angesichts der vorliegenden Lehrbücher dahingestellt.[9] Situation und Sprache – beide Konstituenten konventioneller Lehrbuchtexte – simulieren eine Wirklichkeit, die sie selbst erst eigentlich erschaffen. Der von diesen Texten angesprochene Adressat wird in eine für ihn fingierte Situation durch den Druck der Lehreraufforderungen und der Textappelle hineingezwungen. Man verlangt von ihm die Aufgabe von Erlebnis- und Sprachgewohnheiten. Erst wenn er sich mit den im Text vorgezeichneten Rollen soweit identifiziert hat, daß er aus der ihm vorgeschriebenen Rolle *heraus*- und die ihm vorgestanzten Sprachmuster *nach*spricht, ist die Wirkungsabsicht der Lehrbuchtexte erreicht. Es ist die Frage, ob diese Lehrbuchtexte im Schnitt wirkliche Kommunikationsvorbereitung dadurch erreichen können, daß sie fingierte, doppelt verfremdete Situationen mit einer allzusehr nur auf den unmittelbaren Lehrzweck abgerichteten, also gereinigten und veränderten Sprache aufbauen.

– Wichtiger ist hier aber: Diese Texte bereiten in der Regel nicht die kommunikative Atmosphäre vor, die der spätere Literaturunterricht braucht. Denn sie fordern den Studenten ja nicht dazu auf, seine eigene Form der Annäherung an die ihm fremde Sprach- und Sachwirklichkeit zu finden, sondern sie zwingen ihn zu einem Verhalten, welches das einseitige Diktat der Texte ohne Kritik anerkennt. Oft ist zum Beispiel die Frage im Lehrbuch-Dialog nur verkappte Anweisung, der Appell eindeutiger Befehl zur Reproduktion streng vorgezeichneter Äußerungen.

– Damit präfiguriert der gängige Lehrbuchtext – das erste und weitgehend dominierende Textangebot für die Adressaten im Fremdsprachenunterricht – eine Texterfahrung, welche die Begegnung mit literarischen Texten eher erschwert denn vorbereitet. Denn wenn nach Werlich unter Berufung auf Iser fiktionale Texte dadurch wirken, daß sie "vom Adressaten jeweils individuell verstanden werden können und sollen und damit stets durch einen Bereich der 'Unbestimmtheit' ... gekennzeichnet sind",[10] dann stellt der Lehrbuchtext den Adressaten in ein merkwürdiges Dilemma: er ist einerseits sprachlich und sachlich fingiert, von der Lebenswirklichkeit und vom muttersprachlichen Kontext des Rezipienten durch Stilisierung und Fremdheit abgesetzt, andererseits aber tritt er mit autoritärem Anspruch seinem Leser gegenüber, verlangt nicht nur, daß dieser sich mit der dargestellten Wirklichkeit soweit identifiziert, daß er sie im Rollenspiel nachlebt, sondern auch, daß der Rezipient sich der vorformulierten Sprache als einer in der simulierten Situation ihm eigenen bedient.

6.

Es geht hier nicht um eine pauschale Kritik an den vorliegenden Lehrwerken. Vielmehr soll aufmerksam gemacht werden auf die Gefahr einer sehr früh einsetzenden Orientierung des Lernprozesses an der Vermittlung fremdsprachlicher Fertigkeiten. Wenn der jeweils angebotene Text von den Rezipienten als unveränderbare und nicht zu befragende Konstante angenommen werden muß, wird ein für den Literaturunterricht wichtiges Verständnis nicht vorbereitet: daß nämlich Texte Leser beeinflussen und daß diese Beeinflussung durch die Organisation bestimmter sprachlicher Mittel in bestimmter Weise erreicht wird.

Grundsätzlich läßt sich hier nur fordern, daß im Sprachunterricht schon sehr früh die Sprache als Mittel der Überredung selbst zum Gegenstand des Gesprächs wird, daß Texte nicht nur als Medium der Vermittlung benutzt, sondern als Anreiz begriffen werden, über die sprachlichen Handlungsmöglichkeiten überhaupt und ihre jeweils spezifischen Konsequenzen nachzudenken.

Das ist – zugegeben – recht vage formuliert. Es provoziert die Frage nach den Möglichkeiten in der konkreten Unterrichtspraxis. Sie muß hier ohne Antwort bleiben.[11] Zwei Konsequenzen aber können hier, wenn auch nur allgemein, aufgezeigt werden:

– Die Auswahl der Texte sollte diejenigen vorziehen, die einen Vergleich von Unterrichtswirklichkeit und Lebenswirklichkeit nahelegen. Der Ausschnittscharakter von Text-Situation und Rede-Situation (Unterricht) sollte thematisiert werden: Wie der fremdsprachliche Text den Rahmen für fremdsprachliche Äußerungen vorschreibt, so diktiert Unterricht durch seine besonderen Bedingungen die Abläufe sprachlichen Handelns – er ist eine sehr spezifische Form situationsgebundener Kommunikation. Der Abstand, der durch die charakteristischen Merkmale das Wirklichkeitsmodell der Unterrichtssituation von dem der außerhalb von Unterricht möglichen Lebenssituation trennt, muß den Adressaten früh einsichtig gemacht werden. Wenn man davon ausgeht, daß "Sprachunterricht eine spezifische Form unterrichtlicher Kommunikation" ist und daß "Fremdsprachlicher Unterricht eine spezifische

Form sprachunterrichtlicher Kommunikation" darstellt,[12] dann folgt aus dieser lapidaren Einsicht, daß gerade der fremdsprachliche Text geeignet ist, zum Anlaß für eine Reflexion über die Bedingungen von Unterricht im Unterricht selbst zu werden.

– Wenn der jeweilige Text so ausgewählt wird, daß er die Produktion und Rezeption von Wirklichkeit durch Sprache transparent werden läßt; wenn er auf eine Weise angeboten wird, daß er die Veränderung von Wirklichkeit durch Text mit der Veränderung von Wirklichkeit durch Unterricht bewußt in Zusammenhang bringt, dann setzt Fremdsprachenunterricht einen Erkenntnisprozeß über verschiedene Formen von Quasi-Wirklichkeiten in Gang. Die Parallelisierung von Rezeptionssteuerung durch Text und Unterricht, der Hinweis also auf verschiedene Simulationsmöglichkeiten, baut nicht nur das Ausgeliefertsein des Adressaten an die Reproduktionsaufforderungen einseitiger Lehrbuchdialoge ab, sondern bereitet die Aufnahmefähigkeit für Literaturunterricht vor: wenn der Lehrbuchtext nicht nur als Medium des Spracherwerbstrainings eingesetzt, sondern auch auf seine Baugesetze hin befragt wird, dann erweist sich – nimmt man einige charakteristische Merkmale zur Differenzierung der Textsorten als Orientierungsdaten[13] – eine eigentümliche Zwischenstellung des Lehrbuchtextes zwischen fiktionalem und nicht-fiktionalem Text. Der gängige Lehrbuchtext gestaltet einen Ausschnitt von Welt durch Sprache; weder die dargestellte Welt noch die verwandte Sprache sind in der Regel authentisch; die vorgestellte Wirklichkeit wird durch Auswahl und Kontrolle von Sprache fingiert; dem Leser wird eine ihm fremde Welt entworfen, aber immer so, daß er sich mit ihr während der Lektüre identifizieren kann; die verführende Wirkung der Textappelle ist gleichzeitig so stark, daß der konkrete Leser in die ihm vorgestellte Welt eintreten und die ihm vorformulierte Sprache als seine eigene benutzen muß.

Es ist nicht einzusehen, warum nicht wenigstens im Ansatz der Sprachunterricht die Strategien und die Wirkungsabsichten der Lehrbuchdialoge offenlegen und so eine wichtige Grundlage für die Erkenntnis von Baugesetzen und Rezeptionssteuerungen von Texten überhaupt – also auch von fiktionalen Texten – vorbereiten sollte. Der frühe Hinweis auf Überredungs- und Einbeziehungsmittel verschiedener Textsorten erleichtert das Hinführen zu einer Einsicht in grundsätzliche Bedingungen von Lesen als Verstehen und verhindert, daß die Wendung zum eigentlichen Literaturunterricht die angesprochenen Adressaten allzu abrupt trifft.

7.

Die Frage nach der fremdsprachenspezifischen Literaturdidaktik mündet in die Frage nach dem *übergreifenden* Lernziel des jeweiligen Fremdsprachenunterrichts. Wieweit sich bei der Lösung grundsätzlicher Fragen der Gesamtbereich Deutsch als Fremdsprache an der Debatte um die übergreifenden Ziele des Fremdsprachenunterrichts, die seit einiger Zeit innerhalb der deutschen Fremdsprachendidaktik geführt wird, beteiligen oder von ihr profitieren kann, vermag ich nicht abzuschätzen. Die Verlagerung der Akzentuierung bei der inhaltlichen Füllung des Kompetenzbegriffes, die Reflexion über die Zusammenhänge von Sprach- und Literaturunterricht und die Analyse der besonderen Formen und Absichten einer Kommunikation im Rahmen eines fremdsprachlichen Unterrichts haben jedenfalls innerhalb der Fremdsprachendidaktik einen Prozeß des Nachdenkens ausgelöst, der ein Zurückfallen auf überholte Positionen auch dann verbietet, wenn die Unvollständigkeit und Vorläufigkeit bisheriger Neuansätze vielleicht Resignation und den Rekurs auf die jeweilige Einzelerfahrung des Literaturlehrers nahelegen mögen. Insgesamt läßt sich die Diskussion um die aufgeworfenen Grundsatzfragen im übrigen nicht im Rahmen einer Einzeldisziplin führen: an der Erforschung grundlegender Bedingungen von Verständigung in fremdsprachlichen Kontexten und an der Untersuchung der Frage, welche Rolle die Lektüre fremdsprachlicher Literatur im Verständigungsproezß einnehmen soll und kann, sind alle diejenigen Wissenschaften aufgefordert sich zu beteiligen, für die Sprechen nicht nur technische Fertigkeit, sondern Annäherung an bisher fremde soziale und kulturelle Verständnishorizonte bedeutet.

Anmerkungen

[1] Auf welche Schwierigkeiten freilich der Versuch einer solchen Diskussion fachübergreifender Ziele stößt, zeigt exemplarisch das von Hans-Eberhard Piepho 1974 vorgelegte Werk und seine Rezeption.

[2] Vgl. den Beitrag von Bernd Kast in diesem Band: Legetische Aufgaben und Möglichkeiten des fremdsprachlichen Deutschunterrichts.

[3] Ausführlich dargestellt in Hans Hunfeld/Bernhard Kahrmann: Textwissenschaftlicher Grundkurs Englisch. Orientierungen. Kronberg/Ts. 1976.

[4] Die Auswahlbibliographie führt deshalb auch in einiger Ausführlichkeit eigene Arbeiten des Verfassers auf, damit die hier nur verknappt und allgemein möglichen Ausführungen so die notwendigen Ergänzungen finden

können, vor allem in Richtung auf bestimmte Textsorten und in Hinsicht auf das Verhältnis von Grundsatzüberlegungen und praktischer Interpretation von Beispieltexten.

[5] Hans Georg Gadamer: Wahrheit und Methode. 4. Auflage, Tübingen 1975, S. 361.

[5a] Gadamer, S. 361.

[5b] Gadamer, S. 363.

[5c] Gadamer, S. 365.

[5d] Gadamer, S. 418.

[6] Siehe dazu ausführlich Hans Hunfeld/Bernhard Kahrmann 1976.

[7] Hans Robert Jauß: Ästhetische Erfahrung als Verjüngung des Vergangenen. In: Sprache und Welterfahrung. Hrsg. von Jörg Zimmermann. München 1978, S. 301–328. S. 311.

[8] Als exemplarische Kritik an einer solchen Auffassung vgl.: Linda F. Baker/Bernd Kahrmann: Egon Werlich and the Problem of Teaching a Vocabulary for Text Analysis to German Students of English. In: Hans Hunfeld (Hrsg.): Neue Perspektiven der Fremdsprachendidaktik. Kronberg/Ts. 1977, S. 166–173.

[9] Diese Bemerkung will keine pauschale Kritik an gängigen Lehrbüchern, sondern bezieht sich auf Erfahrungen mit Englisch-Lehrwerken für deutsche Schüler; sie gelten auch für die im Lehrgebiet Deutsch als Fremdsprache vorliegenden Lehrwerke, vgl. die beiden Bände des *Mannheimer Gutachtens* (I: Heidelberg 1977; II: Heidelberg 1979) der Lehrwerkkommission des Auswärtigen Amtes zu ausgewählten Lehrwerken Deutsch als Fremdsprache.

[10] Egon Werlich: Typologie der Texte. Entwurf eines textlinguistischen Modells zur Grundlegung einer Textgrammatik. Heidelberg 1975, S. 25.

[11] Unterrichtspraktische Hinweise für die Erarbeitung bestimmter Textsorten (Lehrbuchtexte, Lyrik, Roman) finden sich in den in der Auswahlbibliographie aufgeführten Arbeiten des Verfassers.

[12] Vgl. Nissen 1974, S. 180–197.

[13] Siehe dazu Werlich 1975. Die Differenzierungen Werlichs sind nicht ohne Kritik geblieben – haben aber innerhalb der Fremdsprachendidaktik das Problem der Textsorten verstärkt in den Blick gerückt.

Auswahlbibliographie

Bach, Gerhard: Literaturunterricht als Erziehung zum "rationalen Handeln". In: Neusprachliche Mitteilungen 28, 1975, S. 194–202.

Bredella, Lothar: Einführung in die Literaturdidaktik. Stuttgart 1976.

Freese, Peter: Aufgaben und Schwierigkeiten einer fremdsprachlichen Literaturdidaktik. In: Freese, Peter/Hermes, Liesel (Hrsg.): Der Roman im Englischunterricht der Sekundarstufe II: Theorie und Praxis. Paderborn 1977, S. 9–28.

Gadamer, Hans-Georg: Wahrheit und Methode. 4. Auflage, Tübingen 1975.
Grimm, Gunter (Hrsg.): Literatur und Leser. Theorien und Modelle zur Rezeption literarischer Werke. Stuttgart 1975.
Henrici, Gert: Aspekte sprachlichen und literarischen Unterrichts in Universität, Bezirksseminar und Schule: Eine Dokumentation. Berlin 1973.
Hunfeld, Hans/Kahrmann, Bernhard: Textwissenschaftlicher Grundkurs Englisch. Orientierungen. Kronberg/Ts. 1976.
Hunfeld, Hans: Literatur in der Schule – Schule in der Literatur. In: Die Neueren Sprachen 25, 1976, S. 538–550.
Hunfeld, Hans: Vorüberlegungen zu einer fremdsprachenspezifischen Literaturdidaktik. In: Hunfeld, H. (Hrsg.): Neue Perspektiven der Fremdsprachendidaktik. Eichstätter Kolloquium zum Fremdsprachenunterricht 1977. Kronberg/Ts. 1977, S. 131–145. (Hier weitere Literaturhinweise)
Hunfeld, Hans: Wozu Lyrik im Fremdsprachenunterricht? In: Der Fremdsprachliche Unterricht 44, 1977, S. 3–15.
Hunfeld, Hans/Schröder Gottfried (Hrsg.): Literatur im Englischunterricht. Drama–Hörspiel–Lyrik–Roman–Trivialliteratur–Lehrbuchtext. Königstein/Ts. 1978.
Kreft, Jürgen: Grundprobleme der Literaturdidaktik: Eine Fachdidaktik im Konzept sozialer und individueller Entwicklung und Geschichte. Heidelberg 1977.
Landwehr, Jürgen: Text und Fiktion. Zu einigen literaturwissenschaftlichen und kommunikationstheoretischen Grundbegriffen. München 1975.
Nissen, Rudolf: Kritische Methodik des Englischunterrichts. 1: Grundlegung. Heidelberg 1974.
Piepho, Hans-Eberhard: Kommunikative Kompetenz als übergeordnetes Lernziel im Englischunterricht. Dornburg–Frickhofen 1974.
Plett, Heinrich F.: Textwissenschaft und Textanalyse. Semiotik, Linguistik, Rhetorik. Heidelberg 1975.
Schrey, Helmut: Textlinguistik und Fremdsprachendidaktik. Linguistisch-didaktische Probleme im Umgang mit fremdsprachlichen Texten der Literatur im engeren Sinne. In: Der Fremdsprachliche Unterricht 27, 1973, S. 2–14.
Warning, Rainer (Hrsg.): Rezeptionsästhetik. Theorie und Praxis. München 1975.
Weller, Franz-Rudolf: Auswahlbibliographie zur Didaktik des fremdsprachlichen Literaturunterrichts. In: Die Neueren Sprachen 25, 1976, S. 591–606.
Werlich, Egon: Typologie der Texte. Entwurf eines textlinguistischen Modells zur Grundlegung einer Textgrammatik. Heidelberg 1975.

Siegfried J. Schmidt

Anmerkungen zum Literaturunterricht des Faches Deutsch als Fremdsprache

1. Die folgenden Anmerkungen setzen voraus, was ich in meinem Beitrag zur Landeskunde und in meinem Beitrag "Text und Kommunikat" (beide in Band 1 des vorliegenden Readers) ausgeführt habe.

Sie setzen im übrigen voraus die von mir in Schmidt, 1979, eingeführte und dort ausführlich begründete Trennung zwischen der wissenschaftlichen *Erforschung* des sozialen Handlungssystems Literatur (= Gesamt der auf literarische Objekte focussierten Handlungen samt allen ihren Bedingungen und Situationen) und der *Teilnahme* an Literatur.

Während wissenschaftliche Erforschung von Literatur im Rahmen von empirischen Theorien mit expliziter logischer Struktur erfolgen muß, sollte Teilnahme an Literatur als ein kreativer Prozeß ausgestaltet werden, in dem die Handlungsmöglichkeiten vom teilnehmenden Subjekt optimal interpretierbar bleiben müssen.

2. Literaturunterricht sollte – auf der Grundlage dieser Unterscheidung – m. E. drei Aufgaben übernehmen:

- primär die Aufgabe, den Lerner dazu zu befähigen, aktiv, mit persönlichem "Relevanzgewinn" und kritisch an Literatur teilzunehmen. Zu diesem Zweck sollte jeder Lerner die Möglichkeit erhalten, in allen vier Handlungsrollen im System Literatur (Produzent, Vermittler, Rezipient, Verarbeiter literarischer Kommunikate) Erfahrungen zu sammeln, aktiv und kreativ zu arbeiten und sich darüber mit anderen austauschen und verständigen zu können;
- sekundär die Aufgabe, den Lernern Einsicht in die verschiedenartigen Prozesse literarischen Handelns zu geben, deren Mechanismen aufzuzeigen, das Zusammenwirken von subjektiven und gesellschaftlichen Handlungsbedingungen zu demonstrieren usw.;
- tertiär die Aufgabe, die Ansprüche kennenzulernen, die an *wissenschaftliche* Erforschung von Literatur gestellt werden müssen (= wissenschaftspropädeutische Aufgaben).

Kritische und kreative Teilnahme an Literatur ist m. E. nur möglich, wenn die zweite Aufgabe (Einsicht in Struktur und Funktion von Literatur) in hinreichendem Maße bewältigt worden ist.

Die Gewichtung dieser Aufgaben muß je nach Ausbildungsauftrag und kulturspezifischen Bedingungen des Gastlandes erfolgen. Unverzichtbar ist m. E. die erste Aufgabe, den Schülern zunächst einmal *Freude* am Umgang mit literarischen Prozessen zu vermitteln und ihnen nicht – wie heute zu oft üblich – den Spaß an "Literatur" durch den verhaßten Zwang zur Interpretation literarischer Kommunikate endgültig zu rauben. Unverzichtbar ist die erste Aufgabe auch insofern, als anderslautende Ausbildungsaufträge und entgegenstehende kulturspezifische Bedingungen von den für den Literaturunterricht Verantwortlichen so lange modifiziert werden müssen, bis der erstgenannte Ausbildungsauftrag tatsächlich erfüllt werden kann.

3. Literaturunterricht wird hier dezidiert *nicht* verstanden als eine Abart von Literaturwissenschaft (sozusagen als Theorie "zu ermäßigten Bedingungen") oder als schwaches Echo der Schulstreitigkeiten der jeweiligen Richtungen der Literaturwissenschaft. Die zentrale didaktische Frage jeden Literaturunterrichtes des Deutschen als Fremdsprache kann nach den bisherigen Überlegungen nur lauten: Wie kann ich Lerner dazu befähigen und motivieren, ihnen präsentierte Texte als solche literarischen Kommunikate zu realisieren, die für sie sinnvoll und für ihr Leben in ihrer sozio-kulturellen Situation "relevant" sind? Dabei ist hinsichtlich der Zuordnung einer sinnvollen Lesart zu berücksichtigen, daß der Lerner in der Regel mehr oder weniger große Probleme mit der Zielsprache Deutsch hat; hinsichtlich der Relevanzabschätzung ist zu bedenken, ob und in welchem Maße der Lerner anders akkulturiert ist als deutsche Teilnehmer an Literarischer Kommunikation.

Diese Fragestellung, Zielsetzung und Problemerwähnung klingen sicher nicht besonders neu. Sie sind aber neu hinsichtlich des erkenntnispsychologischen und literaturwissenschaftlichen Rahmens, in dem sie entwickelt worden sind und als sinnvoll und gesellschaftlich relevant argumentiert werden können; und neu auch hinsichtlich der Lösungsangebote, die in diesem Rahmen für sie angeboten werden können. Dazu einige kurze Anmerkungen.

(a) Wie auch in meinem sprachbezogenen Kontextmodell von Landeskunde (siehe in Band 1, S. 289 ff.) gehe ich in meinem Modell Literarischer Kommunikation davon aus, das Literarische Kommunikate sinnvoll nur im Kontext der gesamten Literarischen Kommunikation untersucht werden können. D. h. geht man davon aus, daß die zentralen Handlungsrollen in Literarischer Kommunikation die des Produzenten, Vermittlers, Rezipienten und Verarbeiters Literarischer Kommunikate sind, dann läßt sich Literarische Kommunikation definieren als die Menge der Handlungen im Rahmen dieser Handlungsrollen in einer Gesellschaft zum jeweiligen Untersuchungszeitpunkt. Diese Handlungen bilden – wie ich in meiner Theorie Literarischer Kommunikativer Handlungen gezeigt habe – ein gesellschaftliches Teil-System, das mit allen anderen gesellschaftlichen Systemen (wie Politik, Wirtschaft, Erziehung, Sport etc.) eng verbunden ist. Ein Literaturunterricht, der nicht mit schlechten Idealisierungen arbeiten will, muß also Texte notwendig als Bestandteile komplexer gesellschaftlicher Strukturen darstellen, kann dafür aber auch mehr Interesse beim Lerner erwarten, als wenn dieser sich nur an abstrakten sprachlichen "Materialien" abarbeiten muß. Sprachliche "Materialien" ("Formen", "Strukturen", Elemente von "Lexik", "Syntax" etc.) dagegen, die als Resultat des gesamten gesellschaftlichen Produktionskontextes eines Literarischen Autors plausibel gemacht werden können, gewinnen beim Lerner m. E. durchaus Interesse und motivieren auch zu der unumgänglichen sprachlichen Lernarbeit.[1]

Die exemplarische Auseinandersetzung mit Texten im Kontext Literarischer Kommunikation muß generell zwei Bedingungen genügen: zum einen der Bedingung der *Empirizität,* zum anderen der Bedingung der *argumentierenden Selektivität.* Mit 'Empirizität' ist angedeutet, daß über Relationen zwischen Kommunikaten und Aktanten sowie ihren Handlungen nur auf der Grundlage von historischem und theoretischem Wissen sinnvoll gesprochen werden kann. Daß dies langwieriger, auf die Dauer aber produktiver ist als faktenfern über "die Aussage" von "sprachlichen Kunstwerken" tiefzusinnen, kann als eine der wichtigsten Erkenntnisse aus einem solchen Literaturunterricht gewonnen werden.

Mit 'argumentierender Selektivität' soll angedeutet werden, daß angesichts der historischen und systematischen Komplexität der Literarischen Kommunikation eines Landes Probleme, Themen und Texte nie "auf der Hand liegen", sondern aus einer Menge von Alternativen ausgewählt werden müssen. Soll diese Auswahl nicht in blanke Willkür ausarten, muß sie so begründet werden, daß die Gründe offen dargelegt, über die Begründung Einigkeit erreicht und mit der Auswahl auch die Interessen der an Literarischer Kommunikation Beteiligten geweckt und befriedigt werden können.

(b) Geht man aus von einem Kommunikationsteilnehmer-relativen Begriff von 'Bedeutung', dann wird die *Subjektivität* jeder Beschäftigung mit Literarischen Kommunikaten zu einer *produktiven* Kategorie und verliert den Makel des Willkürlichen und Beliebigen. Zu einer produktiven Kategorie in dem Sinne, daß jeder, der über seine Leseart eines Textes mit anderen redet, bewußt und explizit auch seine Subjektivität einbringt und berücksichtigt; d. h. er muß deutlich machen (können!), welches Interesse er an dem Reden über das Literarische Kommunikat hat, welches Interesse er bei anderen voraussetzt oder wecken will; welche Relevanz das Kommunikat für ihn hat und für andere gewinnen sollte oder könnte; wie der Bezug dieses Interesses und der Relevanz zum zeitgenössischen gesellschaftlichen Kontext der an Literarischer Kommunikation Beteiligten hergestellt bzw. ermittelt werden kann usw.

Das bewußte und produktive Einbringen von Subjektivität in den Literaturunterricht erfordert natürlich, daß die Interessen und Relevanznormen der Lerner konstitutiv werden müssen für die Text-Auswahl und die Problemlösungsverfahren im Unterricht. Nicht was curricular "dran" ist oder zum "Lektürekanon" gehört wird zum Thema sondern das, wofür Lerner mit Argumenten zu motivieren sind. (Solche Argumente für den jeweils akkulturierten Lerner zu finden ist eine bisher vielleicht nicht genügend geübte Aufgabe von Literaturlehrern – nicht nur solchen des Deutschen als Fremdsprache.)

Subjektivität als produktive Kategorie in den Literaturunterricht einbringen heißt weder für "hermeneutische Beliebigkeit" plädieren, noch heißt es, Literaturunterricht zu einer quantité negligeable machen. Dazu folgende Anmerkung: Die Subjektivität, die aus dem hier vertretenen Bedeutungsbegriff folgt, benennt die Unmöglichkeit, die "richtige Bedeutung" eines Textes zu ermitteln. Sie besagt nicht, daß man über "Bedeutung" nicht richtig oder falsch reden könnte und müßte. D. h. wer etwa im Rahmen einer Theorie Literarischen Kommunikativen Handelns empirisch erhebt, welche Lesearten Rezipienten tatsächlich Texten zuordnen, der ist selbstverständlich gebunden an die methodologischen Regeln der empirischen Sozialwissenschaften. Er kann richtig erheben und interpretieren, welche Bedeutung Rezipienten zugeordnet haben; damit aber gewinnt er nicht etwa Kriterien, um eine der zugeordneten Bedeutungen vor allen anderen als die richtige auszuzeichnen.

Und wenn ein Teilnehmer an Literarischer Kommunikation – sei es ein Kritiker, ein Lehrer, ein Verleger, ein Autor oder ein Lerner – über die "Bedeutung" (= Lesart) spricht, die *er* einem Text zuordnet, dann kann er dafür argumentieren, bestimmte Operationen (wie Inferenzziehen, Assoziieren, Bewerten etc.) als für diese Leseartzuordnung "plausibel", "interessant", "möglich", "sinnvoll" etc. anzuerkennen.

Wie gut oder wie schlecht seine Argumentation dabei ist, das richtet sich nicht nach der Norm einer "richtigen Bedeutung", sondern nach der Konsensfähigkeit seiner Argumentation innerhalb einer gesellschaftlichen Gruppe. Und wenn er den Text beschreibt oder analysiert, dann wird die Richtigkeit dieser Analyse durchaus objektivierbar mit bezug auf die Analyseverfahren bzw. das Beschreibungssystem, das er dabei verwendet.

Die Betonung produktiver Subjektivität für den Umgang mit Literatur im *Literaturunterricht* dient also:

- der Abwehr von solchen falschen Wissenschaftlichkeits- und Objektivitätsansprüchen, die im Bereich des Literaturunterrichtes weder sinnvoll noch literaturwissenschaftlich leistbar sind;
- dem Bewußtmachen, daß die *Teilnahme* an Literarischer Kommunikation (nicht deren wissenschaftliche Erforschung in einer Theorie Literarischen Kommunikativen Handelns) vom Individuum geprägt und an's Individuum (als geschlossenes System) gebunden ist;
- der Einsicht in die Vermutung, daß die Funktion der Teilnahme an Literarischer Kommunikation für das Individuum gerade darin besteht, daß es nur in diesem gesellschaftlichen Teilsystem zugleich kognitiv, moralisch und hedonistisch "orientierungsinteragieren" kann und daß nur hier individuelle Normenkonflikte öffentlich ausgetragen werden können.

(c) Berücksichtigt man schließlich, daß der fremdsprachige Lerner als Teilnehmer an Literarischer Kommunikation über einen deutschen Text notwendigerweise seine Erfahrungen aus der muttersprachlichen Kommunikation über Texte miteinbringt und Struktur und Funktion des deutschen Systems Literarischer Kommunikation nur aus der Erfahrung mit dem muttersprachlichen System Literarischer Kommunikation erfahren kann, dann folgt daraus, daß Literaturunterricht des Deutschen als Fremdsprache sinnvoll nur in bewußter und stets mitthematisierter *Kontrastivität* erfolgen kann. Nur wenn diese Kontrastivität für den Lerner sinnvoll und relevant gemacht werden kann, kann m. E. Literaturunterricht des Deutschen als Fremdsprache sozial und kulturell legitimiert werden.

Anmerkungen

[1] Als Beispiele für eine so orientierte "Textanalyse" cf. etwa die vergleichende Balladenkritik Norbert Mecklenburgs: Kritisches Interpretieren. München 1972, Kap. XI. oder Christian Enzensbergers Analysen in Literatur und Interesse, Bd. 2, München 1977.

Roland Duhamel

Zum Einsatz literarischer Texte im fremdsprachlichen Deutschunterricht der S II-Stufe

Vorbemerkungen

Die Zusammenarbeit, die sich neuerdings zwischen der Literaturwissenschaft und der Literaturdidaktik anzubahnen scheint, kann wohl nur als überaus erfreulich eingeschätzt werden, da eine Literaturdidaktik sich ohne literaturwissenschaftliche Grundlagen kaum durchzusetzen vermag, während anderseits eine Literaturwissenschaft ohne Anwendung auf den Unterricht Gefahr läuft, zur blutlosen Spielerei zu entarten, sich gegen die Wirkung der Literatur abzukapseln, und die Literatur um ihre Funktion zu bringen[1].

Der vorliegende Beitrag schließt die Arbeit des Arbeitskreises "Literatur im Deutschunterricht" ab, der von 1976 bis 1978 unter der Leitung von Roland Duhamel im Rahmen des Belgischen Germanisten- und Deutschlehrerverbandes tätig war und sich um die Stellung und Methodik der Literatur im fremdsprachlichen Deutschunterricht in Belgien gekümmert hat. Weitere Anregungen gehen auf das sogenannte Kuseler Symposium zurück, auf dem im Rahmen des Internationalen Deutschlehrerverbandes am 18. und 19. 9. 1976 ein Treffen mit vergleichbaren holländischen und schweizerischen Arbeitsgruppen stattfand.

I

In der Vergangenheit war die Frage nach der Stellung der Literatur im Unterricht rasch beantwortet. Man ging von vorgegebenen Lerninhalten aus und suchte sich eine passende Methodik dazu. Die Literatur war zu vornehm und zu ehrwürdig, als daß man sie aus den Unterrichtsprogrammen hätte streichen können. Die heutige durchrationalisierte Epoche und die Errungenschaften der modernen Didaktik haben die Lerninhalte aber von den Zielvorstellungen abhängig gemacht, die von der Schule verfolgt werden. Die Rolle der Literatur im fremdsprachlichen Deutschunterricht ist nur aus der Sicht der allgemeinen

Zielsetzungen des Fremdsprachenunterrichts zu umschreiben, die ihrerseits den allgemeinen Erziehungszielen der Schule dienlich sein sollten. Sofern nun die Schule nicht nur der Befähigung zur Bewältigung von Lebenssituationen dient, sondern auch die Fähigkeit zu kritischem und kreativem Denken fördern soll, was gemeinhin wohl auch angenommen wird, ist die Stellung der Textarbeit im Unterricht eigentlich schon gesichert. Der Fremdsprachenunterricht soll infolgedessen nicht nur die vier immer wieder zitierten sprachpraktischen Lernziele (Lesen, Sprechen, Hörverstehen, Schreiben) verfolgen, sondern sollte möglichst auch noch zu kritischem Denken anregen und gewisse Einstellungen, sogenannte Attitüden, beim Schüler auslösen bzw. festigen.

Dem entsprechen auch die Lernziele der Textarbeit im Fremdsprachenunterricht: 1. Sie verfolgt erstens das sprachpraktische Lernziel "Lesen", d. h. sie übt das intuitive Verstehen fremdsprachlicher Texte, d. h. das Verstehen ohne bewußte Analyse und ohne Übersetzung, denn wohl nur dieses unmittelbare Textverständnis kann in unserem Kontext als Lesen gelten. Ein konkretes Lernziel der Textarbeit wäre demnach das Erschließen unbekannter Wörter aus dem Kontext heraus. Folglich erweitert und vertieft sie den passiven Wortschatz, eine vom Fremdsprachenunterricht übrigens oft vernachlässigte Aufgabe. Die Fremdsprachendidaktik hat sich vorwiegend darum gekümmert, wie die fremdsprachlichen Satzstrukturen am besten und am schnellsten zu vermitteln seien, mit den lexikalischen Problemen hat sie sich nur am Rande befaßt. Wortschatzübungen sind ja auch entsprechend selten. Nun besitzt jeder Fremdsprachenlerner die Fähigkeit, relativ schnell zu einem ziemlich umfangreichen passiven Wortschatz zu gelangen, was nicht nur aus dem Grunde wichtig ist, da jener Wortschatz nach und nach und sofern es sich tatsächlich um häufig vorkommende Wörter handelt, in aktiven, verfügbaren Wortschatz umgewandelt wird. Hier müssen zusätzliche Texte eingesetzt werden; des narrative Angebot der Lehrwerke kommt meistens zu kurz.

2. Die Texte appellieren zugleich auch an die kognitiven und emotionalen Fähigkeiten der Schüler und nötigen zur Stellungnahme. Allerdings geht es hier nicht darum, die Erlebnisfähigkeit der Schüler unbeschränkt zu erweitern, was sogar den allgemeinen Erziehungszielen der Schule widerspräche. Die Schule soll die Schüler wohl nicht zu gewissen Erlebnissen zwingen, sondern sie vielmehr dazu anhalten, ihre Erlebnisse zu bewältigen. Es geht nicht so sehr darum, dem Schüler neue Erlebnisse zu vermitteln, als vielmehr darum, dem Schüler seine Erlebnisse bewußt zu machen und ihn dazu zu veranlassen, seine Erlebnisse

sprachlich zu meistern und auszudrücken. Der Schule ist es keineswegs um die Erlebnisse der Schüler, sondern allenfalls um formulierte Erlebnisse zu tun. Dies ist bei der Textarbeit im Unterricht sicherlich zu berücksichtigen.

3. Texte sind Ausschnitte aus dem Kultur- und Verhaltenszusammenhang des anderen Sprachraumes und können sich durchaus informierend und motivierend auf die Schüler auswirken.

Wenn es auch einfach ist, für die Textarbeit im Fremdsprachenunterricht Lernziele zu setzen, so ist damit die Stellung literarischer Texte leider noch keineswegs abgesichert. Denn die angeführten Lernziele lassen sich nicht nur anhand literarischer Texte erreichen. Die intellektuellen und die gefühlsmäßigen Fähigkeiten der Schüler werden von allen möglichen Textsorten angesprochen und viele literarische Texte (etwa lyrische Texte) haben mit der Lesefertigkeit des Schülers sogar herzlich wenig zu tun. Ihr Wortschatz ist oft untypisch oder gar veraltet. Literarische Texte führen den Schüler nur eingeschränkt in die Landeskunde seiner Fremsprache ein, da sie oft nicht typisch sind, sondern sogar für Muttersprachler in vielerlei Hinsicht etwas Besonderes darstellen. Außerdem liegt die Welt literarischer Texte manchmal zeitlich bereits zurück oder spielen sie sich nicht einmal im eigenen Sprachraum ab. An Hand der oben aufgeführten Zielsetzungen läßt sich die Unentbehrlichkeit der Literatur im Unterricht keineswegs nachweisen.

Der Leseunterricht hat es zwar mit Texten, nicht unbedingt aber auch mit Dichtung zu tun. Literatur kann heute nicht mehr einfach wie etwa die Grammatik als Teilbereich einer Sprache betrachtet und vermittelt werden. Tatsächlich ist die Frage, die sich für uns erhebt, nicht die nach dem Sinn und dem Lernziel der *Text*arbeit – die war relativ leicht zu beantworten –, sondern die nach dem Sinn der Arbeit mit *literarischen* Texten. Solange keine Zielsetzungen zu berücksichtigen waren, nahm man einfach an, literarische Texte würden zumindest zur Schülermotivierung beitragen. Auch diese Funktion der Motivierung scheinen literarische Texte eingebüßt zu haben, sie fällt heute vielmehr der Landeskunde zu, den interessanten Auskünften und Tips über den anderen Sprachraum und dessen Bewohner, sowie dem Vergleich mit dem eigenen Lande. Und die Trivialliteratur ist wohl eher dazu angetan, den Schüler zum Lesen fremdsprachlicher Texte anzuregen. Außerdem ist "Motivierung" gar kein Lernziel, sondern sie dient einem Lernziel, das ausfindig zu machen uns immer noch obliegt.

Literarische Texte sind Texte besonderer Art, die auch zu einem Erlebnis besonderer Art führen. Dieses Erlebnis stellt sich, wie alle anderen Erlebnisse, erst dann ganz ein, wenn es bewußt gemacht wird, d. h. wenn es vom Schüler formuliert wird. Wenn nachgewiesen werden kann, daß diese Eigentümlichkeit literarischer Texte auch im Sinne der allgemeinen Erziehungsziele der Schule nutzbringend ist, so wären wir einem Lernziel auf die Spur gekommen, das ausschließlich mit Hilfe von literarischen Texten erreicht werden könnte. Eine kurze Beschreibung der Eigenart literarischer Texte und der Bedingungen, die erfüllt sein müssen, damit das typische Erlebnis überhaupt erfolgt, ist an dieser Stelle unumgänglich.

Ein hinreichend abstrakter, semiotischer Ansatz[2] unterscheidet zwischen zwei verschiedenartigen Zeichen- bzw. Bewußtseinsprozessen: Zeichen können einerseits auf Bedeutungen, Phantasievorstellungen, Realität usw. bezogen werden (zeichenexterne Semiosen); andererseits können Zeichen aber auch auf Zeichen bezogen werden (zeicheninterne Semiosen). Im letzteren Fall werden weder Vorstellungen noch Realität hervorgerufen, sondern es wird ein sogenannter Abstraktionsprozeß in die Wege geleitet. Abstraktionsprozesse sind semiotisch als Prozesse zu definieren, im Zuge derer Zeichen auf andere, ähnliche Zeichen (d. h. auf Zeichen des gleichen Zeichenrepertoires) statt auf Bedeutungen bezogen werden.

Die zeicheninterne Semiose stellt in vielerlei (nicht nur in mathematischer) Hinsicht den interessanteren Zeichenprozeß dar. Wenn die ästhetische Rezeption von alltäglichen, banalen Bewußtseinsprozessen zu unterscheiden sein soll, kann sie nur als zeicheninterne Semiose, als Abstraktionsprozeß, interpretiert werden.

Texte regen bekanntlich die Phantasie der Leser an; von literarischen Texten läßt sich aus obiger Sicht sagen, daß sie außerdem auch Abstraktionsprozesse einleiten, d. h. daß sie in höherem Maße als nicht-literarische Texte an gewisse kognitive Fähigkeiten des Schülers appellieren können. Zu diesen kognitiven Leistungen gehört nicht nur das Textverständnis, sondern auch das Ermitteln und Wiedererkennen stilistischer Eigentümlichkeiten und literarischer Strukturen. Diese Strukturen, sowie übrigens auch alles, was gemeinhin unter Stil, Humor, Gattungen usw. verstanden wird, sind eine Wirkung der oben dargestellten zeicheninternen Semiosen, die die Bedeutung der einzelnen Zeichen insoweit reduzieren, als sie diese aufeinander beziehen und folglich übergeordnete Zeichengebilde, Zeichenstrukturen oder Superzeichen, generieren. Die Bedeutung der Einzelzeichen (Subzeichen) wird aufgehoben und zurückgestellt, sie macht sich erst auf einem Umweg, indirekt sozusagen, geltend. In diesem Sinne ist die literarische Rezeption ein durchaus kognitiver Vorgang. An dieser zeicheninternen Semiose ist der fremdsprachliche Leser sogar in noch höherem Maße beteiligt. Da er die Sprache weniger unbewußt zur Kenntnis nimmt, wird er über die sprachlichen Strukturen kaum hinweglesen, sondern sie kommen voll zur Geltung. Sogar Klischees werden ihren unverbrauchten Wert möglicherweise wiedererlangen. Fremdsprachliche Literatur bietet sich dem Schüler als wahrer Hexenkessel losgelöster Sinneseindrücke dar, wobei ihm die Aufgabe zufällt, diese auf die Ebene sinnvoller Konstrukte anzuheben. Dieser Aufgabe kann sich der fremdsprachliche Schüler schlechter entziehen als sein muttersprachlicher Kommilitone; sie stellt eine unersetzliche kognitive Leistung höchsten Niveaus dar, die übrigens mit vereinfachten Texten nicht mehr erreichbar ist.

Wohlgemerkt, von literarischen Texten, nicht von der Institution Literatur ist hier die Rede. Es geht um die Aufgabe, vor die sich der mit dem Text konfrontierte Schüler gestellt sieht. Beim Textvergleich etwa handelt es sich wohl entweder um die Literaturgeschichte oder um gewisse abstrakte Begriffe, so wie sie von Literaturwissenschaftlern angewendet werden. Sie bilden sicherlich kein Lernziel einer fremdsprachlichen Unterrichtsstunde. Die Texte fungieren nicht als objektive Erkenntnisgegenstände, sondern als subjektive Bezugsgegenstände, nicht als wissenschaftliche Objekte, zu denen sich auch der Schüler den Zugang erringen soll, sondern als Gebrauchs- und Verbrauchsgegenstände. Dem Literaturwissenschaftler geht es um die Rekonstruktion des Textes, d. h. der idealen oder möglichen Rezeption, des idealen Abstraktionsprozesses, was eine Reihe von Vorkenntnissen voraussetzt. Dem Schüler ist an einer solchen Rekonstruktion weniger gelegen als an der Konstruktion einer Haltung, eines Standpunktes, einer ideellen und emotionalen Welt, kurz, der eignen Identität: "Beschäftigung mit Literatur im Unterricht sollte Provokationen bieten, die den Schülern helfen, sich selbst zu verstehen und dann vielleicht zu einer Identität zu finden".[3] Dabei ist auch die Funktion der Literatur als Amusement nicht außer acht zu lassen: sie ist mit dem oben erörterten kognitiven Lernziel sehr wohl zu vereinbaren.

Damit sind zugleich auch die Lernziele des Literaturstudiums an der philosophischen Fakultät bereits angedeutet. Denn zu den genannten Zielsetzungen tritt hier noch das Vermitteln wissenschaftlicher Denkstrategien hinzu. Wissenschaftliches Denken stellt einen Abstraktionsprozeß im obigen Sinne dar: der modernen Wissenschaft und dem induktiven Denken geht es grundsätzlich darum, Superzeichen (Theorien) zu generieren, aus deren Sicht die Subzeichen (die beschriebenen Phänomene) erklärt werden können, d. h. vorhersagbar werden. Die Literaturwissenschaft ist daher sehr wohl imstande, die literarische Rezeption im Sinne eines Abstraktionsprozesses nachzuvollziehen und zu kontrollieren bzw. zu korrigieren, und sogar darüber hinaus die Rezeption des Einzelwerks in die höheren Stufen der Theoriebildung einzubeziehen. Dahin gehören auch die Begriffe der Literaturwissenschaft: sie sind nur durch Definitionen ersetzbar und stellen daher Superzeichen einer hohen Abstraktionsebene dar. Die Literaturwissenschaft stellt also keinen Gegensatz zur literarischen Rezeption, sondern deren Fortsetzung und Vollendung dar, sowie auch die Ästhetik nicht Gegensatz, sondern Ziel und Fortsetzung der Literaturwissenschaft ist. Damit ist zugleich ausgesprochen, daß zwischen literarischem bzw. ästhetischem Genuß auf der einen Seite und Denken bzw. Theoriebildung auf der anderen nicht das Verhältnis des Gegensatzes, sondern vielmehr das der Steigerung, der Progression, besteht.

Die Rezeption literarischer Texte befindet sich nach dem hier erörterten Konzept sozusagen auf halbem Wege zwischen Affektion und Abstraktion. Genau da ist auch die Rolle der Literatur auf der Schule und überhaupt im Leben anzusetzen. Der menschliche sowie tierische Körper ist bekanntlich mancherlei Genüsse fähig. Diese kommen beim Menschen allerdings nicht ungestört zustande. Als ständiger Störfaktor fungiert dabei das Bewußtsein, obwohl dieses auch seinerseits vermöge der Gabe der Phantasie bemüht ist, der Genüsse und Sinnenfreuden teilhaftig zu werden. Die Phantasie beseelt das Bewußtsein durch kurzlebigen Kontakt mit der Realität und flüchtigen Genuß. Das Bewußtsein stellt der Realität nach, es ist bestrebt, sie aufzusaugen, zugleich aber hebt es sie durch seine Abstraktionskraft wieder auf. Dieses Faß ohne Boden, das der Realität nachrennt, sie genußfreudig auffängt und aber zugleich auch verzehrt, ist genau die Domäne der Literatur. Sie ist sowohl beflissen, am Leben teilzuhaben wie auch zu bearbeiten und zu löschen, was hätte leben können. Sie nimmt im menschlichen Bewußtsein sozusagen einen zentralen Platz ein, indem sie zwischen tierischem Leben, das ausschließlich im Besitz von Leben ist, und Wissenschaft, die es aus der Distanz beobachtet und vermenschlicht, die Mitte hält. Der Realität aber entgegen einer immer weitere Kreise ziehenden Abstraktion nachzurennen, das heißt, ihr immer näher auf die Pelle rücken, sie greifbar machen, sie zur Sensation machen. Erst als Sensation kann die Realität in ihrem unaufhörlichen Erlöschen eingeholt werden. Der Genuß des Bewußtseins ist die Sensation; was es von der Phantasie erwartet, ist Sensation, die nichts anderes als das penetrante

Bewußtwerden potentieller Realität ist. Die Phantasie jagt der andauernd fliehenden Grenze des Sensationellen in diesem Sinne unentwegt nach, wie sich das gerade in der neueren Literaturgeschichte widerspiegelt, die durch alle möglichen Spielarten des Realismus seit über einem Jahrhundert bestrebt ist, Realität in den Griff zu bekommen. Diese Front, wo Sensation und Abstraktion zusammentreffen, ist die Domäne der Literatur.

II.

Mit einem Text wird in der Schule grundsätzlich der Abwechslung wegen ein bis zwei Unterrichtsstunden gearbeitet. Eine Textreihe bei thematischer Konstanz weist einige Vorteile auf, wenn sie nicht gerade ein ganzes Schuljahr hindurch fortgesetzt wird: die Motivierung steigt, die Texte regen womöglich zur Hauslektüre an, und, da die Schüler nach und nach mit dem Wortschatz vertraut werden, wird die Diskussion in der Fremdsprache sinnvoll. Hier können verschiedene Textsorten eingesetzt werden (Prosa, Dialog, Songs, Essay, Lyrik), die auch in ihrer Stellungnahme stark voneinander abweichen sollten.

Viele Deutschlehrer haben mit der praktischen Durchführung einer Unterrichtsstunde an Hand von Texten große Schwierigkeiten. Der Hauptanteil der Stunde entfällt nach dem altherkömmlichen Lateinmuster oft noch auf die Worterklärung, als ob durch Einsicht der Lesefertigkeit im oben dargelegten Sinne als intuitiver Texterschließung oder irgend einem genannten Lernziel näherzukommen wäre. Die Worterklärung führt allenfalls zur augenblicklichen Befriedigung, vermag aber nicht, das Wort in einen assoziativen und kontextuellen Zusammenhang einzubetten, was Voraussetzung sowohl passiv im Unterbewußtsein vorhandenen wie auch aktiv abrufbaren, verfügbaren Sprachgutes ist. Im Gegenteil, sie löst das Wort aus seinem Zusammenhang heraus.

Es sei uns erlaubt, an Hand eines einzigen Beispiels einige Vorschläge zur didaktischen Aufbereitung eines literarischen Textes zu unterbreiten. Ausgegangen sei von folgendem Gedicht:

AN DER PLAKATWAND[4]

Rainer Brambach

Sein Mädchen und er
auf der Straße, Allerweltstraße,
im Knall der Motoren,

im Abgas stehen sie,

Vollgasbengel Lederkopf Raketenarsch
haut vornüber vorbei ...

an der Bell Tell Shell Plakatwand
oder ähnlich, sehr ähnlich
und nah den abstrakten Bildern
aus Schmieröl
auf dem Asphalt
stehn sie beisammen
still,
als käme ein Feierabend.

Der Ablauf einer Unterrichtsstunde[5] könnte etwa folgendermaßen aussehen:

1. *Lektüre.* Da nur gutes Vorlesen sinnvoll ist, wird selbstverständlich nur an die Darbietung durch den Lehrer oder durch eine Schallplatte gedacht. Noch zweckmäßiger dürfte das konzentrierte Stillesen durch die Schüler sein. Die künstlerische Darbietung erfolgt dann am Ende der Stunde. Stillesen ist natürlich nur unter der Bedingung sinnvoll, daß der Lehrer den Schülern vorher eine Aufgabe stellt. In der vorliegenden Unterrichtsstunde wurden beispielsweise die Schüler dazu aufgefordert, die erste und dritte Strophe an der Tafel zu überblicken (die zweite bekamen sie vorerst nicht zu Gesicht) und eine von zwei künstlerisch begabten Schülern eigens angefertigte Kollage an Hand des im Gedicht vorkommenden Wortschatzes zu beschreiben.

2. *Verständniskontrolle:* In dieser Phase wird grundsätzlich keine Sprachproduktion verlangt, sondern die Lösung der Aufgaben bleibt nichtsprachlicher Art. Die verlangten Antworten sind etwa Eigennamen, Schlüsselwörter, Zahlen (etwa hier: wieviel Menschen treten im Gedicht auf?), oder der Lehrer stellt Entscheidungsfragen (Antwort: ja oder nein; etwa hier: Kennen die Beiden sich? Kommt ein Feierabend?) Hier könnte auch mit Auswahlantworten gearbeitet werden: multiple choice-Tests sind keine Sprachübungen, zur Verständniskontrolle lassen sie sich sehr wohl einsetzen.

3. *Worterklärung:* Um auch diese Phase kommunikativ zu gestalten, wird umgekehrt vorgegangen, d. h. die Erklärung wird gleichsam als

Frage getarnt; die Antwort ist das unbekannte Wort. Der Lehrer könnte etwa fragen, in welchem Land die im Gedicht beschriebene Stadt liegt: die Schüler, die das Gedicht immer noch vor Augen haben, bekommen die Bedeutung der Zusammensetzung "Allerweltstraße" heraus. Die Fakten, nach denen gefragt wird, verteilen sich auf den ganzen Text. Es ist darauf zu achten, daß die Reihenfolge der verlangten Antworten nicht der Reihenfolge des Textes entspricht, damit die Schüler sich immer wieder genötigt sehen, den Text konzentriert zu überfliegen. Der Lehrer fordert die Schüler auf, visuelle bzw. auditive Einzelheiten der beschriebenen Straße anzugeben ("Schmieröl auf dem Asphalt" bzw. "Knall der Motoren"). Ist auch für die Nase was geboten? ("Abgas"). Wo stehen die beiden? ("vor einer Plakatwand" – die war auch auf der Kollage zu sehen).

Jetzt erst, wo die erste und dritte Strophe offenbar verstanden worden waren, wurde die Rückseite der Tafel den Schülern zugewendet, wo das ganze Gedicht, einschließlich der schwierigen zweiten Strophe, zu lesen war. Der Lehrer geht wieder von einfachen Entscheidungsfragen aus ("Ist hier wieder von den beiden jungen Leuten die Rede?") usw. Die Lehrerfrage, ob denn die Schüler das Gedicht jetzt verstanden hätten, ist natürlich zwecklos: das muß nachgeprüft werden.

4. *Besprechung.* Sie führt zur Formulierung des Erlebten und geht von dem aus, was die Schüler zum Text zu sagen haben. Bei zu allgemeinen Fragen vom Typ "Was halten Sie von diesem Gedicht?" oder "Was fällt an diesem Gedicht auf?" sind die Schüler aufgeschmissen; in der Fremdsprache ist da kaum eine Antwort zu erwarten. Die deutsche Grammatik macht dem Schüler schon hinreichend zu schaffen, dafür will er sich hinsichtlich dessen, was er zu sagen hat, einigermaßen sicher fühlen.

Der Lehrer stellt gezielte Fragen, etwa ob die gezeigten Einzelheiten schön und romantisch seien, ob ein Schüler mit seiner Freundin den gleichen Ort wählen würde wenn er in Ruhe gelassen werden möchte, welche die Haltung der jungen Leute im Gedicht sei (wartend-abwartend) und ob das die richtige Haltung sei. Mittlerweile hatten die Schüler ein Dia vor sich, das inmitten eines riesigen, vollbesetzten Parkplatzes und mit den grellangestrichenen Wohnblocks des Berliner Märkischen Viertels im Hintergrund ein Plakat mit einer Werbung für die Deutsche Bundesbahn zeigte.

5. *Ausdrucksvolle Lektüre.* Die ausdrucksvolle Schülerlektüre in der Fremdsprache sollte kein Selbstzweck sein und läßt sich durch kein einziges Lernziel rechtfertigen. Die Schüler schaffen es kaum in der

Muttersprache und für diejenigen, die nicht gerade lesen, ist das laute Lesen ohnehin Zeitverlust. Sogar die Ausspracheschulung erfolgt nicht durch Lesen, sondern durch Sprechen, d. h. durch Nachsprechen.

Ferner gibt es noch eine Reihe interessanter zusätzlicher Übungsmöglichkeiten.

1. Die *freie Diskussion* stellt so gut wie das einzige natürliche Unterrichtsgespräch dar. Dabei achtet der Lehrer darauf, daß er den Schüler nicht unterbricht, auch nicht wenn ein paar knifflige Wortendungen danebengehen. Das verunsichert den Schüler, der doch in der Fremdsprache neu zur Mündigkeit erzogen werden soll. Der Schüler fühlt sich aber bestätigt, wenn der Lehrer den vom Schüler vertretenen Standpunkt in gutem Deutsch wiederholt und diesen dann auffordert, seinen Standpunkt noch einmal darzulegen. Der Lehrer unterbricht den Schüler auch nicht, indem er ihm etwa mangelnden Wortschatz zuflüstert. Schließlich muß der Schüler es lernen, lexikalische Probleme zu umgehen, wie er es ja auch in seiner Muttersprache macht, und er soll merken, wo ihm die Worte fehlen. So wird das Bedürfnis nach neuem Wortschatz kommunikativ vorbereitet.

Überhaupt ist fraglich, ob denn die freie Diskussion unbedingt in der Fremdsprache stattfinden sollte. Die Diskussion in der Fremdsprache geht im Grunde genommen über die Ziele des Literaturunterrichts hinaus. Es ist schwierig, alle Schüler an der Diskussion zu beteiligen. Vor der Diskussion könnten etwa Zettel mit ausformulierten Standpunkten bzw. Argumenten verteilt werden, die dann ins Gespräch gebracht werden sollten. Beim Gruppengespräch kann innerhalb der belgischen Situation nicht vorausgesetzt werden, daß es auf Deutsch abläuft. Die Frage erhebt sich, inwieweit Schüler bei der freien Diskussion überhaupt lernen, und ob nicht auch für Fortgeschrittene gesteuerte Sprech- und Nachsprechübungen ergiebiger sind.

2. Das *Gliedern* bzw. Zuordnen von Überschriften zu den einzelnen Textabschnitten.

3. *Lückentexte* sind ausgezeichnete Wortschatzübungen, da sie auf semantischen Entscheidungen innerhalb eines gegebenen Kontextes beruhen. Hier können die Lesetexte erneut eingesetzt werden.

4. Die *Inhaltsangabe* wird heute der Nacherzählung vorgezogen, weil es hier auf die sprachliche Leistung und nicht auf das Gedächtnis ankommt. Die Inhaltsangabe setzt eine neue Formulierung voraus und entsteht nicht durch das Streichen von Sätzen, da der Informationsgehalt oder Schwierigkeitsgrad der Inhaltsangabe grundsätzlich den des Originaltextes nicht übersteigen sollte, im Gegenteil.

5. Oder man geht von einer gegebenen *Zusammenfassung* aus, aus der nicht im Text Gesagtes gestrichen wird, oder deren Sätze dem Ablauf des Textes entsprechend geordnet werden. Diese Übung ist bereits mit Anfängern möglich.

Da der belgische Deutschlehrer oft auch der Muttersprachlehrer ist, da ihm für Deutsch außerdem nur ganz wenig Wochenstunden (manchmal nur *eine*) zur Verfügung stehen, wird die Bewußtmachung der ästhetischen Qualitäten des Gedichtes auf die nächste Muttersprachstunde verschoben, falls dort genügend Zeit zur Verfügung steht. Es hat keinen Zweck, diese in der Fremdsprache vorzunehmen.

Anmerkungen

[1] Ermöglicht wurde diese Zusammenarbeit aufgrund zweier Tendenzen der neueren Literaturwissenschaft: erstens aufgrund ihrer Hinwendung zur Rezeption literarischer Texte, zur Empfängerseite des Kommunikationsprozesses, und zweitens aufgrund der Fülle und des steigenden Gebrauchs statistischer Methoden, auf die man angewiesen ist, wenn man die anonyme Lesermasse wissenschaftlich ins Auge fassen soll.

[2] S. ausführlicher etwa in Roland Duhamel: Literarische und nichtliterarische Texte. In: Dietrich Papenfuß und Jürgen Söring, Hrsg., Rezeption der deutschen Gegenwartsliteratur im Ausland. Kohlhammer Verlag, Stuttgart 1976, S. 233–238.

[3] Jürgen Gidion: Schule und Literaturunterricht, Bemerkungen über Lernziele des Literaturunterrichts im Gymnasium, S. 280. In: Sprache im Technischen Zeitalter 44, 1972, S. 277–285.

[4] Rainer Brambach: *Ich fand keinen Namen dafür.* Gedichte. Zürich 1969, S. 10. – Die Unterrichtsstunde erfolgte in einer belgischen Abiturklasse, d. h. mit 17-jährigen.

[5] Ein Videomitschnitt der hier beschriebenen Unterrichtsstunde wird am A.-V.-Centrum der Universität Antwerpen (U. I. A.), Universiteitsplein 1, B-2610 Wilrijk, verwahrt.

Bernd Kast

Legetische Aufgaben und Möglichkeiten des fremdsprachlichen Deutschunterrichts

Einführung

> "Das ist auch so etwas: ich kann nicht mehr lesen, d. h. ich kann Wort für Wort zwar lesen, aber wenn ich ein Wort gelesen habe und dann das nächste lese, verschwimmt schon das zuerst gelesene Wort, und beim übernächsten habe ich das erste vergessen. So ist es mir nie mehr möglich, ganze Sätze im Kopf zu behalten oder auch nur die Bedeutung von Sätzen."[1]

Nicht mehr lesen können, nur Wörter erkennen und keinen Sinn, nur "Stäbchen", "Buch-Staben" auflesen, sammeln, sie aber nicht aufnehmen, zusammentragen, behalten und *lesen* können: ist das nur ein Symptom jenes Krankheitsbildes, das Josef Georg Gallistl, weil die zu charakterisierende Krankheit noch keinen Namen hat, "Die Gallistl'sche Krankheit" nennt? Oder ist die fehlende Fähigkeit auch Symptom unter anderem eines "gesunden" Lesers und eines Lesers fremdsprachlicher Texte, der vor lauter "Buchstaben" den Wald nicht sieht, will sagen: lauter Buchstaben und Wörtern den Sinn des Gelesenen nicht versteht?

Noch nicht lesen können, lebenslanges Bemühen und doch nicht am Ziel sein, dieses auf einen ersten Blick entmutigende Fazit zieht Goethe im Januar 1830 gegenüber Frédéric Soret, Naturwissenschaftler und damaliger Erzieher des Prinzen Karl Alexander am Hofe in Weimar:

> "'Die guten Leutchen ... wissen nicht, was es einem für Zeit und Mühe gekostet, um lesen zu lernen. Ich habe achtzig Jahre dazu gebraucht und kann noch jetzt nicht sagen, daß ich am Ziel wäre.'"[2]

Wie schwierig muß lesen nicht sein, wenn ein Leser wie Goethe am Ende seines Lebens eine solche Bilanz aufstellt? Ist Lesen überhaupt lehr- und lernbar?

Man sagt: "Gegenstand des Fremdsprachenunterrichts" sei "nicht der (schriftlich fixierte) Prosa-Text, sondern der tatsächliche Sprachgebrauch in umgangssprachlichen Sprechsituationen."[3] Ist es angesichts dieser Forderung überhaupt sinnvoll, sich mit der Problematik des Lesens im Fremdsprachenunterricht auseinanderzusetzen? Wird nicht ohnehin schon zu viel Zeit im Fremdsprachenunterricht für das Lesen investiert und zu wenig für die gesprochene Sprache?

Der gemeinsame Nenner dieser drei Zitate unterschiedlichster Natur, an die wiederum zahlreiche Fragen unterschiedlichster Natur anknüpfen, ist die Erfahrung des Lesens als Problem: ich kann nicht mehr lesen, ich kann noch nicht lesen, ich mache mit dem Lesen nicht viel Federlesens: in einer Fremdsprache kommt ihm nur marginale Bedeutung zu.

Beschäftigen wir uns mit der letzten Mitteilung zuerst, um auf diesem Wege Zugang zu unserer Problematik zu finden und Walsers sinnlos lesenden Gallistl und Goethes bescheiden anmutende oder frustrierend wirkende Bemerkung gegenüber Soret an Bedeutung gewinnen zu lassen.

1. Aschenputtels Warten auf den Prinzen. Oder: ein Plädoyer für das Lesen im Fremdsprachenunterricht

In vielen Kulturkreisen und bei vielen Fremdsprachenlernern ist Lesen die einzige Motivation, um eine Fremdsprache zu lernen, weil Lesen der einzige Kontakt mit dieser Fremdsprache ist: Lesen rückt damit zur wichtigsten Fertigkeit auf, so daß Alois Wierlacher mit Recht die appellative Frage stellt: Warum lehren wir das Lesen nicht?[4]. Doch mangelnde Substanz vieler Lesetexte, fehlende oder mangelhafte Lese- und Übungsstrategien, das strukturalistische Diktat ("Nichts sollte gesprochen werden, was nicht zuvor gehört worden ist; nichts sollte gelesen werden, was nicht zuvor gesprochen worden ist; nichts sollte geschrieben werden, was nicht zuvor gelesen worden ist")[5] haben das Lesen in die Rolle eines Aschenputtels gedrängt, das noch immer auf seinen Prinzen wartet, der es aus seiner mißlichen Lage befreit.[6] Insbesondere hinsichtlich der Lektüre fiktionaler Texte im Fremdsprachenunterricht ist die Aschenputtel-Rolle des Lesens evident: Joachim Riehme resümiert völlig zu Recht, daß "die Arbeit am literarischen Text im Fremdsprachenunterricht bisher noch wenig erforscht und beschrieben wurde."[7]

Dieses Defizit hat zum Teil gute Gründe, könnte man meinen, weil der Fremdsprachenunterricht in erster Linie das Postulat kommunikativer Kompetenz zu erfüllen habe, kommunikativ verstanden als Hinführung zu einer authentischen Alltags- und Umgangssprache. Welchen

Stellenwert, so ließe sich weiter argumentieren, können in einem solchermaßen pragmatisch ausgerichteten Sprachunterricht schon fiktionale Texte einnehmen? Fiktionale Texte enthalten nun einmal eine Lexik, die im modernen Sprachunterricht, so hört man, nichts zu suchen hat; vom Vokabular unserer Schriftsteller und Dichter, zumal der traditionellen, findet man denn auch nur Artikel, Pronomen und Konjunktionen, allenfalls einmal ein Adjektiv, Nomen oder Verb unter dem zu erwerbenden Grundwortschatz. Ist diese vielfach konstatierte "Zurückdrängung der Literatur"[8], sind die auch von Heribert Rück festgestellten "Bestrebungen im Bereich der neueren fremdsprachlichen Didaktik, fiktionale Texte aus dem Curriculum weitgehend zu eliminieren"[9], nicht freudig zu begrüßen? Hat das Aschenputtel Lesen seine Attraktivität zu Recht verloren, und sein Warten auf den Prinzen wäre vergeblich?

Man beginnt in den letzten Jahren diese Frage neu zu bedenken. So unternahm Hans-Eberhard Piepho 1974 mit seinem Aufsatz "Lesen als Lernziel im Fremdsprachenunterricht" mit der Begründung, "daß ein Mensch durchschnittlich seine Sprache zum Hörverstehen, zum Leseverstehen, zum Reden und zum Schreiben in einem Verhältnis von 8 zu 7 zu 4 zu 2 einsetzt", einen ersten bescheidenen "Versuch der Rehabilitation einer vernachlässigten Fertigkeit";[10] auch das "Mannheimer Gutachten" weist (1977) nachdrücklich auf diese (in Lehrwerken) "vernachlässigte Fertigkeit" hin: "Von literarischer Kommunikation erfährt der Leser überhaupt nichts", und mit Blick auf studentische Adressatengruppen, "zu deren wichtigsten Techniken das Lesen gehört", sei nur schwer verständlich, "daß auch das Lesen nirgends zum Gegenstand von Fragen oder Beschreibungen wird."[11]

Dagegen glaubt Rosemarie Buhlmann das Nahen des Prinzen bereits konstatieren zu können: Das Lernziel "Lesen" habe in den letzten Jahren "im Bereich 'Deutsch als Fremdsprache' wieder stärkere Beachtung gefunden."[12]

Wenn wir uns dieses Aschenputtel nun selber anschauen, dann mit der Absicht, herauszufinden, was es mit diesem Mädchen auf sich hat und welche Argumente ein Prinz haben könnte, es aus seiner stiefmütterlichen Rolle zu befreien.

1.1. Aschenputtels Bestimmungen. Oder: ein Seitenblick auf das Lesen als Kulturtechnik

Wie das Aschenputtel im Märchen nicht aufgeht in *einer* Bestimmung, sondern sich in verschiedenen Situationen anders bestimmt – es ist fromm, traurig, gut, erschöpft, schmutzig, bescheiden, schön, glücklich, sauber usw. –, ist unser Aschenputtel Lesen nicht zureichend bestimmt mit der Bezeichnung Lesen. "Some books are to be tasted", schreibt Francis Bacon, "others to be swallowed, and some few to be chewed and digested; that is, some books are to be read only in parts; others to be read but not curiously; and some few to be read wholly, and with diligence and attention."[13] Lesen ist, und Bacon deutet das an, nicht gleich Lesen; sondern Lesen ist analytisches Lesen[14], detailbezogenes Lesen[15], distanzierendes Lesen[16], eindringendes Lesen[17], extensives Lesen[18], gestaltendes Lesen[19], identifikatorisches Lesen[20], informierendes Lesen[21], intensives Lesen[22], kontextorientiertes Lesen[23], um nur einige wenige von den nahezu 200 Attributen zu nennen, die mir während meiner Beschäftigung mit dem Thema begegnet sind. Sicher, viele Bezeichnungen werden synonym gebraucht und auch hier herrscht ein terminologisches Chaos. Aber dieses Chaos belegt nur die Behauptung, daß Lesen nicht gleich Lesen ist, daß wir es beim Lesen mit einem differenzierten und komplexen Vorgang zu tun haben.[24]

Wolfgang Iser hat in seiner "Phänomenologie des Lesens"[25] diesen Vorgang zu beschreiben versucht und auf "die hermeneutische Grundstruktur des Lesens" hingewiesen; beim Lesen werden immer neue Horizonte aufgebaut, die jeweils eine neue Qualität annehmen, weil jeder neu "erreichte" Horizont die Erwartungshaltung in bezug auf den "nächsten" Horizont beeinflußt und lenkt: "Das Erinnerte wird neuer Beziehungen fähig, die ihrerseits nicht ohne Einfluß auf die Erwartungslenkung der einzelnen Korrelate in der Satzfolge bleiben. So spielen im Lesevorgang ständig modifizierte Erwartungen und erneut abgewandelte Erinnerungen ineinander."[26] Der Horizont läuft dem Lesenden voraus und wird durch das Gelesene geformt: der Leser lebt gleichsam in einer Welt, der *er* Gestalt verleiht, es wird *seine* Welt, weil er sie mit *seinen* Erinnerungen und *seinen* Erwartungen füllt.

"Die Entdeckung des Lesers", wie Walter Kühnel die Entdeckung dieser Partizipation am Text nennt,[27] erklärt auch die potentielle Wirkung des vom Leser hervorgebrachten Gelesenen:

Lesen greift ein in unser Leben, es ist eine Kulturtechnik, die *unsere* Kultur und unsere *Kultur* prägt. "Wenn wir uns durch Lesen selbst wandeln, dann weniger wegen der haftengebliebenen Inhalte des Gelesenen als vielmehr wegen der Wirkung, die das Lesen auf die Fortentwicklung unserer Beurteilungssysteme ... hat", heißt es in der Expertise "Leseförderung und Buchpolitik" der Wissenschaftlichen Kommission Lesen der "Deutschen Lesegesellschaft".[28]

Urteile prägen und beeinflussen, Vor-Urteile abbauen und wegnehmen und Tatbestände freilegen, hier gewinnt die individuelle Bedeutung des Lesens gesellschaftliche Dimension, es ist der leicht beschreibbare und schwer beschreitbare Weg vom mündigen Leser[29] hin zu einer mündigen Gesellschaft.[30]

"Das Lesen ist eine vergleichsweise schwierige Kulturtechnik", resümiert die Expertise lapidar.[31] Es kann hier auch nicht um den Versuch gehen, auf diese Schwierigkeiten ausführlich einzugehen; einlassen kann ich mich auch nicht auf die Lern- und Leseziele bei der Arbeit mit fiktionalen Texten. Grundsätzlich sind vier Bereiche zu sehen: 1. Landeskundliche und soziokulturelle Ziele, 2. Literarische Ziele (im engeren Sinne), 3. Ziele die Leserattitüde betreffend und 4. Ziele aus dem Bereich Spracherwerb, hier: Lesefertigkeit; vor allem diesem vierten Bereich widme ich, vor dem Hintergrund der oben angedeuteten Lesephänomenologie und bezogen auf den Fremdsprachenunterricht, meine Aufmerksamkeit.[32]

Wenn ich im folgenden vom Lesen spreche, meine ich immer das stille Lesen; ich werde nicht eingehen auf das laute Lesen, weil damit eine andere Problematik auftaucht und andere Techniken geübt werden müssen.[33]

1.2. Extensives Lesen versus intensives Lesen?

Beim Lesen im Fremdsprachenunterricht und in einer Fremdsprache unterscheidet man als differente Lesearten vor allem das sogenannte extensive[34] (kursorische[35], flüssige[36], rasche[37], rationelle[38], synthetische[39] usw.) und das sogenannte intensive[40] (analytische[41], detailbezogene[42], eindringende[43], genaue[44], reflektierende[45], statarische[46], totale[47], übersetzende[48] usw.) Lesen. Beide Lesearten, die vor allem abhängig sind von der jeweiligen Texteigenschaft und den Lesezielen, lassen sich in einer synoptischen Übersicht veranschaulichen:

Extensives Lesen	*Intensives Lesen*
Erfassen des Wesentlichen; Nebensächliches und Details werden vernachlässigt.	Erfassen des Ganzen; der Text muß vollständig erfaßt werden.
Nur die sprachlichen Elemente werden rezipiert, die Träger relevanter Informationen sind.	Alle sprachlichen Elemente werden, weil sie relevante Informationen enthalten, rezipiert.
Komplexes, automatisches und direktes Erfassen von Ganzheiten.	Detailiertes, differenziertes Erfassen von einzelnen Satzteilen und Sätzen.
Übersetzungsarmes bzw. -loses Erfassen des Textes mit geringer bzw. fehlender Subvokalisation.	Übersetzendes Lesen mit ausgepräger Subvokalisation.
Die Hauptinformationen des ganzen Textes werden in schnellem Tempo summarisch erfaßt.	Alle Informationen des ganzen Textes werden in niedrigem Tempo exakt erfaßt.
Nur das unbekannte Wortmaterial wird semantisiert, das kontextrelevant ist.[49]	Unbekanntes Wortmaterial muß vollständig und exakt semantisiert werden.
Mit-denken und Antizipation der Textbedeutung.	Nach-denken und Rekonstruktion der Textbedeutung.
Große Redundanz läßt Inferenz (Erschließen des unbekannten Wortmaterials durch den Kontext) zu: größere Möglichkeit, weiterhelfende Elemente zu erschließen.	Geringe Redundanz erschwert bzw. verhindert Inferenz: kleine bzw. keine Möglichkeit, weiterhelfende Elemente zu erschließen.

Eine dritte Leseart neben der extensiven und intensiven ist das sogenannte orientierende[50] (oberflächliche[51], suchende[52], überblicksweise[53] usw.) Lesen, bei dem es darum geht, sich in dem unbekannten Text überwiegend anhand nominaler Informationsträger zu orientieren: enthält der Text die Informationen, die ich suche? Behandelt er die Thematik, die mich interessiert? Martin Löschmann spricht dieser Leseart insofern eine Eigenständigkeit zu, als der Leser es dann beim orientierenden Lesen bewenden läßt, wenn er "die gesuchte Information gefunden hat" oder feststellt, daß die erwarteten bzw. gesuchten Informationen im Text nicht enthalten sind.[54] Das orientierende Lesen wird vor allem bei wissenschaftlichen und pragmatischen Texten (z. B. anhand von Inhaltsverzeichnissen usw.) auftreten, bei fiktionalen Texten spielt es eine nur marginale Rolle.

J. A. M. Carpay und Martin Löschmann sind der Ansicht, daß intensives und extensives Lesen zwei voneinander getrennte Lesearten sind, abhängig von der jeweiligen Textsorte, dem Lernziel und dem Leser, die auch zumindest im Anfangsunterricht selbständig geübt und getestet werden sollten.[55] Klaus H. Köhring und Richard Beilharz sind sogar der Ansicht, das intensive Lesen sei in der Regel ein lautes Lesen, während das extensive Lesen erst im Fortgeschrittenenunterricht als Stillesen möglich sei.[56]

Sicher ist es richtig, daß es Texte gibt, die intensiver gelesen werden als andere: einen Liebesbrief lese ich intensiver als einen für mich uninteressanten Reklametext, ein Gedicht, das ich interpretieren will, lese ich intensiver als einen Krimi am Strand, ein Studienbuch, über dessen Stoff ich geprüft werde, lese ich intensiver als eine Zeitung usw. Intensives und extensives Lesen sind jedoch keine voneinander isolierten Lesearten, wie z. B. Carpay annimmt, sie können sinnvollerweise auch nicht dem lauten bzw. dem stillen Lesen zugeordnet werden, wie Klaus H. Köhring und Richard Beilharz es tun,[57] und es sind keine Lesearten, die in den Anfangsunterricht (intensives Lesen) bzw. in den Fortgeschrittenenunterricht (extensives Lesen) gehören, wie Rosemarie Buhlmann im Anschluß an Köhring und Beilharz behauptet.[58]

Intensives und extensives Lesen sind ein methodisches Hilfskonstrukt, um einen Leseprozeß zu veranschaulichen, der sich, beeinflußt von sprachlichen und literarischen Faktoren, ständig zwischen den Extremen intensiv und extensiv bewegt; der Übergang von extensiv zu intensiv und umgekehrt vollzieht sich innerhalb eines Satzes, eines Abschnitts, Kapitels und eines Textganzen; er vollzieht sich abrupt und fließend, mit großen Ausschlägen nach dem einen oder anderen Extrem und kaum bemerkbar auf der Scheitellinie von intensiv und extensiv. *Der Intensitäts- bzw. Extensitätsgrad des Lesens wird bestimmt von der Textsorte, einzelnen Momenten und Aspekten des jeweiligen Textes und den expliziten oder impliziten Lernzielbestimmungen des Lesers: Lesen ist ein Prozeß, der sich immer so extensiv wie möglich und so intensiv wie nötig vollzieht.*

Jedes andere Lesen, und das gilt sowohl für den Anfangs- als auch für den Fortgeschrittenenunterricht, ist unökonomisch, dysfunktional, methodisch fragwürdig und gattungspoetisch problematisch.

Nehmen wir ein Beispiel:

Ein Fremdsprachenlerner wird Martin Walsers Novelle "Ein fliehendes Pferd"[59] nicht *intensiv* lesen, er wird nicht *jedes* unbekannte Wort nachschlagen und nicht *jedes* grammatikalische Problem mit dem Grammatikbuch zu lösen versuchen. Das widerspräche seinen hedonistischen Absichten, würde die Lektüre unnötig in die Länge ziehen und ginge wegen der ständigen Unterbrechungen und des Fixiertseins auf lexikalische und grammatikalische Detailfragen auf Kosten des Gesamtverständnisses.

Er wird das Buch aber auch nicht *extensiv* lesen können, wird sich nicht nur auf die großen Linien und ein globales Verständnis des Inhalts beschränken können: die subtile Parabel würde sich seinem Verständnis entziehen. Dort, wo die "unerhörte Begebenheit" sich ereignet, wo der "Falke" als fliehendes Pferd auftaucht, wird sein extensives Lesen intensiver. In dem Satz Helmuts "Er wünschte eben, daß die auch nur Schein produzierten", sind die beiden Wörter "die auch"[60] wichtiger als der folgende Abschnitt, weil das als Schein aufgedeckt werden kann, was der Leser vielleicht noch als bare Münze nimmt: die jugendliche, sportliche, lebensbejahende Attitüde von Helmuts Gegenspieler Klaus.

Extensives und intensives Lesen stehen also in einem kohärenten funktionalen Ergänzungsverhältnis,[61] es sind dynamische Erscheinungen *eines* Prozesses; mit anderen Worten: Lesen ist ein permanenter Wechsel extensiven und intensiven Rezipierens eines Textes, wobei unter Umständen eine der beiden Qualitäten mathematisch gesprochen gegen null tendieren kann.

2. *Steuerungsstrategien des Leseverhaltens*

Dieses Leseverhalten kann gesteuert und muß geübt werden, und es kann anhand fiktionaler Texte im Anfangs- und im Fortgeschrittenenunterricht geübt werden. Wenn nun Rosemarie Buhlmann meint, Sachtexte seien "zum Aufbau des Leseverständnisses wesentlich geeigneter als z. B. Erzählungen",[62] so ist das in dieser Pauschalität sicher nicht haltbar. Vor allem das Bedürfnis des "literarischen Lesers" nach fiktionalen Texten und seine identifikatorische, distanzierte oder kritische, meist aber: engagierte, kulinarische und betroffene Haltung gegenüber dem Inhalt des Textes können die von Buhlmann genannten Argumente entkräften.

Beschäftigen wir uns zunächst mit der Frage, welche Möglichkeiten der Lehrer hat, den funktionalen Wechsel von kursorischem Lesen und detailanalytischer Kleinarbeit zu steuern.

2.1. Leitfragen

Leitfragen sind eine Möglichkeit, das Leseverhalten zu steuern; sie müssen allerdings sparsam eingesetzt und sorgfältig mit Blick auf die Lernzielbestimmungen ausgewählt werden. Leitfragen können auf Schlüsselstellen aufmerksam machen und führen dann zu einem intensiveren Leseverhalten, wenn der Texte die Leitfrage(n) beantworten kann.[63] Leitfragen bei der Lektüre von Walsers Novelle könnten sein: Worin unterscheiden sich die entgegengesetzten Typen Helmut Halm und Klaus Buch? Wann und wodurch ändert sich das Bild, das der Leser von den beiden Hauptpersonen gewonnen hat? Ein Raster (zwei Spalten: links Kennzeichen von Helmut Halm, rechts Kennzeichen von Klaus Buch) erleichtert das Inventarisieren und markiert die Peripetie der Novelle (Kapitel 9): sie wird in detailanalytischer Arbeit am Text im Sinne eines intensiveren Lesens erschlossen werden können.

Eine andere Leitfrage wäre die Frage nach dem "Falken" als dem Motiv des Evasorischen, dem vergeblichen Versuch der Flucht vor sich selbst und der Realität: "Wer versucht in der Novelle vor wem oder was zu fliehen? Wo taucht das Motiv des Fliehens auf?" Eine Analyse der betreffenden intensiv gelesenen Textstellen erschließt die parabolische Bedeutung der extensiv gelesenen Novelle.[64]

Die Entscheidung darüber, was extensiv bzw. intensiv gelesen werden muß und welche Leitfragen das Lesen begleiten, kann im Fortgeschrittenenunterricht vom Lernenden selbst getroffen werden, gegebenenfalls nach einem gemeinsamen Gespräch mit der Gruppe, einer "zielsprachlichen Situationsvorbereitung",[65] im Rahmen eines advance organizer.[66]

2.2. Zubringertexte

Eine weitere Möglichkeit, im Rahmen eines advance organizer das Lesen zu steuern, bietet der "Zubringertext". Unter einem "Zubringertext" verstehe ich einen Text, der den Lernenden da*zu bringen* soll, den eigentlichen Text im Sinne unserer Kohärenz-These so extensiv wie möglich und so intensiv wie nötig zu lesen. Die Vorbereitung auf den zu lesenden Text kann einmal syntaktische, idiomatische und lexikalische (eventuell grammatikalische) Vorgaben, zum andern inhaltliche und soziokulturelle[67] bzw. gattungspoetische Aspekte umfassen. Zubringertexte filtern gleichsam *die* Schwierigkeiten aus dem eigentlichen Text – in der französischsprachig orientierten Fachdidaktik spricht man deshalb auch anschaulich von "texte filtre" –, *die* den Lernenden darin hindern würden, den Text möglichst extensiv zu lesen. Vor allem in fiktionalen Texten mit hoher Redundanz entscheiden oft wenige Wörter mit großer Relevanz über das Verständnis von Textpassagen bzw. sogar des ganzen Textes; es dominieren "in allen Frequenzuntersuchungen Wörter mit geringem Informationsgehalt", während jedoch "das Verständnis(!) von Sätzen (und Kontexten, so müßte man ergänzen) vielfach von einem einzigen Wort mit geringer Vorkommenshäufigkeit, aber hohem Informationsgehalt abhängen kann."[68]

Bleiben wir bei Walsers "Fliehendem Pferd", um zu verdeutlichen, worum es geht: der Lernergruppe stehen bestimmte kontextrelevante Vokabeln und idiomatische Ausdrücke nicht zu Verfügung. Diese Lexik und dieses Idiom wird den Lernenden situativ zur Verfügung gestellt und wird vorab geübt, so daß Lexik und Idiomatik zumindest rezeptiv zur Verfügung stehen.[69] Damit geschieht das, was Michael West bereits vor über 50 Jahren gefordert hat, aber immer noch zu wenig im Fremdsprachenunterricht praktiziert wird: das situative Lernen und Üben von unbekanntem Vokabular: "The most 'realistic' practice in acquiring a reading vocabulary is the recognition and interpretation of words in the actual process of reading."[70]

Der Übergang von extensivem zu intensivem Lesen und umgekehrt kann dadurch gesteuert werden, daß die Peripetie der Novelle (letztes Kapitel) ausführlicher berücksichtigt wird, das heißt: das gesamte relevante Vokabular und Idiom dieser Schlüsselstelle – sofern nicht bekannt bzw. durch den Kontext erschließbar – durch den Zubringertext vorgegeben wird, so daß von den lexikalischen und idiomatischen Voraussetzungen her (und gegebenenfalls durch eine Leitfrage gesteuert) diese Stelle intensiver gelesen werden kann und gelesen wird.

Inhaltliche Probleme wird es kaum geben, insofern dürfte sich ein inhaltlich ausgerichteter Zubringertext erübrigen (es sei denn, man möchte vorab über den Autor informieren und gegebenenfalls den Handlungsort, also in unserem Fall den Bodensee und seine unmittelbare Umgebung vorstellen). Dagegen scheint es, je nach Lernergruppe, ratsam, vorab einen Zubringertext in bezug auf gattungstypologische Fragen (Novellentheorie) zu präsentieren. Zu denken wäre an (eine bearbeitete Version von) Goethes Gespräch mit Eckermann über die Novelle[71] und/oder Paul Heyses "Falkentheorie"[72] usw.

Denn Zubringertexte können das unter sprachlichen, inhaltlichen und texttypologischen Aspekten leisten, was Michael West mit seinen "Reading-vocabulary building books" ausschließlich unter lexikalischen Aspekten ins Auge faßte:[73] aufbauende Texte mit einem selektierten und dosierten Wortschatz, die das extensive Lesen von sogenannten "Plateau Readers" ermöglichen, die einmal die Funktion haben "to revise the vocabulary acquired thus far and to increase facility in reading it", zum andern "to give the pupil a sense of achievement ...".[74]

3. *Vorteile des gesteuerten Lesens*

Die beschriebenen Verfahren versuchen das Syndrom des Fremdsprachenlerners zu verhindern, das wir als ein Symptom von Gallistls Krankheit kennengelernt haben: nur Wörter erkennen, keinen (Kon-)Text sehen und keine Bedeutung erschließen können, weil das atomistische Lesen, d. h. das nicht-strukturelle Rezipieren der einzelnen sprachlichen Elemente als isolierte, autonome: atomare Einzelerscheinungen, nicht zu einem molekularen Erfassen der grammatischen Konstruktionen und lexikalischen Solidaritäten und damit auch nicht zu "Sinn"-Erfassen führt.

Karl Jaspers hat in einer Abhandlung einmal auf die "Bewegungen" in Sätzen hingewiesen, aufgrund deren "die Worte sich gegenseitig erhellen".[75] Um diese Dynamik geht es auch in fremdsprachlichen Texten, wenn ein "helles", bekanntes Wort ein "dunkles", unbekanntes Wort an-strahlt und heller macht, er-hellt[75], und dadurch zu einer "Sinnerhellung"[77] des Textganzen führt.

Das diese Zusammenhänge nutzende Vorgehen mit advance organizers und Zubringertexten läßt sich nun folgendermaßen zusammenfassen:

- Dem Fremdsprachenlerner wird das kontextrelevante Vokabular, das für ihn nicht erschließbar ist und ihm keine Hypothesenbildung zuläßt, situativ und didaktisiert (zumindest rezeptiv) zur Verfügung gestellt; außerdem können ihm die Zubringertexte dann die notwendigen Voraussetzungen zum inhaltlichen Verständnis des Textes liefern, wenn die dort dargestellten Situationen aufgrund des unbekannten (sozio-)kulturellen Kontextes nicht ohne weiteres verständlich sind und mit dem Zubringertext vorbereitet werden müssen: es sind "Situationshilfen" und "Situationsvorbereitungen"[78] (Joachim Riehme spricht in einem ähnlichen, wenn auch begrenzteren

Zusammenhang von einer "historischen oder kulturhistorischen Einführung"[79]), bieten also das in bezug auf die Lern- und Lesezielbestimmungen relevante Kontextwissen.

– Das durch dieses Kontextwissen bewirkte weitgehend hindernisfreie Lesen führt zu einem unmittelbaren, wenn nicht übersetzungslosen, so doch übersetzungsarmen Verstehen des Textes[80] und dadurch zu einer niedrigen Inferenzwahrscheinlichkeit beim (re-)produktiven Gebrauch des Gelernten.

Der gesteuerte "extensive Leser" bewegt sich somit weitgehend in der dritten Phase in dem von Carel van Parreren beschriebenen Phasenmodell beim Erlernen von Wörtern: nach einer ersten "Phase des Entdeckens der (ungefähren) Wortbedeutung" mit der Bildung eines muttersprachlichen Äquivalents ("M-Äquivalent") und einer zweiten Phase des Erinnertwerdens an dieses "M-Äquivalent" bei einer erneuten Konfrontation mit dem Wort und einem allmählichen "Atropieren" des "M-Äquivalents" ist der Lernende in der dritten Phase imstande, "das Wort unmittelbar zu verstehen oder auch selber zu verwenden."[81]

Schnelles Lesen weist den Lernenden auf die Nachteile hin, die ein Lesen mit dem Hilfsmittel "M-Äquivalent" hat: er muß versuchen, versehen mit kontextuellen Hilfsmitteln und Inferenzerfahrung, ohne das M-Äquivalent auszukommen.

– Der Lernende liest, befähigt durch die oben beschriebenen Steuerungsstrategien, den Text flott aber doch im eigenen Tempo und mit dem Bewußtsein, nicht alles verstehen und wissen zu müssen, aber doch das Wichtigste, das nämlich, worauf es ankommt, verstehen zu können; nicht *nur* wissen müssen, sondern *auch* raten, spekulieren und kombinieren dürfen,[82] den Mut aufbringen, nicht Verstandenes unter Umständen auf sich beruhen zu lassen und weiterzulesen, Vertrauen in die selbständige Hypothesenbildung entwickeln,[83] ist ein wichtiger Schritt hin zu einem angst-freien[84] und lust-vollen Lesen, das gerade in der Fremdsprache so schwer zu erreichen ist; was Wolfgang Iser grundsätzlich für das Verhältnis von Text und Leser feststellt, gilt somit auch für den dargetanen gesteuerten Lesevorgang beim Fremdsprachenlerner: "das Lesen wird erst dort zum Vergnügen, wo unsere Produktivität ins Spiel kommt, und das heißt, wo Texte eine Chance bieten, unsere Vermögen zu betätigen."[85]

4. *Übungsmöglichkeiten des Lesens (fiktionaler Texte)*

Im Rahmen dieses Beitrags kann ich auf die Übungsmöglichkeiten des Lesens nur andeutungsweise und mittels Literaturverweisen eingehen; die Frage müßte – und dann unter Akzentuierung des Lesens *fiktionaler* Texte – in einem gesonderten Beitrag aufgegriffen und beantwortet werden.[86] Bei den unten aufgeführten Hinweisen beschränke ich mich in erster Linie auf Übungsmöglichkeiten des Lesens unter fremd*sprachlichen* Aspekten und klammre die inhaltlichen Lernzielbereiche Landeskunde, Literatur und Attitüde-Bildung (im Sinne eines weiter unten beschriebenen kritisch-krisischen Lesens) aus.

Es ist eine Binsenweisheit, daß Lesen durch Lesen geübt wird. Da jedoch, wie wir gesehen haben, Lesen nicht gleich Lesen ist, ist Lesenüben auch nicht gleich Lesen-üben.

Für das "unmittelbar verstehende Lesen", jenes Lesen also, das sich in einem konzentrischen Prozeß zwischen den oben beschriebenen Extremen extensiv und intensiv bewegt, listet Martin Löschmann die folgenden benötigten Teilfähigkeiten und Fertigkeiten auf:

> 1. die Fähigkeit des differenzierten Perzipierens von Graphemen und Graphemfolgen; ...
>
> 2. die Fähigkeit des schnellen Assimilierens und Assoziierens der Grapheme und Graphemfolgen mit ihren Bedeutungen auf der Grundlage des gegebenen sprachlichen und außersprachlichen Kontextes unter weitgehender Ausschaltung bewußt angestrengter Analyse und Übersetzung, dazu gehören:
>
> 2a. die Fähigkeit, möglichst umfangreiche Ganzheiten (Syntagmen, Sätze, Gedankenabschnitte) komplex zu erfassen,
>
> 2b. die Fähigkeit, ohne bewußte lautliche Umsetzung und ohne starke innere Phonation zum Textverständnis zu gelangen,
>
> 3. die Fähigkeit, vermöge einer auf die Redundanz der aufgenommenen Zeichen und Inhalte gegründeten Fortsetzungserwartung, die eine Form der Sinnerwartung darstellt, laufend sprachliche und sachliche Informationen in der fremden Sprache zu ergänzen, dazu gehören:
>
> 3a. die Fähigkeit, logische Zusammenhänge und den logischen Aufbau von Texten zu erkennen,
>
> 3b. die Fähigkeit, unbekanntes Wortmaterial ohne Hilfsmittel zu erschließen,

3c. die Fähigkeit, unbekanntes Wortmaterial mit Hilfsmitteln rationell zu erschließen.[87]

Ich zitiere Löschmann deshalb so ausführlich, weil seine knappe und präzise Auflistung der Teilfähigkeiten und -fertigkeiten Grundlage für die Übungsformen ist, die entwickelt werden müssen, um zu einer möglichst idealen Lesehaltung im Sinne der Formel "so extensiv wie möglich, so intensiv wie nötig" zu kommen. Prinzipiell können und sollten alle von Löschmann aufgelisteten Teilfähigkeiten und -fertigkeiten geübt werden. Hinzuweisen ist z. B. auf das Üben von Techniken, die zu einer verstärkten "Ausnutzung der textimmanenten Verständnishilfen" beitragen (Illustrationen, typo- und topographische Elemente, Organisation des Textes usw.),[88] wobei zu überlegen wäre, ob nicht Texte, die für den Fremdsprachenunterricht bestimmt sind, zumindest im Anfängerunterricht in dieser Hinsicht "didaktisiert" werden sollten.

Von den bei Löschmann erwähnten Übungen bieten sich auch für fiktionale Texte das Konspektieren und Exzerpieren an,[89] sowie die "Übungstypen und -formen für die Wortschatzarbeit."[90]

Viele Übungsformen und Entschlüsselungsstrategien gelten eher oder ausschließlich für expositorische, fachsprachliche Texte; sie bleiben hier unberücksichtigt.[91]

4.1. *Redundanz und Hypothesenbildung*

Nachdrücklicher hinweisen möchte ich auf die Erscheinung der Redundanz, die bereits wiederholt angesprochen wurde, und die durch sie ermöglichte Bildung von Hypothesen, die vor allem bei fiktionalen Texten aktuell wird.

Martin Löschmann macht in seinem Aufsatz, ausgehend von der Informationstheorie, einen Unterschied zwischen leerer Redundanz und funktionaler Redundanz.[92] Diese Unterscheidung ist für pragmatische Texte sicher sinnvoll, für fiktionale wird sie problematisch: grundsätzlich ist hier jede Redundanz funktional, und die Frage stellt sich, inwieweit im Sinne einer didaktischen Reduktion, die sich in den Lern- und Lesezielbestimmungen konkretisiert (welche Zielgruppe? Welche Leseintentionen? usw.), diese Redundanz an Bedeutung gewinnt. Je präziser die Ziele formuliert sind, desto effektiver können die Übungen konzipiert und das Lesen selbst gesteuert werden. Es muß wohl nicht ausdrücklich darauf hingewiesen werden, daß die Lernzielbestimmung keine statische, definitive Entscheidung ist, sondern einen dynamischen, während des Lesens veränderbaren und sich verändernden Vorgang darstellt.

Wolfgang Iser spricht in einem vergleichbaren Zusammenhang von einer "dialektischen Bewegung", die "eine ständige Modifikation der Erinnerung" an das Gelesene "sowie eine Komplizierung der Erwartung" des noch zu Lesenden bewirke.[93] Diese "dialektische Bewegung" während des Leseprozesses zwingt zu sich verändernden "Selektionsentscheidungen" aus dem "Möglichkeitsüberschuß", den das Lesen provoziert:[94] die Richtung des Lesens ändert sich während des Lesens durch das Lesen und kennzeichnet Leseziele als provisorische; gleichzeitig wird durch diesen dynamischen Vorgang deutlich, daß es vorrangig darum geht, den Leser selbst, den Fremdsprachenlerner, zu befähigen, seine Leseziele zu bestimmen.

Geübt werden müßte das bewußte Umgehen mit den einzelnen Redundanzbereichen. An ausgewählten Wörtern, Wortverbindungen, Sätzen, Abschnitten und Texten müssen die Lernenden erfahren, daß man ein unbekanntes Wort nur dann im Wörterbuch nachschlagen muß, wenn das Wort für die Hypothesenbildung relevant ist und die eigene Hypothesenbildung über die potentielle Bedeutung des Wortes durch den Kontext zu keinem Resultat geführt hat.[95] Der Lernende muß erfahren, daß Redundanz zwar "Überfließendes", "Überfluß", aber nichts Überflüssiges, sondern "unentbehrlich zum Gebrauch der Sprache" ist; und wie sie unentbehrlich ist, "wenn das Kind die Sprache seiner Umgebung gebrauchen lernen soll",[96] so ist sie unentbehrlich, wenn, wie in unserem Fall, ein Leser die Zielsprache gebrauchen lernen soll.[97]

5. *Kritisches Lesen und kritisch-krisisches Lesen*

Lesen in der Zielsprache gerät leicht in die Gefahr, mit reiner Technik des Lesens gleichgesetzt zu werden, und zwar einer Lesetechnik, der es ausschließlich um größere Effiziens des Lesens geht: je perfekter, d. h. schneller,[98] der Lesevorgang abläuft, desto näher scheint man dem Lernziel Lesen im Sinne des "so extensiv wie möglich und so intensiv wie nötig" gekommen zu sein. Lesen jedoch, auch in diesem Sinne, muß immer an den Gesichtspunkt der kritischen Kenntnisnahme und kritischen Sinnentnahme und Sinnerfassung gekoppelt sein. Die Leselehre, auch in der Fremdsprache, sollte immer hinführen zu einer kritisch-hermeneutischen Beziehung des Lesers zum Lesen und Gelesenen. Um die Ausbildung eines kritischen Rezeptionsverhaltens geht es letztlich bei dem verstehenden Lesen, das Lesen versteht als diskursive Erkenntnis des Gelesenen.[99]

Der Mainzer Philosoph Richard Wisser hat in einem grundlegend-programmatischen Aufsatz dargetan, daß Kritik als eine "Grundbefindlichkeit" des Menschen in einer engen innerlichen Beziehung zu sehen ist mit dem, was er Krise, eine weitere "Grundbefindlichkeit" des Menschen, nennt: *"Der Mensch ist als Mensch kritisch-krisisch"*, lautet die von Wisser aufgestellte und dann näher begründete These. "Der Mensch ist nur da ganz Mensch, wo er *Kritik* übt und wo *er* Kritik übt."[100] Walsers Gallistl ist zu dieser Kritik nicht fähig, seine "Grundbefindlichkeit" ist aus den Fugen geraten: er kann nicht mehr lesen, weil er nur noch Krise und nicht mehr Kritik ist, oder, um mit Wisser zu reden: Gallistl fehlt zwar der "absolute Punkt einer griffbereite Sicherheit verbürgenden 'positiven' Position", er befindet sich in einer "Grundkrise", ihm fehlen aber auch "relative Kriterien", auf die er zurückgreifen müßte, um Grund unter die Füße zu bekommen, "Kritik als Grund". Gallistl kann keine "Bedeutung von Sätzen" im Kopf behalten, weil er unfähig ist zu einem "molekularen" Erfassen des Gelesenen. "Bedeutung" deuten ist jedoch Voraussetzung dafür, Kritik zu üben. Nur diese "Kritik wirkt als Krise und erscheint als Krise". Bei Gallistl ist Lesen bedeutungs-los und kritik-los, besitzt Lesen keine Bedeutung und erfährt das Gelesene keine Kritik; deshalb gilt für ihn der Satz tautologisch: Krise "wirkt als Krise und erscheint als Krise."

Gallistl ist nicht nur Gallistl; Gallistl ist jeder Leser, dem es ergeht, wie es Gallistl beim Lesen ergeht. Goethes lebenslanges Bemühen, "lesen zu lernen" und noch nicht am Ziel sein, wird verständlich vor Wissers "kritisch-krisischer Grundbefindlichkeit" des Menschen (als Leser): Lesen im oben dargestellten Verständnis ist immer kritisch-krisisches Lesen; indem jedoch "Kritik jeden vermeintlichen Abschluß verhindert, ist Kritik Krise in Permanenz."[101]

Nicht jeder, der lesen kann, kann lesen, und wer lesen kann, ist noch lange nicht am Ziel, wie der Wolf in einer italienischen Fabel veranschaulicht:

> Als der Fuchs eines Tages durch den Wald ging, begegnete er einem Maultier; und weil er noch nie eines gesehen hatte, bekam er große Angst und machte sich davon. Unterwegs traf er den Wolf und er-

zählte ihm, daß er ein ganz neues Tier gesehen hätte und nicht wisse, wie es heiße. "Gehen wir hin", sagte der Wolf, "und schauen es uns an." Also gingen sie hin, und dem Wolf erschien das Tier nicht weniger seltsam. Da fragte es der Fuchs nach seinem Namen. Das Maultier erwiderte: "Auswendig weiß ich ihn nicht mehr; aber wenn du lesen kannst, er steht auf meinem rechten Hinterfuß geschrieben." – "Ach Gott", sagte der Fuchs, "lesen kann ich nicht, aber ich möchte ihn doch zu gerne wissen."
"Laß mich nur machen", sagte der Wolf, "denn ich verstehe diese Kunst sehr gut." Darauf hielt ihm der Maulesel den rechten Hinterfuß hin, so daß die Hufnägel wie Buchstaben aussahen. "Recht gut kann ich die Buchstaben noch nicht erkennen", sagte der Wolf. "Komm nur näher", erwiderte das Maultier, "sie sind nicht sehr groß." Da hockte sich der Wolf auf die Erde, um so genau wie möglich hinzublicken, und der Maulesel zog aus und versetzte ihm einen solchen Huftritt, daß er tot liegen blieb.
"Selbst ein Mann, der lesen kann, ist noch lange nicht klug genug", sagte der Fuchs und machte, daß er fortkam.

Von der Fabel zum Märchen ist nur ein kleiner Schritt, im Boden der Realität wurzeln beide: wenn es der Wolf nicht schon verraten hätte, bei den Brüdern Grimm fände sich die Antwort: der Prinz hat allen Grund, Aschenputtel aus seiner mißlichen Lage zu befreien.

Anmerkungen

1 M. Walser 1976, S. 14.
2 J. P. Eckermann 1960, S. 502 (25. Januar 1830).
3 R. Freudenstein 1972, S. 50.
4 Vgl. z. B. P. M. Riley 1975, S. 198: "We recognize that reading is the basic tool of learning in higher education"; vgl. auch W. M. Rivers 1975, S. 169. – A. Wierlacher 1979, S. 211–215.
5 Vgl. z. B. R. Freudenstein 1972, S. 52.
6 Ähnliche und weitere Ursachen "für die offensichtliche Vernachlässigung des Lesens in der Unterrichtspraxis" zählt W. Schade auf (1966, S. 223 f.).
7 J. Riehme 1975, S. 15.
8 a.a.O. S. 3.
9 H. Rück 1973, S. 62 f.
10 H.-E. Piepho 1974, S. 9; vor Piepho weisen u. a. G. Desselmann (1965 a, S. 99) und H. Hellmich (1965) auf die Bedeutung des (kursorischen) Lesens

für den Spracherwerb hin und bedauern die Vernachlässigung dieser Leseart.

[11] Manheimer Gutachten 1977, S. 41; vgl. auch den Forderungenkatalog S. 79: "Das Lesen, die literarische Kommunikation, ... müssen in die Thematik aufgenommen werden."

[12] R. Buhlmann 1976, S. 124.

[13] F. Bacon in dem Essay "Of Studies", zitiert nach K. Dickopf 1973, S. 29.

[14] M. Löschmann 1975 a, S. 26 und 29.

[15] W. Arnold 1975, S. 196–198.

[16] K. O. Conrady 1978, S. 33.

[17] W. Arnold 1975, S. 14.

[18] K. H. Köhring und R. Beilharz 1973, S. 163; W. Arnold 1975, S. 13.

[19] W. Arnold 1975, S. 199 f.

[20] K. O. Conrady 1978, S. 33 f.

[21] R. Dürr 1972, S. 18.

[22] K. H. Köhring und R. Beilharz 1973, S. 163; W. Arnold 1975, S. 13.

[23] J. A. M. Carpay 1971, S. 729.

[24] Näheres in: B. Kast, Studienbuch Lesen, Heidelberg 1980 (in Vorbereitung); verwiesen sei auf die einschlägigen Untersuchungen von Frank Smith 1978 und Eleanor J. Gibson und Harry Levin 1976, die meine Ausführungen beeinflußt haben.

[25] W. Iser 1976, S. 175.

[26] a.a.O. S. 182.

[27] W. Kühnel 1978, S. 121–145.

[28] D. Baacke, H. Heckhausen, W. Hömberg u. a. 1977, S. 6. Die 1977 gegründete "Deutsche Lesegesellschaft" (Sitz in Bonn) ist u. a. um eine Förderung von Buch und Lesen und der Leseerziehung bemüht; sie ist mit einer Reihe von Veröffentlichungen an die Öffentlichkeit getreten.

[29] Vgl. K. O. Conradys Ausführungen über mündiges Lesen und den mündigen Leser (1978, S. 34).

[30] Vgl. D. Baacke, H. Heckhausen, W. Hömberg u. a. 1977, vor allem S. 5 und 23 f.

[31] a.a.O. S. 33.

[32] Vgl. dazu H. Hellmich 1965, S. 115 f.; W. Schade 1966, S. 228 f.; W. Hüllen 1973, S. 186–188; K. H. Köhring und R. Beilharz 1973, S. 163; R. Buhlmann 1976, S. 125 f.

[33] Zur Lernzieldiskussion vgl. u. a. "Der fremdsprachliche Unterricht" 25/1973, Themanummer "Revision der Lernziele im fremdsprachlichen Unterricht".

[34] J. A. M. Carpay 1971, S. 725–742; K. H. Köhring und R. Beilharz 1973, S. 163; W. Arnold 1975, S. 13.

[35] W. Arnold 1975, S. 172 und 196; M. Löschmann 1975 a, S. 27–29 und 1975 b, S. 97 f.

[36] W. Arnold 1975, S. 59.

[37] K. Dickopf 1973, S. 30.
[38] M. Löschmann 1975 a, S. 28–30.
[39] M. Löschmann und H. Petzschler 1976, S. 1.
[40] J. A. M. Carpay 1971, S. 725–742; K. H. Köhring und R. Beilharz 1973, S. 163; W. Arnold 1975, S. 13.
[41] M. Löschmann 1975 a, S. 26 und 29.
[42] W. Arnold 1975, S. 196–198.
[43] a.a.O. S. 14.
[44] K. Dickopf 1973, S. 30.
[45] a.a.O. S. 30.
[46] K. H. Köhring und R. Beilharz 1973, S. 163.
[47] M. Löschmann 1975 a, S. 27 und 29 und 1975 b, S. 98.
[48] M. Löschmann 1975 a, S. 26 und 29.
[49] Unter "kontextrelevant" verstehe ich ein Vokabular, das für das Verständnis des Kontextes im Sinne des extensiven Lesens relevant ist: kontextrelevantes Vokabular bildet mit anderen sprachlichen Einheiten einen Kontext, der ihre Erschließung ermöglicht; ähnlich M. Löschmann 1974, S. 138; vgl. vor allem F. Manthey 1976, S. 221 f.
[50] W. Arnold 1975, S. 13 f. 154, 196 und 231; M. Löschmann 1975 a, S. 27 und 1975 b, S. 97; L. Armaleo-Popper 1976, S. 4–6.
[51] K. Dickopf 1973, S. 30.
[52] M. Löschmann 1975 a, S. 27 und 1975 b, S. 97.
[53] W. Arnold 1975, S. 196.
[54] M. Löschmann 1975 a, S. 27; Löschmann hält diese Leseart aus fremdsprachenmethodischen Gründen für relevant: primär geht es darum, in hohem Tempo Schlüsselwörter, Schlüsselwortgruppen und Schlüsselsätze zu erfassen; dadurch ist der Leser gezwungen, "möglichst umfangreiche sprachliche Ganzheiten aufzunehmen, vom Wort-für-Wort-Lesen abzugehen" und "ein analysierendes und übersetzendes Vorgehen" aufzugeben.
[55] J. A. M. Carpay 1971, S. 732 (und 727) und M. Löschmann 1975 a, S. 29; allerdings weist Löschmann nachdrücklich darauf hin, daß die Übergänge zwischen den verschiedenen Lesearten fließend sein können und "Kombinationen von Lesearten" auftreten. Ähnlich auch G. Desselmann 1965, S. 100 und H. Hellmich 1965 a, S. 117.
[56] K. H. Köhring und R. Beilharz 1973, S. 163; M. West weist darauf hin, daß (stilles) Lesen diejenige Fertigkeit ist, die am leichtesten in einer Fremdsprache erworben werden kann und schon sehr früh (im Anfangsunterricht) didaktisiert angeboten werden sollte (1959, S. 6 f.); auch K. I. Krupnik betont die Notwendigkeit, "schon auf der Elementarstufe des Fremdsprachenunterrichts .. das verstehende Lesen zu üben (1966, S. 280).
[57] So z. B. bei K. H. Köhring und R. Beilharz 1973, S. 163.
[58] Vgl. a.a.O. und R. Buhlmann 1976, S. 131; Buhlmann spricht von einer "stark gelenkten Anfangsphase des totalen Lesens" und einem "gewünsch-

ten Endverhalten des kursorischen Lesens". Warum, so darf man fragen, sollte es keine wenig gelenkte Anfangsphase des kursorischen Lesens geben? Vgl. auch M. Löschmann 1975, S. 138; Löschmann spricht allerdings nicht von extensiv bzw. intensiv, sonder von einem "synthetischen bzw. unmittelbar verstehenden Lesen . . . als Zielfähigkeit" und einem "analytischen nur als Mittlertätigkeit".

[59] M. Walser 1978.

[60] a.a.O. S. 91.

[61] Vgl. dazu auch W. Arnold 1975, S. 196–198, 200 f., 206–208 und 231.

[62] R. Buhlmann 1976, S. 132.

[63] Wichtig ist der Hinweis, daß vor allem die Stellen, die eine Antwort auf die Leitfrage zu geben imstande sind, mit dem Bleistift gelesen werden; das Unterstreichen und Anstreichen von auffallenden Stellen wie z. B. wiederkehrende Titelwörter und deren Synonyme ("fliehendes Pferd", fliehen, Flucht usw., vgl. bei Walser S. 12, 13, 26, 37, 66, 69, 88–91, 107, 123 et passim), Daten, Perspektivenwechsel usw. ist ein hilfreiches Verfahren, das Lesen zu strukturieren und zu steuern (vgl. dazu auch P. Braun 1971, S. 101 f.).

[64] W. Arnold empfiehlt ebenfalls diese "durchlaufende Untersuchungsaufgabe für die Dauer der Beschäftigung mit einem bestimmten Werk". Folgende Teilaspekte könnten inventarisiert und analysiert werden: "die Entwicklung einer Person oder einer Personenkonstellation; die Führung von Handlungssträngen; formale, kompositorische oder stilistische Strukturen wie die Gestaltung der Zeitverhältnisse oder der Erzählperspektive." (1975, S. 199 f.); mit "questions designed to isolate the main facts" arbeitet auch P. M. Riley (1975, S. 199). Weniger sinnvoll, um das verstehende Lesen zu üben, scheinen mir "nachfolgende Fragen zum Textinhalt" zu sein, wie sie G. Desselmann vorschlägt (1965, S. 103 f.).

[65] F. Leisinger 1976, S. 215.

[66] Ähnlich P. M. Riley 1975, S. 199. Eine Variation dieses Verfahrens wäre, daß der Text von allen Teilnehmern möglichst extensiv gelesen und aufgrund der Lektüre festgelegt wird, welche Stellen warum einer Detailanalyse unterzogen werden müssen.

[67] Vgl. dazu auch W. M. Rivers 1975, S. 177 f.

[68] S. Halbauer 1971, S. 7.

[69] Ein methodisches Verfahren, Zubringertexte zu erstellen und ausgearbeitete Zubringertexte für das Jugendbuch "Mann, du bist gemein" von Ann Ladiges (rororo rotfuchs 62, Reinbek bei Hamburg 1974) beschreibe ich in: "Das Jugendbuch im Fremdsprachenunterricht", Levende Talen, Juni 1979 (Groningen, Niederlande). Es geht bei dem Verfahren nicht darum, alle "blanks", die unbekannte Lexik und Idiomatik, (siehe W. M. Rivers 1975, S. 182), aufgrund von Frequenzlisten zu ergänzen, sondern ausschließlich darum, die kontextrelevanten und nicht erschließbaren "blanks" herauszufiltern.

[70] M. West 1959, S. 21; Wests Diskriminierungskriterium liegt in der Frage: "'How far is this item of grammar important for recognition purposes?'"

[71] J. P. Eckermann 1960, S. 160 (29. Januar 1827).

[72] P. Heyse 1871, Einleitung und P. Heyse 1900, S. 344 f.

[73] M. West 1960, S. 25–34. "The aim of this type of book is to enable the pupil to learn to read by reading, to accumulate a useful store of reading-recognition items together with skill in interpreting their inferential margins." (a.a.O. 26).

[74] a.a.O. 27.

[75] K. Jaspers 1964, S. 30.

[76] Vgl. hierzu auch P. Braun 1971, S. 12–17.

[77] F. Leisinger 1976, S. 214; vgl. auch S. 217.

[78] a.a.O. S. 214 f.; Leisinger versteht diese "Situationshilfen" allerdings als mündliche (sachliche und lexikalische) Vorbereitung auf die Lektüre des Textes. Vgl. dazu auch R. Buhlmann 1976, S. 129; Buhlmann hält das Aufbauen eines dem Text entsprechenden Erwartungshorizonts durch ein vorbereitendes Gespräch für eine "für das synthetische Lesen unabdingbare Voraussetzung", was, so pauschal und apodiktisch formuliert, nicht haltbar ist.

[79] J. Riehme 1975, S. 9.

[80] Vgl. M. Löschmann 1975a, S. 26 und F. Leisinger 1976, S. 212.

[81] C. van Parreren 1972, S. 62.

[82] So auch R. Dürr 1971, S. 16; F. Leisinger spricht von einem "vernunftgesteuerten Enträtseln" (1976, S. 215); vgl. H. Hellmich 1965, S. 117, G. Desselmann 1965b, S. 169 f. und vor allem auch F. Manthey 1976, S. 221.

[83] W. Schade weist darauf hin, wie schwer es Schülern fällt, Wörter, die das Gesamtverständnis des Textinhalts nicht beeinträchtigen, *nicht* aufzusuchen (1966, S. 226).
"Jedes Vertrauen in die eigenen Hypothesen fehlt", heißt es bei J. A. M. Carpay (1971, S. 729), "oder was noch schlimmer ist: man bildet sogar gar keine Hypothesen. Man getraut sich erst dann den nächsten Satz zu lesen, wenn der vorhergehende in allen Details verstanden wurde." (Übersetzt aus dem Niederländischen).

[84] J. A. M. Carpay betont mit Recht die unheilvolle Rolle der "leesangst" im Lernprozeß, die Lernenden mit der meist impliziten Forderung nach intensivem Leseverhalten (alles muß gewußt werden, weil alles gefragt und geprüft werden kann) geradezu anerzogen wird (1971, S. 728). W. Schade schlägt deshalb einen behutsamen progressiven Aufbau von Lesetexten vor: erst sollten "alle sprachlichen Schwierigkeiten vorab" beseitigt werden, dann könnten allmählich "einige wenige, ohne Hilfsmittel leicht rezipierbare unbekannte lexikalische Einheiten im Lesetext" belassen werden, "um auch so den Schülern das Anwachsen ihrer Fähigkeiten zu demonstrieren." (1966, S. 227). Auf Schade zurückgreifend, schlägt K. Günther dann einen

fünf Kategorien umfassenden Leselehrgang vor: "Kategorie I: Texte, die ausschließlich bekanntes Sprachmaterial aufweisen. Kategorie II: Texte, die einen geringen Prozentsatz an unbekanntem, aber rezipierbarem Sprachmaterial enthalten. Kategorie III: Texte, die unbekanntes, zum Teil rezipierbares, zum Teil nichtrezipierbares Sprachmaterial enthalten"; das Erfassen des nichtrezipierbaren Materials kann unterbleiben. Kategorie IV entspricht Kategorie III, nur daß das nichtrezipierbare Material "für das Verständnis des jeweiligen Textinhalts erforderlich ist". Kategorie V: Überwiegend nichtrezipierbares Sprachmaterial (1966, S. 439).

85 W. Iser 1976, S. 176.

86 Auch auf die Frage der Kontrollverfahren kann ich an dieser Stelle nicht eingehen; verwiesen sei auf die von G. Desselmann 1965 b, S. 170–173, W. Schade 1966, S. 229 f. und R. Buhlmann beschriebenen Möglichkeiten (1976, S. 132–137), die, mit den notwendigen Änderungen großenteils auch für fiktionale Texte zu gebrauchen sind. Vgl. dazu auch meine Ausführungen in dem Aufsatz "Das Jugendbuch im Fremdsprachenunterricht" (Levende Talen, Groningen/Niederlande, Juni 1979).

87 M. Löschmann 1975 a, S. 26 f.

88 R. Buhlmann 1976, S. 127.

89 M. Löschmann 1975 a, S. 29 f. und 1975 b, S. 99 f.

90 M. Löschmann 1974, S. 139–144; vgl. auch L. Armaleo-Popper 1976, S. 6 f.

91 Vgl. R. Buhlmann 1976, S. 129; das gilt auch für Buhlmanns Vorschlag, Fehlinformationen in Form eines "falschen Wortes" ("Sinnfehlers") in den Text zu schmuggeln. Die Gefahr, daß bei einem solchen Verfahren doch wieder ein primär intensives Lesen geübt wird, ist nicht unbeträchtlich. Für fiktionale Texte ist das Verfahren problematisch, wenn nicht unbrauchbar. Viel eher würde sich anbieten, eine fiktive (in Ausnahmefällen auch tatsächlich erschienene) Rezension mit Fehlinformationen beurteilen zu lassen (vgl. a.a.O. S. 136).

92 M. Löschmann 1975, S. 28; ebenso, beeinflußt von Löschmann, R. Buhlmann 1976, S. 127.

93 W. Iser 1976, S. 193; ähnlich S. 182 et passim.

94 a.a.O. S. 206 f.

95 Vgl. dazu auch G. Desselmann 1965 b, S. 169 f.; J. A. M. Carpay 1971 S. 729 und F. Manthey 1976, S. 220–227.

96 A. Martinet 1963, S. 168.

97 Hinzuweisen ist in diesem Zusammenhang auf Frank Smith (1978) und dessen Unterscheidung zwischen "immediate meaning identification" (S. 151–173) und "mediated meaning identification" (S. 166–168) und F. Manthey 1976, S. 220–227.

98 Vgl. z. B. das 25-Tage-Programm "Optimales Lesen" von E. Ott (1970).

99 Von der zahlreichen Literatur zum "kritischen Lesen" erwähnte ich hier nur Hermann Cordes, Klaus Ehlert, Helmut Hoffacker und Heinz Ide 1971, S. 162–180.

[100] R. Wisser 1974, S. 292.
[101] a.a.O. S. 295.

Meinen Kollegen Henning Bolte und Ulrich Konietzny danke ich für ein kritisches Gespräch nach der Lektüre einer ersten Fassung meines Beitrages, Alois Wierlacher für die ins Detail gehende Durchsicht des Manuskripts.

Literaturverzeichnis

Siglen

DaF = Deutsch als Fremdsprache. Zeitschrift zur Theorie und Praxis des Deutschunterrichts für Ausländer, hrsg. vom Herder-Institut, Leipzig.
FU = Fremdsprachenunterricht. Zeitschrift für den Fremdsprachenunterricht in der DDR. Volk und Wissen, Berlin (DDR).

Literatur zum Lesen

Armaleo-Popper, Lore: Lesekurse für Anfänger – Fachbereich Psychologie. Methodik und Texte. In: Zielsprache Deutsch. Heft 4. 1976, S. 2–11.
Arnold, Werner: Fachdidaktik Französisch. Ernst Klett, Stuttgart 1975.
Baacke, Dieter, Heinz Heckhausen, Walter Hömberg u. a.: Leseförderung und Buchpolitik. Eine Expertise. Deutsche Lesegesellschaft, Bonn 1977.
Baumgärtner, Clemens (ed.): Handbuch Lesen. Hamburg 1973.
Braun, Peter: Das weiterführende Lesen. Düsseldorf 1971.
Buhlmann, Rosemarie: Zum gezielten Aufbau von Lesefertigkeit. Überlegungen und Erfahrungen. In: Beiträge zu den Fortbildungskursen des Goethe-Instituts für ausländische Deutschlehrer an Schulen und Hochschulen. München 1976, S. 124–139.
Carpay, J(acobus) A(ntonius) M(aria): Lezen en laten lezen in het moderne vreemde-talenonderwijs. In: Levende Talen. Maandlad van de "Vereniging van Leraren in Levende Talen", Nr. 282. Groningen 1971, S. 725–742.
Conrady, Karl Otto: Vom Lesen und seinen Schwierigkeiten. In: Bertelsmann Briefe, Heft 93. Wiesbaden und Gütersloh, Januar 1978, S. 33–38.
Cordes, Hermann, Klaus Ehlert, Helmut Hoffacker und Heinz Ide (Bremer Kollektiv): Erziehung zu kritischem Lesen (Sekundarstufe I). In: Sprache und Politik. Vorträge und Materialien einer Arbeitstagung der Bundeszentrale für politische Bildung vom 8.–13. März 1971 in Bremen (Heft 91 der Schriftenreihe der Bundeszentrale für politische Bildung). Bonn 1971, S. 162–180.
Desselmann,Günter: Leistungssteigernde Übungsverfahren zur Entwicklung des kursorischen Lesens (I). In: FU 2/1975, S. 99–105 (1965 a).
Desselmann, Günter: Leistungssteigernde Übungsverfahren zur Entwicklung des kursorischen Lesens (II). In: FU 4/1965, S. 169–174 (1965 b).
Dickopf, Karl (Hrsg.): Fremdsprachen. Englisch, Französisch, Latein (Fischer Kolleg 7, Das Abitur-Wissen). Fischer, Frankfurt am Main 1973.

Dürr, Rolf: Entwicklung des Leseverständnisses in Spezialkursen. In: Lesekurse Wissenschaftsdeutsch. Protokoll eines Werkstattgesprächs des Goethe-Instituts am 30. und 31. August 1971. München 1972, S. 16–19.

Freudenstein, Reinhold: Linguistische Tips zum Lernen fremder Sprachen. In: Beiträge zu den Fortbildungskursen des Goethe-Instituts für Deutschlehrer und Hochschulgermanisten aus dem Ausland. München 1972, S. 43–55.

Gibson, Eleanor J. und Harry Levin: The Psychology of Reading. The MIT Press, Cambridge, Massachusetts und London. [3]1976.

Günther, Klaus: Zur Rationalisierung und Intensivierung des Lesens im Russischunterricht. In: FU 12/1966, S. 438–446.

Halbauer, Siegfried: Elektronisch errechnete morphologische, syntaktische und lexikalische Grundlagen der Intensivkurse "Russisch für Naturwissenschaftler und Ingenieure". In: Lesekurse Wissenschaftsdeutsch. Protokoll eines Werkstattgesprächs des Goethe-Instituts am 30. und 31. August 1971, veranstaltet von der Arbeitsstelle für wissenschaftliche Didaktik, hrsg. vom Goethe-Institut, Referat für Unterrichtstechnologie und Mediendidaktik. München 1972, S. 4–7.

Hellmich, Harald: Mehr Aufmerksamkeit dem selbständigen Lesen in der Fremdsprache! (I). In: FU 3/1965, S. 113–119.

Hüllen, Werner: Linguistik und Englischunterricht 1. Didaktische Analysen. Quelle und Meyer, Heidelberg [2]1973.

Iser, Wolfgang: Der Akt des Lesens. Theorie ästhetischer Wirkung. (UTB 636), München 1976.

Köhring, Klaus H. und Richard Beilharz: Begriffswörterbuch Fremdsprachendidaktik und -methodik. Max Hueber, München 1973.

Krupnik, K. I.: Über die Entwicklung des übersetzungsfreien Lesens. In: FU 6/1966, S. 280–283.

Kühnel, Walter: Die Entdeckung des Lesers. Wege der Literatur- und Kommunikationswissenschaft zu einer Buchwirkungsforschung. In: Buch und Lesen, hrsg. von der Deutschen Lesegesellschaft, Bonn 1978, S. 121–145.

Leisinger, Fritz: Elemente des neusprachlichen Unterrichts. Stuttgart 1976.

Löschmann, Martin: Fragen der Wortschatzarbeit unter dem Aspekt der rationellen Entwicklung des verstehenden Lesens. In: H. G. Funke (Hrsg.): Grundfragen der Methodik des Deutschunterrichts und ihre praktischen Verfahren. München 1975, S. 135–144.

Löschmann, Martin: Übungsmöglichkeiten und Übungen zur Entwicklung des stillen Lesens (1). In: DaF 1/1975, S. 26–31 (1975 a).

Löschmann, Martin: Übungsmöglichkeiten und Übungen zur Entwicklung des stillen Lesens (2). In: DaF 2/1975, S. 96–101 (1975 b).

Löschmann M(artin) und H. Petzschler: Zur Entwicklung des verstehenden Lesens und des verstehenden Hörens. Arbeitsmaterial für die Internationalen Hochschulferienkurse der Karl-Marx-Universität am Herder-Institut (Leipzig 1976).

Mannheimer Gutachten zu ausgewählten Lehrwerken Deutsch als Fremdsprache, erstellt im Auftrag des Auswärtigen Amtes der Bundesrepublik Deutschland von der Kommission für Lehrwerke DaF. Heidelberg 1977.

Manthey, Fred: Kriterien für das Erschließen unbekannter lexikalischer Einheiten aus dem Kontext und Probleme der Rezipierbarkeit beim (stillen) Lesen. In: DaF 4/1976, S. 220–227.

Ott, Ernst: Optimales Lesen. Schneller lesen – mehr behalten. Ein 25-Tage-Programm. Stuttgart 1970.

Parreren, Carel van: Lernpsychologische Gesichtspunkte beim Erwerb einer Fremdsprache. In: Beiträge zu den Fortbildungskursen des Goethe-Instituts für Deutschlehrer und Hochschulgermanisten aus dem Ausland. München 1972, S. 56–65.

Piepho, Hans-Eberhard: Lesen als Lernziel im Fremdsprachenunterricht. Versuch der Rehabilitation einer vernachlässigten Fertigkeit. In: Beiträge zu den Fortbildungskursen des Goethe-Instituts für Deutschlehrer und Hochschulgermanisten aus dem Ausland. München 1974, S. 9–20.

Riehme, Joachim: Zur Arbeit am literarischen Text im Fremdsprachenunterricht. In: DaF 1/1975, S. 3–15.

Riley, Pamela M.: Improving Reading Comprehension. In: English Teaching Forum. Special Issue: The Art of TESOL. Part 2, 13/1975/3–4, S. 198–200.

Rivers, Wilga M., Kathleen Mitchel Dell' Orto und Vincent J. Dell' Orto: A Practical Guide to the Teaching of German. New York, London und Boston 1975.

Rück, Heribert: Französische Literatur im Entscheidungsfeld neuer Lernziele. In: Der fremdsprachliche Unterricht. Wissenschaftliche Grundlegung-Methodische Gestaltung, Heft 25, 7. Jg. Nr. 1, hrsg. von Paul Hartig. Stuttgart Februar 1973, S. 62–78.

Schade, Wolfgang: Zur Entwicklung des Lesens im Russischunterricht. In: FU 1/1966, S. 223–231.

Smith, Frank: Understanding Reading. A Psycholinguistic Analysis of Reading and Learning to Read. New York usw. [2]1978.

West, Michael: Learning to Read a Foreign Language and Other Essays on Language-teaching. Longmans, Green, London 1959 [zuerst 1926 erschienen].

West, Michael: Teaching English in Difficult Circumstances. Teaching English as a Foreign Language with Notes on the Technique of Textbook Construction. London 1960.

Wierlacher, Alois: Warum lehren wir das Lesen nicht? Ein Plädoyer zur Wahrnehmung einer Grundaufgabe fremdsprachlichen Deutschunterrichts. In: Jahrbuch Deutsch als Fremdsprache, Bd. 5. Heidelberg 1979, S. 211–215.

Sonstige Literatur

Eckermann, Johann Peter: Gespräche mit Goethe in den letzten Jahren seines Lebens. Gütersloh 1960.

Heyse, Paul: Einleitung zu "Deutscher Novellenschatz". München 1871.
Heyse, Paul: Jugenderinnerungen und Bekenntnisse. Berlin [3]1900.
Jaspers, Karl: Die Sprache. München 1964.
Martinet, André: Grundzüge der Allgemeinen Sprachwissenschaft. Stuttgart 1963 (Urban-Bücher 69).
Walser, Martin: Die Gallistl'sche Krankheit. (editign suhrkamp 689), Frankfurt am Main 1976.
Walser, Martin: Ein fliehendes Pferd. Frankfurt am Main 1978.
Wisser, Richard: Kritik und Krise als Wege zum Selbstverständnis des Menschen. In: Wissenschaft und Weltbild. 27. Jg, Heft 4, 1974, S. 291–298.

Helm von Faber

Der Medientext im fremdsprachlichen Deutschunterricht

1. Einleitung

Der Umgang mit Texten zur Informationsübertragung, Informationsentnahme und -verarbeitung erfordert Kenntnisse und Fertigkeiten, die als Kulturtechniken von Bedeutung sind. Die Menschen in hochindustrialisierten Gesellschaften sind an den Umgang mit Medien als Träger von Texten gewöhnt – natürlich auch in Gesellschaften, die den Prozeß der Industrialisierung erst eingeleitet oder, wie in den sogenannten 'Schwellenländern', unterschiedlich forciert haben. Nur daß dort der Begriff des Mediums noch überwiegend frühindustriell z. B. als Buch, Zeitung, Bild, Schreibschrift, mündliche Übertragung etc. realisiert wird. Der moderne Medienbegriff hingegen hat durch technische Entwicklungen eine enorme Erweiterung und die dabei entstandenen Medien entsprechende Leistungssteigerungen erfahren. Man denke an die Massenmedien Presse, Funk und Fernsehen mit ihren Informationen für "eine beliebige anonyme Menge von Menschen, die untereinander ohne seelische Beziehung und soziale Bindung leben und auch zum Kommunikator kein direktes Verhältnis haben";[1] an technische Werkzeuge und technologische Systeme, die sich im Gegensatz zu den Massenmedien bei der Vermittlung von Kenntnissen und Fertigkeiten z. B. im Unterricht adressatenspezifisch an Lernende wenden, und schließlich an technische Vorgänge, bei denen Medien als Träger von Aktionen, Reaktionen oder zur Schaffung beabsichtigter Aggregatzustände eine Rolle spielen. Mit der Wandlung der vorindustriellen zu industriellen Medien hat sich auch der Begriff des Textes gewandelt. In vorliegendem Beitrag sollen der literarische, publizistische und didaktische Textbegriff im Zuge dieser durch Technologie beeinflußten Veränderungen beleuchtet und im Hinblick auf den Unterricht – mit besonderer Berücksichtigung des Fachs 'Deutsch als Fremdsprache' – näher behandelt werden.

2. Der Textbegriff

Im Gegensatz zum traditionellen literaturhistorisch-ästhetischen Textbegriff mit seinem Signum "zeitloser Wahrheit" für Inhalt und Form, steht die neuere Auffassung, die dem Text funktionale Bedeutung im Spannungsfeld zwischen Autor-Werk-Benutzer zumißt.[2] Diese kommunikative Einbindung der Texte in eine handlungsorientierte Betrachtungsweise ihrer Produktions- und Rezeptionsbedingungen verdankt wichtige Anregungen den Kommunikations- und Informationstheorien, den wissenschaftlichen Befunden der Soziologie, Psychologie und nicht zuletzt den atemberaubenden technischen Fortschritten der elektronischen Informationsmedien. Was die älteren Sprachwissenschaften wie auch die moderne Linguistik angeht, wird der Textbegriff unterschiedlich interpretiert, z. B. als "Einheit der Abfolge von Sätzen mit Sinnzusammenhang"[3], wobei der Satz die Grundbeziehung herstellt. In einer anderen Sicht wird der Text als Kommunikationsakt aufgefaßt, als natürliches Sprachvorkommen, weil sich Kommunikation in der Regel in Texten vollzieht.[4] Als Unterkategorien des Textbegriffs breiten Textsorten ihrerseits einen Fächer inhaltlicher, formaler, benutzerorientierter Sprachangebote aus. Der Tradition verhaftet ist, wie schon erwähnt, der historisch-literarische Textsortenbegriff, neueren Datums der linguistische und gesellschaftspolitische. Der linguistische Textbegriff unterscheidet sich insofern vom pragmatischen, als er sowohl an der Bedeutung sprachsystematischer Erscheinungen für Texte festhält, als auch den Kommunikationsaspekt nicht über die Bedingungen des sprachlichen und situativen Kontextes hinausgeführt hat. Die Pragmatik, kurz gesagt, die stärkere Betonung des Gebrauchs von Texten hat einerseits sprachphilosophischen Forschungen[5], zum anderen gesellschaftspolitischen Ansätzen Anregungen zu verdanken.[6] Wenn die Linguistik sich anfangs auf Code und Kanal der Texterscheinungen konzentriert hat, schließen pragmalinguistische Gesichtspunkte die Beziehungen der den Text tragenden Teilnehmer, seine beabsichtigten und tatsächlichen Wirkungen, sowie außerlinguistische Faktoren mit ein.[7] Es ist der kommunikative Textbegriff, der den Text nicht als dauerhaft gewertetes sprachliches Gebilde, sondern als Prozeß von der Herstellung über seine Verteilung bis zum Verbrauch und schließlich bis zur Rückkoppelung mit Text und Autor begreift.

Um zu Textsorten zu gelangen, sind Texte zu klassifizieren. Im Rückgriff auf Grundformen sprachlichen Verhaltens ergeben sich Texte, die Gefühle, Eindrücke, Überzeugungen ausdrücken, Texte, die appellieren und damit etwas bewirken wollen und Texte, die die Wirklichkeit darstellen. So kommen Ausdruck, Appell und Wirklichkeit als Texteigenschaften in den Kennzeichnungen informativ, kognitiv, appellativ und fabulativ zum Tragen.[8] Eine andere Kategorisierung von Texten gliedert sie in expositorisch-sachbezogene, massenhaft verbreitete (triviale) und poetisch-ästhetische Gruppen. Begünstigt durch die Entwicklung elektronischer Geräte zur Aufnahme und Aufbewahrung mündlicher, musikalischer sowie geräuschtragender Schallereignisse wurde der traditionelle graphische Textbegriff auf auditive Kommunikation ausgedehnt. Der Begriff des Textes als ein komplexes Gebilde sprachlicher und außersprachlicher Mittel war damit auf genauere Einsichten seines Kontextes im weitesten Sinne, d. h. der Erfassung, Deutung und Beziehung aller Einzelerscheinungen verwiesen. Texte finden in Situationen statt, die thematische Rahmenbedingungen aufweisen; sie haben kognitive und emotionale Faktoren, sind soziokulturell verankert, entwickeln kommunikative Absichten und sind an sowohl objektive als auch subjektive Gesichtspunkte gebunden.[9]

Zusätzliche Erweiterungen des Textbegriffs durch Hereinnahme des Visuellen ergeben sich zwangsläufig als Folge der Entwicklung elektronisch-optischer Geräte von der Fotografie über den Film, das Fernsehen bis zur Videoaufzeichnung. Neben grafische und Hörtexte sind hochtechnisierte Bildtexte in den Gesichtskreis des Textbegriffs getreten. Sie gehen mit dem Auditiven eine enge, wenn auch diffizile Verbindung in den Produkten der audio-visuellen Bewußtseinsindustrie ein. Das nicht unproblematische Verhältnis zwischen sprachlichen und visuellen Zeichensystemen läßt sich im bewegten Film-Ton-Bild exemplarisch aufzeigen. Seine Auswirkungen üben auf den erweiterten Textbegriff erhebliche Wirkungen aus, denn Art und Umfang der Einflußnahme des einen auf das andere Zeichensystem bestimmten Klassifizierung, Beurteilung und Benutzung dieser Texte.[10] Die unterschiedliche getrennte Beurteilung der Wirkungen von Wort und Bild, im Film zum Beispiel, wechselt in der Fachliteratur. Das Bild wird einesteils als Träger von Emotionen und Evokationen, das Wort seinerseits als Mittel der begrifflichen Konkretisierung gewertet. Zum anderen wird die Auffassung vertreten, daß beide Eigenschaften vice versa zwischen Wort und Bild auswechselbar seien. Die begriffliche Deutung des Wortes beruht auf der Auffassung vom Text als *geschriebener* Sprache, die Auffassung von der Aufgabe des Wortes zum emotionalen Ausdruck auf der *gesprochenen* Sprache. Jede Doppelkodierung mit Bild- und Worttexten hat sich zweifellos mit dem Sachverhalt auseinanderzusetzen, daß im Grunde jedes der zwei Zeichensysteme eigenständige Informationen zu tragen vermag und nicht im Verhältnis bloßer Illustration, Ergänzung oder Redundanz zu stehen braucht. Beide Systeme können autonome Wirkungen ausüben, sind aber gleicherweise komplementär zuordbar. So kann Sprache neben einfacher Illustration in der Tat bildimmanente oder bildexterne Funktionen wahrnehmen.

Die Wahrnehmung bildimmanenter Aufgaben durch Sprache bedeutet, daß Sprache das Bild entweder ergänzt, es interpoliert, oder erweitert, extrapoliert. Dagegen steht bildexterne Sprache zum Bild und seiner Aussageabsicht in einem indirekten Verhältnis, ja kann sich dem Bild konträr entgegensetzen. Die Interferenzen beider Zeichensysteme finden sowohl bei bildnaher als auch bildfremder Sprachverwendung statt, doch treten sie bei bildfremder Verwendung stärker als expressives Mittel zur Charakterisierung von Inhalten in Erscheinung. Bei der inhaltlichen Dekodierung von Filmen im Fremdsprachenunterricht ist die Deutung der Bildpartitur das geringere Problem, da meist international verständlich. Im Gegensatz dazu wird die Wortpartitur entweder mit Hilfe des Bildes oder in der Regel nur unter der Voraussetzung rezeptiver Beherrschung des jeweiligen auditiven Zeichensystems der Fremdsprache entschlüsselt werden können. Massenmedien wie Funk, Film und Fernsehen, haben zur Erweiterung des *statischen* Textbegriffs, wie er in der literaturästhetischen Interpretation schriftgebundener Texte vertreten wird, zum empirischen Textbegriff entscheidend beigetragen. Der *empirische* Textbegriff sucht, statt den Text auf bestimmte Erscheinungen von Form und Inhalt einzuengen und sie als Norm zu deklarieren, den flexiblen Prozeß zwischen Urheber, Werk und Verteilung der Werke, z. B. auch zwischen den Konsumenten und den Beurteilungsapparaten institutionalisierter Kritik kenntlich zu machen.[11] Die Instanzen der Kritik als Produzenten der veröffentlichten Meinung sind oft die entscheidenden Stellen, die darüber befinden, welche Norm als Literatur angesehen werden soll und kann, in vielen Fällen ganz unabhängig davon, ob sich der Publikumserfolg größer als der literarische erweist.

Die Beurteilung von Werken aus Kunst, Bildung und Unterhaltung als Prozeß entspricht dem Bild industrieller Produktionsvorgänge, zu denen auch die Verteilungsapparate von Film, Funk und Fernsehen gehören. Zwischen den alten und neuen Medien scheint somit der empirische[12] Textbegriff Trennungslinien aufzurichten. Denn die arbeitsteilige Produktion läßt eher Wandlungen des literarischen Normenkanons zu als die traditionsgebundene werkimmanente Interpretation von Texten, die oft unter Hintanstellung Distributions- und sozialkultureller Daten vorgenommen wird.

Der empirische Textbegriff läßt sich natürlich ebenso auf Texte der Literaturtradition anwenden. Dabei werden die medialen Gegebenheiten bei der Entstehung der ihnen zugehörigen Werke mit berücksichtigt, dann aber oft die werkimmanente Interpretation und der statische Charakter der traditionellen Textauffassung beibehalten.

3. Der Medientext

Medientexte vermitteln ihre Informationen mit Hilfe technischer Trägersysteme, angefangen vom Buch- und Zeitungstext über die Fotografie, die Schallplatte und das Tonband bis hin zu den elektronischen Telemedien wie Film, Funk, Fernsehen und den computergetragenen Datenspeicherungs- und Datenabrufverfahren. Eine Systematisierung dieses Angebots nach Art der jeweiligen technischen Übermittlung sagt wenig über den Medientext an sich und seine differenzierten Aufgaben aus; ebensowenig die Analyse nach dem Muster von Gerät (hardware), Programmträger (software) und der reinen Information (teachware, learnware, brainware). Im Hinblick darauf, daß der Begriff des Medientextes alle genannten Faktoren in sich einschließt, bieten sich zu einer Klassifizierung noch andere Muster an: z. B. der Grad des Umfangs sowohl der sprachlichen als auch außersprachlichen Informationen, die vom Medientext jeweils befördert werden, oder die unterschiedlichen gesellschaftlichen Funktionen, die sie durch Art ihrer Distribution, Rezeption und Gebrauchsweisen auslösen bzw. tragen. Auf Zeitungs- und Buchtexte soll hier, da ausgedehnte Untersuchungen vorliegen, nur am Rande eingegangen werden. Doch gelten die dort auftretenden konstitutiven Spannungen zwischen der eingeschränkten Möglichkeit, sprachliche und außersprachliche Realität mit Schriftzeichen übermitteln zu müssen, in gleicher Weise für technologisch getragene Medientexte, jedoch mit Unterschieden. Bei tongetragenen Medientexten dominieren parasprachliche bzw. "sprech"sprachliche Wirklichkeitsebenen, bei Bildtexten die visuelle Komponente, d. h. im Stehbild eingeschränkt, im Laufbild hingegen partiell bis total. In der Bindung von Ton und Bild steigt dann die Möglichkeit der Wirklichkeitsdarstellung mit Einschluß ihrer künstlerischen Umsetzung steil an. Kein Wunder, daß bild-tongetragene Medientexte sowohl auf seiten von Forschung und Lehre, als auch im Rahmen kritischer Auseinandersetzungen an Interesse gewinnen. So haben sich sozusagen im Wettlauf zwischen der Herstellung, dem Einsatz und Gebrauch von bild-tongetragenen Medientexten und der wissenschaftlichen, didaktisch-pädagogischen, politischen und soziokulturellen Auseinandersetzung mit ihnen gegensätzliche Positionen und Wertungen aufgebaut. (Anlage 1)

Wie es mit den besonderen Bedingungen von Medientexten technologischer Observanz aussieht, läßt sich an Texten mit Ton und bewegtem Bild ablesen, wobei sich zum Vergleich der Rückgriff auf gedruckte Medientexte anbietet. Die Wiedergabe bzw. der Bezug zur wirklichen Welt sind ihnen gemeinsam, unterschiedlich indes der Umfang und die Intensität der Hereinnahme der außersprachlichen Wahrnehmungswelt. Dies ist ein Vorteil von Film- und Videotexten, der jedoch einiges von seiner Attraktivität einbüßt, wenn man ihn an neuerlichen Problemen der Bild-Ton-Beziehung in Medientexten mißt. Im Rückgriff auf gedruckte Medientexte läßt sich am Beispiel narrativer Textsorten das Problem deutlich beobachten. Festzuhalten ist, daß sich die fachbezogene (expositorische) Abbildung sowie die literarische (fiktive) Verwandlung von Wirklichkeiten in gleicher Weise mit der Vermittlung außersprachlicher Gegebenheiten auseinanderzusetzen haben. Bei der möglichst "objektiven" (expositorischen) Darstellung können schriftgebundene Redundanzen, mehr oder weniger befriedigend, das Fehlende ersetzen. In fiktiven Texten hingegen werden zur Auffüllung außersprachlicher Defizite künstlerische Techniken benutzt, die in bezug auf den Leser sowohl syntaktisch und semantisch als auch pragmatisch wirksam werden. Sie sind unter anderem darauf abgestellt, nach Ausschöpfung sprachlicher Mittel Unbestimmtheiten zu belassen oder sie sogar zu produzieren und geplant einzusetzen. Da das schriftlich "... Formulierte ... die Intentionen des Textes nicht ausschöpfen ..." darf[13], und das "Verschwiegene nur die Kehrseite des Gesagten ist"[14], werden in fiktiven Medientexten auch außersprachliche Defizite sowohl als strukturierte wie auch künstlerisch kultivierte Unbestimmtheiten bewußt im Vorgriff auf den Leser eingesetzt.

Ein weiteres Verfahren, sich bei der Produktion von narrativen Texten mit Unbestimmtheiten auseinanderzusetzen, ist die Verwendung von Erklärungen und Kommentaren, die nicht ausschließlich zur lückenlosen Verdeutlichung des Geschriebenen, vielmehr dazu anregen sollen, Leerstellen entweder in bestimmter, jedoch noch Freiraum bietender Richtung, oder mehrdeutig vom Leser ausfüllen zu lassen. In technologischen Medientexten, in denen durch simultane Verwendung von Bild und Ton die umfassendere Darstellung von wirklichen und fiktiven Eindrücken möglich sind, mischen sich die Ebenen der Abbildung mit denen ihrer Interpretation, d. h. die Ebene der *Analogie* mit der Ebene der *Kommentierung*. Gewöhnlich wird die Bildkodierung mit der Ebene der analogen Abbildung, die Tonkodierung mit der der Kommentierung gleichgesetzt. Während im gedruckten Text Abbildung und Kommentar meist linear, oft auch simultan, immer aber nur im Schriftbild erfolgt, ist beim Bild-Ton-Text die Analogie- und Kommentarebene zweifach als Ton und Bild kodiert.[15] Hier nun tritt bei technologischen Medientexten die Schwierigkeit der Bild-Ton-Beziehung in Erscheinung, deren Vorteile zwar in der "totaleren" Erfassung von Wirklichkeit zu sehen sind, deren Leistungen jedoch medienspezifischen Begrenzungen unterworfen werden.

Einige Beispiele sollen Möglichkeiten der Zuordnung von Bild und Ton verdeutlichen: Nehmen wir an, die Bildsequenz zeigt im Rahmen eines großen Sportfests einen Hürdenlauf, während der Ton das Ereignis kommentiert. Hier ist die Bild-Ton-Relation *redundant*, da der Kommentar das beschreibt, was auch auf dem Bild mit verfolgt werden kann. Eine andere Relation wird als *komplementär* bezeichnet, wenn zur gleichen Bildsequenz z. B. die zurückliegenden Leistungen des voraussichtlichen Siegers im Kommentar erscheinen. Bei gleicher Bildsequenz (Hürdenlauf) jedoch unterschiedlicher Kommentierung, z. B. über die Vor- und Nachteile des Leistungssports, spricht man von *paralleler* Bild-Ton-Führung. Von einer *konträren* Konstellation schließlich ist dann die Rede, wenn zum Ton des sportlichen Ereignisses (Hürdenlauf) eine Bildsequenz abläuft, auf der beispielsweise ein einsamer Spaziergänger auf einem sommerlichen Wiesenpfad bedächtig über einen vor ihm liegenden Baumstamm steigt. Wie auch im gedruckten Text lassen sich bei der Analyse von Bild-Ton-Texten die einzelnen Stufen ihrer Entstehung ausgehend vom wirklichen *Geschehen* (Ebene der subjektiven Wirklichkeit) über die Konzipierung, Vorstrukturierung oder künstlerische Verwandlung des Geschehens als *Geschichte* bis zur Fertigstellung des Bild-Ton-*Textes* herauslesen.[16] In der medienkritischen Auseinandersetzung mit Bild-Ton-Texten wird bei der Analyse von Bild-Ton-Beziehungen überwiegend das Auseinanderklaffen der Bild-Ton-Schere bemängelt. Man sieht infolge dieses Auseinanderlaufens von Bild und Ton Verletzungen, ja Verfälschungen der Objektivität, Wahrheit und Darstellungstreue insbesondere in informationsorientierten Medientexten heraufbeschworen. Angeprangert werden vor allem: sensationshaschende Bildeinstellungen, reflexorientierte Bildbewegungen um jeden Preis, Reizüberflutung durch raschen Bildwechsel, kurz alle technisch möglichen Verfahrensweisen, die der wahren Aufgabe, Wesentliches zu entwickeln und darzubieten, entgegenstehen.[17] Ton-Bild-Texte bedienen sich in der Tat Techniken, die verstärkt Oberflächenreize erzeugen und entsprechende Wirkungen bei ihrer Rezeption auslösen. Bei gedruckten Texten ist die Verführung durch Oberflächenreize nicht in dem Maße gegeben, da sie beim Lesen das unmittelbare Nachprüfen von Nichtverstandenem zulassen. Im Gegensatz dazu steht beim Bild-Ton-Text der "Induktionseffekt", durch den sich Einzelbilder gegenseitig anstecken". So erwecken Bilder auch divergierender Inhalte den Eindruck eines sinnvollen Zusammenhangs. Andererseits gewinnt eine einzelne Bildeinstellung im Ablauf des Films mehr Inhalt, "als sie sie selber von sich aus hat".[18]

Diese Interpretation wird nicht überall geteilt. Erfahrungen anderer Art ziehen die Forderung möglichst enger Entsprechung von Bild und Ton, sowie die latent behauptete Leitfunktion der Bildebene in Zweifel. In Zweifel gezogen wird auch die Annahme von der gleich starken Rezeptionsfähigkeit des Menschen bei simultaner Bild-Ton-Darbietung. Im Gegenteil müsse die Leitfunktion sowohl vom Bild als auch vom Ton wechselseitig übernommen werden, womit der menschlichen Leistungsfähigkeit bei der Rezeption von Ton- und Bildzeichen besser entsprochen werden könne.[19] Eine solche Interpretation führt dazu, daß das Auseinanderklaffen der Bild-Ton-Schere durchaus positiv beurteilt wird und als bewußtes Mittel der Informations- und Rezeptionsstrategie Anerkennung findet.

Zusammenfassend kann gesagt werden, daß es eine durch Praxis gesicherte Theorie der "richtigen" Ton-Bild-Zuordnung nicht gibt und auch nicht geben kann. Die verschiedenen Zuordnungsmuster richten sich am ehesten nach der Art der Textsorten in Ton-Bild-Medien. Expositorische und beschreibende Texte, Texte mit überwiegendem Informationscharakter und didaktische Textvorlagen werden sich mehr der redundanten und komplementären Bild-Ton-Zuordnung, künstlerisch-ästhetische und fiktive Texte der parallelen und konträren Relation bedienen wollen. Schließlich ist die Bevorzugung der visuellen Leitfunktion nicht festzuschreiben, denn "Auch die Sprache der Bildmedien, die audiovisuelle Sprache, hängt an der Wortsprache".[20] Auf diese Wortsprache sind selbst die Stummfilme in Form von Zwischentiteln angewiesen.

4. Didaktik des Medientextes

Medientexte können je nach Stufungen und Zielen der Fremdsprachenerlernung als *Instrument, Objekt* oder zur *Information* dienen. (Anlage 2) In den Anfangsstufen werden in der Regel instrumentale Medientexte eingesetzt, deren Anlage, Inhalte und Funktionen didaktischen Zielen angepaßt sind. *Instrumental* sind diese Texte insofern, als sie vorzüglich formale und systematische Aspekte bewußtmachen sollen. Selbstverständlich kommt bereits auf dieser Stufe der Objektcharakter mit zum tragen, jedoch in rudimentärer Weise. Denn hier soll zuerst einmal durch Darbietung und Nachahmung andersartiger Aussprache, Intonation und Konstruktion den Lernenden die Zielsprache als neuartiges, jedoch nicht fremd sein sollendes Objekt nahegebracht werden. Zu dieser Art von Medientexten gehören neben audio-visuellen Lehrwerken gesteuerte Ton-Diareihen, Abstraktionsmedien wie Overheadtransparente, Wandbilder, Tonbandpattern, Filz- und Magnettafeln, flash-cards u. a. m. Auch handlungsorientierter Sprachgebrauch ist in Form von Anweisungen, Fragen, Zwischenbemerkungen und Wünschen auf seiten der Lernenden möglich. Manche sprechen der kommunikativen Gebrauchsorientierung schon im Anfangsstadium entscheidende Bedeutung zu und meinen, ihr formale, systematische, sowie lexikalische Gesichtspunkte unterordnen zu sollen. Instrumentale Medientexte sind überwiegend straff didaktisiert, sie erlauben jedoch im Entscheidungsbereich der Lehrenden eine zweckmäßige Anpassung an differenzierte Unterrichts- und Adressatensituationen. Fremdsprachliche Medientexte zum Selbstlernen für Anfänger gehören der Programmierten Unterweisung an; sie spielen insbesondere im Übungs- und Wiederholungsbereich eine Rolle.

Mit fortschreitenden Kenntnissen und Fertigkeiten in der Fremdsprache wird der instrumentale Charakter der Medientexte zwar beibehalten, doch mit Formen und Inhalten, die eigenen Informationswert besitzen, angereichert oder *didaktikfreie,* jedoch *didaktikgeeignete* Medientexte in den Unterricht einbezogen. Sie dienen zur Ausbildung von Hör- und Verständnisfertigkeiten, zu morphosyntaktischen und semantischen Analysen, mit denen die Sprachproduktion der Lernenden gefördert werden soll. Tonaufnahmen der Umgangs- und Gebrauchssprache, Filme, Fernseh- und Videotexte können in der Art Verwendung finden, daß man sie entweder unverändert einsetzt oder in Teilen didaktisch modifiziert. Somit treten neben instrumentale Medientexte *objektorientierte* in den Lehr- und Lernvorgang ein. Der Objektcharakter wird dadurch deutlich, daß der fremdsprachliche Text in erster Linie als Mittel der Objektivierung der fremdsprachlichen Erfahrungs- und Dingwelt festgemacht und im Unterricht vorgestellt wird. Im Objektbereich erfolgt allmählich eine Zuwendung zu authentischen Medientexten, wobei unter "authentisch" vorerst nur ausgesagt werden soll, daß sie *nicht didaktisiert* sind. Die dadurch mögliche Ablösung von festgefügten Unterrichts- und Aneignungsschritten des Anfängerbereichs wird andererseits noch immer didaktisch mittels Auswahl, strukturierter Sequentierung und Erarbeitungsanweisungen begleitet.

In weiter fortgeschrittenen Stadien der Aneignung einer Fremdsprache sind es didaktikfreie Medientexte, die als Informationsobjekte sui generis in den Unterricht eintreten. Sie werden nicht mehr von speziellen Unterrichtszielen bestimmt, sondern stimulieren bzw. fordern die Aktivierung fremdsprachlicher Fertigkeiten in einem Freiraum kommunikativen Austausches von Meinungen, Wertungen, Bezugnahmen und Diskursen heraus. Die Auswahl dieser Art von Medientexten erfolgt nicht mehr ausschließlich unter den Gesichtspunkten von Lehr- sondern *Handlungszielen.*[21] Durch eine möglichst weitgehende Harmonisierung von Lehr- und Handlungszielen mittels Auswahl interessenbezogener Medientexte lassen sich Motivationen und sie sich daraus entwickelnden selbsttätigen Kommunikationsprozesse auf seiten der Lernenden erheblich steigern.

Im Fortgeschrittenenunterricht indes werden instrumentale Medientexte immer weniger den tatsächlichen Bedürfnissen der Sprachaneignung und Sprachverwendung entsprechen können. Medientexte sind im Progressionsablauf der Systemlinguistik, der Objekt- und Situationslinguistik bis hin zur Pragmalinguistik mit ihrem stringenten Verwendungsaspekt immer phasenbezogen zu differenzieren. (Anlage 2) Instrumentale Medientexte haben, wie gesagt, die Aufgabe der Bewußtmachung des Sprachsystems und der Sprachformen. Sie sind "curriculare Medien", d. h. sie sind Ausdruck und Fertigmaterial einer straffen Lehrstrategie. Trotzdem ist ein Spielraum zur Anpassung an Lernerbedingungen möglich und eingeplant. Die Anpassung erfolgt überwiegend durch zusätzliche Erklärungen des Lehrenden bzw. durch Aufzeigen von Analogien und Querverweisen zu ähnlichen oder auch entgegengesetzten sprachlichen Erscheinungen. In den Objekt- und Informationsphasen, in denen authentische, nichtdidaktisierte Medientexte den Sprachunterricht stützen und begleiten, tritt eine deutliche Hinwendung zur stärkeren Unterrichtsbestimmung durch die Lernenden ein. In Oberstufen mit ausgebildetem rezeptivem und produktivem Sprachvermögen dienen nichtdidaktisierte Medientexte der problematisierenden, relativierenden und reflektierenden Behandlung durch die Teilnehmer. Diskurs, Interpretation, Stellungnahme und möglichst nichtgelenkte Konversation sind Formen, die den Einsatz freier Medientexte begleiten. (Anlage 3) Dem entsprechen die Lehrertätigkeiten, die sich in ergänzende, erweiternde bis problematisierende Funktionen aufschlüsseln.[22] Hinzu kommen korrigierende Tätigkeiten der Lehrer, die weniger auf formale sprachliche Richtigkeit als auf inhaltliche Objektivierung abzielen. Es handelt sich um interpretative Vertiefungen ungenügender oder gar anfechtbarer Aussagen, meist aber um Beschaffung neuer, den Bedürfnissen und Wünschen der Lernenden nachkommenden Informationen. Da Inhalte und Strukturen von didaktikfreien Medientexten neben Einwegkommunikation und monologischer Information dialogischer Kommunikation und Interaktion offenstehen, ist im Fortgeschrittenenunterricht die passive Rezeption eine unzulässige Einschränkung der in den Medientexten angelegten Möglichkeiten[23]. Der Einsatz didaktikfreier Texte im Anfängerunterricht ist dagegen nur partiell zu empfehlen, z. B. zur Übung und Festigung der Hör- und Verständnisfertigkeiten, wobei das sogenannte Sehverständnis, wie bereits erwähnt, weitgehend vom Verstehen der Tonkodierung bei Bild-Ton-Texten bestimmt wird. Schließlich ist der von den Lernenden *selbst produzierte* fremdsprachliche Medientext zu nennen. Bei Aufenthalten im Lande der Zielsprache, oft auch im Rahmen von Fortbildungsveranstaltungen für Lehrer, können Tonbandinterviews mit Einheimischen, Tonbildreihen mit eigenen Fotos, Neukommentierungen vorhandener Film-, Dia- und Videotexte in mündlicher oder geschriebener Form oder auch problematisierende Zusammenfassungen von fremdsprachlichen Programmen der Massenmedien Aufgabe und Resultat von Eigenproduktionen sein. Eine andere Möglichkeit für Lernende, authentische Medientexte in der Zielsprache zu produzieren, ist die Ton- und Bild-Tonaufnahme eines Diskurses der Lernenden selbst, z. B. über einen authentischen Medientext mit Hilfe von Video. Das dabei entstehende authentische Medienkommunikat kann wiederum von den Lernenden formal und inhaltlich interpretiert und, wenn nötig, korrigiert und ergänzt werden. Eine Didaktik von Medientexten stellt kein geschlossenes System dar. Es verwirklicht sich durchaus unterschiedlich je nach Stufung, Adressaten, Lernbedingungen und Zielrichtungen im Verlauf der Fremdsprachenaneignung. Mediale Bild-Ton-Texte transportieren im Tonteil gesprochene Sprache; wie überhaupt durch moderne technische Medien mit ihrer Möglichkeit der Speicherung von Toninformationen die Aufmerksamkeit auf die unterschiedlichen Erscheinungsweisen gesprochener Sprache gelenkt worden ist. Der *thematische* und *situative* Rahmen sowie die *kommunikativen, sprachlichen* und *parasprachlichen* Bedingungen enthalten eine Fülle von Elementen, deren unterrichtliche Bewältigung nicht immer den Anforderungen der Lernprozesse wie auch den Charakteristika gesprochener Textsorten entsprechen. (Anlage 4) Ein didaktisches Problem ist beispielsweise die curriculare Einordnung *gesprochener,* zum anderen *vermündlichter* (vom Schrifttext zum Sprechtext) und schließlich *verschriftlichter* (vom Sprechtext zum Schrifttext) Textsorten und ihre fertigkeitsbezogene Einbindung in operationalisierte Lehr- und Lernziele.[24] Gleich schwierig ist im Bereich der sprachlichen Rahmenbedingungen die Berücksichtigung der Register. Registervielfalt ist didaktisch nur annähernd in Form des Hörverständnisses zu erarbeiten, die Übernahme und Verwendung intentionaler Sprache nur durch Reduktion der gleichen großen Vielfalt von Redemitteln möglich. Bild-Ton-Texte, seien sie *expositorisch, fiktiv-ästhetisch* oder rigid *didaktisch,* lösen bei ihrer Rezeption kommunikative Anstöße aus. Diese liegen, um das eine Extrem zu nenne, entweder in ihnen selbst, oder, im Gegenteil, außerhalb ihrer selbst. Dazwischen breitet sich ein Fächer von Mischformen aus.

Bei der Interpretation audio-visueller Medientexte, die in den Programmangeboten der Fernsehanstalten vom Werbetext über Nachrichten, Berichte, Reportagen, Features bis hin zu ästhetischen Textsorten vorliegen, kann man sich, zumindest um einen ersten Einstieg zu gewinnen, durchaus auf Erzählhaltungen traditioneller literarischer Textsorten stützen. (Anlage 5) In diesen Erzählweisen wird die *berichtende* der *szenischen* gegenübergestellt. In der berichtenden, sogenannten "auktorialen" Form tritt der Erzähler als Mittelsmann auf, der über Zurückliegendes Rechenschaft ablegt. In der *szenischen* Erzähltechnik wird das Zurückliegende verlebendigt, so daß der Berichtende entweder als Augenzeuge nachträglich oder hic et nunc als Erlebender erscheint. Erzählende, berichtende und szenische Informationsweisen finden ihre technische Verwirklichung in Film und Video durch die verbale Wiedergabe im *OFF* und *ON*. Im *OFF* ist der auktoriale Erzähler zwar unsichtbar, jedoch hörbar, im *ON* hör- und sehbar. Es liegt auf der Hand, daß im Wechsel von *OFF* und *ON*, Bericht und lebendiger Szene, verbalem und visuellem Kontrapunkt Medientexte eine Vielfalt von Kommunikationsebenen beinhalten. Die Rezeption einer solchen

Vielfalt erfordert zweifellos gewisse Fertigkeiten zur Entschlüsselung auf seiten der Adressaten sowie die Berücksichtigung verschiedenster Erwartungshaltungen der Abnehmer bei der Planung und Realisierung von Medientexten. Ein Bild-Ton-Text erschließt kraft seiner Ausweitung durch auditive und visuelle Informationen andersgeartete Erwartungshorizonte als schriftliche Informationen, deren Techniken auf verbale Verdeutlichung der nonverbalen Ereignisse und Zustände eingeschränkt sind.

Beim Einsatz von Bild-Ton-Texten im Unterricht 'Deutsch als Fremdsprache' zeichnen sich zur Beurteilung der in den Texten angelegten kommunikativen Strategien sechs Kommunikationsebenen ab. Bei der Beurteilung der Kommunikationsebenen für den Anfangsunterricht fordert der didaktische Aspekt eine der Authentizität und Ästhetik dieser Programme übergeordnete Behandlung zugunsten der Lernenden, deren Können in der zu vermittelnden Sprache zu Anfang nicht den anspruchsvollen Inhalten und Formen dieser Medientexte entspricht.

Die Kommunikationsebenen stellen sich wie folgt dar:[25]

1. *Die innere Kommunikationsebene:*
Sie vollzieht sich innerhalb des dargestellten Bild-Ton-Geschehens;

2. *Die geteilte Kommunikationsebene:*
Das Bild-Ton-Geschehen bleibt zwar für sich autark, doch wendet es sich latent an mögliche Zuschauer;

3. *Die äußere Kommunikationsebene:*
Das Bild-Ton-Geschehen wendet sich bewußt an Zuschauer a) zum Zweck der Spannung und Unterhaltung, b) zum Zweck wissenschaftlicher Informationen, c) zum Zweck des Wissens- und Fertigkeitserwerbs, d) zur gezielten Information im Bereich der Nachrichtensendungen;

4. *Die didaktische Kommunikationsebene:*
Das Bild-Ton-Geschehen steuert absichtsvoll, meist in geplanten Schritten, Aufnahme und Bearbeitung durch die Rezipienten;

5. *Die simultan-diskursive Kommunikationsebene:*
Das Bild-Ton-Geschehen dient außerhalb seiner selbst als Informationsmaterial für Rezipienten, die darüber unmittelbar diskursiv kommunizieren;

6. *Die postdiskursive Kommunikationsebene:*
Das Bild-Ton-Geschehen dient erst spät nach seiner Rezeption als Stimulus zur diskursiven Kommunikation.

Bei der didaktischen Wertung der einzelnen Ebenen des genannten

Kommunikationsrasters sollte man – der Reihenfolge der Lehr- und Lernprogression folgend – bei der Kommunikationsebene 4 beginnen.

Bei der 4., *der didaktischen Kommunikationsebene,* handelt es sich um bereits bei ihrer Entstehung didaktisierte Texte. Sie enthalten symmetrische bzw. parallele Bild-Wort-Beziehungen, haben inhaltlich linearen Abfolgecharakter und lassen sich in mehr oder weniger kleine Abschnitte unterteilen. Die Videokassettentechnik ist dazu besonders geeignet. Der Motivationswert dieser Texte ist sekundär, sie sind Instrumente zum Sprachaufbau. Der Sprachstil ist der Schriftsprache angenähert, um Normen zu vermitteln.

Die 3., *die äußere Kommunikationsebene,* ist in Medientexten anzutreffen, die sich zum Aufbau des verstehenden Hörens einsetzen lassen, wobei das Bild selbständige Aufgaben zur Verdeutlichung der verbalen Informationen übernimmt. Der Lernende hat bereits bei dieser Wort-Bild-Relation die Ansätze kontrapunktischer Verschränkung zu leisten. Die auf dieser Kommunikationsebene produzierten Programme besitzen didaktischen Charakter für Muttersprachler zur Vermittlung populärwissenschaftlicher Fachtexte, zur Verdeutlichung von Handlungs- und Durchführungsanweisungen naturwissenschaftlicher und technischer Experimente sowie zur Darstellung unterhaltender Begebenheiten mit mehr oder weniger lehrhaftem Ausgang. Die Sprache ist vorgeplante Sprechsprache. Eine wichtige Textsorte der äußeren Kommunikationsebene ist die Nachrichtensendung mit ihren teilweise ritualisierten Sprachmustern und schematischem Abfolgecharakter. Auf dieser Stufe wird den Lernenden die Möglichkeit gegeben, Ausdruck und Inhalt miteinander kontinuierlich zu verknüpfen. In diesem Sinne gehören auch reine Unterhaltungssendungen zum Genre der äußeren Kommunikationsebene.

Die 2., *die geteilte Kommunikationsebene,* findet sich in poetisch-ästhetischen Programmen, in Film und Fernsehspielen, dramatischen, lyrischen, epischen Produktionen. Personen, Dinge, Situationen sowie Konfrontationen jeder dieser Faktoren miteinander agieren anscheinend im Medium isoliert, in Wirklichkeit jedoch im millionenfachen Blickfeld telemedial angeschlossener Zuschauermassen. Die Sprache ist einerseits vorgeplant, andererseits quasi spontan mit allen Eigenheiten sprachlicher Verkürzungen, Auslassungen und Unterbrechungen gesprochener Umgangssprache. Der Lernende sieht sich auf dieser Kommunikationsebene einer Häufung sprachlicher und visueller Barrieren gegenüber, denn auch die Wort-Bild-Relation ist bei diesen Programmen mit allen Raffinessen der Film- und Fernsehsemiotik ausgebildet und erfordert daher vom Rezipienten sowohl ein hohes Maß an sprachlichem Vorkönnen und Vorwissen, als auch ausgeprägte Hör- und Seherfahrungen. Besonders der Videorekorder mit seiner Wiederholungstechnik ermöglicht dennoch eine Arbeitsweise, mit der sich diese Schwierigkeiten nach und nach überwinden lassen.

Auf der 1., *der inneren Kommunikationsebene,* vollzieht sich der Austausch von Informationen ohne besondere Absicht der Wirkung nach außen. Programme dieser Art bestehen aus unbeobachteten live-Aufnahmen, bei denen nur ihre Schnittfolge und die Anordnung der Darbietung etwaige Absichten bekunden. Diese Programme eignen sich für schwierige Hör- und Sehverständnisübungen, sowie auf fortgeschrittener Stufe zur diskursiven Bearbeitung. Nicht ihre Visualisierungen weichen von den Standardnormen ab, sondern die unterschiedlichen sprachlichen Ausformungen, mit denen eine differenzierte Palette von Sprachregistern zur soziokulturellen Vertiefung angeboten wird.

Was die Kommunikationstechniken der *simultan-diskursiven* und *post-diskursiven* Ebenen betrifft, so sind sie in allen aufgeführten Kommunikationskonstellationen anwendbar, vorausgesetzt, daß die entsprechenden Redemittel vorausschauend bereitgestellt, geübt und ausreichend gefestigt werden. Bei der simultan-diskursiven Arbeitsweise spielen imitative und äquivalente Sprachmuster eine Rolle, bei der postdiskursiven Behandlung hingegen der kognitive Einstieg in die gebotenen Informationen, verbunden mit übergreifenden oder von den behandelnten Themen losgelösten sprachlichen Diskussionsmitteln. Betrachtet man den im vorliegenden Beitrag aufgestellten Raster kommunikativer Funktionen und Arbeitstechniken zur Behandlung von Film- und Fernsehprogrammen im Fremdsprachenunterricht, so läßt sich dessen Lückenhaftigkeit nicht leugnen. Es ist aber abzusehen, daß weitere Erkenntnisse zu Wort-Bild-Beziehungen zusammen mit semiotischen Analysekriterien den behandelten Komplex vollkommener erfassen und zur Anwendung in der Praxis durchsichtiger gestalten werden.

5. *Medientexte im Unterricht*

Je nach Unterrichtszielen und Unterrichtsstufen werden *Instrumentaltexte, Objekttexte, Informationstexte* und *künstlerisch-ästhetische Texte* verwendet.

Instrumentaltexte dienen in erster Linie der Erfassung, Bewußtmachung und Beispielfindung systematischer Erscheinungen der zu erlernenden Fremdsprache. Dazu bieten sich zwei Arten von Texten an.

Einmal sind es solche, die bereits bei der Produktion zielgerichtet didaktisiert worden sind, z. B. Tonbandlektionen, Tonbandübungen und audio-visuelle Programme, diese meist mit Stehbild, oder authentische Texte mit einfacheren Inhalten und Formen, die, wenn erforderlich, weiteren Didaktisierungen durch Weglassen oder punktuelle Vereinfachungen unterworfen werden können.

Objekttexte gehören authentischen Textsorten an. Sie sind nicht didaktisiert und haben in ihren muttersprachlichen Produktionsbedingungen ausschließlich die Aufgabe der Informationsvermittlung an Angehörige der Zielsprache. Sie sind inhaltlich meist auf Erscheinungen des täglichen Lebens ausgerichtet und sollten möglichst generalisierende Akzente zulassen. Erscheinungen der Formenlehre und ihre Anwendung, die auch auf der Unterrichtsstufe von Objekttexten zu den erklärten Unterrichtszielen gehören, sind in Lexik, Idiomatik und außersprachlichen Situationen so eingebettet, daß ihre kontextuellen Bindungen an Sprech- und Handlungsintentionen immer noch als Ausgangspunkt aller weiteren didaktischen Analysen, Reduzierungen und analogieorientierten Umformungen deutlich bleiben.

Informationstexte unterscheiden sich von Objekttexten nur unwesentlich z. B. darin, daß bei ihrer Erarbeitung auf seiten der Lernenden ein gesicherter Bestand an formalen, syntaktischen, lexikalischen und landeskundlich ausgerichteten Fertigkeiten – *zumindest rezeptiv* – vorausgesetzt werden muß. In der Regel sind Informationstexte im Vergleich zu Objekttexten, was die Register, inhaltlichen Aussagen, soziokulturellen Kontexte und Absichten betrifft, dennoch differenzierter, sozusagen farbiger.

Künstlerisch-ästhetische Texte nehmen im Fremdsprachenunterricht eine Sonderstellung ein. Der instrumentale sowie der informatorische Verwendungszweck sollten im Unterricht mit diesen Textsorten dem künstlerisch-ästhetischen Zweck untergeordnet werden, andernfalls letzterer auf der Strecke bleibt. Trotzdem ist bei ihrer Rezeption nicht immer die umfassende Beherrschung der Fremdsprache vonnöten. Gerade Bild-Ton-Texte künstlerisch-ästhetischer Provenienz sind in der Lage, in ästhetischen Bereichen emotionale, affektive, sensorische und kognitive Rezeptionserlebnisse auch bei weniger sprachlich Fortgeschrittenen auszulösen.

Bild-tongetragene Medientexte – im folgenden sollen darunter *Film-Video-Aufzeichnungen* verstanden werden – dienen im Verlauf der Aneignung einer Fremdsprache der Ausbildung von Fertigkeiten und Kenntnissen in dieser Fremdsprache. Film- und Videotexte, wenn sie der direkten Informationslandschaft der Zielsprache entnommen sind, genießen im modernen Sprachunterricht ihrer authentischen und oft auch aktuellen Eigenschaften wegen eine bevorzugte Stellung. Besondere Vorzüge entdeckt man in den koordinierenden Fähigkeiten von Bild und Ton, die "totale Situation"[26], bestehend aus sprachlichen, parasprachlichen und außersprachlichen Faktoren, jederzeit frei Haus zu liefern, um somit der Gefahr der Künstlichkeit von Lernsituationen im Schul- und Bildungsbereich entgangen, hingegen der erwünschten Natürlichkeit ein gutes Stück nähergekommen zu sein. Im Hinblick auf eine solche Einschätzung werden an Film-Video-Texte entsprechende Auswahlkriterien angelegt, die auf der Auffassung fußen, daß die *redundante*, vor allem *kompensatorische* Zuordnungstechnik von Bild und Ton die wirkungsvollste Art der Informationsübermittlung bzw. -rezeption darstelle. Beispiele paralleler oder konträrer Zuordnungstechniken von Ton- und Bildinformationen werden als bedauerlich und als falscher Weg bei der Produktion von Medientexten "in Richtung Antikommunikation" angesehen.[27] Allerdings darf nicht vergessen werden, daß sich erfolgreiche Medientexte, seien sie informatorisch, expositorisch oder künstlerisch-ästhetisch, gerade dieser Techniken sowohl zur Verdichtung der Inhalte als auch zur Erhöhung der Formen mit Erfolg bedienen.[28] Berücksichtigt man alle Zuordnungstechniken, die der Redundanz, Kompensatorik, Parallelität und Gegenläufigkeit bei Ton und Bild, ergeben sich bezüglich der Stufung im Curriculum und unter Berücksichtigung unterschiedlicher Lernerbedingungen auch unterschiedliche Auswahlkriterien.

Für den Anfängerunterricht geeignete *Objekttexte* sollten inhaltlich linearen Abfolgecharakter, deutliche Handlungsbetontheit und möglichst simultane Wort-Bild-Entsprechung beinhalten. Sie sollten die Möglichkeit der Einteilung in kurze Abschnitte, d. h. eine Sequentierung bis zu drei Minuten, sowie die Transparenz der Inhalte ohne größere Anforderungen an inhaltliches Vorwissen sicherstellen. Die didaktische Möglichkeit der Segmentierung, d. h. die Zerlegung in kleinere Wort-Bild-Bauteile, ist erfahrungsgemäß nur bei Instrumentaltexten, z. B. Tonbildreihen, gegeben, die schon bei ihrer Produktion auf eine didaktische Bearbeitung in Segmenten angelegt worden sind.

Für Fortgeschrittene sind *Objekt- und Informationstexte* heranzuziehen, die zwar immer noch Handlungsbetontheit und Abfolgecharakter aufweisen, gleichzeitig aber mit verschränkten Bild-Wort-Entsprechungen arbeiten und, was die Themen angeht, durchaus anspruchsvoller sein können.

Für Oberstufen mit Adressaten, die weitgehende Kompetenzen in der zielsprachigen Rezeption und nicht unbedingt so weitgehende Fertigkeiten zu ihrer Produktion mitzubringen brauchen, sind Medientexte einzubeziehen, deren Informationsdarbietung bewußt auf dem Wechsel jeweiliger Bild- und Wortdominanz beruht, sowie Texte, für deren inhaltliche Erfassung die Informationsbeschaffung von den Adressaten selbst zu leisten ist.

Der didaktische Analyse- und Übungsapparat zur Erschließung von Medientexten – dies gilt insbesondere für Instrumental- und Objekttexte – bedient sich geläufiger Lehr- und Lerntechniken. Sie beziehen sich selbstverständlich auf bestimmte Fertigkeiten, unter denen das *Hörverständnis* und neuerdings auch das *Sehverständnis* in Forschung, Lehre und Anwendung verstärkte Aufmerksamkeit finden. Zur Einführung dienen Fragen zum globalen Hörverständnis, durch die zuerst einmal Verständnisinseln geschaffen werden sollen. Es folgen Detailfragen, wobei es dem Lehrenden überlassen bleibt, zu Anfang den ganzen Medientext darzubieten oder umgekehrt mit Sequenzen zu beginnen. Im Übergang vom global- zum sprachlichen Strukturverständnis, das sowohl inhaltlich als auch formal, morpho-syntaktisch oder idiomatisch akzentuiert sein kann, stehen den Bearbeitern multiple choice-Techniken, Lückentexte, falsch-richtig-Entscheidungen, Paraphrasierungen und Äquivalenzübungen zur Verfügung. Schließlich erfolgt der Übergang von der Einführungs- und Erarbeitungsphase zur Phase der Anwendung[29], d. h. des Sprechens über die behandelten Medientexte in Form des *Diskurs*.

Zwei Begriffe, *Kommunikation* und *Identifikation*, die in der Diskussion zur Methodik und Didaktik im Fremdsprachenunterricht eine erhebliche, wenn auch nicht unproblematische Rolle spielen, zeichnen sich durch eine erstaunliche Interpretationsbreite aus. Trotzdem kann festgehalten werden, daß unter Kommunikation in erster Linie handlungsbetontes Sprechen sowie der Primat mündlicher vor schriftlicher Äußerungen, produktiver vor rezeptiven Fertigkeiten verstanden werden. Beim Begriff der *Identifikation* ist es hingegen so, daß man ihn vor allem mit *primärer Motivation* z. B. zum Zweck unmittelbarer Erfolgserlebnisse bzw. zur Durchsetzung kurzfristiger Intentionen in Verbindung bringt[30]. Dagegen treten durch *sekundäre Motivationen* ausgelöste Bestrebungen, die entferntere Ziele zu erreichen suchen wie berufliche Fortbildung, höheres Einkommen, Lebens- und Familiensicherung u. ä. m. in den Hintergrund. Demnach fordert man von Medientexten, wenn sie der Handlungsbetontheit und Primärmotivation entsprechen sollen, möglichst enge Interessendeckung mit den Lernenden und utilitaristische Beschaffenheiten zum unmittelbaren Sprechhandeln. Diese Einengung auf unmittelbaren Nutzen durch direktes sprachliches Handeln vernachlässigt den Sprachbereich, der der sammelnden und strukturierenden Rezeption sowie der geistig-emotionalen Verarbeitung des Aufgenommenen zuzuordnen ist. Übersehen wird auch, daß Lehr- und Lernprozesse künstlicher Natur sind, daß dort eingeübtes fremdsprachliches Handeln ebenfalls nur Simulationscharakter haben kann. Weitgehende Identifikation mit Medientexten wird daher immer nur annähernd möglich sein und da nur auf der Stufe, auf der Informationstexte bei hoher Sprachkompetenz der Rezipienten eingesetzt werden können. Bereits bei Objekttexten steht der instrumentale Teilzweck einer unmittelbaren Interessendeckung entgegen. Auch durch den Einsatz möglichst authentischer und aktueller Texte ist die Schwelle, die durch die sekundäre Zielsetzung instrumentalen Lernens besteht, nicht abzubauen und in primäre Motivationen zu überführen.

Versuche, kommunikative Zielsetzungen und Interessenidentifikation mit einer entsprechenden Verfahrens- und Übungssystematik in den Fremdsprachenunterricht einzubringen, haben ergeben, daß der Lernende nur "... in den zwei wirklich möglichen echten Situationen des Sprachunterrichts, denen des *Reagierens auf eine Textsorte* und der *Interaktion im Diskussionszusammenhang*, seine erworbenen sprachlichen Fertigkeiten (d. h. spontan, stellungnehmend und begründend) anwenden ..." soll.[31] Die Erarbeitungs- und Übungssystematik erfolgt im Zuge dieses Modells im Dialog mit Objekttexten und zwar in vier Stufen. In der *ersten Stufe* werden das globale und formale Verständnis des Textes durch identifizierende, vergleichende und auffindende Übungstechniken eingeleitet.[32] Für die *zweite Stufe* gilt, daß der Lernende auf die Textsorten simultativ, reproduktiv und imitativ, insbesondere auf die in den Texten wirksamen Sprechintentionen reagiert.[33] Die *dritte Stufe* führt über in die produktive Handhabung von Redemitteln, die zur Vorbereitung von "study skills" im Hinblick auf zielgerichtete Interaktion in lernerbezogenen Gesprächssituationen dienen. Die wichtigsten Übungstechniken sind Informationsentnahme, Note Taking, und Informationsweitergabe, Note Making.[34] Die *vierte Stufe* ist dem Diskurs, der Interaktion im Gespräch über Texte vorbehalten, sozusagen der Kristallisationspunkt interaktioneller Lehr- und Lernprozesse im kommunikativen Fremdsprachenunterricht.[35]

Medientexte nehmen in der Vielfalt der fremdsprachlichen Curricula auch unterschiedliche Möglichkeiten ihrer Verwendung wahr. Sie können als *Basistexte* Leitfunktionen übernehmen und kurstragend eingesetzt werden. Andere Texte haben dann bei Wahrung des Leittextes lediglich Nebenaufgaben. Im *Medienverbund* kann der Medientext sowohl Leitfunktionen übernehmen als auch Teil neben anderen Textteilen sein. Dem Benutzer stehen in der Textgewichtung des Unterrichtsablaufs zwischen symmetrischer bis asymmetrischer Verwendung flexible Zuordnungen je nach Unterrichtszielen und -situationen zur Verfügung. Als *Zubringertexte* werden Medientexte bezeichnet, die illustrierend, erläuternd, erklärend und bereichernd Informationen zur Erarbeitung einer bestimmten inhaltlichen und formalen Thematik "dazuschießen".

Beim Einsatz von Medientexten werden gewöhnlich Objekttexte bevorzugt, unter ihnen Texte, die die Möglichkeit des instrumentalen Einstiegs entweder durch Analyse des authentischen Textes, oder durch vom Lehrenden angefertigte *vereinfachte Textgerüste* bieten. Mit dem didaktischen Textgerüst wird begonnen und von dort aus zum echten Text aufgeschlossen. Je nach Entscheidung der Lehrenden wird die Wahl zwischen *Ab-* oder *Aufbaumethode* getroffen. Dabei scheint die Aufbautechnik durch Einsparung der Analyseschritte zeitlich günstiger zu sein, die Ab- und Aufbautechnik hingegen darauf verweisen zu können, daß die einführende Darbietung des echten Textes authentischer und motivationsfördernder, zum anderen der Wiederaufbau zum Ganzen des Textes durch Verstärkung handlungsorientierter Mitarbeit der Lernenden wirkungsvoller sei. In die Entscheidung, welcher der beiden Techniken man den Vorzug geben sollte, spielt die Unsicherheit der Interpretation mit hinein, was bei Medientexten als authentisch und was als nicht-authentisch unter besonderer Berücksichtigung der Unterrichtspraxis zu gelten habe. Letztlich spitzt sich die Diskussion auf die Frage der Entscheidung zwischen *linguistischer* und *pragmatischer* Progression für fremdsprachliche Curricula zu.

Authentisch werden Texte allgemein dann bezeichnet, wenn sie keinen Lehr- und Lernzwecken durch didaktische Präparation und Strukturierung Vorschub leisten. Doch warum sollte ein Lehrbuchtext als solcher nicht Kriterien der Echtheit dadurch besitzen, daß er seine ihm zugedachten Aufgaben ohne Verschleierung "authentisch" darbietet. So wird ein Lehrbuchtext nicht nur als Instrument eingesetzt, im Gegenteil auch als Objekttext Auskunft über soziokulturelle Zusammenhänge des jeweiligen Landes geben können.[36] Bei ästhetisch-künstlerischen Texten ficht es niemand an, didaktisch unterlegte Texte z. B. den Lehrstücken von Brecht oder Voltaires 'Candide' authentische Informationen zuzubilligen. Der Widerstreit zwischen nichtdidaktisierten authentischen Texten, die ohne Zweifel sprachlich schwieriger sind, und ihrer unterrichtlichen Erschließung, die auf den Kenntnis- und Fertigkeitsstand der Lernenden Rücksicht nehmen muß, hat zu Zwischenlösungen geführt. So werden Aussagen und Interaktionsgespräche der Lernenden *über* authentische Texte auf der Diskursstufe mit Ton-Bild-Medien gespeichert (Video) und als authentische Objekttexte den Lernern zur instrumentalen Analyse und Korrektur wieder vorgegeben.[37]

Ein weiteres Wort ist zu den *Fertigkeiten* zu sagen, die zur Erschließung von Medientexten nötig sind. Lese- und Schreibfertigkeiten werden an Drucktexten wie auch an Bild-Ton-Texten auf den geschilderten vier Stufen entwickelt. Bei Tontexten steht das Hörverständnis im Vordergrund, bei Bild-Ton-Texten sowohl das Hör- als auch das Sehverständnis. Wenn auch vom Didaktischen her die *redundante* und *komplementäre* Zuordnung von Bild und Ton als Auswahlkriterien gefordert werden, ist es kein Geheimnis, daß die authentischen Bild-Ton-Texte der Rundfunk- und Fernsehanstalten in der Mehrzahl die *parallele* und *gegenläufige* Zuordnungsstruktur aufweisen. Es ist erstaunlich, daß Didaktiker Lippensynchronität als dem Verständnis des Gesagten durch Mimik und Gestik besonders förderlich ansehen, was bei Sprechhandlungen – z. B. einer ruft "herein", der andere tritt ein – noch einsichtig ist. Wie sieht es aber bei Monologen (Nachrichten, Reden, Statements) oder Dialogen (Gespräche, Diskussionen) aus, deren Inhalte keineswegs visualisiert werden! Zweifellos spielt bei der Erschließung dieser Textsorten und Textsituationen das *Hörverständnis* eine entscheidende Rolle. Andere Bild-Ton-Texte wiederum werden nur dann erschließbar sein, wenn der Rezipient die Fertigkeit der unmittelbaren Gewichtung abwechselnder *Hör- und Sehdominanz* zu meistern versteht.

Entgegen einseitiger medienkritischer Verurteilung manipulativer Zuordnungstechniken von Bild und Ton, wird von anderer Seite darauf verwiesen, daß Medientexte Spezifika aufweisen, die spezielle Rezeptionsverfahren erforderlich machen.[38] Es wird die Tatsache der wechselseitigen flexiblen Übernahme inhaltlicher Ereignis- und Kommentarebenen durch Ton und Bild angesprochen. So kann einmal das Bild das Hauptereignis wahrnehmen, ein andermal der Ton, während das Bild seinerseits nur illustrierende und kommentierende Aufgaben übernimmt. (Anlage 6) Im Gegensatz zu muttersprachlichen Rezipienten aber werden Fremdsprachenlerner immer auch Hörfertigkeiten in Anspruch nehmen müssen, selbst wenn der Ton "nur" illustrierende Aufgaben, das Bild hingegen die Hauptinformation zu tragen hat. Die informationserschließende Bedeutung des Hörverständnisses bekräftigt unter anderem die Feststellung, daß "Bilder mehr als tausend Worte sagen". Demnach haben Bilder zwar den Vorteil schneller, doch auch den Nachteil zu weiträumiger Informationen, so daß deutlichere Aussagen erst durch das vergitternde Wort erreicht werden können. Andererseits spricht gegen eine gleichmäßige Entnahme von Informationen bei Ton und Bild die Aussage der Wahrnehmungspsychologie, "daß man seine Aufmerksamkeit nicht gleichzeitig zwei Dingen zuwenden kann".[39] Allerdings ist dies im Hinblick auf, zugegeben, naive Erfahrungen im täglichen Umgang mit Medien nicht auszuschließen. Denn schließlich ist zur inhaltlichen Gewichtung von Ton und Bild die bewußte, gleichzeitige Beobachtung beider Systeme Ausgangsbedingung ihrer vom Rezipienten vorzunehmenden Selektion.

Hier ist nun der Punkt, an dem der Bogen des Textbegriffs wieder zu den Kriterien des *Unbestimmten* in künstlerisch-ästhetischen Textsorten zurückgeführt werden kann. In der Tat sind in künstlerischen Medientexten sowohl die spontanen als auch gesteuerten Selektionsanreize zwischen Ton- und Bildaussagen als konstitutive Unbestimmtheiten anzusehen. Das beklagte Auseinanderklaffen der Bild-Ton-Schere wäre dann Anlaß und Mittel zugleich, produktive Eigenleistungen der Seher und Hörer bei scheinbar "passiver" Rezeption durch Ausfüllung der Unbestimmtheiten in Gang zu setzen. In vielen Fällen trifft dies auch für Objekt- und Informationstexte zu, sicherlich dort am stärksten, wo außersprachliche Informatonen nicht in ausreichendem Umfang in die Texte aufgenommen werden könnn.

6. *Ausblick*

Medientexte sind Informationsträger, deren Spielraum von Künstlichkeit und Wirklichkeit eingegrenzt wird. Künstlichkeit als ästhetische Kategorie findet ein Pendant in der Künstlichkeit von Lehr- und Lernprozessen, Wirklichkeit eine Entsprechung in der eingeschränkten Wiedergabe dieser Wirklichkeit durch Medien. Medientexte sind einerseits Objekte der Rezeption, zum anderen Anlaß und Mittel produktiver Tätigkeiten. Als Einzelmedien sind sie gleichermaßen von Nutzen wie im mehrteiligen Verbund. Durch den technischen Fortschritt sind auditive und visuelle Darbietungsmöglichkeiten von erstaunlicher Weite und Aussagekraft geschaffen worden. Hinzu kommt die durch technische Verfahren multiplizierbare Speicherung und Distribuierung der in Medientexten transportierten Inhalte und Aussagen. Sie bringen Wirklichkeit und Künstlichkeit in Schule, Haus und Studierstuben. Die Weite und Intensität ihrer Informationswirkungen bürden ihnen Verantwortungen auf, die bei Produktion und Rezeption bedacht werden müssen. Im Unterricht werden didaktische Steuerungen unerläßlich sein. Im Fortschreiten der Kenntnisse und Fertigkeiten wird die Steuerung nach und nach einer wechselseitigen Erarbeitung der Medientexte zwischen Lehrenden und Lernenden Raum geben müssen.

Es ist davor zu warnen, Objekt- und Informationstexte didaktisch auszuschlachten. In manchen Curricula wird der Ruf nach Abschaffung des Lehrbuchs und dessen Ersatz durch authentische Medientexte laut. Das Ergebnis wäre, daß der "Blütenstaub" authentischer Medientexte in kurzer Zeit fortgeweht und dann nur wieder eine darunter liegende didaktische Eintönigkeit verbleiben würde. Die offene Nutzung des Lehrbuchs als Instrument und die komplementäre Verwendung authentischer Medientexte sind beide in eine den Lehrzielen wie auch den Interessen der Adressaten angemessene Relation zu setzen. Zu warnen ist auch vor einer Überschätzung handlungsorientierter Auswertung von Medientexten. Es darf nicht vergessen werden, daß Rezeption nicht passiv und geistige Arbeit dabei nicht entbehrlich zu sein brauchen.

Schließlich muß auf das Mißverständnis hingewiesen werden, daß Medientexte, auch die neuester technischer Perfektion, Wirklichkeiten in ihrem vollen Umfang wiedergeben könnten. Indes sind auch sie nur in der Lage, Ausschnitte, Verkürzungen, Interpretationen oder Beschwörungen dieser Wirklichkeit dazubieten. Manche sogar sind der Ansicht, daß es schließlich und endlich nur der Künstlichkeit ästhetischer Textsorten vorbehalten ist, echte Wirklichkeit in ihrer tieferen Bedeutung zu erfassen.

Anlage 1

Medientext im Kontrast zum literarischen Textbegriff

Zusammenspiel von Bild, Schrift und Bild
Bild tendiert zum Emotionalen, Evokativen
Wort tendiert zum Begrifflichen, Abstrahierenden

Verhältnis von Bild und Wort (verschiedene Möglichkeiten)
- Bild und Wort sagen das gleiche aus
- Bild ergänzt Wort – oder – Wort ergänzt Bild
- Bild und Wort sagen etwas Anderes oder Gegensätzliches aus
- Bild und Wort treten versetzt auf:
  Bild erscheint präverbal oder postverbal
  Wort erscheint präikonisch oder postikonisch
  Wechsel von Bild- und Wortdominanz

Produktionsbedingungen von Medientexten
- Teamwork im Gegensatz zur Einmannproduktion literarischer Texte
- Einfluß verschiedener Produktionsfaktoren auf Inhalt und Form des Endprodukts
- Einflußnahme technischer Medien

Anlage 2

Erlernung und Anwendung der Fremdsprache mit Medientexten

als

Instrument	*Objekt*	*Information(s)-träger*
der Erlernung	der Erlernung	bei der Anwendung
	Didaktisierung	
instrumental	objektbezogen	informationsbezogen
	Medien	
Abstraktionsmedien Transparent, Grafik, Pattern, Wandbilder, stehendes Bild		*Analogmedien* Film, Video, Tonband
	Progression	
linguistisch Systemlinguistik	*situativ* Situationslinguistik	*pragmatisch* Pragmalinguistik

Anlage 3

Auswahlkriterien für Medientexte im Fremdsprachenunterricht

Für den Anfängerunterricht

Linearer Abfolgecharakter, deutliche Handlungsbetontheit, möglichst simultane Wort-Bild-Entsprechung, Eignung des Programms zur Einteilung in kurze Abschnitte (Sequentierung, nicht über 3 Minuten), Transparenz der Inhalte, geringe Anforderungen an inhaltliches Vorwissen.

Für Fortgeschrittene

ebenfalls Abfolgecharakter und Handlungsbetontheit, bereits verschränkte Wort-Bild-Entsprechung und inhaltlich anspruchsvollere Thematik möglich.

Für Oberstufen

Wechsel von Bild- und Wortdominanz;
Themen, die umfangreicheres Vorwissen erfordern, möglich.

Bemerkung:

Auf den Fremdsprachenunterricht bezogene stufengemäße Medientexte sind mit bestimmten Programmbereichen der deutschen Fernsehanstalten nicht identisch.
Inhalt der Medientexte sollen u. a. *authentische,* wenn möglich auch *aktuelle* Informationen enthalten.
Medientexte sollen der *sozialen Identität,* der *sozialen Erfahrung* und der *sozialen Erwartung* der Lernenden entgegenkommen (Motivation).

Anlage 4

Rahmenbedingungen sprachlicher Kommunikation in Medientexten

I. *Thematischer Rahmen*
allgemeine Themen – spezielle Themen

II. *Situativer Rahmen*
Ort – Zeit – soziokultureller Hintergrund

III. *Kommunikativer Rahmen*
- Sprecherzahl
- Kommunikationsart (Monolog, Dialog, Chor)
- Rollenkonstellation (gleichberechtigt, bevorrechtigt, untergeordnet)
- Intentionen (z. B. fragen, berichten, behaupten, argumentieren, appellieren)
- Öffentlichkeitsgrad (öffentlich, halböffentlich, nicht öffentlich, privat)

IV. *Sprachlicher Rahmen*
- Register (Hochsprache, Standardsprache, Soziolekt, Dialekt, Ideolekt, Jargon)
- Redemittel (zur sprachlichen Verwirklichung der Intentionen)
- Grad der Vorbereitetheit (vorbereitet, unvorbereitet, spontan)
- Zeitaspekt (vorzeitig, gleichzeitig, nachzeitig darstellend)

V. *Parasprachlicher Rahmen*
- Gestik, Mimik, Körperbewegung
- Intonation, Tonhöhe, Druck, Tempo, Pausen

Anlage 5

	Mediale Informationsformen
Nachricht/Meldung	(Objektivität)
Kommentar	(sprechen über, aufklären, überzeugen, zu bedenken geben, begutachten, beurteilen u. ä.)
Reportage	(berichten als Augenzeuge)
Bericht	(berichten nach vollzogenem Ereignis)
Interview	(hart – weich, Zwischenformen, offen – geschlossen)
Live-Sendungen	(Direktübertragung, zeitlich nicht versetzt)
Dokumentarsendungen	(Bericht als Rückblick unter möglichster Wahrung der Authentizität)
Feature	(Mischung von Reportage, Interview, Bericht, Dialog, Kommentar, spektakuläres Ereignis als Aufhänger)
Magazin-Sendungen	(Sendeform mit festen Rahmenthemen, Kriterium der Periodizität, Kommentar- und Featurecharakter)
Fortsetzungssendungen	(Sendereihen mit festen Themen, Ablaufcharakter und Motivation durch Fortsetzung)
Literatur	(fiktive ästhetisch-künstlerische Inhalte, Formen, Appelle)

Anlage 6

"Es folgt ein ständiger Wechsel von Hauptfunktion (Abbildung des Ereignisses) ——— und Nebenfunktion (*Kommentar* des Ereignisses) ...., der sich schematisch als Mäander darstellen läßt:

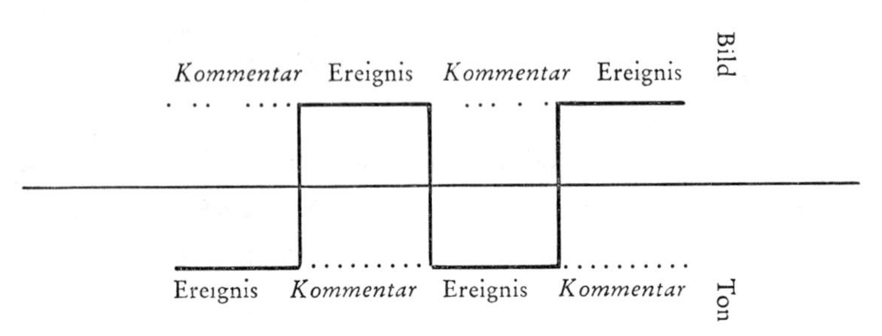

Die Schwierigkeit bei der Rezeption ist nun, daß sich für die Zuordnung der Funktionen keine formalen Kriterien anwenden lassen, sondern daß diese vom Inhaltlichen her vorgenommen werden muß. Es gilt also für den Zuschauer, in einem oszillatorischen Regelprozeß zwischen Bild und Ton jeweils den Hauptstrang zu orten und diesem in einem sinnvollen und sinnfälligen Ablauf zu folgen. Eine solche medienpädagogische Bemühung kann dahin zusammengefaßt werden, daß der Zuschauer Fern*sehen* auch *hören* lernen muß."

Chr. Doelker, Wirklichkeit in den Medien, Klett u. Balmer Verlag, Zug 1979, S. 57.

Anmerkungen

[1] E. Feldmann, in K. M. Setzen: Objektivität oder Manipulation? Soziale Faktoren der Fernsehinformation, Heidenheim 1971, S. 15 f.

[2] M. Naumann u. a., Probleme der literarischen Produktion von Vorgaben für die Rezeption, in: Gesellschaft, Literatur, Lesen; Aufbau-Verlag, Berlin u. Weimar 2/1975, S. 35–39, 45–47, 52–53, 79–81.

[3] K. Stocker, Textsorten, in: Taschenlexikon der Literatur- u. Sprachdidaktik, 2. Bd., ders. Hrsg., Kronberg, Frankfurt/M. 1976, S. 514.

[4] K. G. Bünting, D. C. Kochan, Linguistik u. Deutschunterricht, Kronberg/Taunus, 1973, S. 102.
P. Hartmann, Texte als linguistische Objekte, in: W. D. Stempel, Hrsg.: Beiträge zur Textlinguistik, München 1971, S. 10.

[5] J. L. Austin, Zur Theorie der Sprechakte, Reclam, Stuttgart 1972, S. 23–43 u. 72–85.
J. R. Searle, Sprechakte, Ein sprachphilosophischer Essay, Hrsg. J. Habermas u. a., Suhrkamp, Frankfurt/M. 1973, S. 38–83.

[6] J. Habermas, Vorbereitende Bemerkungen zu einer Theorie der kommunikativen Kompetenz, in: J. Habermas, N. Luhmann, Theorie der Gesellschaft oder Sozialtechnologie, Frankfurt/M. 1971.

[7] D. Hymes, Modelle für die Wechselwirkung zwischen Sprache und sozialer Situierung, in: D. C. Kochan, Hrsg., Sprache und kommunikative Kompetenz, Stuttgart 1973.

[8] K. Bühler, Die Axiomatik der Sprachwissenschaften, Frankfurt/M. 1969.
H. Belke, Literarische Gebrauchsformen, Düsseldorf 1973, S. 37 ff.

[9] C. Wienold, Aufgaben der Textsortenklassifikation und Möglichkeiten der experimentellen Überprüfung, in: E. Gülich, W. Raible, 1972, S. 144–160.

[10] P. Heimann, Zur Dynamik der Bild-Wort-Beziehung in den optischakustischen Massenmedien, in: R. Heiß, Chr. Caselmann, P. Heimann, A. O. Schorb, Bild und Begriff, München 1963, S. 71–113.

[11] H. Kreuzer, Zum Literaturbegriff der sechziger Jahre in der BRD, in: ders. Hrsg., Veränderungen des Literaturbegriffs, Göttingen 1975, S. 64 ff.

[12] H. Schanze, Medienkunde für Literaturwissenschaftler, München 1974, S. 38–44 und 51–74.

[13] W. Iser, Die Apellstruktur der Texte, in: R. Warning, Hrsg., Rezeptionsästhetik, W. Fink, UTB, München 1975, S. 240.

[14] ibid., Der Lesevorgang, a. a. O., S. 255.

[15] Chr. Doelker, Mediensprache – Sprache der Medien, in: Schweizerische Lehrerzeitung Nr. 24 vom 16. 6. 1977, S. 2.

[16] K. Stierle, Text als Handlung, W. Fink, München 1975, S. 49–55.

[17] B. Wember, Wie informiert das Fernsehen? List, München 1976, S. 9–71, Zusammenfassung S. 31.

[18] ibid., S. 40.

[19] Chr. Doelker, a. a. O., S. 4 u. 5.

[20] ibid., a. a. O., S. 5.

[21] A. Leist, Zur Intentionalität von Sprechhandlungen, in: D. Wunderlich, Linguistische Pragmatik, Frankfurt/M. 1972, S. 59–98.
K. Ehlich, J. Rehbein, Zur Konstitution pragmatischer Einheiten in einer Institution: Das Speiserestaurant, in: D. Wunderlich, a. a. O., S. 209–254.

[22] F. v. Cube, Ergänzende und korrigierende Funktionen des Lehrers beim Einsatz curricularer Medien, FEoLL, Paderborn, S. 2 ff.

[23] H. J. Enzensberger, Baukasten zu einer Theorie der Medien, in: Kursbuch 20/1970, S. 159–186.

[24] A. Schumann, Der Video-Film im Sprachunterricht, Authentische Dokumente gesprochener Sprache in der Sprachlehrerausbildung, in: lehrmittel aktuell, 1/76, S. 49.
H. Steger, Über Dokumentation und Analyse gesprochener Sprache, Zielsprache Deutsch, Heft 1, 1970, S. 51–63.

[25] Beitrag des Verfassers, gehalten auf dem Symposion der Gesellschaft für Semiotik, Regensburg 1978, Beitrag erscheint voraussichtlich im Verlag De Gruyter, 1980.

[26] H.-L. Bauer, Video: Einige Bemerkungen zum medien-spezifischen Ort und zur didaktischen Basis, Zielsprache Deutsch, 2/76, S. 12.

[27] ibid., a.a.O., S. 16, Anmerkung 6.

[28] U. Plenzdorf, Die neuen Leiden des jungen W., Suhrkamp 1977.
Der Film wurde 1976 vom ARD gesendet, Buch und Film sind eine Fundgrube für parallele und konträre Zuordnungstechniken.

[29] U. Grewer, T. K. Moston, Malcolm E. Sexton, Übungstypologie zum Lernziel kommunikative Kompetenz, in: Kommunikativer Englischunterricht, Hrsg. G. Neuner, Langenscheidt-Longman, München 1978, S. 69–162.

[30] H.-L. Bauer, Wege mit Video, 3 Jahre Experimentieren mit Video im Sprachunterricht, Zielsprache Deutsch, 1/79, S. 3.

[31] U. Grewer etc., a.a.O., S. 152.

[32] ibid., S. 72.

[33] ibid., S. 86 f.

[34] ibid., S. 114.

[35] ibid., S. 152.

[36] U. Engel u. a., Mannheimer Gutachten zu ausgewählten Lehrwerken 'Deutsch als Fremdsprache', Heidelberg 1977, S. 37–44, Themenplanung ("Deutschlandkunde").

[37] H.-L. Bauer, Wege mit Video . . ., a.a.O., S. 4.

[38] Chr. Doelker, Ergänzende Maßnahmen und Einrichtungen bei Informations- und Lernplätzen, erscheint in: Werkheftreihe des Goethe-Instituts, Informations- und Lernplätze in Mediotheken und Bibliotheken: Ein Weg zur Förderung der Informations- und Lernerautonomie, Hrsg. H. v. Faber, München1979.

[39] Chr. Doelker, a.a.O.

Fritz Hermanns

Das ominöse Referat. Forschungsprobleme und Lernschwierigkeiten bei einer deutschen Textsorte

Zur Einführung[1]

"Referate", "Hausarbeiten", "Semesterarbeiten", "Seminararbeiten" – – und wie sie sonst noch heißen mögen – sind für das geisteswissenschaftliche Studium in Deutschland, besonders im Bereich der Germanistik und speziell des Deutschen als Fremdsprache, von größter praktischer Wichtigkeit. In eklatantem Widerspruch dazu steht das geringe theoretische Interesse, das die Germanistik bisher für diese ihre eigene Textsorte bewiesen hat: man hat sie dem propädeutischen Unterricht überlassen, der sich im allgemeinen darauf beschränkt, ohne weitere Begründung eine Reihe von formalen Regeln den Studenten einfach nur einzuschärfen, statt diese Regeln aus den Traditionen und den Kommunikationsbedingungen der Geisteswissenschaften verständlich zu machen. Vor allem für ausländische Studenten der Germanistik, die im deutschen Sprachgebiet ein Studium oder Teilstudium absolvieren, wäre aber eine theoretische Besinnung auf diese Traditionen und Bedingungen nötig.

Das Referat, wie es im Seminarbetrieb gefordert wird, ist eine autorspezifische Textsorte; nur Studenten schreiben Referate. Was dagegen ein Dozent schreibt, heißt Abhandlung, Artikel, Aufsatz oder Forschungsbericht, auch wenn es sich in Form und Inhalt von einem studentischen Referat nicht unterscheiden sollte. Ein Referat, das veröffentlicht wird – wie es bisweilen geschieht – gilt dann nicht mehr als Referat, sondern ist eine wissenschaftliche Abhandlung geworden. Das Referat ist eine Übungsform, und man hält es deshalb für einfacher als eine echte wissenschaftliche Abhandlung.

Im Folgenden möchte ich zeigen, daß dies so nicht stimmt und daß das Referat in einem ganz bestimmten Sinn gerade das Schwierigere ist, indem es nämlich, als Übungsform der Abhandlung, alle Regeln der wissenschaftlichen Abhandlung als gültig voraussetzt, außerdem aber – und das ist die zusätzliche Schwierigkeit – eine bestimmte Kommunikationssituation, die für die wissenschaftliche Abhandlung jeweils immer schon real gegeben ist, erst fingieren muß. Die Textsorte Referat kann man nur verstehen, wenn man die Textsorte Wissenschaftliche Abhandlung versteht, die ihr Modell ist. Deswegen muß im akademischen Unterricht die methodische Lektüre und Interpretation wissenschaftlicher Abhandlungen dem Referateschreiben der Studenten vorausgehen. Ehe man lernen kann, Abhandlungen zu schreiben, muß man Abhandlungen lesen, was auch gelernt sein will und gelehrt werden sollte. Was gelehrt werden soll, muß allerdings bekannt sein, und das heißt für eine Wissenschaft: erforscht sein.

Das Ziel des folgenden Beitrags ist es nicht etwa, die Forschungslücke der Germanistik in Sachen Referat und Abhandlung schon zu schließen. Es geht mir nur darum, auf diese Lücke aufmerksam zu machen durch den Hinweis, daß Referat und Abhandlung wegen ihrer eminenten praktischen Bedeutung für die Germanistik einer solchen Erforschung bedürfen, und durch den Nachweis, daß es sich bei Referat und Abhandlung um höchst komplizierte und interessante Textformen handelt, deren Analyse wegen der Probleme, die sie aufwerfen, für eine Textwissenschaft als Aufgabe lohnend ist.

1. Das pedantische Referat

Ein ausländischer Student hat beim Erlernen der Technik des Referateschreibens doppelte Schwierigkeiten zu überwinden, erstens die beträchtlichen Schwierigkeiten eines jeden Studienanfängers, zweitens aber die zusätzlichen Schwierigkeiten, die daraus entspringen, daß für ihn nicht nur die deutsche Universität, sondern auch das Umfeld der deutschen Universität – wozu insbesondere die deutsche Schule mit ihren Traditionen zu rechnen wäre – etwas Fremdes ist und daß er überhaupt mit dem Leben in einem deutschsprachigen Land erst vertraut werden muß. Dazu kommt, daß sich die Fremdheit nicht einfach nur auf intellektueller Ebene als Wissensdefizit bemerkbar macht, das durch bloßes Aneignen von Informationen aufzufüllen wäre, sondern nicht selten als Schock erlebt wird, der die ganze Person in ihrem Selbst- und Weltverständnis trifft[2]. Die aus der Fremdheit sich ergebende Verunsicherung ist mehr oder minder stark, aber immer vorhanden, und auch der studienbegleitende Deutschunterricht muß mit ihr rechnen, besonders bei denjenigen Studenten, die wegen guter Deutschkenntnisse nach ihrer Ankunft sofort mit dem Fachstudium beginnen können und die also zu diesem Zeitpunkt zugleich mit einer fremden Wissenschaft, einer fremden Universität und einem fremden Land konfrontiert sind.

Beim Referateschreiben verschärft sich diese Konfrontation. Denn nicht nur stellt sich das Referat – nach unseren Erfahrungen – aus der Perspektive des ausländischen Studenten oft dar als eine besonders exotische und auch besonders befremdliche Blüte der deutschen Geisteswissenschaft. Viel wichtiger ist noch, daß es dem ausländischen Kommilitonen hier nicht erlaubt wird, in der Rolle des – distanzierten – Beobachters zu bleiben. Das Referat wird ihm vielmehr als seine eigene Leistung abverlangt, so daß er sich mit dem Referat, indem er es schreibt, identifizieren muß; gelingt ihm das nicht, wird aus dem anfänglichen Erlebnis der Befremdung das Erlebnis einer Entfremdung.

Man kann andererseits ohne Übertreibung sagen, daß das Gelingen der Identifikation mit der Rolle des Referateschreibers – nicht bloß die "Beherrschung" der "Form" des Referats – für das sinnvolle Studium in den Kulturwissenschaften eine Voraussetzung ist. Im Referateschreiben kulminiert gewissermaßen das Studentsein, besonders des Germanisten, sofern er nicht nur Lernender, sondern, dem überlieferten Ideal der deutschen Universität entsprechend, auch schon ein beginnender Forscher ist, eben weil die Ergebnisse eigener Untersuchungen und Forschungen eines Studenten nur in der Referatform Gestalt gewinnen können. Soweit das überlieferte Ideal noch lebendig ist, ist deshalb das Gelingen der Identifikation des Studenten mit der Rolle des Referateschreibers wohl noch wichtiger als das Gelingen seiner Identifikation mit der Rolle des aktiven Diskussionsteilnehmers im Seminar. Ein Student ist als Student produktiv (statt bloß rezeptiv) nur, indem er entweder spricht, d. h. in der Regel: diskutiert, oder indem er schreibt, d. h. in der Regel: Referate schreibt. Ohne seine Identifikation mit der Rolle des Referateschreibers ist deshalb auch seine Identifikation mit der Rolle des Studenten kaum möglich.

Insofern ist es für unsere pädagogischen Absichten fatal, daß beim Referateschreiben oft die beiden Besonderheiten zusammentreffen, daß das Referat, das als spezifisch deutsche Form angesehen wird, als besonders pedantisch gilt, und daß die Pedanterie als etwas besonders Deutsches gilt. Die exzessive Hochschätzung von Ordnung, Sauberkeit und Fleiß gehört ja – mehr zu recht als zu unrecht – zum Image des Deutschen. Es liegt daher für einen ausländischen Studenten – je nach Herkunftsland verschieden – nahe, die Besonderheiten des deutschen Referats aus den Besonderheiten eines vermuteten deutschen Nationalcharakters, und nicht aus den besonderen Bedingungen der wissenschaftlichen Kommunikation, zu erklären. Selbst bei positiver Bewertung von 'deutscher' Ordnung, Sauberkeit und Fleiß – die es ja auch gibt – können wir mit einer solchen Erklärung nicht recht zufrieden sein. Bringt aber ein Student eine negative Bewertung der – wie ihm dann scheint – übertriebenen deutschen Ordentlichkeit mit, dann kann die Gleichung "Referat = pedantisch = deutsch" für seine Studienmotivation schlimme Folgen haben. Die Forderung, ein Referat nach deutschen Regeln zu schreiben, kann wie das Ansinnen empfunden werden, die eigene Identität – die eigenen Werte – zu verraten und quasi ein Deutscher zu werden, dies besonders dann, wenn ein Student in seiner Identität sowieso schon, durch erlebten Kulturschock, verunsichert ist. Deutschland, das lange als Land der Innerlichkeit gilt oder galt, gilt auch als Land der Ordnung. "Zeit und Raum sind in Deutschland vom Wert *strikter Ordnung* durchdrungen. Dieses Ideal zieht sich quer durch die deutschen Wohnungen und Häuser, die Geschäfte, die Regierung, die Freizeit, die Schule. Die Hausfrau will ihr Heim und ihre Kinder *in Ordnung* halten; der Arbeitsplatz in der Fabrik hat *in Ordnung* zu sein. Die Klasse des Lehrers, die ganze Lebensführung des Menschen hat *in Ordnung* zu sein. Das Konzept der *Ordnung* ist sowohl Teil des stereotypen Bilds, das Ausländer von Deutschland haben, als auch Teil ihres Erstaunens über die Deutschen. Diese Erzwingung der Ordnung von Zeit und Raum ist eine der größten Leistungen der deutschen Gesellschaft. Sie hat sowohl die BRD wie die DDR zu führenden Industrienationen gemacht, aber gleichzeitig der deutschen Psyche und Persönlichkeit eine ungeheure Starre aufgezwungen."[3] Die Starre, von der hier die Rede ist, wird, wie wir wissen, von vielen Ausländern und auch von manchen Deutschen, die einmal im Ausland gelebt haben, sehr stark empfunden. Andererseits trifft es auch zu, daß in der deutschen Germanistik, und zwar ausgerechnet bei der Selbstdarstellung dieser Wissenschaft in der "Lehre", auf das Formale ein ungemein großer Wert gelegt wird. Gerade bei der Beurteilung von Referaten wird auf die Form in manchmal übertriebener Weise geachtet. Falsches Zitieren soll bei Kollegen schon Reaktionen ausgelöst haben, die in ihrer Heftigkeit eines größeren Anlasses würdig gewesen wären. Böse Zungen schreiben uns Germanisten geradezu die Überzeugung zu, eine Arbeit ohne Anmerkungen könne gar nicht wissenschaftlich sein, weil ihr gerade das wesentliche Merkmal der Wissenschaftlichkeit fehle. Für ausländische Studenten ist es auch nicht immer verständlich, daß bei uns auf die Vermeidung von Tippfehlern – die als Tippfehler klar zu erkennen sind und die Lesbarkeit eines Textes kaum stören – ernstlich Wert gelegt wird. Für solche Studenten sind die kardinalen Tugenden des deutschen Referateschreibens die bürgerlichen Tugenden der Ordnung, der Sauberkeit und des Fleißes. Das "Wesen" des sauber, ordentlich und fleißig geschriebenen Referates, das etwas typisch Deutsches ist, ist dann für sie die Pedanterie. Je nach dem kulturellen Hintergrund (Herkunftsland) der Studenten müssen wir mit einer solchen Einschätzung als wahrscheinlich rechnen.

Ja, wir müssen uns eine solche Einschätzung sogar in gewissem Maß zu eigen machen, wenn wir das Referat realistisch, in Relation zu den akademischen Übungs- und Ausdrucksformen anderer Länder, sehen wollen. Während etwa beim englischen essay-writing der erhellende, brillante Gedanke und die brillante, geistreiche Formulierung besonders geschätzt werden, betont besonders die deutsche Germanistik die formale Korrektheit: Bangens Bändchen in der Metzler-Reihe trägt nicht umsonst den Titel: "Die schriftliche *Form* germanistischer Arbeiten". Die bekannte Monographie von Standop heißt: "Die *Form* der wissenschaftlichen Arbeit". Immer geht es um die Form – ein Büchlein über den Geist des Referats hat meines Wissens niemand verfaßt.

"Es ist eine Selbstverständlichkeit, daß Tippfehler auskorrigiert werden", "Unverzichtbar ist das Inhaltsverzeichnis" – so lesen sich Regeln in Referatschreibbüchern wie dem – empfehlenswerten – Buch von Faulstich/Ludwig[4]. Aber wieso ist das eine selbstverständlich, das andere unabdingbar? Es fehlt in den Referatschreibbüchern allgemein an Begründungen für die formalen Forderungen, die besonders für ausländische Studenten nötig wären. Mit einer pauschalen Erklärung für die Formalia insgesamt wie der von Faulstich/Ludwig kann ein Student sich kaum zufrieden geben, so gut und richtig sie ist: "Alle wissenschaftlichen Arbeiten müssen bestimmten formalen Anforderungen genügen, deren Sinn darin besteht, die Arbeit durch eine standardisierte Form übersichtlich und damit gut lesbar zu machen ..."[4a] Jede Standardisierung rechtfertigt sich mit der Behauptung, daß sie die Dinge einfacher mache. Für die Betroffenen der jeweiligen bürokratischen Regelung sind aber die vielen Vorschriften, wie man es machen müsse, ebensoviele Klippen, an denen sie scheitern können ("Für den rechten Rand genügen 2 cm"[5]). Der Student, dem keine Erklärungen gegeben werden, muß sie sich selber suchen, und oft genug wird ein ausländischer Student sie in der vermeintlichen Pedanterie seiner Dozenten finden und seine Erfahrungen mit dem Referateschreiben in der Universität als Fortsetzung seiner Erfahrungen im Umgang mit deutschen Behörden, wie der Ausländerpolizei, erleben: Wissenschaft in Deutschland als Fortsetzung der Bürokratie mit anderen Mitteln.

2. Zur Fiktionalität des Referats

"Referate" im allgemeinen Sprachgebrauch werden "gehalten" (nicht primär: geschrieben), um eine bestimmte Zuhörerschaft mit einem bestimmten, mehr oder minder bekannten Informationsstand über ein spezielles Thema noch weiter zu informieren. Solche Referate kommen im Seminarbetrieb der Institute oft nicht mehr zustande. Die "Referate", "Seminararbeiten" usw., die in den Studienordnungen vorgesehen sind, sind etwas anderes, nämlich schriftliche Arbeiten, die denn auch die Besonderheiten geschriebener Texte an sich haben und zum mündlichen Vortrag im allgemeinen nicht geeignet sind. (Eben dies war der Grund, warum bei uns in der Diskussion der sechziger und frühen siebziger Jahre die Abschaffung des im Seminar vorgelesenen Referats gefordert wurde[6]). Das schriftliche Referat, das beim Dozenten abgeliefert wird, dient nicht mehr primär der Information von Zuhörern – anderen Studenten – über einen Gegenstand. Der Student, der ein Referat verfaßt, kann das nicht mehr in dem Bewußtsein tun, daß von der Qualität seiner Arbeit für seine Kommilitionen der Erfolg einer Seminarstunde abhängt. Statt vieler Zuhörer hat das schriftliche Referat des schulmäßigen Seminarbetriebs oft nurmehr einen Leser, den Dozenten. Mit dem intendierten Textempfänger – Dozent statt Studenten – wird aber auch der Zweck des Textes – hier: des Referates – umgewandelt. Wenn ein Dozent der destinierte Leser ist, dann kann die Intention des Autors, der Student ist, im allgemeinen realistischerweise gar nicht mehr sein, den Leser über ein Thema zu informieren, denn der Leser hat dafür fast immer einen zu großen Wissensvorsprung. Statt aus dem Referat etwas über sein Thema lernen zu wollen, liest dieser Leser das Referat vor allem zu dem Zweck, den Studenten und seine Leistung zu beurteilen: statt über sein Thema (Sachdarstellung) sagt der Student folglich dem Dozenten in erster Linie etwas über sich selber (Selbstdarstellung). Diese Verlagerung des Akzents von der – mit Bühler zu reden – Darstellungsfunktion (Sachdarstellung) auf die Symptomfunktion der Rede bzw. des Textes (Selbstdarstellung) ist charakteristisch für alle Formen verschulter Kommunikation in Schule und Hochschule. Es ist allerdings zu betonen, daß zu jeder Rede, wie überhaupt zu jeder Lebensäußerung, ein Element der Selbstdarstellung notwendig gehört, das je nach Situation und Redezweck stärker oder schwächer ausgeprägt ist. Es gibt auch viele Formen der Rede, in denen die Expressivität – der "Ausdruck" bei Bühler – und damit die Darstellung eines Selbst in einem Text vor einer Sachdarstellung oder einer intendierten Wirkung auf Zuhörer vorrangig ist. Die Besonderheit der schulmäßigen Kommunikationsübung besteht aber auch nicht allein im Überwiegen einer Selbstdarstellung über eine Sachdarstellung, sondern darin, daß hier eine Sachdarstellung in den Dienst einer Selbstdarstellung genommen wird, so daß es den Beteiligten bei der Sachdarstellung letztlich oder in überwiegendem Maß um die Selbstdarstellung geht. Betrachten wir zur Erläuterung für einen Moment die Situation in der Schule. Die Fragen des Lehrers sind hier oft keine echten Fragen – die einem wirklichen Informationsdefizit des Fragenden abhelfen sollen – sondern Scheinfragen, deren Zweck es ist, die Kenntnisse des Befragten zu überprüfen (Prüfungssituation) oder auch den Unterricht durch Aktivierung der Schüler lebendiger zu machen ("sokratische Methode"). Entsprechend sind auch die Antworten der Schüler dann keine echten Antworten eines Auskunftgebenden, sondern vor allem Formen der Selbstdarstellung, d. h. des eigenen Wissens oder der eigenen Intelligenz, die bewertet werden sollen. Ebenso ist der Schulaufsatz über ein Sachthema eine Kommunikationsübung, bei der die Sachdarstellung (einer Thematik) wiederum verstärkt im Dienst einer Selbstdarstellung (des Schülers) steht – der Schüler "zeigt, was er kann". Texturheber und Textempfänger, d. h. Schüler und Lehrer, fingieren hier gemeinsam eine Kommunikationssituation, in der ein solcher Aufsatz erst seinen primären Sinn hätte und in der, wie beim Frage-Antwort-Spiel, die Rollen umgekehrt verteilt sind wie in der Realität: Der Schüler muß als Verfasser eines Aufsatzes die Rolle des Belehrenden einnehmen, der seinem Leser gegenüber einen Informations- oder Reflexionsvorsprung hat – denn anders als unter Annahme eines solchen Vorsprungs sind Schreiben und Lesen von Sachtexten wohl nicht sinnvoll – der Lehrer hingegen versetzt sich bei der Lektüre des Aufsatzes in die Rolle eines fiktiven Lesers mit wesentlich reduziertem Kenntnisstand, für den der Schüleraufsatz als genuine Lektüre (statt als Pflichtlektüre) vielleicht interessant sein könnte.[7]

Eine ähnliche Fiktionalität der Kommunikation wie beim Schulaufsatz – mit ähnlichen Problemen – gilt für das Referat im Seminarbetrieb. Denn auch hier findet, indem der Student zum Verfasser eines belehrenden Textes wird, vorübergehend ein Rollentausch zwischen Lehrendem und Lernendem statt. Dieser Rollentausch kann real sein, wie manchmal im Hauptseminar oder Doktorandenkolloquium, ist aber im Proseminar, genau wie in der Schule, in aller Regel nur fiktiv, da der Lehrende, der sich für eine gewisse Zeit in die Rolle des zu Belehrenden begibt, realiter doch die Person mit dem überlegenen Sachwissen und mit der Notenkompetenz bleibt: die Situation, in der scheinbar der Student den Dozenten belehrt, ist in Wirklichkeit eine Situation, in der der Dozent den Studenten prüft. Zudem fällt der Dozent als zu Belehrender oft genug aus seiner Rolle, indem er „eingreift" und korrigiert und damit den kurzfristigen Rollentausch rückgängig macht, wobei die wahren Rollen- und Machtverhältnisse deutlich werden. Der Student vollzieht in dieser Situation eine Sachdarstellung notwendigerweise vor allem mit der Hoffnung, sich selbst in ein günstiges Licht zu rücken, oder auch in der ängstlichen Sorge, "etwas falsch zu machen" und dann schlecht beurteilt zu werden, und umgekehrt liest der Dozent die Darstellung vor allem zu dem Zweck, zu einer "gerechten Note" zu kommen, und nicht, wie sonst, um etwas für sich selber daraus zu lernen. Die Tatsache, daß Referate benotet werden, ist nichts dem Referat nur Äußerliches und es in seinem Wesen gar nicht Berührendes, sondern: Die Prüfungs- und Übungsfunktionen mit den daraus sich ergebenden Fiktionen sind für das Referat des schulmäßigen Seminarbetriebs konstitutiv.

So sind viele Besonderheiten des Referats nur verständlich, wenn man das Referat als eine Übungsform begreift, die als solche immer eine Reihe von Fiktionen voraussetzt. Insbesondere die hohen Anforderungen an formale Korrektheit erklären sich aus der Vorstellung, das Referat müsse gewissermaßen druckreif sein: Ein Referat muß so sein, *als ob* es veröffentlicht werden sollte. Dies gilt auch für den großen Wert, der auf die Form und die Vollständigkeit von Literaturangaben gelegt wird. Die dafür aufgewendete Sorgfalt wäre dem realen Leser des Referats, dem Dozenten, gegenüber meist ganz unnötig, denn der Student kann im Proseminar in der Regel davon ausgehen, daß der Dozent die einschlägige Literatur kennt, und im übrigen sind in der Situation des Seminars mündliche Rückfragen, wenn sie nötig werden, immer möglich. Die Zitationsregeln, die auch für das Referat gelten, sind nur aus den Bedingungen der schriftlichen Kommunikation, etwa in Form von Zeitschriftenaufsätzen, zu erklären. Entsprechendes gilt für die Art des Argumentierens im Text des Referates selber. Dem realen Leser, dem Dozenten, würden sicher oft die wenigen Andeutungen genügen, auf die sich ein Student – fehlerhafterweise – in seinem Referat zum Beleg einer These nicht selten beschränkt. Das gründliche Ausführen eines Gedankens, das sorgfältige Begründen, das Anführen von Beispielen und scheinbaren Gegenbeispielen, die Widerlegungen von Gegenargumenten, die breite Darstellung von Hintergrundmaterial – all dies, was vom Studenten gefordert wird, ist für den Dozenten, als den realen Leser eines Referats, manchmal nur langweilig, weil redundant. Ein hohes Maß an Redundanz ist aber gerade nötig, damit jener andere, weniger informierte – fiktive – Leser verstehen kann, an dessen Stelle der Dozent sich in der Übungssituation des Seminarbetriebs setzt.

Insofern erscheint nun auch der Vorwurf der Pedanterie in einem neuen Licht. Weil das für die Zwecke der realen Kommunikation zwischen Studenten und Dozenten nötige Maß an Genauigkeit und Ausführlichkeit im Referat überschritten wird, ist der Vorwurf der Pedanterie dann scheinbar berechtigt, wenn man das Referat des Seminarbetriebs als eine echte Kommunikationsform mißversteht und über das Moment der Fiktionalität, das ihm wie jeder Übungsform eigen ist, hinwegsieht. Erst wenn das Referat des Seminarbetriebs als Übungsform erklärt ist, erklären sich auch seine Besonderheiten – aus den Bedingungen nämlich jener anderen, realeren Kommunikation, zu der es die Übungsform ist. Es ist deshalb wichtig, im Unterricht die Fiktionalität, d. h. den Übungscharakter des Referats erkennbar zu machen. Wenn klargestellt ist, daß es sich beim Referat ohnehin nur um eine Übungsform und also, wenn man so will, um eine Spielform handelt, verliert auch die Identifikationsproblematik einiges von ihrer Schärfe, von der oben die Rede war, so daß es dem Studenten möglich wird, die Rolle des Referateschreibers zuerst einmal in einer gewissen Rollendistanz zu übernehmen. Dies wäre auch bei der Vorbereitung ausländischer Studenten auf ein Studium im deutschen Sprachgebiet zu bedenken. Es bleibt aber das Problem, daß der Autor des Referats sowohl einen bestimmten Leser als auch einen bestimmten Kommunikationszweck jeweils fingieren muß, wobei er noch auf die Erwartungen seines Dozenten Rücksicht zu nehmen hat.[8] Dessen Beurteilung ist aber wiederum nur in jener fiktiven Kommunikationssituation begründet, von der er, der Dozent, seine eigene Vorstellung hat, die der Student erahnen muß, wenn sie ihm nicht explizit beschrieben wird. Der Student, der ein Referat schreibt, hat es insofern schwerer als ein fertiger Germanist, der, wenn er eine Abhandlung schreibt, den Diskussionsstand ("Stand der Forschung") genau kennt, für den seine Abhandlung als Diskussionsbeitrag berechnet ist. Es versteht sich, daß eine echte, d. h. von Experten ernstzunehmende Abhandlung in vieler Hinsicht mehr verlangt, als ein Student leisten kann, und also, wenn man so will, das "Schwerere" ist. Aber der fertige Forscher schreibt nicht, wie der Student, gewissermaßen ins Leere hinein. Er kennt die Adressaten –

seine Kollegen – mit denen er es zu tun hat, er kennt ihre Meinungen und Argumente. Insofern ist er besser dran als ein Student.

3. Zur kommunikativen Situation der Abhandlung

Zum Verständnis von Referat und Abhandlung ist die Überlegung wichtig, wie extrem die kommunikative Situation ist, in die hinein eine wissenschaftliche Abhandlung – z. B. in der Germanistik – geschrieben wird, und wie enorm deshalb die Verständigungsprobleme sind, mit denen eine solche Abhandlung fertigwerden muß. Die textsortenspezifischen Besonderheiten der wissenschaftlichen Abhandlung, die sich im Lauf der Zeit herausgebildet haben, sind zu verstehen als Versuch einer Lösung dieser Probleme.

Dabei hat natürlich die Kommunikation durch Abhandlungen (Aufsätze, Bücher) mit anderen Formen der schriftlichen Kommunikation, besonders im Medium des Drucks, gewisse Züge gemein. So gehört zu den Bedingungen der schriftlichen Kommunikation fast immer, daß die Kommunikationspartner örtlich und zeitlich getrennt sind. Es vergeht deshalb immer etwas Zeit, bis sie auf eine Äußerung eine Antwort erhalten. Sie können außerdem i. a. nicht auf eine ihnen gemeinsame, per Anschauung unmittelbar gegebene Kommunikationssituation mit sprachlichen oder außersprachlichen Mitteln Bezug nehmen. Wir haben es also bei geschriebener Sprache fast immer mit "displaced speech"[9] zu tun, wovon die wissenschaftliche Sprache mit der für sie charakteristischen Situationsunabhängigkeit[10] nur eine spezielle Variante ist.

Dazu kommt, daß die wissenschaftliche Kommunikation mittels Abhandlungen von einer – verglichen mit der Kommunikation im Alltagsgespräch – ganz ungeheuerlichen Langsamkeit ist. Es dauert oft Jahre, manchmal Jahrzehnte, bis auf einen Diskussionsbeitrag eine Antwort erfolgt. Ähnliche kommunikative Verzögerungen sind uns allerdings aus anderen Gesellschaftsbereichen auch bekannt. Man weiß z. B., daß sich im Bereich der Rechtspflege die Reaktionen von Schriftsatz zu Schriftsatz oft nur in großen Intervallen ereignen und daß im Bereich der Verwaltung der "Dienstweg" oft nicht nur lang ist, sondern auch langsam durchmessen wird. Diese Parallelen sind nicht ganz uninteressant, weil wir bei all solcher verlangsamter Kommunikation mit bestimmten gemeinsamen Problemen zu rechnen haben, auf die durch ähnliche kommunikative Hilfsmittel geantwortet wird. So ist es bei einer zeitlich verzögerten Reaktion wahrscheinlich, daß Diskussionsbeiträge mit einer Gedächtnisauffrischung beginnen. Wie bei einem Fortsetzungsroman wird zunächst einmal gesagt, "was bisher geschah". In der wissenschaftlichen Abhandlung hat der Abschnitt "Zum Stand der Forschung" die Funktion, das bisher Gesagte, wie und soweit der Verfasser es für relevant hält, in Erinnerung zu rufen. Für die Gerichtsbarkeit wie für die Administration ist es auch ebenso wie für die Wissenschaft charakteristisch, daß die Kommunikationsteilnehmer sich Akten anlegen, in denen das jeweils bisher Kommunizierte festgehalten ist, damit man sich darauf berufen kann. Die Existenz von Akten mit den zugehörigen Registern und Karteien ist übrigens ein Hinweis auf eine wohl tiefere Verwandtschaft von Wissenschaft und Bürokratie, die über die Ähnlichkeit einiger Kommunikationssituationen und -probleme noch hinausgeht. Jedenfalls läßt sie aber den oben geschilderten Eindruck, Wissenschaft sei etwas Bürokratisches, noch einmal verständlicher erscheinen. Da es in der wissenschaftlichen Kommunikation keinen Dienstweg und keine Vorschriften über die Art der Diskussionsteilnehmer gibt, ist jede Abhandlung – im Unterschied etwa auch zu einem wissenschaftlichen Gutachten – "an alle" gerichtet, wenn auch der Autor beim Schreiben bestimmte Leser im Auge hat. Es sollen alle, d. h. alle Fachkundigen, und insbesondere auch neu hinzugekommene Gesprächsteilnehmer, verstehen können. Umso wichtiger ist es, daß der Autor einer Abhandlung, sei es durch seine Bemerkungen zum Forschungsstand oder auf andere Weise, die Kommunikationssituation angibt, in der sich sein Beitrag situieren soll. Dabei verhält es sich aber nicht einfach so, als ob diese Kommunikationssituation jeweils schon gewissermaßen objektiv gegeben wäre und als ob der Autor sie einfach nur darstellen könnte. Vielmehr wird die Kommunikationssituation vom Autor, indem sie von ihm beschrieben wird, in einem gewissen Sinn erst konstituiert, nämlich u. U. neu konstituiert, wobei es Teil seiner kommunikativen Aufgabe ist, seine Sicht der kommunikativen Situation, in die hinein er seinen Diskussionsbeitrag abgibt, seinen Lesern als sinnvoll erscheinen zu lassen. Jede wissenschaftliche Abhandlung muß – implizit oder explizit – auf den Diskussionskontext verweisen, in dem sie angesiedelt ist, aber dieses Verweisen hat den Charakter eines *Setzens*. Der Diskussionsbeitrag, der die wissenschaftliche Abhandlung ist, schafft also in einem bestimmten Sinn erst seinen Bezugsrahmen; der Text definiert selbst seinen Kontext. Der Autor auch einer Abhandlung reagiert nicht nur auf Vorgegebenes, sondern entscheidet – nicht willkürlich, aber frei – auf welches Vorgegebene er sich beziehen will. Deswegen braucht aber auch der Leser einer Abhandlung unbedingt Hinweise darauf, was als kommunikative Situation (Kontext) der Abhandlung vorauszusetzen ist, damit sie verständlich wird.

Man sieht also, daß die häufige Evokation der Forschungssituation in wissenschaftlichen Abhandlungen nicht einfach nur rituellen Charakter hat oder einem antiquarischen Spleen mancher Autoren entspringt. Sie erklärt sich zum Teil aus den extremen Bedingungen der wissenschaftlichen Kommunikation, wo die Diskussionsbeiträge in großen Abständen und in unterschiedlichen Medien (verschiedenen Zeitschriften, Büchern) erfolgen. Dies gilt auch für den textsortentheoretisch besonders auffälligen wissenschaftlichen "Apparat" von Zitaten, Anmerkungen, Literaturverweisen, Literaturverzeichnis, der für eine wissenschaftliche Abhandlung charakteristisch ist. Dieser "Apparat" ist auf eine extreme Kommunikationssituation eine extreme Antwort. Ein Literaturverzeichnis hat so für einen neu in ein Gebiet sich einlesenden Studenten die Funktion, ihm Literatur zur Weiterarbeit zu nennen. Für den Experten aber bezeichnet es in übersichtlicher Weise den kommunikativen Horizont, vor dem eine Abhandlung zu sehen ist. Entsprechend dienen Anmerkungen mit spezifischen Verweisen nicht nur der Dokumentation (Belegfunktion) oder der Angabe der Herkunft eines Gedankens (Urheberschutzfunktion) oder der Ehrerbietung vor einem Großen des Fachs (Reverenzfunktion), sondern sehr wesentlich ist auch ihnen die Kennzeichnung des Bezugsrahmens, in dem sich die Argumentation bewegt. Zur Klärung der Kommunikationssituation trägt es ferner bei, wenn sich der Autor auf geeignete Weise als Angehöriger einer bestimmten Gruppe zu erkennen gibt. Insofern haben selbst stilistische Marotten mancher "Schulen" – wie etwa der Frankfurter – einen kommunikativen Sinn, weil sie, indem sie die Zuordnung des Autors zu einer Gruppe erleichtern (Symptomfunktion), zugleich auch das inhaltliche Verständnis eines Textes unterstützen (Darstellungsfunktion). Dies gilt für den Stil im engeren Sinn (Lexik, Grammatik), aber auch für den Aufbaustil und die Vorliebe für bestimmte Argumentationsschemata.

Es ist klar, daß für einen Studienanfänger – dies gilt für Deutsche wie für Ausländer – die Kommunikationssituation besonders schwer zu erkennen ist, in der ein wissenschaftlicher Beitrag erst seinen Sinn hat. Selbst explizite Selbstsituierungsversuche wissenschaftlicher Abhandlungen sparen oft ihren allgemeineren geistesgeschichtlichen Fragehorizont aus der Darstellung aus oder deuten ihn nur an, was für den Fachmann genug ist, nicht aber für den Studenten. Die Kommunikation der Wissenschaft ist nicht weniger "esoterisch" als manchmal die der Dichtung, weil immer auf einen relativ kleinen Kreis hochspezialisierter Kommunikationsteilnehmer zugeschnitten. Anfänger müssen sich in das Gespräch bzw. die Gespräche der Wissenschaft erst einhören, bis sie die wichtigsten Gesprächsteilnehmer, Themen und Positionen kennen. Für eine germanistische Didaktik, besonders im Bereich Deutsch als Fremdsprache, stellt sich die Frage, wie man ihnen dieses Sich-Einhören erleichtern kann, damit sie möglichst bald auch, als Gesprächsteilnehmer, mitreden können.

4. Forschung als Desiderat

Aus der kommunikativen Kompliziertheit sowohl des Referats in seiner Fiktionalität als auch schon der wissenschaftlichen Abhandlung als der Urform des Referats – ohne deren Verständnis auch die formalen Besonderheiten des Referats nicht zu verstehen sind – ergibt sich eine praktische Folgerung. Eine Unterweisung im Referateschreiben kann für einen Studenten erst sinnvoll sein, wenn er zuvor gelernt hat, wissenschaftliche Abhandlungen zu *lesen*. Diese Fähigkeit muß er fürs Referateschreiben ohnehin erwerben, denn es sind ja wissenschaftliche Abhandlungen, aus denen im Referat referiert wird. Wir brauchen deshalb die mit vollem Recht geforderte Legetik und einen legetischen Unterricht nicht nur in Bezug auf die Primärliteratur,[11] sondern auch in Bezug auf die Sekundärliteratur (wissenschaftliche Literatur), die in ihren Formen und Inhalten, nach ihren Kommunikationsbedingungen und ihren geistes- und wissenschaftsgeschichtlichen Hintergründen nicht weniger interpretationsbedürftig ist als die Literatur, von der sie handelt. Dies setzt allerdings eine Selbsterforschung der Wissenschaft voraus, wozu z. B. die Wissenschaftsgeschichte gehört.

Zu den Forschungen, die eine Wissenschaftspropädeutik theoretisch zu fundieren hätten, gehören aber auch Untersuchungen der Texte und Textsorten, die die Germanistik für ihre wissenschaftsinterne Kommunikation verwendet. Solche Untersuchungen gibt es offenbar bisher, im Gegensatz zu wissenschaftsgeschichtlichen Untersuchungen, noch kaum. Bangen, Standop und Faulstich/Ludwig können auf wissenschaftliche Literatur zu ihrem Thema nicht verweisen. Die Lehre vom Schreiben von Referaten und Abhandlungen ist sozusagen noch in ihrem präskriptiven Stadium; die deskriptive – wissenschaftliche – Phase steht noch aus. Dabei wäre es für die Germanistik nicht nur aus

Gründen der Lehre – wenn man so trennen will – sondern auch um der Forschung selbst willen zu wünschen, daß sie, als Textwissenschaft, auch die Textarten untersucht, in denen sich ihre eigene wissenschaftliche Kommunikation vollzieht. Das vorherrschende Methodenbewußtsein der Germanistik scheint derzeit zu sein, daß die Methoden, die eine Wissenschaft benutzt und deren sie sich kritisch bewußt sein muß, nur die Methoden der Erkenntnis*findung*, nicht aber die Methoden der Erkenntnisvermittlung sein müßten. Ein solches Bewußtsein setzt die Annahme voraus, es sei die Erkenntnis im wesentlichen unabhängig von der Weise ihrer Darstellung. Es ist, als ob die sonst behauptete "Einheit" von Form und Inhalt nicht gelten sollte, wenn es um Texte der Literaturwissenschaft und nicht mehr nur der Literatur geht. Die Falschheit dieses Bewußtseins ist evident, sobald es formuliert wird. Die Germanistik muß sich, um ihrer Wissenschaftlichkeit willen, mit ihren eigenen Kommunikationsformen beschäftigen.

Dazu bringt sie auch, als eine Textwissenschaft und Kommunikationswissenschaft, die Voraussetzungen mit. Ich habe im vorigen Abschnitt zu zeigen versucht, daß schon eine einfache Reflexion auf die Bedingungen der wissenschaftlichen Kommunikation die besondere *Form* dieser Kommunikation erklären helfen kann. Das *Wesen* der wissenschaftlichen Abhandlung – ihr "Geist" – ist die Argumentation. Die Argumentationstheorie, deren Entwicklung und Aneignung durch die Germanistik noch im Gange ist,[12] könnte das Instrument sein, mit dessen Hilfe sich weitergehende Erkenntnisse über die Textsorten der Germanistik gewinnen lassen.

Anmerkungen

[1] Der folgende Beitrag ist hervorgegangen aus einem Aufsatz ("Für und wider Referatschreibunterricht"), der im Jahrbuch Deutsch als Fremdsprache (5, 1979) erschienen und – ebenso wie die hier vorliegende Version – auf Anregung von dessen Herausgeber entstanden ist.

[2] Zum Thema Kulturschock vgl. etwa Göhring (1975).

[3] Weatherford 1978, 84 f. [4] 1978, 64. [4a] ebd. [5] ebd.

[6] Vgl. etwa Sader et al. 1970, 81 ("Weg mit der Referatverlesestunde").

[7] Es liegt auf der Hand, daß diese Rollenvertauschung psychologisch nicht problemlos ist, so daß die Ursache für das "Versagen" vieler Schüler in den Hemmungen liegen könnte, die gerade ein "schlechter" Schüler hat, dem von ihm gefürchteten Lehrer gegenüber die Rolle des Belehrenden einzunehmen.

[8] Es gehört zu Grundeinsichten der Kommunikationswissenschaft, daß jede Kommunikation ein gewisses Maß an Redundanz erfordert, das jedoch empfängerspezifisch ist: was für den einen redundant ist, kann für einen anderen echte (neue) Information sein. Deshalb kann es auch keine vom intendierten Leser unabhängige, einfach nur "der Sache" angemessene Darstellung geben. Ein guter Rat ist vielleicht, so zu tun, als wäre der Adressat des studentischen Referats gleichfalls ein Student mit etwa gleichem allgemeinem Kenntnisstand, der nur über das spezielle Thema des Referats nicht so viel gelesen und nachgedacht hat wie der Autor. Dieses Verhältnis von Autor und Leser entspricht ziemlich genau – nur auf anderem Niveau – dem Verhältnis, wie es in der wirklichen wissenschaftlichen Literatur bestehen sollte.

[9] Bloomfield 1933, 30. [10] Kamlah/Lorenzen 1967, 32. [11] Wierlacher 1979.

[12] Vgl. etwa Öhlschläger 1979.

Literaturverzeichnis

Bangen, Georg: Die schriftliche Form germanistischer Arbeiten. Stuttgart 1962 (Smlg. Metzler 13).

Bloomfield, Leonard: Language. New York 1933.

Faulstich, Werner/Ludwig, Hans-Werner: Arbeitstechniken für Studenten der Literaturwissenschaft. Tübingen 1978.

Göhring, Heinz: Kontrastive Kulturanalyse und Deutsch als Fremdsprache. In: Jahrbuch Deutsch als Fremdsprache 1, 1975, 80–92.

Kamlah, Wilhelm/Lorenzen, Paul: Logische Propädeutik. Mannheim 1967.

Öhlschläger, Günther: Linguistische Überlegungen zu einer Theorie der Argumentation. Tübingen 1979 (Linguistische Arbeiten 63).

Sader, Manfred, et al.: Kleine Fibel zum Hochschulunterricht. München 1970.

Standop, Ewald: Die Form der wissenschaftlichen Arbeit. 6. Aufl. Heidelberg 1975 (UTB 272).

Weatherford, Jack McIver: Deutsche Kultur, amerikanisch betrachtet. In: Tintenfisch 15, 1978, 82–94.

Wierlacher, Alois: Warum lehren wir das Lesen nicht? In: Jahrbuch Deutsch als Fremdsprache 5, 1979, 211–215.

Drucknachweise

Harald Weinrich: Forschungsaufgaben des Faches Deutsch als Fremdsprache. Unter dem Titel: "Deutsch als Fremdsprache" in: Jahrbuch Deutsch als Fremdsprache 5, 1979, S. 1–13.

Hermann Bausinger: Zur Problematik des Kulturbegriffs. In: Jahrbuch Deutsch als Fremdsprache 1, 1975, S. 7–16.

Horst Steinmetz: Textverarbeitung und Interpretation. In: Jahrbuch Deutsch als Fremdsprache 3, 1977, S. 81–93.

Franz Hebel: Literatur als Institution und als Prozeß. In: Jahrbuch Deutsch als Fremdsprache 3, 1977, S. 94–115.

Siegfried J. Schmidt: Was ist bei der Selektion landeskundlichen Wissens zu berücksichtigen? In: Jahrbuch Deutsch als Fremdsprache 3, 1977, S. 25–32.

Dietrich Krusche: Brecht und das NO-Spiel. In: Jahrbuch Deutsch als Fremdsprache 2, 1976, S. 78–90.

Gerald Stieg: Dialektische Vermittlung. Unter dem Titel: "Das Prinzip der Doppelinterpretation" in: Jahrbuch Deutsch als Fremdsprache 3, 1977, S. 209–216.

Theodore Ziolkowski: Zur Unentbehrlichkeit einer vergleichenden Literaturwissenschaft für das Studium der deutschen Literatur (erweiterte Fassung). In: Jahrbuch Deutsch als Fremdsprache 3, 1977, S. 137–149.

Alle anderen Aufsätze sind Originalbeiträge.

Namenregister

Berücksichtigt sind alle Personen, die mit dem Thema in einem direkten Zusammenhang stehen, zitiert, behandelt oder als Beispiel für eine bestimmte Sehweise genannt werden. In entsprechender Auswahl sind im Sachregister die Begriffe aufgenommen worden.

Sachregister

Bereits erschienen: Uni-Taschenbücher 912

Alois Wierlacher, Hrsg.

Fremdsprache Deutsch

Grundlagen und Verfahren der Germanistik als Fremdsprachenphilologie

Band 1

Götz Großklaus/Alois Wierlacher
Zur kulturpolitischen Situierung fremdsprachlicher Germanistik, insbesondere in Entwicklungsländern

Diether Breitenbach
Zur Theorie der Auslandsausbildung.
Methodische Probleme und theoretische Konzepte der "Austauschforschung"

Alois Wierlacher
Deutsche Literatur als fremdkulturelle Literatur.
Zu Gegenstand, Textauswahl und Fragestellung einer Literaturwissenschaft des Faches Deutsch als Fremdsprache

Willy Michel
Medienwissenschaft und Fremdsprachenphilologie

Siegfried J. Schmidt
Text und Kommunikat.
Zum Textbegriff einer Literaturwissenschaft des Faches Deutsch als Fremdsprache

Horst Steinmetz
Textverarbeitung und Interpretation

Dietrich Harth
Rezeption und ästhetische Erfahrung.
"Literarische Kommunikation" im Forschungsprogramm der Literaturwissenschaft

Franz Hebel
Literatur als Institution und als Prozeß

Robert Picht
Landeskunde und Textwissenschaft

Siegfried J. Schmidt
Was ist bei der Selektion landeskundlichen Wissens zu berücksichtigen?

Erwin Theodor Rosenthal
Rahmenbedingungen einer fremdsprachlichen Germanistik.
Ein Situationsbild am Beispiel Brasiliens